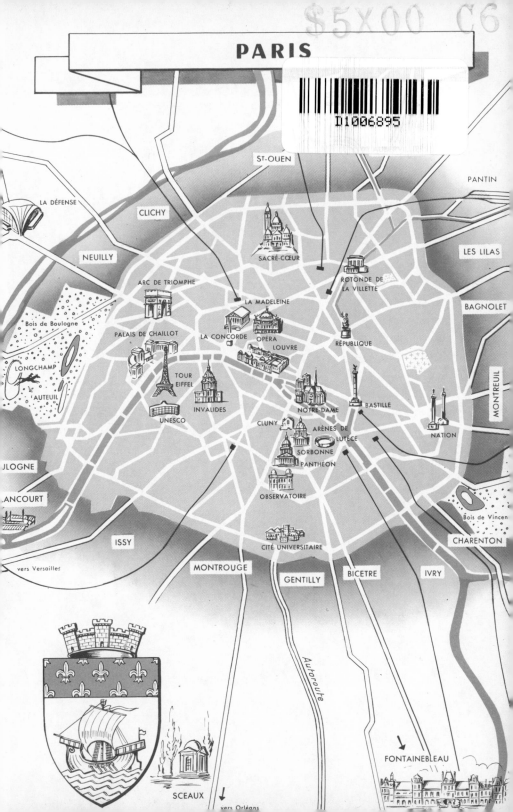

— IV —
CULTURE
ET CIVILISATION
FRANÇAISES

Ce livre appartient à la collection générale

" DE LA LANGUE A LA CIVILISATION FRANÇAISE "

● Cette collection, dirigée par **MM. Yves Brunsvick, Pierre Fourré** et **Paul Ginestier,** est conçue à partir des plus récentes études scientifiques sur le vocabulaire et la syntaxe.

● Elle s'adresse à tous ceux dont le français n'est pas la langue maternelle.

● Elle les conduira graduellement à une connaissance approfondie du français parlé et écrit, classique et moderne.

● Elle comprend des dictionnaires, des livres de lecture et des œuvres de grands auteurs expliquées et commentées en **français fondamental.**

Paul GINESTIER

Docteur de l'Université de Paris
Maître de conférences à l'Université
de Hull (G.-B.)

André MAILLET

Licencié en philosophie
Lauréat de l'Académie française
Inspecteur de l'Enseignement
du 1er degré

CULTURE
ET
CIVILISATION
FRANÇAISES

Conseiller pédagogique :

Andrée ALVERNHE

Représentante permanente de l'Université Tulane en France,
Professeur au Cours de Civilisation française de la Sorbonne,
et chargée de cours à Sweet Briar (États-Unis).

CHILTON COMPANY - BOOK DIVISION

Publishers

Philadelphia –*New-York*

739

PRÉFACE

Sous le titre « Culture et civilisation françaises », MM. Ginestier et Maillet nous proposent cent trente textes choisis à l'intention de ceux qui désirent compléter leurs connaissances de la langue française.

Les auteurs ont réussi à nous donner, avec ce livre, un instrument pédagogique moderne adapté aux nécessités d'un enseignement actif et vivant. Ils ont été inspirés par les résultats des plus récentes études entreprises dans le domaine de l'enseignement du français aux étrangers. Cet ouvrage est aussi un large tableau de la civilisation française où se reflètent les différentes tendances de la pensée d'hier et d'aujourd'hui.

« Culture et civilisation françaises », où les belles-lettres, la philosophie, la science, l'art, le journalisme, les scènes de la vie quotidienne ont leur place, est d'abord un outil destiné au travail de la langue. La présentation méthodique en permet un maniement aisé et systématique ; la part réservée à la conversation y est particulièrement importante, de multiples questions facilitent l'explication et le commentaire des textes. Enfin, les formes grammaticales sont étudiées dans le seul souci d'aider au contrôle et à la vérification de l'acquis antérieur.

Tout ceci constitue un important appareil pédagogique — s'inspirant d'un excellent livre scolaire couronné par l'Académie française, Entrons dans la vie, de MM. Maillet et Morel — qui réussit à mettre à la portée de l'étudiant étranger la technique de l'explication des textes, si familière aux Français.

« Culture et civilisation françaises » est aussi le dernier volume d'une méthode d'enseignement. A ce titre, il convient de le considérer comme un ouvrage de culture qui porte témoignage que notre langue continue toujours à servir de véhicule aux formes les plus diverses et les plus opposées de la pensée contemporaine.

Certes, la langue française n'est pas la seule à contenir en elle certains des principaux humanismes du passé et du présent ; mais ce qui la distingue des autres grandes langues de culture, c'est qu'elle s'est constamment trouvée, au cours des siècles, au cœur du mouvement culturel de l'Occident. Or, tout permet de penser qu'elle demeurera le commun dénominateur des formes de pensée entre nations du vieux monde et jeunes peuples des États neufs. Instrument de communication qui ignore les obstacles géographiques, les barrières politiques, la langue française aura, au cours des prochaines décennies, l'honneur de transmettre au monde les messages culturels et les aspirations des dizaines de millions d'hommes qui parlent français, en Asie, en Afrique et en Amérique comme en Europe.

De ce fait, tout homme pourra donc, dans les années à venir, par l'intermédiaire de la langue française, prendre contact avec les formes essentielles de la culture ; l'ambition des auteurs de « Culture et civilisation » s'inscrit aussi dans cette perspective.

La longue expérience de Mme A. Alverne dans l'enseignement du français aux étudiants étrangers a apporté au pédagogue averti qu'est M. Maillet, au professeur de français d'une grande université britannique qu'est M. Ginestier, les conseils qui leur ont permis de publier dans notre collection un livre qui plaira à tous ceux qui considèrent qu'apprendre une langue vivante, c'est d'abord se cultiver.

Yves BRUNSVICK,
Secrétaire général de la Commission française
pour l'Éducation, la Science et la Culture
(U. N. E. S. C. O.)

© librairie Marcel DIDIER. **1962**
Printed in France

TABLE DES MATIÈRES

L'ordre d'étude des textes peut varier selon les nécessités locales. Nous avons indiqué comme suit le niveau relatif des extraits cités : textes faciles *, textes de difficulté moyenne **, textes difficiles ***.

Les titres suivis de l'indication (T) correspondent aux extraits qui se prêtent le mieux aux exercices de traduction dans la langue maternelle des étudiants.

III. L'APPEL DE L'AVENTURE

IV. IMAGES DU MONDE

2

DEUXIÈME PARTIE

I. A LA RECHERCHE DE LA VÉRITÉ

II. A TRAVERS LA LÉGENDE ET L'HISTOIRE

III. CRITIQUE ET LITTÉRATURE

IV. PANORAMA DE LA LITTÉRATURE FRANÇAISE

A. — Du XVIe siècle à 1789.

B. — De la Révolution à nos jours.

PLANCHES EN COULEURS

Paris : L'U.N.E.S.C.O.

CIVILISATION ET CULTURES

C'est un fait qu'actuellement tous les peuples dépendent étroitement les uns des autres. Ils sont bien loin, cependant, d'être engagés dans une unité véritable. Interdépendants sans être unis, liés par leurs corps, dissociés dans leurs aspirations. C'est une situation bien inconfortable et qui n'est pas sans dangers. Il était facile de coexister en s'ignorant. Il l'est moins de vivre ensemble lorsque chacun prétend agir à sa guise. [...] Je suis frappé de voir que, parmi les valeurs auxquelles les différents peuples sont attachés, il en est de deux sortes fort différentes : il y a, d'une part, des valeurs universelles, qui exigent de tous ceux qui les reconnaissent des comportements identiques ; de l'autre des valeurs personnelles qui, par essence, impliquent la diversité. Le nom de civilisation me paraît convenir aux premières, celui de culture aux secondes. [...]

J'ai dit et écrit, en diverses circonstances, que la culture était le sens de l'humain. C'est la même chose que d'y voir l'ensemble des valeurs esthétiques — arts et lettres réunis, bien entendu. L'art nous montre le double aspect de la condition humaine, avec, d'une part, ses limitations, sa situation à un moment du temps et en un point de l'espace, son incarnation, ses faiblesses ; avec, d'autre part, ses aspirations et ses exigences. Tout homme est semblable au peintre : il doit traduire la pureté de son existence dans l'impureté de la matière. Avec des terres et des boues, créer de la lumière et de la grandeur. Avec les petites passions des hommes, susciter de l'héroïsme... Homme-artiste, qui doit aussi élargir, élever son existence et, en quelque sorte, aller au-delà de soi-même.

Cette diversité inhérente à l'idée même de culture est bien attestée par l'histoire. La culture n'est jamais monolithique. Aux périodes où elle est particulièrement brillante, on ne rencontre jamais la reproduction monotone ni l'utilisation des procédés, qui caractérisent au contraire les époques de décadence. On y voit se multiplier les initiatives originales.

Il y a une culture italienne du Quattrocento parce qu'il y avait alors autant d'écoles que de villes et autant d'inspirations que de grands peintres. Il y a une culture romane parce que les sculptures fouillées de Poitiers et d'Angoulême sont différentes de la simplicité auvergnate, de la puissance de Worms ou de Spire, du dépouillement de Tournus. Bien plus, chaque petite église, chaque tympan, chaque chapiteau a quelque chose à nous dire que lui seul peut nous apporter.

Les valeurs universelles se communiquent par identité. L'évidence géométrique est la même pour tous ceux qui y accèdent. Une machine engendre d'autres machines par l'intermédiaire du « bleu » qui en fixe les formes. Les œuvres de la culture ne se dédoublent pas, mais elles subissent des influences — comme des personnes.

Autre différence à signaler : les valeurs universelles sont polémiques. La vérité est en lutte avec l'erreur, comme la justice avec l'injustice. Aucun compromis n'est possible entre celles-ci et celles-là. Le savant impose ses démonstrations à notre intelligence comme le moraliste ses règles à nos volontés. L'artiste se borne à proposer sa création. Avant Pasteur, qui devait étendre la preuve, Redi avait réfuté Van Helmont qui croyait à la génération spontanée. Cézanne n'a pas réfuté Rembrandt. Chaque tableau est unique, il n'en est pas moins universel à sa manière puiqu'il s'offre à tous les hommes. Mais, surtout, il est compatible avec tous les autres. Les valeurs personnelles sont iréniques. Est-il besoin de souligner l'importance que peut avoir, aujourd'hui, cette propriété?

Si nous disons — j'en ai fait l'expérience — aux élites d'un pays en voie de développement, que nous voudrions construire un monde où règne l'unité de la civilisation, mais où serait respectée l'originalité de chaque culture, nous éveillons un écho profond. Nos interlocuteurs sont tout prêts à accepter les moyens que nous leur offrons, parce qu'ils comprennent que leur dignité est respectée et qu'ils peuvent accepter un dialogue dans lequel ils auront quelque chose à dire.

Gaston BERGER.

Prospective, Nᵒ 3 — Avril 1959.

La prospective : mot inventé par G. Berger sur le modèle du mot perspective pour définir une attitude de pensée qui s'oriente de façon délibérée vers les problèmes que pose l'avenir de la civilisation et de la culture.

LA VIE ET LE SENS DES MOTS

A. LES MOTS

Attester : être témoin, porter témoignage. Une attestation est un document prouvant la vérité d'un fait.

Monolithique : d'un seul bloc, sans nuance et sans variété.

Un bleu : mot technique pour plan et dessin industriel, car ceux-ci sont reproduits en blanc sur un papier photographique spécial qui est bleu.

Polémique : adjectif formé sur le nom *une polémique,* — qui provoque des polémiques, c'est-à-dire des discussions et des contestations, voire des querelles idéologiques par écrit.

Irénique : adjectif peu usité, le contraire de polémique; qualifie les idées et les questions sur lesquelles s'établit la paix par consentement général.

Travail personnel. — **Expliquez à l'aide du dictionnaire :**

La décadence — *le tympan* — *le chapiteau.*

B. LES EXPRESSIONS

Par essence : dans leur partie la plus profonde et la plus caractéristique. Lorsque les alchimistes du Moyen Age distillaient un liquide, ils recueillaient des « essences » de plus en plus pures, la plus subtile étant la dernière, la cinquième ou *quintessence.*

Avec des terres et des boues : Les couleurs employées par le peintre sont d'origine minérale, mais il en fait une œuvre vivante, une œuvre d'art; de même, dans la Bible, Dieu créa l'homme avec du limon, c'est-à-dire les terres et les boues accumulées sur les rivages des cours d'eau.

Travail personnel. Expliquez :

Valeurs esthétiques — *susciter de l'héroïsme* — *un écho profond.*

Exercices de conversation :

1. Pourquoi était-il facile de « coexister en s'ignorant »?

2. Connaissez-vous d'autres exemples du « double aspect de la condition humaine »?

3. Diriez-vous que notre époque est « une époque de décadence » au sens où le philosophe emploie cette expression? Justifiez votre réponse.

4. Donnez des exemples de ces « valeurs universelles » qui ont engendré des polémiques et même des guerres.

5. Cherchez dans le texte toutes les phrases par lesquelles l'auteur défend la thèse qu'il n'y a qu'une seule civilisation et un grand nombre de cultures.

Montrez comment chacune de ces phrases exprime des nuances variées de cette pensée fondamentale.

UTILISEZ LE TEXTE

LE VOCABULAIRE ACTIF

Les synonymes. — En français, deux mots n'ont jamais exactement le même sens, car, lorsque cela arrive à la suite de l'évolution de la langue, l'Académie française élimine l'un des deux mots. On appelle synonymes des mots de sens voisins. Ainsi, les synonymes de *identique* sont *semblable, ressemblant, analogue, équivalent, similaire* et *conforme.* Vous essaierez d'expliquer les nuances de sens entre ces mots et de montrer pourquoi l'auteur a choisi *identique.*

COMPOSITION ET STYLE

1. Cet article a été écrit par un grand humaniste français dans un double but :

a) Éclaircir les sens de deux mots que l'on emploie trop souvent d'une manière vague et imprécise.

b) Donner aux peuples de l'Occident, par ces définitions, une conception plus juste de leur situation à l'égard des autres cultures. Il est bon de rappeler aux lecteurs de l'*âge atomique* que la supériorité des réalisations dans le domaine technique et mécanique ne confère pas

9

nécessairement de supériorité culturelle. En passant, le philosophe prévient les pays industrialisés des dangers de la « reproduction monotone » et de « l'utilisation des procédés ».

2. L'argumentation se développe en un style simple, commençant par des définitions « claires et distinctes », comme le demandait **Descartes** (voir p. 245). Quelles sont ces définitions?

L'auteur s'appuie sur des exemples habilement choisis :

a) **Dans le domaine de l'art — l'art roman**, dont la période la plus splendide en France fut le XIIᵉ siècle, se caractérisa par la voûte en demi-cercle (appelée en plein cintre) et par une sculpture purement décorative, traduisant souvent des merveilles d'imagination fantastique. L'exemple est révélateur car, sur ce fond commun, l'architecture romane est extrêmement variée et sa valeur tend à être éclipsée par les splendeurs ultérieures du gothique.

Rembrandt (1606-1669) et **Cézanne** (1839-1906). Ces deux grands peintres sont très bien choisis car tous deux sont des maîtres de la forme et de la couleur. Leur analogie rend plus nette l'idée que l'on ne saurait dire que le Français marque un « progrès » sur son prédécesseur hollandais. En art, l'idée de progrès est inapplicable parce que l'art appartient aux cultures.

b) **Dans le domaine de la science — la génération spontanée.**

Francesco Redi (1626-1698), premier médecin du Grand-Duc de Florence avait, à la suite d'une polémique avec le belge **Van Helmont** (1618-1699), fait des expériences pour prouver que les vers (les plus petits organismes connus à l'époque) ne naissaient pas spontanément sur la viande. Ainsi, **Redi** fut le premier des savants qui combattit la théorie de la génération spontanée, théorie que la célèbre expérience de **Pasteur** (voir plus loin, page 251) allait anéantir.

Comparez les dates de naissance et de mort des deux grands peintres à celles de Redi et de Pasteur et dites pourquoi ces exemples sont bien choisis.

CONSEILS POUR LA LECTURE

Ce texte important doit être lu posément et avec netteté, en détachant bien les diverses phases de l'argumentation.

Il faut éviter le ton pédant pour employer celui de la sympathie, car l'auteur s'adresse à des lecteurs éclairés, qui aspirent à mieux comprendre, à partager son idéal.

GRAMMAIRE

Le sujet grammatical et le sujet réel.

Dans les expressions impersonnelles où le sujet grammatical du verbe est le pronom *il*, il n'existe parfois pas d'autre sujet, comme dans *il pleut*, *il neige*, etc. Mais souvent le sujet réel du verbe à la forme impersonnelle est un nom, ou un pronom, ou un infinitif ou même une proposition : *Il y a une culture italienne du Quattrocento... il :* sujet impersonnel; *culture italienne du Quattrocento :* sujet réel.

Cela signifie : *Une culture italienne du Quattrocento est, existe...*

Il en est de deux sortes... dans cette proposition, le pronom *il* est le sujet grammatical et c'est le pronom *en*, remplaçant le nom *valeur*, qui est le sujet réel du verbe être. Cela signifie : *Ces valeurs sont de deux sortes.*

Il était facile de coexister... dans cette proposition, *il* est le sujet grammatical et l'infinitif *coexister* est le sujet réel : *coexister était facile.*

GASTON BERGER (1898-1960)

Grand penseur français qui se consacra tant à des tâches humanistes qu'à des études purement philosophiques.

Après avoir joué un rôle important dans la vie économique de la France comme chef d'entreprise, il décida de se vouer à l'enseignement et devint bientôt professeur à l'Université d'Aix-en-Provence, assurant aussi de nombreuses missions d'enseignement dans les universités étrangères.

Il fut appelé, en 1952, au poste de Directeur de l'Enseignement supérieur et entreprit d'en moderniser profondément les structures. A la mort de l'ethnologue Paul Rivet, il fut élu président de la Commission française pour l'éducation, la science et la culture (U. N. E. S. C. O.).

Principales œuvres : *Le cogito dans la pensée de Husserl — Caractère et Personnalité — Phénoménologie du temps.* En outre, il assurait la direction d'une publication monumentale, l'*Encyclopédie française*, et celle de la revue *Prospective*.

I. IMAGES DE FRANCE

La France c'est une étoile!
La France est une personne,
Le Rayon hexagonal
D'une étoile qui raisonne.

Paul CLAUDEL.

Photo Giraudon.

Potager. Arbres en fleurs, par Pissarro.

André Gide en 1914.

UN CERTAIN BONHEUR

Je commençai doucement :
— Comment va votre femme?
Richard aussitôt continua :
— Ursule? Ah! la pauvre amie!
Ce sont ses yeux à présent qui sont
fatigués — par sa faute. Vous racon-
terai-je, cher ami, ce que je n'au-
rais dit à personne? — Mais je
connais votre discrète amitié. —
Voici l'histoire tout entière.

« Édouard, mon beau-frère, avait
un grand besoin d'argent; il fallait
en trouver. Ursule savait tout, car Jeanne sa belle-sœur était venue la
trouver le même jour. Donc mes tiroirs restaient à peu près vides et,
pour payer la cuisinière, il fallait priver Albert de ses leçons de violon.
J'en étais désolé, car ce sont les seules distractions de sa longue convalescence. Je ne sais comment, la cuisinière eut vent de la chose; cette
pauvre fille nous est très attachée; vous la connaissez bien, c'est
Louise. Elle vint nous trouver en pleurant, disant qu'elle se priverait
de manger plutôt que de peiner Albert. Il n'y avait qu'à accepter, pour
ne pas froisser cette brave fille; mais je pris la résolution de me relever
deux heures chaque nuit, lorsque ma femme me croit endormi, et de
ramasser, à l'aide de quelques traductions d'articles anglais que je
sais où placer, l'argent dont nous privions la bonne Louise.

« La première nuit tout alla bien; Ursule dormait profondément.
La seconde nuit, à peine étais-je installé, qui vois-je arriver?... Ursule!
— Elle avait eu la même idée : pour payer Louise, elle préparait de
petits écrans, qu'elle sait où placer; vous savez qu'elle possède un
certain talent pour l'aquarelle... des choses charmantes, mon ami...
Nous étions tous deux très émus; nous nous sommes embrassés en pleurant. J'ai vainement tâché de la persuader de se coucher, — elle qui est
si vite fatiguée pourtant — elle n'a jamais voulu; elle m'a supplié,

comme une preuve de l'amitié la plus grande, de la laisser travailler près de moi; j'ai dû consentir; mais elle se fatigue. Nous faisons ainsi tous les soirs. Cela nous fait des veillées un peu longues — seulement nous avons trouvé inutile de nous coucher d'abord, puisque nous ne nous cachions plus l'un de l'autre.

— Mais c'est excessivement touchant ce que vous me racontez là, m'écriai-je, et je murmurai : Cher Richard! Croyez que je comprends très bien vos tristesses; vous êtes vraiment bien malheureux.

— Non, mon ami, me dit-il, je ne suis pas malheureux. Peu de choses me sont accordées, mais j'ai fait mon bonheur de peu de choses; croyez-vous que je vous aie raconté, pour vous apitoyer, mon histoire? — Autour de soi l'amour et l'estime, le travail près d'Ursule le soir... Je ne changerais pas ces joies...

André GIDE,

Paludes. — Gallimard, éditeur.

——————— COMPRENEZ BIEN LE TEXTE ———————

LE SENS ET LA VIE DES MOTS

LES MOTS ET LES EXPRESSIONS

Convalescence : dans ce mot, il y a le radical *valeur*. La convalescence est la période qui suit la maladie et pendant laquelle on recouvre sa valeur, ses forces, sa santé, on redevient *valide*.

Écrans : petits panneaux tenus à la main pour se garantir contre l'ardeur d'un feu de cheminée. Boucher, au XVIIIᵉ siècle, en a peint de délicieux, avec des scènes pastorales et mythologiques.

Touchant : une histoire touchante est une histoire émouvante, qui frappe la sensibilité de celui qui l'écoute.

Travail personnel. — Expliquez à l'aide du dictionnaire (sens propre et sens figuré) : *Attachée — froisser.*

Traductions d'articles anglais : articles de journaux, de revues, que Richard a traduits, c'est-à-dire a fait passer de la langue anglaise dans la langue française.

Elle eut vent de la chose : Elle a été informée de cela, elle l'a su. Cette expression est un *gallicisme*.

LES IDÉES ET LES SENTIMENTS

Exercices de conversation :

1. Quels sont les deux interlocuteurs? — Quel est le principal?

2. Quel est le sujet de leur conversation?

3. Quels sont les autres personnages de ce récit?

4. A qui Richard s'était-il cru obligé de prêter de l'argent?

5. Qu'en résulta-t-il pour son fils Albert?

6. En apprenant cette nouvelle, quels sentiments éprouve Louise? Que décide-t-elle?

7. Quelle résolution prend Richard? Pourquoi?

8. Quelle résolution prend de son côté Ursule?

9. Que leur arrive-t-il, une nuit? Quel sentiment éprouvent-ils tous deux?

10. Que font-ils par la suite?

11. Quel sentiment éprouve l'auteur en écoutant le récit fait par Richard?

LE VOCABULAIRE ACTIF

1. Trouvez le contraire de *valide*. Employez chacun de ces deux mots dans une phrase.

2. *Histoire*, comme beaucoup de mots, a des sens différents. Trouvez-les. Construisez des phrases où ces sens apparaîtront.

3. Employez dans une phrase, qui en fera bien apparaître le sens, chacun des gallicismes suivants dans lesquels entre le mot *vent* : avoir bon vent — aller comme le vent — marcher le nez au vent — tourner à tout vent — éventer un secret — avoir vent de (quelque chose).

4. **Préparez un cahier de vocabulaire** pour écrire l'explication des mots et des expressions dont vous aurez recherché le sens dans le dictionnaire (*Comprenez bien le texte*). Vous choisirez un cahier qui vous permettra d'inscrire ces mots par ordre alphabétique afin de pouvoir les retrouver rapidement. Il serait bon aussi d'ajouter la traduction de ces mots et de ces expressions dans votre langue maternelle.

STYLE ET COMPOSITION

1. Relevez la question posée au début par l'auteur et la réponse de Richard jusqu'à « fatigués ». Sur ce modèle, en mettant correctement la ponctuation, faites parler deux amis dont l'un demande à l'autre des nouvelles :

de son grand-père âgé;

de son jeune frère victime d'un accident.

2. Relevez la phrase par laquelle Richard montre qu'il n'est pas malheureux. De « quelles choses » est fait son bonheur?

3. Résumez le texte le plus succinctement possible.

GRAMMAIRE

Le mode subjonctif.

Croyez-vous que je vous aie raconté, pour vous apitoyer, mon histoire?
aie raconté est au mode subjonctif. Après un verbe d'opinion employé à la forme interrogative ou négative, ici *croyez-vous*, on emploie le mode subjonc-

tif dans la proposition subordonnée, ici *que je vous aie raconté mon histoire*.

Exercice : Ecrivez 5 phrases avec le verbe *croire* employé à la forme interrogative ou à la forme négative et suivi d'une proposition subordonnée au mode subjonctif; exemple : *Croyez-vous que la cuisinière ait bon cœur? — Je ne crois pas qu'il faille priver Albert de ses leçons de violon.*

Le mot EN.

Il fallait en trouver (il fallait trouver de l'argent).

en : pronom personnel, remplace le nom argent, complément d'objet direct du verbe trouver (le pronom *en* remplace ici un nom complément direct d'objet employé avec l'article partitif).

J'en étais désolé (j'étais désolé à cause de cela).

en : pronom personnel, remplace l'idée exprimée par la proposition précédente (*il fallait priver Albert de ses leçons de violon*), complément circonstanciel de cause du verbe désoler.

CONSEILS POUR LA LECTURE

1. Mécanisme de la lecture. — Lisez nettement, mais d'une voix égale et modérée, en tenant bien compte de la ponctuation.

2. Lecture expressive. — L'ami s'exprime doucement, avec sympathie. Richard : ton de la confidence familière, un peu confuse; puis, à la fin, fierté : voix plus forte et plus émue.

ANDRÉ GIDE (1869-1951)

Prix Nobel de littérature. Son œuvre, au style très poétique et pleine de sensibilité, est caractérisée par :

— sa sincérité dans la recherche du bonheur et dans celle de la vérité,

— son dédain des règles communes de la morale,

— son refus de jamais s'engager.

Principaux ouvrages : *Les Nourritures terrestres, la Porte étroite, la Symphonie pastorale, les Caves du Vatican* et son *Journal*, document capital sur l'époque.

VIEILLES CHOSES, VIEUX SOUVENIRS

La Comtesse de Lamarre s'est ruinée pour payer les dettes de son fils. Âgée, elle a dû vendre sa vieille demeure des Peuples où elle a passé sa vie entière. Elle doit procéder au déménagement.

Alors son déménagement la préoccupa, apportant une distraction triste dans sa vie morne et sans attentes.

Elle allait de pièce en pièce, cherchant les meubles qui lui rappelaient des événements, ces meubles amis qui font partie de notre vie, presque de notre être, connus depuis la jeunesse et auxquels sont attachés des souvenirs de joies ou de tristesses, des dates de notre histoire, qui ont été les compagnons muets de nos heures douces ou sombres, qui ont vieilli, qui se sont usés à côté de nous, dont l'étoffe est crevée par places et la doublure déchirée, dont les articulations branlent, dont la couleur s'est effacée.

Elle les choisissait un à un, hésitant souvent, troublée comme avant de prendre des déterminations capitales, revenant à tout instant sur sa décision, balançant les mérites de deux fauteuils ou de quelque vieux secrétaire comparé à une ancienne table à ouvrage.

Elle ouvrait les tiroirs, cherchait à se rappeler les faits, puis quand elle s'était bien dit : « Oui, je prendrai ceci », on descendait l'objet dans la salle à manger. Elle voulut garder tout le mobilier de sa chambre, son lit, ses tapisseries, sa pendule, tout.

Elle prit quelques sièges du salon, ceux dont elle avait aimé les dessins dès sa petite enfance : le Renard et la Cigogne, le Renard et le Corbeau, la Cigale et la Fourmi, et le Héron mélancolique.

Puis en rôdant par tous les coins de cette demeure qu'elle allait abandonner, elle monta un jour dans le grenier.

Elle demeura saisie d'étonnement; c'était un fouillis d'objets de

Fontaine de cuivre, par Chardin.

« ... Ces vieilles choses auxquelles sont attachés des souvenirs de joies ou de tristesses. »
(Guy de Maupassant.)

toute nature, les uns brisés, les autres salis seulement, les autres montés là on ne sait pourquoi, parce qu'ils ne plaisaient plus, parce qu'ils avaient été remplacés. Elle apercevait mille bibelots connus jadis, et disparus tout à coup, sans qu'elle y eût songé, des riens qu'elle avait maniés, ces vieux petits objets insignifiants qui avaient traîné quinze ans à côté d'elle, qu'elle avait vus chaque jour sans les remarquer et qui, tout à coup, retrouvés là, dans ce grenier, à côté d'autres plus anciens dont elle se rappelait parfaitement les places aux premiers temps de son arrivée, prenaient une importance soudaine de témoins oubliés, d'amis retrouvés.

. . . .

Elle allait de l'un à l'autre avec des secousses au cœur, se disant : « Tiens, c'est moi qui ai fêlé cette tasse de Chine, un soir, quelques jours avant mon mariage. — Ah ! voici la petite lanterne de mère et la canne que petit père a cassée en voulant ouvrir la barrière dont le bois était gonflé par la pluie. »

Il y avait aussi, là-dedans, beaucoup de choses qu'elle ne connaissait pas, qui ne lui rappelaient rien, venues de ses grands-parents ou de ses arrière-grands-parents, de ces choses poudreuses qui ont l'air exilées dans un temps qui n'est plus le leur, et qui semblent tristes de leur abandon ; dont personne ne sait l'histoire, les aventures, personne n'ayant vu ceux qui les ont choisies, achetées, possédées, aimées, personne n'ayant connu les mains qui les maniaient familièrement et les yeux qui les regardaient avec plaisir. Jeanne les touchait, les retournait...

Elle examinait minutieusement les chaises à trois pieds, cherchant si elles ne lui rappelaient rien, une bassinoire en cuivre, une chaufferette défoncée qu'elle croyait reconnaître et un tas d'ustensiles de ménage hors de service.

Puis elle fit un lot de ce qu'elle voulait emporter, et, redescendant, elle envoya Rosalie le chercher. La bonne, indignée, refusait de descendre « ces saletés ». Mais Jeanne, qui n'avait cependant plus aucune volonté, tint bon, cette fois, et il fallut obéir.

Un matin, le jeune fermier, fils de Julien, Denis Lecoq, s'en vint avec sa charrette pour faire un premier voyage. Rosalie l'accompagna, afin de veiller au déchargement et déposer les meubles aux places qu'ils devaient occuper.

Restée seule, Jeanne se mit à errer par les chambres du château, saisie d'une crise affreuse de désespoir, embrassant en des élans d'amour exalté, tout ce qu'elle ne pouvait prendre avec elle : les grands oiseaux blancs des tapisseries du salon, des vieux flambeaux, tout ce qu'elle rencontrait. Elle allait d'une pièce à l'autre, affolée, les yeux ruisselants de larmes, puis elle sortit pour « dire adieu » à la mer.

C'était vers la fin de septembre, un ciel bas et gris semblait peser sur le monde, les flots tristes et jaunâtres s'étendaient à perte de vue. Elle resta longtemps debout sur la falaise, roulant en sa tête des pensées torturantes. Puis, comme la nuit tombait, elle rentra, ayant souffert en ce jour autant qu'en ses plus grands chagrins.,.

Jeanne pleura toute la soirée.

Guy de MAUPASSANT,

Une vie. — Ollendorf, éditeur.

─────────── COMPRENEZ BIEN LE TEXTE ───────────

LE SENS ET LA VIE DES MOTS

A. LES MOTS

Balançant : du nom balance, radical *lanx* (plateau) et préfixe *ba* = *bis* (deux). Une balance est un instrument de mesure des poids à deux plateaux. Le mot est, ici, pris au sens figuré. Il signifie : examinant, évaluant, comparant, pesant les mérites des deux fauteuils, penchant tantôt pour l'un, tantôt pour l'autre.

Pendule : on dit *une* pendule, nom féminin, pour une horloge avec *un* pendule (un balancier), nom masculin.

Travail personnel. — **Expliquez à l'aide du dictionnaire** (Sens propre et sens figuré, le cas échéant. Ce conseil ne vous sera plus renouvelé).

Préoccupa — capitales — mobilier — mélancolique — révélés — encastrés — minutieusement — bassinoire — exalté.

B. LES EXPRESSIONS

Une vie morne et sans attentes : une existence terne, monotone et sans espérance.

Fouillis d'objets : entassement d'objets qui ont été réunis pêle-mêle (de fouiller).

Des pensées torturantes : torturer, au sens propre, c'était, autrefois, tordre,

disloquer les membres d'un accusé, lui infliger des souffrances intolérables pour lui arracher des aveux. Ici, sens figuré : pensées qui infligent une souffrance morale difficile à supporter.

LES IDÉES ET LES SENTIMENTS

Exercices de conversation :

1. Quels sont les meubles que Jeanne cherche d'abord de pièce en pièce?

2. Quels sont ceux qu'elle voulait garder?

3. Jeanne monte au grenier. Qu'y voit-elle?

4. Pour quelles raisons ces objets ont-ils été « montés » au grenier?

5. Quel effet lui faisaient-ils?

6. Elle va d'un objet à l'autre. Auxquels s'intéresse-t-elle plus spécialement? Pourquoi?

7. Elle rencontre enfin des choses qui ne lui rappellent rien. Lesquelles?

8. Pour quelle raison la bonne était-elle indignée?

9. Jeanne va dire adieu à la mer. Que fait-elle? Qu'éprouve-t-elle? Relevez les deux propositions qui montrent que la nature semble s'associer à la douleur de Jeanne.

10. Quels sont les sentiments successifs qu'éprouve Jeanne, dans ce récit?

LE VOCABULAIRE ACTIF

Dans le mot *balance*, vous avez trouvé le préfixe *ba* (deux) dont une autre forme populaire est *be* et dont les formes savantes sont *bi* et *bis*. Relevez, dans le dictionnaire, un nom avec le préfixe *be*, quatre mots avec *bi* et quatre avec *bis*. Expliquez chacun d'eux en vous aidant du sens du préfixe.

STYLE ET COMPOSITION

1. Ce morceau est très bien composé. Remarquez l'enchaînement progressif des idées et des sentiments chez la comtesse :

a) Ce déménagement ne faisait d'abord que préoccuper Jeanne. Relevez la phrase qui exprime cela.

b) Jeanne eut encore de longues et pénibles hésitations dans le choix des objets. Relevez le paragraphe qui l'indique.

c) Enfin, elle est « saisie d'une crise affreuse de désespoir ». Quelles sont, d'après le paragraphe où se trouve cette phrase, les quatre actions successives qu'elle accomplit au cours de cette crise ? (Construisez quatre propositions indépendantes.)

2. Ce que j'ai vu dans mon grenier. — Un jour, vous êtes monté au grenier de votre maison. Vous vous êtes arrêté devant quelques vieux objets. Décrivez-les et racontez-nous les souvenirs que chacun d'eux vous a rappelés.

3. Ce que j'ai vu chez l'antiquaire. — Les vieux meubles; les vieux bibelots; les tableaux anciens. Décrivez-en quelques-uns et imaginez leur histoire.

GRAMMAIRE

La préposition EN devant le participe présent.
Puis, **en rôdant** *par tous les coins...* cette forme s'appelle le gérondif.

Attention : Les autres prépositions (*à, de, par, pour, avant de..., afin de...,* etc...) introduisent un verbe à l'infinitif :
Elle sortit pour dire adieu à la mer.

Exercices : Cherchez dans le texte :

1. Un autre gérondif.

2. Des participes présents employés seuls.

3. Des infinitifs précédés d'une préposition.

CONSEILS POUR LA LECTURE

La ponctuation marque les pauses dans la lecture et vous permet de respirer. Elle guide l'intonation. Lire en tenant compte de la valeur des signes de ponctuation, c'est déjà lire avec expression, avec souplesse, sans raideur.

La virgule sépare les différentes parties de la phrase : marquer un arrêt; ne pas baisser la voix.
Le point : la phrase est finie; baisser la voix.

Préparation à la lecture à haute voix.

a) Découpage de la phrase. Exemple : Un matin, | le jeune fermier, | fils de Julien, | Denis Lecoq, | s'en vint avec sa charrette pour faire un premier voyage.

b) Lecture silencieuse en tenant compte de ces indications. — Sur ce modèle, découpez et préparez la lecture des deux longues phrases suivantes : « Elle allait de pièce en pièce... — Elle apercevait mille bibelots... »

La lecture expressive est liée au sens du texte. Pour lire un morceau avec expression, il faut donc en bien comprendre le sens, être sensible aux sentiments qu'il exprime et aux beautés qu'il renferme. Le récit fait par Guy de Maupassant est baigné de tristesse et de mélancolie : tenez-en compte.

GUY DE MAUPASSANT (1850-1893)

Écrivain né en Normandie, près de Dieppe. Il sait observer et décrire avec précision, aussi bien la paysannerie que l'aristocratie de son temps. C'est un maître de l'art du conte. Son style est naturel, sans recherche, solide, net et puissant. Parmi ses ouvrages nous citerons : *Contes et Nouvelles, Une vie, Boule de Suif,* et *Bel Ami.*

19

Pommiers en fleurs, en Normandie.
« Les pommiers dressaient leur beauté fleurie et rose. » (Marcel Proust.)

LES POMMIERS EN FLEURS

Mais dès que je fus arrivé à la route, ce fut un éblouissement. Là où je n'avais vu avec ma grand-mère, au mois d'août, que les feuilles et comme l'emplacement des pommiers, à perte de vue, ils étaient en pleine floraison, d'un luxe inouï, les pieds dans la boue et en toilette de bal, ne prenant pas de précautions pour ne pas gâter le plus merveilleux satin rose qu'on eût jamais vu et que faisait briller le soleil ; l'horizon lointain de la mer fournissait aux pommiers comme un arrière-plan d'estampe japonaise ; si je levais la tête pour regarder le ciel entre les fleurs qui faisaient paraître son bleu rasséréné, presque violent, elles semblaient s'écarter pour montrer la profondeur de ce paradis.

Sous cet azur, une brise légère, mais froide, faisait trembler légèrement les bouquets rougissants. Des mésanges bleues venaient se poser sur les branches et sautaient entre les fleurs, indulgentes, comme si c'eût été un amateur d'exotisme et de couleurs qui avait artificiellement créé cette beauté vivante. Mais elle touchait jusqu'aux larmes parce que, si loin qu'on allât dans ses effets d'art raffiné, on sentait qu'elle était naturelle, que ces pommiers étaient là en pleine campagne comme des paysans, sur une grande route de France.

Puis aux rayons du soleil succédèrent subitement ceux de la pluie ; ils zébrèrent tout l'horizon, enserrèrent la file des pommiers dans leur réseau gris. Mais ceux-ci continuaient à dresser leur beauté, fleurie et rose, dans le vent devenu glacial sous l'averse qui tombait : c'était une journée de printemps.

Marcel PROUST, *A la recherche du temps perdu.*
Sodome et Gomorrhe. — Gallimard, éditeur.

———————— COMPRENEZ BIEN LE TEXTE ————————

LE SENS ET LA VIE DES MOTS

A. LES MOTS

Historique de l'évolution du sens des mots. Les mots naissent, vivent et meurent. Certains changent de sens au cours des âges : c'est le cas du mot *pomme* qui désignait autrefois toute espèce de fruits à pépins ou à noyau. Il ne désigne plus à présent que l'un de ces fruits. Voilà un cas de restriction du sens d'un mot.

Exotisme : caractère d'un animal, d'un végétal, étranger au climat dans lequel on le transporte. En France, le palmier est un végétal exotique, le zèbre est un animal exotique.

Par extension de sens : caractère d'une chose qui vient d'un pays étranger lointain. Une estampe japonaise est, en France, un tableau exotique.

Expliquez à l'aide du dictionnaire : *inouï — arrière-plan — zébrèrent.*

B. UNE EXPRESSION

Estampe japonaise : une estampe est une image imprimée sur papier après avoir été gravée sur cuivre ou sur bois. Les estampes japonaises sont des dessins simples, fins, d'une profonde intensité d'expression.

LES IDÉES ET LES SENTIMENTS

Exercices de conversation :

1. A quelle époque de l'année se place ce magnifique tableau? Dans quelle région de France? Relevez dans le texte les expressions qui justifient votre réponse.
2. Relevez les expressions indiquant les couleurs dominantes de ce tableau.
3. Comment le verger était-il apparu à l'auteur au mois d'août?

4. Relevez les expressions par lesquelles l'auteur personnifie les pommiers.
5. A quoi l'auteur compare-t-il d'abord ce tableau? Dans sa pensée, par qui aurait-il été créé?
A qui compare-t-il ensuite les pommiers?
6. Quel temps fait-il ce jour-là? Relevez les expressions qui donnent des indications sur le temps.

UTILISEZ LE TEXTE

VOCABULAIRE ACTIF

Dans certains mots d'origine latine, le son o du radical (ex. : flor, qu'on retrouve dans floraison) a été transformé, dans le langage courant, en son eu.

a) Donnez les mots de la famille de *fleur :* avec le radical de formation savante *flor ;* avec le radical de formation populaire *fleur.*

b) Donnez, pour chacun des mots suivants, un mot de la même famille formé de la même façon : horaire — populaire — minorité — solitaire — mobilier — honorer — odorant — majorité.

STYLE ET COMPOSITION

La comparaison.

1. L'auteur compare l'aspect du champ de pommiers au mois d'août et au printemps. Relevez la phrase où il établit cette comparaison, jusqu'à « toilette de bal ».

2. Sur le modèle de cette phrase, comparez à votre tour l'aspect du champ de pommiers :

a) au printemps (dans le texte) et en automne (à imaginer) ;
b) au mois d'août et en hiver.

S'il n'y a pas de pommiers dans votre pays, vous décrirez un autre arbre fruitier.

GRAMMAIRE

Le participe présent et l'adjectif verbal.
Le participe présent est invariable, il marque une action et a la même valeur qu'un verbe :

Ne prenant pas de précautions... (ils étaient en pleine floraison, ils ne prenaient pas de précautions).

L'adjectif verbal est variable, il s'accorde avec le nom, il indique une qualité, un état de ce nom :

Les bouquets rougissants, — et, à la leçon précédente : *des pensées torturantes* (des pensées douloureuses).

Exercice : Faites quatre phrases en employant des participes présents et des adjectifs verbaux. Exemple : *Le soleil, brillant dans le ciel, éclairait le satin rose des pommiers; des fleurs aux couleurs brillantes s'épanouissaient.*

CONSEILS POUR LA LECTURE

A. Découpage du premier paragraphe suivant la ponctuation. Préparation silencieuse de la lecture de ce paragraphe. Puis exercice pratique à haute voix.
B. Lecture expressive. — L'auteur décrit et peint : bien mettre en valeur les traits caractéristiques de chaque description et les couleurs de chaque peinture.

MARCEL PROUST (1871-1922)

Romancier parisien, auteur d'*A la recherche du temps perdu,* qui marqua la littérature du premier quart du siècle par :
— une conception du temps et de la mémoire analogue à celle présentée dans la philosophie de Bergson (voir p. 255),
— une probité et une subtilité extraordinaires dans l'observation,
— un style complexe, d'une richesse poétique et psychologique, d'une précision minutieuse sans précédents.

LA FAUNE DE LA MAISON NATALE

Une année dans mon enfance se dévoua à capturer, dans la cuisine ou dans l'écurie à la vache, les rares mouches d'hiver pour la pâture de deux hirondelles, couvée d'octobre jetée bas par le vent. Ne fallait-il pas sauver ces insatiables au bec large, qui dédaignaient toute proie morte? C'est grâce à elles que je sais combien l'hirondelle apprivoisée passe, en sociabilité insolente, le chien le plus gâté. Les deux nôtres vivaient perchées sur l'épaule, sur la tête, nichées dans la corbeille à ouvrage, courant sous la table comme des poules et piquant du bec le chien interloqué, piaillant au nez du chat qui perdait contenance... Elles venaient à l'école au fond de ma poche et retournaient à la maison par les airs. Quand la faux luisante de leurs ailes grandit et s'affûta, elles disparurent à toute heure dans le haut du ciel printanier, mais un seul appel aigu : « Petî-î-î-tes! » les rabattait, fendant le vent comme deux flèches, et elles atterrissaient dans mes cheveux, cramponnées de toutes leurs serres courbes, couleur d'acier noir.

Que tout était féerique et simple, parmi cette faune de la maison natale!... Vous ne pensiez pas qu'un chat mangeât des fraises? Mais je sais bien, pour l'avoir vu tant de fois, que ce Satan noir, Babou, interminable et sinueux comme une anguille, choisissait, en gourmet, dans le potager de Mme Pommié, les plus mûres des « caprons blancs » et des « belles de juin ». C'est le même qui respirait, poétique, absorbé, des violettes épanouies.

On vous a conté que l'araignée de Pellisson fut mélomane? Ce n'est pas moi qui m'en ébahirai. Mais je verserai ma mince contribution au trésor des connaissances humaines en mentionnant l'araignée que ma mère avait — comme disait papa — dans son plafond, cette même année qui fêta mon treizième printemps. Une belle araignée des jardins, ma foi, le ventre en gousse d'ail, barré d'une croix historiée. Elle dormait ou chassait le jour, sur sa toile tendue au plafond de la chambre à coucher.

La nuit, vers trois heures, au moment où l'insomnie quotidienne rallumait la lampe, rouvrait le livre au chevet de ma mère, la grosse araignée s'éveillait aussi, prenait ses mesures d'arpenteur et quittait le plafond au bout d'un fil droit au-dessus de la veilleuse à huile où tiédissait toute la nuit un bol de chocolat. Elle descendait, lente, balancée mollement, comme une grosse perle, empoignait de ses huit pattes le bord de la tasse, se penchait tête première et buvait jusqu'à satiété. Puis elle remontait, lourde de chocolat crémeux, avec les haltes, les méditations qu'impose un ventre trop chargé, et reprenait sa place au centre de son gréement de soie.

COLETTE,

La Maison de Claudine. — Hachette, éditeur.

COMPRENEZ BIEN LE TEXTE

LE SENS ET LA VIE DES MOTS

A. LES MOTS

Historiée : participe passé du verbe historier, qui signifie décorer de petits dessins de couleur comme on le fait pour un manuscrit enluminé.

Passe : ici dépasse (langue parlée).

Interloqué : de *loqui* = parler; avec le préfixe *inter* = entre. Littéralement, interloquer c'est couper une conversation. Ici, le mot est pris au sens figuré; il signifie : surpris, troublé, stupéfait.

Gourmet signifia d'abord : dégustateur de vins; puis le sens s'étendit à tout connaisseur, à tout amateur friand de bons vins et de bonne nourriture.

Ma contribution : mon tribut personnel, c'est-à-dire ma part de connaissances sur les mœurs des araignées.

Travail personnel. — Expliquez à l'aide du dictionnaire :

La faune — insatiables — s'affûta — féerique — sinueux — mélomane — ébahir — le gréement.

B. LES EXPRESSIONS

L'écurie à la vache : désigne, en Bourgogne seulement, l'étable (nom féminin).

Sociabilité insolente : l'hirondelle apprivoisée devient rapidement d'une familiarité excessive.

L'araignée de Pellisson : Pellisson était un littérateur du siècle de Louis XIV. Il partagea la disgrâce de Fouquet et passa cinq ans en prison à la Bastille. On raconte qu'une araignée sensible à la musique, devenue l'amie du prisonnier, descendait manger dans sa main.

Expliquez à l'aide du dictionnaire :

Perdre contenance — l'insomnie quotidienne.

LES IDÉES ET LES SENTIMENTS

Exercices de conversation :

1. Quelle est la phrase qui résume l'idée générale du morceau?

2. Donnez un titre à chacune des trois parties du texte.

3. Quelle différence y a-t-il entre un animal apprivoisé et un animal domestique? Quels sont, dans la faune de la maison de Colette: *a)* les animaux domestiques? *b)* les animaux apprivoisés?

4. Par quelles actions (sujet, verbe et compléments) les deux hirondelles montrent-elles leur « sociabilité insolente »?

5. Quelles sont alors les réactions : *a)* du chien? *b)* du chat?

LANGUE ET CIVILISATION

1. Quotidienne signifie : de chaque jour — du latin *dies*, que l'on retrouve dans la forme abrégée *di*, comme début ou terminaison des noms des jours de la semaine. Donnez, en vous aidant du dictionnaire, le sens de chacun de ces noms.

5. Le radical *loqui* (parler) entre dans la composition d'un certain nombre de mots. Voici ceux qui sont le plus couramment employés : allocution, élocution, éloquent, interlocuteur, locution, loquace. Recherchez-en le sens dans le dictionnaire. Employez chacun d'eux dans une courte phrase, notez le genre des noms.

STYLE ET COMPOSITION

1. La phrase imagée. Relisez la première phrase jusqu'à : « mouches d'hiver ». Soulignez le sujet. Reconstruisez cette phrase avec le pronom personnel *je* comme sujet (l'ancien sujet devenant complément de temps).

Dans le passage sur l'araignée, relevez deux autres phrases construites de la même façon.

2. Relisez le texte. Rapportez en une phrase *une action féerique* (qui tient du conte de fée) : *a)* des hirondelles; *b)* du chat; *c)* de l'araignée.

3. Rédaction. Faites-nous connaître, comme Colette, la faune de votre maison (les animaux domestiques, les animaux apprivoisés).

GRAMMAIRE

L'imparfait de l'indicatif.
L'imparfait d'habitude : Dans le dernier paragraphe du texte, tous les verbes sont à l'imparfait parce que la romancière décrit les actions habituelles de l'araignée... ces actions se répétaient chaque nuit : c'est *l'imparfait d'habitude*.

Exercices : 1. Cherchez dans le texte :
A. Deux phrases à l'imparfait exprimant les actions habituelles de l'hirondelle et deux verbes à l'imparfait exprimant les actions habituelles du chat Babou.

B. Un participe présent et un adjectif verbal.

2. Expliquez pourquoi le verbe *manger* (*mangeât des fraises*) est au subjonctif.

CONSEILS POUR LA LECTURE

A. La ponctuation. — *L'interrogation.* Colette interroge trois fois le lecteur. Notez les trois phrases interrogatives. Chacune de ces phrases interrogatives est liée par le sens à la phrase explicative qui la précède (1er cas) ou qui la suit (2e et 3e cas). Tenez-en compte dans la lecture.
Préparation. Dans chacun de ces trois groupes de deux phrases, faites le découpage suivant la ponctuation. Puis lecture silencieuse.
Exercice pratique à haute voix; puis lecture suivie du texte, conformément aux conseils donnés page 19.
B. Lecture expressive : rendre la vivacité du style dont le ton rappelle celui d'une conversation animée.

COLETTE (1873-1954)

Romancière née à Saint-Sauveur-en-Puisaye (Yonne). Elle aime la nature, les plantes et les jardins, les arbres et les bois, les animaux familiers. Elle sait les décrire avec sympathie et nous faire communier avec l'âme des êtres et des choses. Son style est souple, vivant, plein d'images et de fraîcheur. Parmi ses livres, citons : *Sept dialogues de bêtes, Sido, le Blé en herbe, Gigi,* etc.

Cliché Viollet.

LA MORT DE BRUNETTE

Philippe, qui me réveille, me dit qu'il s'est levé la nuit pour écouter notre vache et qu'elle avait le souffle calme.

Mais depuis ce matin, elle l'inquiète.

Il lui donne du foin sec et elle le laisse.

Il offre un peu d'herbe fraîche, et Brunette, d'ordinaire si friande, y touche à peine. Elle ne regarde plus son veau et supporte mal ses coups de nez quand il se dresse, sur ses pattes rigides, pour téter.

Philippe les sépare et attache le veau loin de la mère. Brunette n'a pas l'air de s'en apercevoir.

L'inquiétude de Philippe nous gagne tous. Les enfants même veulent se lever.

Le vétérinaire arrive, examine Brunette et la fait sortir de l'écurie. Elle se cogne au mur et elle butte contre le pas de la porte. Elle tomberait ; il faut la rentrer.

— Elle est bien malade, dit le vétérinaire.

Nous n'osons pas lui demander ce qu'elle a.

Il craint une fièvre de lait, souvent fatale, surtout aux bonnes laitières, et se rappelant une à une celles qu'on croyait perdues et qu'il a sauvées, il écarte avec un pinceau, sur les reins de Brunette, le liquide d'une fiole.

— Il agira comme un vésicatoire, dit-il. J'en ignore la composition exacte. Ça vient de Paris. Si le mal ne gagne pas le cerveau, elle s'en tirera toute seule, sinon j'emploierai la méthode de l'eau glacée. Elle étonne les paysans simples, mais je sais à qui je parle.

— Faites, monsieur.

Brunette, couchée sur la paille, peut encore supporter le poids de sa tête. Elle cesse de ruminer. Elle semble retenir sa respiration pour mieux entendre ce qui se passe au fond d'elle.

On l'enveloppe d'une couverture de laine, parce que les cornes et les oreilles se refroidissent.

— Jusqu'à ce que les oreilles tombent, dit Philippe, il y a de l'espoir.

Deux fois, elle essaie en vain de se mettre sur ses jambes. Elle souffle fort, par intervalles de plus en plus espacés.

Et voilà qu'elle laisse tomber sa tête sur son flanc gauche.

— Ça se gâte, dit Philippe accroupi et murmurant des douceurs.

La tête se relève et se rabat sur le bord de la mangeoire, si pesamment que le choc sourd nous fait faire : oh !

Nous bordons Brunette de tas de paille pour qu'elle ne s'assomme pas.

Elle tend le cou et les pattes, elle s'allonge de toute sa longueur, comme au pré par les temps orageux.

Le vétérinaire se décide à la saigner. Il ne s'approche pas trop. Il est aussi savant qu'un autre, mais il passe pour moins hardi.

Aux premiers coups du marteau de bois, la lancette glisse sur la veine. Après un coup mieux assuré, le sang jaillit dans le seau d'étain que, d'habitude, le lait emplit jusqu'au bord.

Pour arrêter le jet, le vétérinaire passe dans la veine une épingle d'acier.

Puis, du front à la queue de Brunette soulagée, nous appliquons un drap mouillé d'eau de puits et qu'on renouvelle fréquemment parce qu'il s'échauffe vite. Elle ne frissonne même pas. Philippe la tient ferme par les cornes et empêche la tête d'aller battre le flanc gauche.

Brunette, comme domptée, ne bouge plus. On ne sait pas si elle va mieux ou si son état s'aggrave.

Nous sommes tristes, mais la tristesse de Philippe est morne comme celle d'un animal qui en verrait souffrir un autre.

Sa femme lui apporte sa soupe du matin qu'il mange sans appétit, sur un escabeau, et qu'il n'achève pas.

— C'est la fin, dit-il, Brunette enfle.

Nous doutons d'abord, mais Philippe a dit vrai. Elle gonfle à vue d'œil, et ne se dégonfle pas, comme si l'air entré ne pouvait ressortir.

La femme de Philippe demande :

— Elle est morte ?

— Tu ne le vois pas ! dit Philippe, durement.

Mᵐᵉ Philippe sort dans la cour.

— Ce n'est pas près que j'aille en chercher une autre, dit Philippe.

— Une quoi ?

— Une autre Brunette.

— Vous irez quand je voudrai, dis-je d'une voix de maître qui m'étonne.

Nous tâchons de nous faire croire que l'accident nous irrite plus qu'il ne nous peine, et déjà nous disons que Brunette est crevée.

Mais le soir, j'ai rencontré le sonneur de l'église, et je ne sais pas ce qui m'a retenu de lui dire :

— Tiens, voilà cent sous, va sonner le glas de quelqu'un qui est mort dans ma maison.

Jules RENARD,

Histoires naturelles. — Flammarion, éditeur.

─────────────── **COMPRENEZ BIEN LE TEXTE** ───────────────

LE SENS ET LA VIE DES MOTS

Friande : gourmande. On est friand de ce qui a bon goût, comme ce qui est frit (Dictionnaire de Littré).

Se cogne : de la famille de coin — en latin *cuneus*, signifiant coin à fendre le bois. Cogner, c'est enfoncer un coin; par extension, c'est heurter violemment quelque chose. Se cogner au mur, c'est heurter lourdement le mur.

Simples : naïfs, peu instruits.

Intervalle : de *inter*, entre, et *vallus*, pieu. Distance, espace entre deux pieux d'une clôture; puis distance dans le temps : à deux heures d'intervalle.

Expliquez à l'aide du dictionnaire :
Rigides — bute — fatale — vésicatoire — irrite.

LES IDÉES ET LES SENTIMENTS

Exercices de conversation :

1. Relevez les premiers symptômes de la maladie de Brunette qui alertent Philippe. Soulignez celui qui indique le mieux que la vache est malade. — Quels sont les symptômes qui ensuite montrent que la maladie s'aggrave?

2. Pourquoi les assistants n'osent-ils pas demander au vétérinaire ce qu'a Brunette?

3. Relevez les expressions qui montrent que le vétérinaire ne paraît pas connaître sûrement son métier : *a*) diagnostic; *b*) choix des remèdes; *c*) maladresse.

4. Relevez la phrase où Jules Renard parle de lui avec une fine ironie.

5. Quel est le personnage le plus affecté par la mort de Brunette? Relevez les expressions qui justifient votre choix.

6. Pourquoi l'auteur et ses gens disent-ils que Brunette est « crevée » au lieu de « morte »?

7. Quelle phrase prouve que cette indifférence n'est qu'apparente?

8. Indiquez, d'après ce récit, quels sont les sentiments successifs que les personnages éprouvent pour leur vache malade?

─────────────── **UTILISEZ LE TEXTE** ───────────────

LE VOCABULAIRE ACTIF

1. Différents sens du mot coin. Sens dérivés par analogie :
a) Sens d'*angle* (coin d'une table, d'un mouchoir, d'une salle, d'une rue).

b) Extension du sens (un coin de terre vivre dans son coin).

Employez, dans de courtes phrases, le mot coin au sens propre et dans les différents sens dérivés ci-dessus.

2. Vétérinaire vient d'un mot latin qui signifie : bête de somme. Il était employé comme adjectif dans l'expression : médecin vétérinaire = médecin des bêtes. Le langage populaire, qui tend toujours aux simplifications — nous le verrons dans d'autres cas — a supprimé le nom médecin et reporté son sens sur l'adjectif vétérinaire qui est ainsi devenu un nom désignant, seul, le « médecin des bêtes ». Trouvez, dans chacune des expressions suivantes : une lettre circulaire — un papier journal — une ville capitale — un porc sanglier — une église cathédrale, le nom qui a été formé de cette sorte.
Donnez le sens de ce nouveau nom.

STYLE ET COMPOSITION

1. Trouvez le plan de ce morceau et résumez chacune de ses parties en une courte phrase.

2. En vous inspirant du plan du texte de Jules Renard, racontez la maladie d'un animal domestique, à votre choix. — Soins qui lui ont été donnés. Inquiétudes de votre entourage. Réflexions entendues. Imaginez le dénouement de ce petit drame (mort ou guérison). Réflexions personnelles.

GRAMMAIRE

Les pronoms personnels.

Exercice : Cherchez dans le texte des pronoms personnels sujets, compléments d'objet directs, compléments de circonstance.

De la préposition à la conjonction.

*La préposition **jusqu'à*** introduit un nom complément d'un verbe :

*... que le lait emplit **jusqu'au** bord.*

*La conjonction **jusqu'à ce que*** introduit une proposition subordonnée dont le verbe est au mode subjonctif :

*... **jusqu'à ce que** les oreilles tombent.*

Cette proposition est complément de temps de la principale : *Il y a de l'espoir.*

Exercice : Ecrivez deux phrases avec la préposition *jusqu'à* et deux phrases avec la conjonction *jusqu'à ce que* suivie d'un verbe au subjonctif.

CONSEILS POUR LA LECTURE

A. La ponctuation.

Le point d'interrogation. Il oblige à une intonation interrogative. Élevez la voix. Exemple : « une quoi ? » (↑).

Le point d'exclamation. Il exprime la surprise, la douleur ou la joie : le marquer par l'intonation appropriée. Élevez la voix. Ex. : « Oh! » (↑)

Le tiret. Il indique le changement d'interlocuteur, donc, changement de ton : prendre le ton du personnage nouveau qui parle. Exemple :
Elle tomberait; ↓ il faut la rentrer. ↓
— Elle est bien malade | , dit le vétérinaire (↓).
Il écarte avec un pinceau, | sur les reins de Brunette, | le liquide d'une fiole. ↓
— Il agira comme un vésicatoire, | dit-il. ↓

Application. Préparez de la même manière (découpage et lecture silencieuse) le passage : « Nous sommes tristes... que Brunette est crevée ». Puis, lecture à haute voix, par groupes et individuellement.

B. Lecture expressive. — De très courtes phrases juxtaposées. Un ton volontairement objectif, sans émotion apparente chez le narrateur. Émotion un peu rude dans la voix de Philippe.

JULES RENARD (1864-1910)

Auteur réaliste et plein d'esprit, célèbre par *Poil de Carotte, Histoires naturelles*, et dont le *Journal* est un document essentiel sur sa génération. L'observation minutieuse et précise de la réalité familière, l'ironie et la simplicité du style, sont les grandes qualités de cet écrivain.

LE CIEL EST GAI, C'EST JOLI MAI

La mer brille au-dessus de la haie, la mer brille comme une coquille. On a envie de la pêcher. Le ciel est gai, c'est joli Mai.

C'est doux la mer au-dessus de la haie, c'est doux comme une main d'enfant. On a envie de la caresser. Le ciel est gai, c'est joli Mai.

Et c'est aux mains vives de la brise que vivent et brillent les aiguilles qui cousent la mer avec la haie. Le ciel est gai, c'est joli Mai.

La mer présente sur la haie ses frivoles papillonnées. Petits navires vont naviguer. Le ciel est gai, c'est joli Mai.

La haie, c'est les profondeurs, avec des scarabées en or. Les baleines sont plus vilaines. Le ciel est gai, c'est joli Mai.

Si doux que larmes sur la joue, la mer est larme sur la haie qui doucement descend au port. Mais on n'a guère envie de pleurer.

— « Un gars est tombé dans le port! » — « Mort dans la mer, c'est jolie mort. » Mais on n'a guère envie de pleurer, c'est joli Mai!

LA RONDE

Si toutes les filles du monde voulaient s' donner la main, tout autour de la mer elles pourraient faire une ronde.

Si tous les gars du monde voulaient bien êtr' marins, ils f'raient avec leurs barques un joli pont sur l'onde.

Alors on pourrait faire une ronde autour du monde, si tous les gens du monde voulaient s' donner la main.

Paul FORT,
Ballades françaises. — Mercure de France, éditeur.

LE SENS ET LA VIE DES MOTS

A. LES MOTS

La brise : un vent doux et léger, à ne pas confondre avec *la bise*, vent aigre et froid de l'hiver.

Des papillonnées : nom féminin inventé par le poète qui évoque le vol léger et irrégulier des papillons.

Un scarabée : un insecte dont la couleur brune a de beaux reflets au soleil.

Si (doux) : emploi populaire du mot, mis pour *aussi* (à éviter).

Un gars : mot populaire pour un garçon.

Une onde : mot poétique qui désigne l'eau, ici la mer.

Une ballade : le radical vient du latin *ballare* et de l'ancien français *baller* : danser. On le retrouve dans le bal, le ballet, une ballerine.

Une ballade était, au moyen âge, une chanson destinée à accompagner une danse populaire. Aujourd'hui « c'est un petit poème narratif divisé en strophes, cherchant à reproduire le ton populaire et utilisant pour thème une ancienne tradition prise dans l'histoire ou la légende ». La ballade de Paul Fort est très libre. Elle est très éloignée de la ballade classique, poème à forme fixe, qui compte trois couplets de huit vers chacun suivis d'un « Envoi » de quatre vers écrits sur les mêmes rimes M et F. Le dernier vers du premier couplet revient à la fin de toutes les autres strophes.

B. LES EXPRESSIONS

s' donner, êtr' marins, ils f'raient : pour : se donner, être marins, ils feraient... la suppression de l'e muet accélère le rythme en produisant un effet de syncope.

LES IDÉES ET LES SENTIMENTS

Exercices de conversation :

1. Montrez comment le tableau, dans la première ballade, se développe : la mer, le ciel et la terre semblent s'unir pour donner une impression... Laquelle?

2. Pourquoi la mer est-elle « au-dessus de la haie »? Qu'y a-t-il en réalité derrière la haie?

3. La phrase « Petits navires vont naviguer » ne vous rappelle-t-elle pas une célèbre chanson française? Retrouvez les paroles de cette chanson.

4. Montrez pourquoi l'idée de pleurer est évoquée avant la mort du gars.

5. Avez-vous déjà ressenti, par une belle journée de printemps, ce grave sentiment d'harmonie totale entre la nature et vous? En quelles circonstances?

6. Dans la seconde ballade, quel est le sens symbolique de cette « ronde autour du monde »?

7. Pourquoi le poète emploie-t-il les mots « filles » et « gars » et non « hommes » et « femmes »?

8. Quelle est la signification profonde de cette proposition conditionnelle, trois fois répétée? Pourquoi cette proposition est-elle située au début de chacune des deux premières strophes, mais au milieu de la troisième?

———————— *UTILISEZ LE TEXTE* ————————

STYLE ET COMPOSITION

Les sept strophes de la première ballade ont leur musique basée sur des assonances comme *ille* (brille et coquille), c'est-à-dire des sons qui se répètent, qui sonnent ensemble. Relevez, strophe par strophe, les assonances de ces deux ballades.

Paul Fort utilise aussi les répétitions de certaines expressions, mais il y introduit de subtiles variations. Faites la liste de ces variations et dites ce qu'elles évoquent pour vous.

GRAMMAIRE

La phrase conditionnelle avec SI.

Proposition subordonnée (Si + *indicatif imparfait*).	Proposition principale (**conditionnel présent**).
Si *toutes les filles du monde* **voulaient** *se donner la main*	*tout autour de la mer* elles **pourraient** *faire une ronde*

Exercices : 1. Cherchez dans le texte deux autres phrases conditionnelles semblables.

2. Faites vous-même deux phrases conditionnelles sur ce modèle.

PAUL FORT (1872-1960)

Né en Champagne comme La Fontaine, Paul Fort devait devenir *Le prince des poètes*. Bien que ses poèmes soient rythmés et rimés ou assonancés, il les dispose comme de la prose. Il les a publiés sous le titre général de *Ballades françaises* (une trentaine de volumes). Ces *Ballades* sont pleines de charme et de fraîcheur, elles témoignent d'une grande sensibilité.

Paysage, par Pissarro.

« *Mon village... c'est un village, pas très joli même, et que pourtant j'adore.* » (Colette.)

Cliché Giraudon.

MON VILLAGE : MONTIGNY ET SES BOIS

Je m'appelle Claudine; j'habite Montigny; j'y suis née en mille huit cent soixante-treize, probablement je n'y mourrai pas.

Mon « Manuel de géographie départementale » s'exprime ainsi : « Montigny-en-Fresnoy, jolie petite ville de mille neuf cent cinquante habitants, construite en amphithéâtre sur la Thaize; on y admire une tour sarrasine bien conservée... » Moi, ça ne me dit rien du tout, ces descriptions-là! D'abord, il n'y a pas de Thaize; je sais bien qu'elle est censée traverser des prés au-dessous du passage à niveau; mais en aucune saison vous n'y trouverez de quoi laver les pattes d'un moineau. Montigny «construit en *amphithéâtre* »? Non, je ne le vois pas ainsi; à ma manière, c'est des moutons qui dégringolent depuis le haut de la colline jusqu'en bas de la vallée; ça s'étage en escalier en dessous d'un gros château rebâti sous Louis XV et déjà plus délabré que la tour sarrasine, basse, gainée de pierre, qui s'effrite par en haut un petit peu chaque jour. C'est un village et non pas une ville; les rues, grâce au ciel, ne sont pas pavées; c'est un village, pas très joli même, et que pourtant j'adore.

Le charme, le délice de ce pays fait de collines et de vallées si étroites que quelques-unes sont des ravins, c'est les bois, les bois profonds et envahisseurs, qui moutonnent et ondulent jusque là-bas, aussi loin qu'on peut voir... Des prés verts les trouent par place, de petites cultures aussi, pas grand-chose, les bois superbes dévorant tout. De sorte que cette contrée est affreusement pauvre, avec ses quelques fermes disséminées et peu nombreuses, juste ce qu'il faut de toits rouges pour faire valoir le vert velouté des bois.

Chers bois, je les connais tous, je les ai battus si souvent. Il y a les bois-taillis, des arbustes qui vous agrippent méchamment la figure au passage; ceux-là sont pleins de soleil, de fraises, de muguets et aussi de serpents. J'y ai tressailli de frayeurs suffocantes à voir glisser devant mes pieds ces atroces petits corps lisses et froids; vingt fois, je me suis arrêtée, haletante, en trouvant sous mes mains, près de la « passe-rose », une couleuvre bien sage, roulée en colimaçon, régulièrement, sa tête en

33

dessus, ses petits yeux me regardant; ce n'était pas dangereux, mais quelles terreurs!...

Et puis, il y a les préférés, les grands bois qui ont seize ou vingt ans; ça me saigne dans le cœur d'en voir couper un; pas broussailleux, ceux-là, des arbres comme des colonnes, des sentiers étroits où il fait presque nuit à midi, où la voix et les pas sonnent d'une façon inquiétante. Dieu! que je les aime! Je m'y sens tellement seule, les yeux perdus loin entre les arbres, dans le jour vert et mystérieux, à la fois délicieusement tranquille et un peu anxieuse, à cause de la solitude et de l'obscurité vague... Pas de petites bêtes dans ces grands bois, ni de hautes herbes; un sol battu, tour à tour sec, sonore, ou mou, à cause des sources; des lapins à derrière blanc les traversent; des chevreuils peureux dont on ne fait que deviner le passage, tant ils courent vite; de grands faisans, lourds, rouges, dorés; des sangliers (je n'en ai pas vu); des loups — j'en ai entendu un au commencement de l'hiver pendant que je ramassais des faines, ces bonnes petites faines huileuses qui grattent la gorge et font tousser. Quelquefois des pluies d'orage vous surprennent dans ces grands bois-là; on se blottit sous un chêne plus épais que les autres et, sans rien dire, on écoute la pluie crépiter là-haut comme sur un toit, bien à l'abri, pour ne sortir de ces profondeurs que tout éblouie et dépaysée, mal à l'aise au grand jour.

Et les sapinières! Peu profondes, elles, et peu mystérieuses, je les aime pour leur odeur, pour les bruyères roses et violettes qui poussent dessous et pour leur chant sous le vent. Avant d'y arriver, on traverse des futaies serrées et, tout d'un coup, on a la surprise délicieuse de déboucher au bord d'un étang, un étang lisse et profond, enclos de tous côtés par les bois, si loin de toutes choses. Les sapins poussent dans une espèce d'île au milieu; il faut passer bravement à cheval sur un tronc déraciné qui rejoint les deux rives. Sous le sapin, on allume du feu, même en été, parce que c'est défendu; on y cuit n'importe quoi, une pomme, une poire, une pomme de terre volée dans un champ, du pain bis, d'autres choses; ça sent la fumée amère et la résine; c'est abominable, c'est exquis.

J'ai vécu dans ces bois dix années de vagabondages éperdus, de conquêtes et de découvertes; le jour où il me faudra les quitter, j'aurai un gros chagrin.

COLETTE,
Claudine à l'école. — Hachette, éditeur.

LE SENS ET LA VIE DES MOTS

A. LES MOTS

Amphithéâtre : partie élevée du théâtre garnie de gradins en demi-cercle, en face de la scène. On dit que la ville est construite en amphithéâtre parce qu'elle s'étage en demi-cercle comme les gradins d'un théâtre, au flanc de la colline dominant la Thaize.

Agrippent : Au sens propre, agripper c'est saisir avec les griffes, violemment. Les branches des arbustes vous agrippent, vous accrochent la figure comme avec des griffes.

Atroces : Au sens propre : très cruelles. Ici, effrayantes à voir.

Haletante : respirant très vite, par saccades; essoufflée.

Expliquez à l'aide du dictionnaire : *bois-taillis — broussailleux — faines — futaie.*

B. LES EXPRESSIONS

Tour sarrasine : tour datant du moyen âge, époque où les Musulmans ou Sarrasins envahirent l'Europe.

Elle est censée traverser : il est admis qu'elle traverse...

Battre les bois. Les chasseurs battent les bois ou les buissons pour en faire sortir le gibier. (On dit : faire une battue.)

Par extension, battre les bois, c'est les parcourir en tous sens.

En colimaçon : en spirale.

LES IDÉES ET LES SENTIMENTS

Exercices de conversation :

1. Qu'est-ce qui fait, pour Colette, le charme et le délice de ce pays?

2. Pourquoi dit-elle que cette contrée est affreusement pauvre?

3. D'après le quatrième paragraphe et le paragraphe final, dites pourquoi l'auteur connaît si bien ces bois.

4. Quelles sont les trois sortes de bois que l'on rencontre dans cette région? D'après le texte, décrivez chacune d'elles.

5. Que trouve Colette dans les bois-taillis? — dans les grands bois? — dans les sapinières?

6. Quels bois préfère-t-elle? Pourquoi les aime-t-elle? Que fait-elle quand l'orage l'y surprend?

7. Pourquoi aime-t-elle aussi les sapinières?

8. Relevez la phrase qui indique la grande place que tiennent dans son cœur les bois de Montigny.

9. Colette est-elle bien sûre qu'il y a des sangliers dans les grands bois? qu'il y a des loups? — Avait-elle vraiment peur quand elle rencontrait des couleuvres? Justifiez chaque fois votre réponse à l'aide du texte et reportez-vous page 23.

——————— *UTILISEZ LE TEXTE* ———————

LE VOCABULAIRE ACTIF

1. Trouvez trois sens différents du mot bois. Faites une phrase où chacun de ces sens apparaîtra.

2. Qu'est-ce qu'un bosquet? un bouquet d'arbres? un boqueteau?

3. On vous a expliqué « être censé ».

Quel est le sens de l'aphorisme : « Nul n'est censé ignorer la loi » ?

4. Remplacez, dans la phrase où elle figure, l'expression : « ça me saigne le cœur », par une expression de sens voisin.

5. Relevez, dans le dictionnaire, six expressions renfermant le nom cœur. Faites une phrase avec chacune de ces expressions.

STYLE ET COMPOSITION

1. Résumez la description de Montigny (ville — emplacement — rivière — tour sarrasine) : *a*) par l'auteur de la géographie départementale; *b*) par Colette.

2. En vous inspirant du plan suivi par Colette, décrivez un village et ses environs.

GRAMMAIRE

L'adverbe pronominal Y.

J'habite Montigny, j'y suis née... (je suis née à Montigny).

y : adverbe pronominal de lieu, remplace Montigny, complément circonstanciel de lieu du verbe naître.

Exercice : Cherchez dans le texte les *y* adverbes pronominaux de lieu et analysez-les.

Le pronom personnel EN.

Des sangliers (je n'en ai pas vu).

en : pronom personnel, remplace le nom sangliers, complément d'objet direct du verbe voir.

Dans ce cas, le pronom *en* s'emploie pour remplacer un nom précédé de l'article indéfini ou de l'article partitif (v. p. 14) ou d'un chiffre (v. p. 347).

Exercice : Cherchez dans le texte deux autres pronoms *en*, analysez-les.

CONSEILS POUR LA LECTURE

La ponctuation. — Le point-virgule sépare deux ou plusieurs propositions dans la même phrase : marquez un arrêt moins long qu'au point; baissez la voix.

Ex. : Je m'appelle Claudine; ↓ j'habite Montigny; ↓ j'y suis née en 1873, probablement je n'y mourrai pas. ↓

Le point-virgule sépare encore les énumérations dans la phrase.

─────── **VOCABULAIRE D'INITIATION** ───────

Grâce à ces listes élaborées par le « Centre de Recherches et d'Études pour la Diffusion du français », il vous sera possible de contrôler systématiquement l'acquisition du vocabulaire de la critique littéraire. Il faut vérifier, avec le dictionnaire, le sens des mots sur lesquels vous avez des doutes.

Termes se rapportant aux techniques littéraires de composition :

— VERBES :

développer	résumer
exposer	traiter
organiser	

— NOMS :

une allégorie	le développement
une allusion	la dissertation
un argument	un ensemble
(sens de résumé	une entrée en
de l'ouvrage)	matière
une architecture	un épisode
une articulation	un exposé
la composition	une exposition
la conclusion	le fond
le cours (sens de	la forme
déroulement)	une intrigue
	une introduction

la méthode	le passage
un ordre	le plan
le paragraphe	la préface
la progression	la succession
le résumé	le sujet
la source	le thème
la structure	la transition

Termes désignant des écrivains :
(tous au masculin).

auteur	
— comique	mémorialiste
— tragique	moraliste
chroniqueur	narrateur
conteur	nouvelliste
critique	poète
dramaturge	polémiste
écrivain	portraitiste
essayiste	prosateur
fabuliste	romancier
historien	satiriste

DU HAUT DE LA CATHÉDRALE DE STRASBOURG

L'église vue, je suis monté sur le clocher. Vous connaissez mon goût pour le voyage perpendiculaire. Je n'aurais eu garde de manquer la plus haute flèche du monde. Le Munster de Strasbourg a près de cinq cents pieds de haut. Il est de la famille des clochers accostés d'escaliers à jour. C'est une chose admirable de circuler dans cette monstrueuse masse de pierre toute pénétrée d'air et de lumière, évidée comme un joujou de Dieppe, lanterne aussi bien que pyramide, qui vibre et qui palpite à tous les souffles du vent. Je suis monté jusqu'en haut des escaliers verticaux. Je me suis arrêté à la naissance de la flèche proprement dite. Quatre escaliers à jour, en spirale, correspondant aux quatre tourelles verticales, enroulés dans un enchevêtrement délicat de pierre amenuisée et ouvragée, s'appuient sur la flèche, dont ils suivent l'angle, et rampent jusqu'à ce qu'on appelle la couronne, à environ trente pieds de distance de la lanterne surmontée d'une croix qui fait le sommet du clocher. Les marches de ces escaliers sont très hautes et très étroites, et vont se rétrécissant à mesure qu'on monte. Si bien qu'en haut, elles ont à peine la saillie du talon. Il faut gravir ainsi une centaine de pieds, et l'on est à quatre cents pieds du pavé. Point de garde-fous, ou si peu qu'il n'est pas la peine d'en parler. L'entrée de cet escalier est fermée par une grille de fer. On n'ouvre cette grille que sur une permission spéciale du maire de Strasbourg, et l'on ne peut monter qu'accompagné de deux ouvriers couvreurs, qui vous nouent autour du corps une corde dont ils attachent le bout de distance en distance, à mesure que vous montez, aux barres de fer qui relient les meneaux...

D'où j'étais, la vue est admirable. On a Strasbourg sous ses pieds, vieille ville à pignons dentelés et à grands toits chargés de lucarnes, coupée de tours et d'églises, aussi pittoresque qu'aucune ville de Flandre. L'Ill et le Rhin, deux jolies rivières, égaient ce sombre amas d'édifices de leurs flaques d'eau claires et vertes. Tout autour des murailles s'étend à perte de vue une immense campagne pleine d'arbres et semée de villages. Le Rhin qui s'approche à une lieue de la ville, court dans cette campagne en se tordant sur lui-même. En faisant le tour du clocher, on voit trois chaînes de montagnes, les croupes de la Forêt Noire au nord, les Vosges à l'ouest, au midi les Alpes.

On est si haut que le paysage n'est plus un paysage; c'est comme ce que je voyais sur la montagne de Heidelberg, une carte de géographie, mais une carte de géographie vivante, avec des brumes, des fumées, des ombres et des lueurs, des frémissements d'eau et de feuilles, des nuées, des pluies et des rayons de soleil.

Le soleil fait volontiers fête à ceux qui sont sur de grands sommets. Au moment où j'étais sur le Munster, il a tout à coup dérangé les nuages dont le ciel avait été couvert toute la journée, et il a mis le feu à toutes les fumées de la ville, à toutes les vapeurs de la plaine, tout en versant une pluie d'or sur Saverne dont je revoyais la côte magnifique à douze lieues au fond de l'horizon, à travers une gaze resplendissante. Derrière moi, un gros nuage pleuvait sur le Rhin; à mes pieds, la ville jasait doucement, et ses paroles m'arrivaient à travers des bouffées de vent; les cloches de cent villages sonnaient; des pucerons roux et blancs, qui étaient un troupeau de bœufs, mugissaient dans une prairie à droite; d'autres pucerons bleus et rouges, qui étaient des canonniers, faisaient l'exercice à feu dans le polygone; à gauche, un scarabée noir, qui était une diligence, courait sur la route de Metz; et, au nord, sur la croupe d'une colline, le château du Grand-Duc de Bade brillait dans une flaque de lumière comme une pierre précieuse. Moi, j'allais d'une tourelle à l'autre, regardant ainsi tour à tour la France, la Suisse et l'Allemagne, dans un seul rayon de soleil.

Victor Hugo, Le Rhin.

─────────────── *COMPRENEZ BIEN LE TEXTE* ───────────────

LE SENS ET LA VIE DES MOTS

A. LES MOTS

Cathédrale : mot venant du latin du moyen âge *cathedra* : siège épiscopal. D'où église cathédrale, puis par ellipse : cathédrale, église où siège l'évêque.

Munster : ce mot allemand désigne la grande église d'un monastère et, par extension, une vieille cathédrale gothique.

Accostés : portant accrochés sur leur côté.

Enchevêtrement : ce mot vient de chevêtre = licou. Au sens propre, s'enchevêtrer se dit d'un cheval qui s'embarrasse dans la longe de son licou. Les escaliers paraissent entremêlés à la dentelle de pierre de la flèche.

Gaze : étoffe légère et transparente de soie ou de lin, fabriquée à l'origine à Gaza, Syrie, — d'où son nom. Ici, sens figuré : vapeur légère tout ensoleillée.

Diligence : *ellipse de* : voiture de diligence, voiture publique rapide pour le transport des voyageurs. Le deuxième nom a seul subsisté, comme seul est resté l'adjectif cathédrale — employé comme nom — pour désigner l'église cathédrale.

Travail personnel. — Expliquez à l'aide du dictionnaire :

Flèche — pieds — amenuisée — ouvragée — meneaux — pignons — lucarnes — pittoresque — polygone.

B. LES EXPRESSIONS

Le voyage perpendiculaire : l'ascension suivant la verticale d'une tour, d'un clocher.

Joujou de Dieppe : les joujoux de Dieppe sont de petits objets en ivoire (navires, barques, etc.) finement sculptés, dont Dieppe est depuis le XIVe siècle un centre important de fabrication.

LES IDÉES ET LES SENTIMENTS

Exercices de conversation :

1. Relevez les expressions qui montrent que cette « monstrueuse masse de pierre » ne donne cependant pas une impression de lourdeur et d'écrasement.

2. Par quels détails l'auteur montret-il que son ascension de la flèche de la cathédrale fut difficile et périlleuse?

3. Pourquoi dit-il que Strasbourg, « sous ses pieds », est très pittoresque?

4. Dites ce que voit Victor Hugo en portant ses regards de la ville jusqu'à l'horizon.

5. Pourquoi le paysage vu est-il, pour l'auteur, une carte de géographie vivante?

6. Que deviennent, dans son imagination, les êtres et les choses qu'il voit de si haut? (bœufs, canonniers, diligence, etc.)

UTILISEZ LE TEXTE

LANGUE ET CIVILISATION

1. Transposez en mètres toutes les longueurs ou distances évaluées en pieds dans le texte.

2. Géographie est formé de deux mots grecs : *gê* = terre, et *grapho* = j'écris ou je décris. A l'aide du dictionnaire, expliquez, en les décomposant, les noms féminins formés de la même manière : hydrographie, cosmographie, sténographie, lithographie, calligraphie, télégraphie, photographie, iconographie, biographie, monographie, historiographie.

3. Victor Hugo utilise volontiers des oppositions (ou antithèses) dans une même phrase. Ex. : cette monstrueuse masse de pierre — toute pénétrée d'air et de lumière. Relevez une autre opposition dans le deuxième paragraphe.

STYLE ET COMPOSITION

I. CONSTRUCTION DE PHRASES ET DE PARAGRAPHES

1. La comparaison. Au lieu de dire : « Un troupeau de bœufs ressemblait à des pucerons », Victor Hugo écrit : « Des pucerons, qui étaient un troupeau de bœufs, mugissaient... » Sur ce modèle, en ce qui concerne la phrase, et sur le modèle du passage : « des pucerons... pierre précieuse », pour la construction, décrivez ce que vous pouvez voir du haut d'une colline, en été, dans une prairie où coule une rivière.

2. L'enchaînement des idées dans un paragraphe pour justifier une action. — Relisez les trois premières phrases du texte : propositions courtes, juxtaposées, commençant, sauf la première, par le sujet. La première exprime l'action; les deux autres justifient cette action. Sur ce modèle, construisez un paragraphe de trois phrases sur chacun des sujets suivants :

a) Vous avez fait l'escalade d'un rocher qui domine votre ville ou votre village.

b) Vous avez fait une partie de ski dans un champ de neige.

II. RÉDACTION

1. Établissez le plan suivi par l'auteur, en donnant un titre à chaque paragraphe.

2. En suivant le même plan, racontez une ascension que vous avez pu faire (clocher, rocher, montagne).

Notre-Dame de Paris.

GRAMMAIRE

**Expression d'une action progressive.
— *Les marches vont se rétrécissant.***

L'auxiliaire *aller* + *le participe présent* sont une forme littéraire assez rare en français. Cette forme exprime que les marches sont progressivement de plus en plus étroites.

CONSEILS POUR LA LECTURE

Application des conseils déjà donnés en ce qui concerne le point, le point-virgule et la virgule.

a) *Premier paragraphe* : la montée au clocher : phrases courtes; donc points nombreux et pauses fréquentes.

b) *Dernier paragraphe*. Au sommet de la tour, l'auteur observe et décrit dans le calme ce qu'il voit : phrases plus longues, énumérations séparées par des ; — Préparez spécialement ces deux paragraphes (découpage et lecture).

VICTOR HUGO (1802-1885)

Le plus grand poète français du XIXe siècle fut également un admirable écrivain en prose dans des romans célèbres (voir notice page 443). Nous avons, dans le morceau étudié, un exemple de son imagination puissante qui sait faire revivre les choses et les êtres et de son style merveilleusement évocateur.

MA / 1000 / cathédrales / ogif (l'air)
NMA / guerre / bâtiments modernes — la machine
routes, villes, etc.

QUAND LES CATHÉDRALES ÉTAIENT BLANCHES

Une page de l'histoire humaine tourne et le monde est <u>sens dessus</u>
<u>dessous</u>. Les dernières orgies de Moloch — le sale argent — se roulent
sur tout ce qui est pur et créateur. L'<u>événement</u> est cosmique; il
entraîne tous les territoires habités de la terre. L'idée spéculative, élevée,
détachée, sublimisante, <u>couve</u> à l'Est — Inde, Chine — et a donné aux
Russes la résistance du sacrifice...

Au calendrier du monde, il y a les États-Unis et l'U. R. S. S., qui sont
les deux grandes machines vraiment nouvelles et dont le produit est
révolutionnaire. Le spectacle est aussi admirable que <u>déconcertant</u>
chez les uns comme chez l'autre... Dans cette avance certaine offerte
à notre examen, il y a des <u>reculs</u> — peut-être momentanés — qui nous
paraissent hauts comme un Himalaya et, par conséquent, nous décou-
ragent. Le <u>temps</u> y <u>pourvoira</u>. Nous jugeons avec l'impatience qui
<u>provient</u> des trois pauvres cycles de vingt années qui font la vie d'un
homme; l'homme est impatient, la vie s'en moque, elle a le temps.

Souvenons-nous qu'après l'an <u>mille</u>, le monde se reprenant à vivre
partit en conquête dans un immense enthousiasme. Et que, pour créer
les <u>nefs</u> nouvelles des églises, on regarda derrière, vers les *Romains*,
et l'on fit du *roman*. Et qu'à l'aisselle d'une v<u>oû</u>te apparut un jour la
vérité, l'arc ogif et que, d'un coup, on comprit, on s'élança. La libération
était dans cette aisselle de voûte. Les cathédrales furent.

Notre monde peut être laid, peut être faux, peut être cruel. Tout
s'y essaie toutefois, tout s'y roule et s'y <u>déroule</u>. Au <u>creux</u> de son aisselle
apparaîtra — ou est apparue — la raison d'être des choses et la lumière,
au cours de jours précipités, révèle les valeurs constructives. Il peut y
avoir des étiquettes de toutes sortes... Dans l'<u>étalage</u> des forces du monde,
les machines utiles apparaissent. La machine est championne et les
temps nouveaux sont là.

<u>Dressons</u> les beaux plans à l'<u>équerre</u>, bien faits, sains, au service des
hommes. « Je voudrais conduire à l'examen de conscience et au <u>repentir</u>
ceux qui, de toute la férocité de leur haine, de leur <u>frousse</u>, de leur
indigence d'esprit, de leur absence de vitalité, s'emploient avec un
<u>acharnement</u> néfaste à détruire ou à combattre ce qu'il y a de plus beau
dans ce pays — la France — et dans cette époque : l'invention, le cou-

41

rage et le génie créatif tout particulièrement attachés aux choses du bâtiment — en ces choses où coexistent la raison et la poésie, où font alliance la sagesse et l'entreprise. »

« Quand les cathédrales étaient blanches — une fois déjà — l'Europe avait organisé les métiers à la requête impérative des techniques... »

Et les vents avant-coureurs du printemps s'étant levés une fois encore, soufflent sur les neiges défraîchies d'une fin de civilisation.

On va bâtir un monde... quel monde construira-t-on? Où sont les plans? Laissera-t-on passer la saison nouvelle sans bâtir? Sans bâtir, parce qu'on a eu la paresse, ou qu'on a eu peur d'établir des vrais plans?

...Si je puis dire un mot aux jeunes, c'est celui-ci : « Regardez en vous et reconnaissez que vous procédez d'un milieu qui est indissociable de toutes vos sensations et de toutes vos initiatives. Ne le répudiez pas. N'imaginez pas qu'ailleurs, les loups n'existent plus et que la tendresse déborde. L'exotisme? Je sais par expériences fréquentes combien cela est immédiatement enchanteur. Mais les mêmes raisons d'enchantement sont dans l'essence des choses qui sont votre propre milieu; retirez-vous assez loin, un instant, pour contempler votre milieu en soi, dans sa réalité. Vous y trouverez les profondeurs de la raison des choses sur lesquelles vous êtes organisés et il vous en viendra le désir violent et l'amour profond de les mettre à la lumière du bel aujourd'hui. C'est ici qu'il faut faire votre œuvre; une œuvre saine, logique, inventive, savoureuse, pleine des vertus essentielles raccordées à sa ligne de vie. La civilisation machiniste a commencé, c'est le nouvel âge de l'humanité. Les plus grandes proportions, les dimensions les plus vastes peuvent être atteintes. C'est une grande aventure; elle s'étend au monde entier qui se renouvelle. Au calendrier du monde, chaque groupement humain situé différemment par l'effet de l'incidence du soleil, par le partage des races, par des causes encore insaisissables ou des conséquences trop embrouillées, fera son œuvre. Le télégraphe a tout rapproché, mais les océans séparent toujours. Le Nordique réagit autrement que l'Africain. La steppe influe sur les hommes autrement que la colline, que la montagne ou que la mer. Le sapin et le palmier dispensent des poétiques variées.

Un nouvel âge a commencé. Un nouveau moyen âge. A travers le sang et la douleur des conflits, il faut observer le déroulement impeccable de l'œuvre créatrice. Les cathédrales furent : l'intérieur, le vaisseau, la nef sont la pureté même, tandis que le dehors est organisé comme une armée en bataille, <u>hirsute</u> comme elle. *unkempt*

La technique nous a donné la hardiesse et la témérité dans les événements rationnels. Brisons l'<u>étreinte</u> de nos cœurs, chassons l'angoisse *grasp* de l'inconnu; <u>dressons</u> les plans humains et poétiques du monde nou- *draw up* veau. Construisons tout : les routes, les ports, les villes, les institutions. La page est tournée et nous avons assez de preuves matérielles fournies par les réalisations de ce siècle, pour être assurés que nous devons voir grand et regarder haut.

LE CORBUSIER,
Quand les cathédrales étaient blanches.
Plon éditeur, Paris.

──────── *COMPRENEZ BIEN LE TEXTE* ────────

LE SENS ET LA VIE DES MOTS

LES MOTS ET LES EXPRESSIONS

Sublimisant : ce mot est *un néologisme*, c'est-à-dire un mot inventé par l'auteur pour désigner le processus qui fait devenir sublime, c'est-à-dire très élevé au sens spirituel.

Pourvoir à : voir d'avance les besoins afin de les satisfaire. Le temps permettra de replacer les développements de l'architecture actuelle dans une perspective juste.

La nef : désignait, au moyen âge, un grand navire et, par analogie, la partie centrale d'une église, celle qui est située entre les piliers.

Une aisselle : proprement, le creux de l'aile, puis du bras. La partie la plus élevée de la voûte romane a été l'endroit où s'est située la brisure en deux arcs de cercle formant l'ogive.

Ogif : adjectif formé sur le nom féminin ogive (néologisme).

La frousse : la peur; ici ce mot très familier marque le mépris.

Sens dessus dessous : le monde est complètement bouleversé par les guerres et les révolutions, on ne le reconnaît plus.

La requête impérative des techniques : les ouvriers et les artisans avaient su prendre place dans le mouvement de progrès pensé par les architectes. Le progrès des techniques avait exigé des changements de méthode.

Répudier le milieu : c'est, pour un architecte, refuser de tenir compte de l'environnement, de la géographie, du climat et des traditions architecturales. Un architecte qui édifierait une cathédrale gothique en Afrique répudierait le milieu.

Expliquez à l'aide du dictionnaire

Une orgie — une équerre — impeccable — dispenser — hirsute.

LES IDÉES ET LES SENTIMENTS

Exercices de conversation :

1. A quelle époque les cathédrales étaient-elles blanches et pourquoi?

2. Le Corbusier parle du « sale argent ». Que veut-il affirmer par cet adjectif « sale »? Partagez-vous son opinion?

3. Pour quelles raisons l'auteur dit-il que les États-Unis et l'Union soviétique sont « les deux grandes machines vraiment nouvelles »?

4. Commentez la remarque : « l'homme est impatient, la vie s'en moque, elle a le temps ».

5. Pour quelles raisons Le Corbusier insiste-t-il sur le fait que l'architecture doit être « au service des hommes »?

6. Quel rapport y a-t-il entre la raison et la sagesse ? Quel rapport y a-t-il entre la poésie et l'entreprise ?

Paris. L'Avenue des Champs-Elysées.

Vue prise du haut de l'Arc de triomphe de l'Étoile. Au bout de l'avenue, la Place de la Concorde. Au fond et légèrement à droite, les tours de Notre-Dame; encore plus à droite, le dôme du Panthéon.

7. Le Corbusier recommande aux jeunes gens de ne pas «répudier leur milieu». Êtes-vous d'accord?

8. Partagez-vous l'opinion de l'auteur sur «les océans»?

9. En quoi la technique peut-elle nous donner «hardiesse et témérité»?

10. Même ceux qui ne sont pas d'accord avec Le Corbusier pensent qu'il est un des maîtres de l'architecture contemporaine.

Relevez tous les détails du texte qui permettent d'étayer ce jugement.

LANGUE ET CIVILISATION

LE STYLE ET LA THÈSE

A. 1. Cherchez dans le texte tous les mots qui expriment une idée de mouvement. Quelles conclusions tirez-vous de l'emploi fréquent et varié de ces mots?

2. Quelles réflexions peut-on faire en comparant la fin du troisième paragraphe (*Les cathédrales furent*) à celle du paragraphe suivant (*... les temps nouveaux sont là*)?

B. *On va bâtir un monde.* Le Corbusier vous a-t-il convaincu? Sentez-vous maintenant la grandeur du XXᵉ siècle? Pensez-vous au contraire qu'il exagère l'importance des architectes modernes en les comparant aux constructeurs de cathédrales gothiques?

DISSERTATION

Faites un exposé — destiné à un ami étranger — des progrès et des problèmes de l'urbanisme dans votre pays.

GRAMMAIRE

Les pronoms Y et EN.

Ces pronoms remplacent quelquefois l'idée exprimée dans une phrase ou une proposition précédente, dans ce cas on dit qu'ils sont *neutres*.

Le mot Y.

Le pronom personnel *y* a parfois la valeur d'un complément du verbe introduit par la préposition *à*; dans ce cas, il ne remplace jamais un nom de personne : *Le temps y pourvoira : le temps pourvoira à cela*.

Y : pronom personnel neutre, remplace l'idée exprimée dans la phrase précédente, complément du verbe *pourvoir (à)*.

Le mot EN.

Le pronom personnel *en* a parfois la valeur d'un complément du verbe introduit par la préposition *de* : *La vie s'en moque : la vie se moque de cela*.

En : pronom personnel neutre, remplace l'idée exprimée dans la proposition précédente (l'homme est impatient), complément du verbe *se moque (de)*.

Le temps passé simple.

Les cathédrales furent. Ici, le temps passé simple a une valeur très forte, il indique un fait accompli dans sa durée limitée, liée à une certaine forme de civilisation.

L'adjectif qualificatif CERTAIN.

Dans cette avance certaine offerte à notre examen... Placé après le nom, l'adjectif *certaine* est qualificatif et signifie *sûre, positive, indéniable*.

CONSEILS POUR LA LECTURE

Lire ce texte sans grandiloquence, mais avec chaleur et passion. L'auteur veut nous entraîner, pour cette raison il emploie le mode impératif. Ce genre de forme caractérise le discours : faites ressortir, sans exagération, le dynamisme de ces procédés oratoires.

LE CORBUSIER (1887)

Architecte et urbaniste né en Suisse, à La Chaux-de-Fonds. Naturalisé français, Le Corbusier a construit, en France et dans le monde (en Amérique du Sud et en Inde) des bâtiments conçus d'une manière entièrement nouvelle et révolutionnaire.

La Cité radieuse de Le Corbusier

(Photo Roger Viollet.)

VILLE DE FRANCE

Le matin, je me lève, et je sors de la ville.
Le trottoir de la rue est sonore à mon pas,
Et le jeune soleil chauffe les jeunes tuiles,
Et les jardins étroits sont fleuris de lilas.

Le long du mur moussu que dépassent les branches,
Un écho que l'on suit vous dépasse en marchant,
Et le pavé pointu mène à la route blanche
Qui commence au faubourg et s'en va vers les champs.

Et me voici bientôt sur la côte gravie
D'où l'on voit, au soleil et couchée à ses pieds,
Calme, petite, pauvre, isolée, engourdie,
La ville maternelle aux doux toits familiers.

Elle est là, étendue et longue. Sa rivière
Par deux fois, en dormant, passe sous ses deux ponts;
Les arbres de son mail sont vieux comme les pierres
De son clocher qui pointe au-dessus des maisons.

Dans l'air limpide, gai, transparent et sans brume
Elle fait un long bruit qui monte jusqu'à nous :
Le battoir bat le linge et le marteau l'enclume,
Et l'on entend des cris d'enfants, aigres et doux...

Elle est sans souvenirs de sa vie immobile,
Elle n'a ni grandeur, ni gloire ni beauté;
Elle n'est à jamais qu'une petite ville;
Elle sera pareille à ce qu'elle a été.

Elle est semblable à ses autres sœurs de la plaine,
A ses sœurs des plateaux, des landes et des prés;
La mémoire, en passant, ne retient qu'avec peine,
Parmi tant d'autres noms, son humble nom français;

Et, pourtant, lorsque après un de ces longs jours graves
Passés de l'aube au soir à marcher devant soi,
Le soleil disparu derrière les emblaves
Assombrit le chemin qui traverse les bois;

Lorsque la nuit qui vient rend les choses confuses
Et que sonne la route dure au pas égal,
Et qu'on écoute au loin le gros bruit de l'écluse,
Et que le vent murmure aux arbres du canal;

Quand l'heure, peu à peu, ramène vers la ville
Ma course fatiguée et qui va voir bientôt
La première fenêtre où brûle l'or de l'huile
Dans la lampe, à travers la vitre sans rideau,

Il me semble, tandis que mon retour s'empresse
Et tâte du bâton les bornes du chemin,
Sentir, dans l'ombre, près de moi, avec tendresse
La patrie aux doux yeux qui me prend par la main.

Henri DE RÉGNIER,
La Sandale ailée. — Mercure de France, éd.

──────────── COMPRENEZ BIEN LE TEXTE ────────────

LE SENS ET LA VIE DES MOTS

A. LES MOTS

Faubourg : de fau, déformation de
fors (hors) et de bourg. C'est un groupe
de maisons hors du bourg, c'est-à-dire
hors de l'agglomération principale.

Mail : de *malleus*, marteau. Suivons
l'évolution du sens de ce mot : *a)* petit
maillet ou marteau avec lequel on poussait une boule de bois dans un jeu; *b)* jeu
où l'on se sert du mail; *c)* allée préparée
pour jouer au mail et où l'on pouvait se
promener; *d)* promenade publique. C'est
ce dernier sens qu'a le mot dans le texte.

Rideau : de l'allemand *riden*, tordre,
plisser. Rideau s'appliqua d'abord à un
pli de terrain, puis à une étoffe plissée,
mise à la fenêtre pour protéger des
regards indiscrets (sens dans le texte),
enfin à une bordure d'arbres qui masque
la vue : un rideau de peupliers borde
la rivière.

Expliquez à l'aide du dictionnaire :

Echo — engourdie — humble — em-
blaves.

B. LES EXPRESSIONS

Où brûle l'or de l'huile : *mis pour* où
brûle l'huile couleur d'or.

LES IDÉES ET LES SENTIMENTS

Exercices de conversation :

1. A quel moment de la journée l'auteur quitte-t-il la ville? En quelle saison? Quelles sont les notations qui
l'indiquent? Quand y rentre-t-il?

2. Relevez le vers renfermant les qualificatifs que l'auteur donne à la « ville
maternelle ».

3. Quelques traits caractéristiques de
la petite ville. — Relevez les expressions
ou les vers qui nous font connaître : *a)* sa
forme; *b)* sa vieillesse; *c)* ses bruits.

4. Elle n'est pas une ville industrielle.
L'auteur l'indique en la comparant à
d'autres villes dans deux vers. Relevez
ces vers.

5. Cette petite ville a-t-elle joué un
grand rôle dans l'histoire de la France?
Relevez les deux vers qui répondent à
cette question.

6. Que dit l'auteur au sujet du nom
de cette petite ville?

7. Et cependant, cette ville humble et
pauvre, l'auteur l'aime. Pourquoi?

STYLE ET COMPOSITION

I. LE PLAN DU POÈME

1. Le poète sort de la ville le matin.

2. Il décrit la ville du haut de la colline.

3. Il nous fait part de ses réflexions sur la ville.

4. Le poète rentre à la tombée de la nuit en nous confiant ses impressions.

Quelles strophes consacre-t-il à chacune de ces parties?

II. LA FORME

1. L'auteur emploie, au début, le pronom *je* et fait un récit personnel; puis il oublie sa personne et emploie d'abord le pronom *elle*, puis le pronom indéfini *on*. Enfin il ramène sa personne dans le récit (ma course... mon retour...). Délimitez, d'après ces indications, ces quatre parties du poème.

2. Au début du poème, l'auteur écrit : je me lève, je sors... Mais dans les deux dernières strophes, au lieu de dire : je rentre, je m'empresse et tâte...., il s'exprime par une image. Relevez les deux phrases (sujet, verbe et compléments) où il utilise ce procédé.

III. COMPOSITION FRANÇAISE

1. Vous partez, un matin de printemps, pour une promenade dans les environs de votre ville ou de votre village. Comme le poète, vous notez ce que vous voyez et ce que vous entendez le long de votre chemin.

2. Correspondance internationale : Un étudiant français de votre âge vous a écrit pour vous annoncer qu'il désirerait venir passer quinze jours de vacances chez vous. Vous lui répondez pour lui dire comment vous comptez organiser son séjour et ce que vous allez lui montrer.

ANALYSE DU POÈME

1. Combien y a-t-il de strophes dans ce poème? combien y a-t-il de vers dans chaque strophe?

2. Chaque vers renferme douze syllabes sonores ou pieds : c'est un alexandrin. Une strophe de quatre vers est un quatrain.

Remarque : A l'intérieur d'un vers, si la dernière syllabe d'un mot est terminée par un « e » muet, et si la première syllabe du mot suivant est une voyelle, l'e muet est élidé et les deux syllabes ne font qu'un pied, pour la prononciation.

Ex. : *je-me-lè-ve* et-*je-sors*.

Relevez les deux premières strophes en séparant les syllabes ou pieds de chaque vers.

Ex. : *Le-ma-tin-je-me-lè-ve* et-*je-sors-de-la-ville*.

3. Les vers riment deux à deux, c'est-à-dire qu'ils se terminent par des syllabes ayant le même son. Ex. (1re strophe) : *ville* et *tuiles*; *pas* et *lilas*. Relevez, dans les six premières strophes, les mots qui riment ensemble et encadrez les rimes.

GRAMMAIRE

Un emploi de la conjonction QUE.

La conjonction *que* peut remplacer n'importe quelle autre conjonction pour éviter une répétition.

Le premier vers de la neuvième strophe commence par *lorsque* (lorsque la nuit...), les deuxième, troisième et quatrième vers commencent par *et que :* dans chacun de ces cas, *et que* signifie *lorsque*.

Exercice : Cherchez dans la leçon précédente « Quand les cathédrales étaient blanches » une conjonction *que* remplaçant *parce que*.

CONSEILS POUR LA LECTURE

L'articulation. Pour bien lire les vers, comme la prose, d'ailleurs, il faut bien articuler les syllabes.

a) Exercez-vous à bien articuler les syllabes que vous avez séparées dans les trois premières strophes, tout en liant les syllabes d'un même mot.

b) Exercice à haute voix, en donnant à l'ensemble l'intonation convenable dictée par la ponctuation et le sens.

HENRI DE RÉGNIER (1864-1936)

Poète se rattachant à l'École symboliste (v. p. 460). Il a publié notamment les volumes de vers suivants : *La sandale ailée; Médailles d'argile*. Le poème étudié nous montre la pureté et la douceur de sa poésie et la valeur de son inspiration morale. Il a écrit en outre un grand nombre de romans.

QU'EST-CE QU'UNE NATION?

Ce droit national, sur quel critérium le fonder? à quel signe le reconnaître? de quel fait tangible le faire dériver?

De la *race*, disent plusieurs avec assurance... La vérité est qu'il n'y a pas de race pure et que faire reposer la politique sur l'analyse ethnographique, c'est la faire porter sur une chimère. Les plus nobles pays sont ceux où le sang est le plus mêlé. L'Allemagne fait-elle à cet égard exception? Est-elle un pays germanique pur? Quelle illusion! Tout le Sud a été gaulois. Tout l'Est, à partir de l'Elbe, est slave... Le fait de la race, capital à l'origine, va donc toujours perdant de son importance. L'histoire humaine diffère essentiellement de la zoologie. La race n'y est pas tout, comme chez les rongeurs ou les félins, et on n'a pas le droit d'aller par le monde tâter le crâne des gens, puis de les prendre à la gorge en leur disant : *Tu es de notre sang, tu nous appartiens!*...

Ce que nous venons de dire de la race, il faut le dire de la *langue*. La langue invite à se réunir; elle n'y force pas. Les États-Unis et l'Angleterre, l'Amérique espagnole et l'Espagne parlent la même langue et ne forment pas une seule nation. Au contraire, la Suisse, si bien faite, puisqu'elle a été faite par l'assentiment de ses différentes parties, compte trois ou quatre langues. Il y a dans l'homme quelque chose de supérieur à la langue : c'est la volonté. La volonté de la Suisse d'être unie, malgré la variété de ses idiomes, est un fait beaucoup plus important qu'une similitude de langage souvent obtenue par des vexations... L'importance politique qu'on attache aux langues vient qu'on les regarde comme des signes de race. Rien de plus faux. Les langues sont des formations historiques, qui indiquent peu de chose sur le sang de ceux qui les parlent et qui, en tout cas, ne sauraient enchaîner la liberté humaine, quand il s'agit de déterminer la famille avec laquelle on s'unit pour la vie et pour la mort...

La *religion* ne saurait non plus offrir de base suffisante à l'établissement d'une nationalité moderne. A l'origine, la religion tenait à l'existence même du groupe social. De nos jours, la situation est parfaitement claire. Il n'y a plus de masses croyant d'une manière uniforme. Chacun croit et pratique à sa guise, ce qu'il peut, comme il veut. Il n'y a plus de religion d'État; on peut être Français, Anglais, Allemand, en étant catholique, protestant, israélite, en ne pratiquant aucun culte. La religion est devenue chose individuelle ; elle regarde la conscience de chacun...

La géographie, ce que l'on appelle les *frontières naturelles*, a certainement une part considérable dans la division des nations. La géographie est un des facteurs essentiels de l'histoire... Peut-on dire cependant, comme le croient certains partis, que les limites d'une nation sont écrites sur la carte et que cette nation a le droit de s'adjuger ce qui est nécessaire pour arrondir certains contours, pour atteindre telle montagne, telle rivière, à laquelle on prête une sorte de faculté limitante *a priori* ? Je ne connais pas de doctrine plus arbitraire ni plus funeste. Avec cela, on justifie toutes les violences. Et d'abord, sont-ce ces montagnes ou bien ces rivières qui forment ces prétendues frontières naturelles ? Il est incontestable que les montagnes séparent ; mais les fleuves réunissent plutôt. Et puis, toutes les montagnes ne sauraient découper des États... Non, ce n'est pas la terre plus que la race qui fait une nation. La terre fournit le *substratum*, le champ de la lutte et du travail ; l'homme fournit l'âme...

Une nation est une âme, un principe spirituel. Deux choses qui, à vrai dire, n'en font qu'une, constituent cette âme, ce principe spirituel. L'une est dans le passé, l'autre dans le présent. L'une est la possession en commun d'un riche legs de souvenirs ; l'autre est le consentement actuel, le désir de vivre ensemble, la volonté de continuer à faire valoir l'héritage qu'on a reçu indivis. L'homme ne s'improvise pas. La nation, comme l'individu, est l'aboutissement d'un long passé d'efforts, de sacrifices et de dévouements. Le culte des ancêtres est de tous le plus légitime ; les ancêtres nous ont faits ce que nous sommes. Un passé héroïque, des grands hommes, de la gloire (j'entends de la véritable), voilà le capital social sur lequel on assied une idée nationale. Avoir des gloires communes dans le passé, une volonté commune dans le présent ; avoir fait de grandes choses ensemble, vouloir en faire encore, voilà les conditions essentielles pour être un peuple. On aime en proportion des sacrifices qu'on a consentis, des maux qu'on a soufferts. On aime la nation qu'on a bâtie et qu'on transmet. Le chant spartiate : « Nous sommes ce que vous fûtes ; nous serons ce que vous êtes », est, dans sa simplicité, l'hymne abrégé de toute patrie.

Dans le passé, un héritage de gloire et de regrets à partager ; dans l'avenir, un même programme à réaliser ; avoir souffert, joui, espéré ensemble, voilà ce qui vaut mieux que des douanes communes et des frontières conformes aux idées stratégiques; voilà ce que l'on comprend malgré les diversités de race ou de langue. Je disais tout à l'heure « avoir souffert ensemble »; oui, la souffrance unit plus que la joie. En fait de souvenirs nationaux, les deuils valent mieux que les triomphes; *mourning* car ils imposent des devoirs; ils commandent l'effort en commun.

Une nation est donc une grande solidarité, constituée par le sentiment des sacrifices qu'on a faits et de ceux qu'on est disposé à faire encore. Elle suppose un passé; elle se résume pourtant dans le présent par un fait tangible : le consentement, le désir clairement exprimé de continuer la vie commune. L'existence d'une nation est (pardonnez-moi cette métaphore) un plébiscite de tous les jours, comme l'existence de l'individu est une affirmation perpétuelle de vie.

Ernest RENAN,
Discours et Conférences, 1887. — Calmann-Lévy, éditeur.

──────────── **COMPRENEZ BIEN LE TEXTE** ────────────

LE SENS ET LA VIE DES MOTS

A. LES MOTS

Tangible : que l'on peut toucher; sens à rapprocher de celui de *évident*, que l'on peut voir; au figuré, tangible prend le sens de *certain*, *indéniable*.

Chimère : au sens propre, la Chimère est un animal mythologique ayant la tête d'un lion, le corps d'une chèvre et la queue d'un serpent; d'où le sens dérivé de chose étrange n'existant que dans l'imagination des hommes.

Un assentiment : action par laquelle on se range au sentiment, à l'opinion d'une autre personne, on lui donne son *consentement*.

Un legs : ce que l'on *laisse* en mourant à ses héritiers.

Expliquez à l'aide du dictionnaire :

Un rongeur — un félin — un idiome — une vexation — substratum — indécis.

B. LES EXPRESSIONS

Tâter le crâne : allusion à une pseudo-science, florissante à l'époque, et par laquelle on expliquait le caractère des hommes par l'étude de la forme du crâne et de ses bosses (la phrénologie).

L'homme ne s'improvise pas : ne se crée pas soi-même sans préparation et sans effort; la plus grande partie de la personnalité est due à des influences extérieures et notamment aux progrès durement acquis par ceux qui nous ont précédés.

Chant spartiate : hymne de Sparte, ville de Grèce (Péloponnèse) qui fut célèbre dans l'antiquité. Les Spartiates étaient renommés pour leur patriotisme.

Un plébiscite de tous les jours : un plébiscite est le vote par lequel le peuple — la plèbe — répond *oui* ou *non* à un projet du gouvernement ou au choix d'un chef. Ici, le mot a le sens de plébiscite favorable, où la majorité dit *oui* à la nation par le simple fait qu'elle ne cherche pas à s'en séparer.

Asseoir une idée : est un gallicisme signifiant donner à cette idée des assises, des bases solides. Par exemple, selon Renan, une nation fondée sur l'idée de race n'est pas solidement assise.

LES IDÉES ET LES SENTIMENTS

1. Faites la liste des idées, puis celle des sentiments exprimés dans ce discours.

2. Que pensez-vous de la méthode de Renan qui consiste à détruire les conceptions adverses avant de proposer la sienne?

3. Partagez-vous les idées de Renan au sujet de :

a) la race,
b) la langue,
c) la religion,
d) la géographie ?

Si vous êtes en désaccord avec le penseur français, donnez vos raisons.

4. Montrez que l'idée du passé qui vit dans le présent est liée à la comparaison entre la nation et l'individu.

5. Pourquoi « la souffrance unit-elle plus que la joie »? Pourriez-vous citer des exemples historiques à l'appui de cette affirmation?

6. Comparez le premier paragraphe au dernier.

─────────── *UTILISEZ LE TEXTE* ───────────

PHILOSOPHIE POLITIQUE

1. Montrez comment, pour un individu comme pour une nation, il est impossible de construire le présent sans penser à l'avenir.

2. Si cela est possible, comparez les idées exprimées par Renan dans ce texte :

a) aux idées exprimées par Jean-Jacques Rousseau dans *le Contrat social*;

b) aux idées exprimées sur le même sujet par un grand penseur politique, contemporain ou non, de votre pays.

3. Croyez-vous que les idées de Renan soient de nature à pacifier les relations entre les peuples et à améliorer le progrès social dans chacun d'eux? Justifiez votre réponse.

4. Développez à l'aide d'exemples l'idée qu'une nation est une grande solidarité.

GRAMMAIRE

Une phrase interrogative avec le verbe à l'infinitif.

Sur quel critérium le fonder?

Dans cette phrase l'interrogation est formulée par l'adjectif interrogatif *quel* et le verbe est à l'infinitif.

Exercice : Cherchez dans le texte deux autres phrases interrogatives construites de la même façon.

L'inversion du sujet dans la proposition incise. (Lorsqu'on rapporte les paroles ou la pensée de quelqu'un.)

De la race, disent plusieurs avec assurance... Le sujet de cette proposition dite incise, est toujours placé après le verbe, il est inversé. Ici, le sujet du verbe *disent* est le pronom indéfini *plusieurs*.

Exercices : Expliquez le sens de la phrase suivante : *Le fait de la race va donc toujours perdant son importance.* — Vous vous reporterez à la page 40.

2. Analysez le mot Y dans *elle n'y force pas*, en vous reportant page 45.

CONSEILS POUR LA LECTURE

Ce texte est un *discours*. Il faut donc le prononcer avec clarté, mais aussi avec chaleur, en insistant, dans la première partie, sur les exclamations et sur les interrogations par lesquelles l'orateur conquiert son auditoire.

Dans la deuxième partie, il faut bien faire sentir que le but de Renan n'est plus de détruire et de réfuter, mais au contraire de proposer sa propre doctrine.

La lecture du dernier paragraphe ou *péroraison* doit être faite sur le ton de celui qui résume l'ensemble pour un auditoire ayant été convaincu.

ERNEST RENAN (1823-1892)

Cet historien né en Bretagne reçut une éducation religieuse et prépara la prêtrise dans un séminaire catholique. Mais il perdit la foi. Il recommença alors sa vie et, en trois ans, conquit tous les grades universitaires, du baccalauréat à l'agrégation. Destitué de sa chaire au Collège de France en 1865 à cause de sa *Vie de Jésus*, il fut réintégré en 1870 et continua l'œuvre de sa vie, l'*Histoire des origines du christianisme*. Il prit alors une part active à la vie politique.

Renan appliqua à l'histoire les méthodes rigoureuses de la philologie allemande dans la recherche des faits, puis il combina ces faits dans une synthèse romantique et philosophique ayant pour but de les faire revivre.

II. LES ACTIVITÉS HUMAINES

La vie humble aux travaux ennuyeux ou faciles
Est une œuvre de choix qui veut beaucoup d'amour.
VERLAINE.

Le Nain. — Le retour de la fenaison (XVIIe siècle).

Troupeau de moutons en transhumance.
« Le troupeau rentrait... Toute la route semblait marcher avec lui. » (A. Daudet.)

LE RETOUR DU TROUPEAU

Il faut vous dire qu'en Provence c'est l'usage, quand viennent les chaleurs, d'envoyer le bétail dans les Alpes. Bêtes et gens passent cinq ou six mois là-haut, logés à la belle étoile, dans l'herbe jusqu'au ventre, puis, au premier frisson de l'automne, on redescend au mas et l'on revient brouter bourgeoisement les petites collines grises que parfume le romarin.

Donc, hier soir, les troupeaux rentraient. Depuis le matin le portail attendait, ouvert à deux battants; les bergeries étaient pleines de paille fraîche. D'heure en heure on se disait : « Maintenant, ils sont à Eyguières, maintenant au Paradou. » Puis tout à coup, vers le soir, un grand cri :

54

« Les voilà! » et là-bas, au lointain, nous voyons le troupeau s'avancer dans une gloire de poussière. Toute la route semble marcher avec lui. Les vieux béliers viennent d'abord, la corne en avant, l'air sauvage; derrière eux, le gros des moutons, les mères un peu lasses, leurs nourrissons dans les pattes; les mules à pompons rouges portant dans les paniers les agnelets d'un jour qu'elles bercent en marchant; puis, les chiens tout suants avec des langues jusqu'à terre, et deux grands coquins de bergers drapés dans des manteaux de cadis roux qui leur tombent sur les talons comme des chapes.

Tout cela défile devant nous, joyeusement, et s'engouffre sous le portail en piétinant avec un bruit d'averse... Il faut voir quel émoi dans la maison. En haut de leurs perchoirs, les gros paons vert et or, à crêtes de tulle, ont reconnu les arrivants et les accueillent par un formidable coup de trompette. Le poulailler qui s'endormait se réveille en sursaut. Tout le monde est sur pied, pigeons, canards, dindons, pintades. La basse-cour est comme folle; les poules parlent de passer la nuit!... On dirait que chaque mouton a rapporté dans sa laine, avec un parfum d'Alpe sauvage, un peu de cet air vif des montagnes qui grise et qui fait danser.

C'est au milieu de tout ce train que le troupeau gagne son gîte. Rien de charmant comme cette installation. Les vieux béliers s'attendrissent en regardant leur crèche; les agneaux, les tout-petits, ceux qui sont nés dans le voyage et n'ont jamais vu la ferme, regardent autour d'eux avec étonnement.

Mais le plus touchant encore, ce sont les chiens, ces braves chiens de berger tout affairés après leurs bêtes et ne voyant qu'elles dans le mas. Le chien de garde a beau les appeler du fond de sa niche; le seau du puits, tout plein d'eau fraîche, a beau leur faire signe; ils ne veulent rien voir, rien entendre, avant que le bétail soit rentré, le gros loquet poussé sur la petite porte à claire-voie, et les bergers attablés dans la salle basse. Alors seulement, ils consentent à gagner le chenil, et là, tout en lampant leur écuellée de soupe, ils racontent à leurs camarades de la ferme ce qu'ils ont fait là-haut dans la montagne, un pays noir où il y a des loups et de grandes digitales pourpres pleines de rosée jusqu'au bord.

Alphonse DAUDET,
Les lettres de mon moulin. — Fasquelle, éditeur.

LE SENS ET LA VIE DES MOTS

A. LES MOTS ET LES EXPRESSIONS

Provence : ancienne province française réunie à la France sous Charles VIII, en 1487. Capitale : Aix. Située au Sud du pays, ce fut la première province romaine de la Gaule; de là l'origine de son nom.

Un mas : Ferme, maison provençale.

Romarin : proprement : rosée marine. Le romarin est une plante aromatique abondante sur le littoral méditerranéen.

Cadis : étoffe de laine tissée, utilisée dans le Midi et dont le nom viendrait de *Cadix* (Espagne).

Dindon : le dindon fut d'abord le petit de la dinde; puis le nom fut donné au mâle, d'où le nouveau diminutif, dindonneau. Dinde est une contraction de « d'Inde », dans : poule d'Inde.

Étonnement : surprise. Mot dont le sens s'est affaibli. Étonner, c'était frapper de la foudre, avec un bruit de tonnerre. Au sens figuré : frapper de stupeur.

Lamper : forme nasalisée de laper.

Brouter bourgeoisement : paître tranquillement, sans crainte des loups, confortablement, avec la sécurité des bourgeois vivant dans le calme de leur ville.

Une gloire de poussière : en peinture, une gloire est un cercle de lumière autour de la tête des saints. Le troupeau soulève dans sa marche un nuage de poussière qui flotte au-dessus de lui comme une auréole.

Travail personnel. — Expliquez :

Chapes — train — digitales — une crête de tulle — le chien a beau appeler.

LES IDÉES ET LES SENTIMENTS

Exercices de conversation :

Le départ et la rentrée du troupeau sont des événements considérables dans la vie du mas provençal.

1. Relevez, dans le 2e paragraphe, les trois phrases qui montrent que le troupeau est impatiemment attendu au mas.

2. Comment les différents animaux de la basse-cour manifestent-ils leur émoi à l'arrivée du troupeau?

3. Comment les béliers et les agneaux montrent-ils qu'ils sont émus, eux aussi?

4. Relevez les expressions qui indiquent avec quelle conscience les chiens de berger remplissent leur devoir.

5. Quels souvenirs les chiens de berger ont-ils conservés de la montagne?

LANGUE ET CIVILISATION

La formation des mots.

1. A l'aide d'un *suffixe* ajouté à leur nom, désignez les petits des animaux suivants : la cane — le dindon — le pigeon — le porc — la poule — le chat.

2. Dinde est mis pour : poule d'Inde. Le nom d'origine remplace le groupe de mots. Citez six exemples du même procédé.

Ex. : du champagne pour : du vin de la province appelée Champagne.

STYLE ET COMPOSITION

I. PHRASES : A. « Rien de charmant comme cette installation. Les vieux béliers... les agneaux... » En imitant cette construction, terminez les petits tableaux suivants :

a) Une sensation générale : Rien de bruyant comme une foire... Rien d'animé comme un marché...

b) Une impression générale : Rien de comique comme cette scène de cinéma... Rien de charmant comme une promenade matinale au printemps...

B. « Le chien de garde a beau... le seau du puits a beau... ils ne veulent rien... » Avec cette locution verbale *a beau*, répétée deux fois, faites trois phrases sur un sujet à votre choix.

II. UN PARAGRAPHE : Sur le modèle de : « Il faut voir quel émoi dans la maison... qui fait danser » (§ 3), racontez l'arrivée dans sa famille, un soir, d'un jeune soldat permissionnaire.

III. RÉDACTION : Un automobiliste croise, un soir, un troupeau de moutons ou de vaches, sur la route. Racontez.

Plan : Ce que fait l'automobiliste; ce que font les bêtes; ce que font les chiens; ce que font les bergers.

GRAMMAIRE

L'adverbe TOUT devant un adjectif. Le mot *tout* placé devant un adjectif ou un autre adverbe signifie parfois *très* ou *complètement;* dans ce cas on dit que c'est un adverbe et il est invariable.

Ex : *Des agneaux, les tout petits...*

Exercice : Cherchez dans le texte deux autres expressions où *tout* est employé comme adverbe devant un adjectif.

Attention : Quand l'adverbe *tout* est placé devant un adjectif féminin commençant par une consonne, il n'est pas invariable et il s'accorde avec l'adjectif.

Ex. dans la leçon suivante :

*Une petite femme **toute cuite** de soleil... Elle regarde... **toute contente.***

CONSEILS POUR LA LECTURE

1. Préparez la lecture du 2e paragraphe qui renferme une assez grande variété de signes de ponctuation et d'intonations correspondantes. Puis, exercice pratique à haute voix.

2. Lecture expressive marquant la vie et le mouvement du troupeau en marche, les émotions de ceux qui l'attendent et le reçoivent.

ALPHONSE DAUDET (1840-1897)

Écrivain de la fin du XIXe siècle, né à Nîmes. Fin observateur, il sait raconter et décrire avec grâce. Ses récits sont pleins de vie, de verve et de gaieté, et aussi d'émotion.

Principaux ouvrages : a) *Recueils de nouvelles* se rapportant à la vie de sa Provence : *Les lettres de mon moulin* dont il a tiré le texte de l'*Arlésienne* qui constitua le thème du célèbre opéra de *Bizet, Les contes du lundi,* etc.; b) *Romans : Le Petit Chose* (souvenirs de sa jeunesse), le célèbre *Tartarin de Tarascon,* etc.

───────── **VOCABULAIRE D'INITIATION** ─────────

Termes se rapportant à la langue :

— NOMS :		
un accent	le	procédé
une antithèse	la	propriété
la comparaison		(d'un mot)
la consonne	la	répétition
le contraste	la	reprise
une éloquence	la	rhétorique
un emprunt	le	rythme
une épithète	le	signe
une expression	le	son
une harmonie	la	sonorité
une image	le	style
une inversion	la	syllabe
le langage	le	symbole
un lieu commun	la	technique
une métaphore	le	terme
un mouvement		(sens de mot)
la musique	la	tirade
le néologisme	le	ton
la nuance	le	trait
la parole	la	verve
la période	le	vocabulaire
la phrase	la	voix
	la	voyelle

— ADJECTIFS :

accentué
antithétique
cadencé
éloquent
harmonieux
propre (le mot)
rythmé

Termes se rapportant aux textes :

— VERBES :	
publier	un format
traduire	un glossaire
écrire	un index
éditer	une introduction
	un lexique
— NOMS :	une ligne
un article	un manuscrit
un avant-propos	une note
une bibliographie	un original
un caractère	un paragraphe
« d'imprimerie »	un passage
un chapitre	la préface
une colonne	le recueil
un document	le résumé
un écrit	le titre
un éditeur	le tome
une édition	la traduction
	le volume

LA VENTE DU BLÉ

Panturle, le dernier habitant d'Aubignane, village abandonné des Basses-Alpes, collé contre le tranchant du plateau comme un « petit nid de guêpes », est venu vendre son blé au grand marché d'été de Banon. M. Astruc, courtier en grains, déjeune à l'auberge Agathange quand commence la scène.

C'est Jérémie qui a poussé le rideau de la porte et qui a crié :

— Monsieur Astruc, vous voulez du blé?

L'autre a été si bien bousculé de ça qu'il s'est tourné d'un bloc et que la table et les verres ont tremblé.

— Et où tu en as vu, toi, du blé? Y en a pas dix grains de propres dans tout ton pays.

— Je sais pas s'il y en a dix grains de propres, mais, de sûr, j'en ai vu six sacs, et du beau...

C'est bien six sacs qu'il y en a. On les voit d'ici. M. Astruc les a déjà comptés. Il a déjà vu qu'il y a du monde qui regarde le blé. Il a déjà vu qu'il n'y a pas encore les autres courtiers.

— Laissez passer, laissez passer.

Son premier regard est pour le blé. Il en a tout de suite plein les yeux.

— Ça, alors!

C'est lourd comme du plomb à fusil. C'est sain et doré, et propre comme on ne fait plus propre : pas une balle. Rien que du grain : sec, solide, net comme de l'eau de ruisseau. Il veut le toucher pour le sentir couler entre ses doigts. C'est pas une chose qu'on voit tous les jours.

— Touchez pas, dit l'homme.

M. Astruc le regarde.

— Touchez pas. Si c'est pour acheter, ça va bien. Mais si c'est pour regarder, touchez avec les yeux.

C'est pour acheter, mais il ne touche pas. Il comprend. Il serait comme ça, lui.

— Où tu as eu ça?

— A Aubignane.

M. Astruc se penche encore sur la belle graine. On la voit qui gonfle la toile des sacs. On la voit sans paille et sans poussière. Il ne dit rien, et personne ne dit rien, même pas celui qui est derrière les sacs et qui vend. Il n'y a rien à dire. C'est du beau blé, et tout le monde le sait.

— C'est pas battu à la machine?

— C'est battu avec ça, dit l'homme.

Il montre ses grandes mains qui sont blessées par le fléau et, comme il les ouvre, ça fait craquer les croûtes et ça saigne. A côté de l'homme, il y a une petite femme jeune et pas mal jolie, et toute cuite de soleil, comme une brique. Et elle regarde l'homme de bas en haut, toute contente. Elle lui dit :

— Ferme ta main, ça saigne.

Et il ferme sa main.

— Alors?

— Alors, je te le prends. C'est tout là?

— Oui. J'en ai encore quatre sacs, mais c'est pour moi.

— Qu'est-ce que tu veux en faire?

— Du pain, pardi.

— Donne-les, je te les prends aussi.

— Non, je vous l'ai dit, je les garde.

— Je t'en donne cent dix francs.

— C'est pas plus? demande un homme qui est là.

Celui de derrière les sacs a regardé la petite femme. Et il a fait un sourire avec ses yeux et ses lèvres, et puis il a tourné sa figure vers M. Astruc, sans le sourire, toute pareille à celle qu'il avait tout à l'heure quand il a dit : « Touchez pas. »

— Je sais pas si c'est plus ou si c'est moins, mais, moi, j'en veux cent trente.

Le regard de M. Astruc s'est abaissé sur le blé. Puis il a dit :

— Bon, je le prends... Mais les dix sacs...

— Non ! a crié l'homme. Ces six, et pas plus; les autres, je les garde, Je te l'ai dit. Ma femme aime le bon pain.

Jean GIONO,

Regain. — Bernard Grasset, édit.

COMPRENEZ BIEN LE TEXTE

LE SENS ET LA VIE DES MOTS

A. LES MOTS

Aubignane : village à peu près abandonné, près de Manosque (Basses-Alpes).

Bousculé : au sens figuré : il en fut tout troublé.

Fusil : le mot vient de l'italien *focile* = pierre à feu (briquet). Il a désigné ensuite la pièce métallique servant à battre la pierre à feu, dans une arme de guerre; puis l'arme tout entière (arme à feu). Voilà encore un exemple de mot dont le sens s'est progressivement étendu.

Pardi : bien sûr (langue populaire).

Expliquez à l'aide du dictionnaire : *Un courtier — la balle — le fléau.*

B. *LES EXPRESSIONS*

Touchez avec les yeux : contentez-vous de regarder le blé.

Expliquez : *plein les yeux.*

LES IDÉES ET LES SENTIMENTS

Exercices de conversation :

1. Où et quand se passe cette scène? Quel en est le personnage principal? Quels en sont les personnages secondaires?

2. Pourquoi M. Astruc se préoccupe-t-il tout de suite de savoir si d'autres courtiers ont déjà vu le blé?

3. Relevez les expressions qui montrent que le courtier admire ce blé; qu'il a envie de l'acheter.

4. Quelles sont, d'après le texte, les qualités du blé de Panturle?

5. Pourquoi, à votre avis, le courtier et le paysan jugent-ils le battage au fléau supérieur au battage à la machine?

6. Quels détails montrent l'affection réciproque du paysan et de sa femme?

6. Comment l'auteur désigne-t-il l'acheteur? le vendeur? Pourquoi cette différence?

8. Est-ce que la vente des récoltes s'effectue de la même façon dans votre pays? Sinon, comment se fait-elle?

UTILISEZ LE TEXTE

LE VOCABULAIRE ACTIF

1. Trouvez sept mots de la famille de grain. (Radicaux : grain, gren, gran).

2. Le mot *ça*, contraction du pronom démonstratif *cela*, est employé seulement dans la langue parlée. Il revient huit fois dans le texte. Relevez quatre expressions qui le renferment. Indiquez, en face de chacune d'elles, le mot ou l'expression qu'il remplace.

3. Un mot peut avoir plusieurs sens. Ainsi *grain, fléau, balle,* pris dans le texte. Employez ces trois noms dans des phrases où leurs différents sens apparaîtront.

STYLE ET COMPOSITION

A. Comme beaucoup d'auteurs contemporains. Giono, pour rester plus près de la réalité, n'a pas craint de reproduire les incorrections commises par les personnages dans leur langage parlé.

Ex. : *Y en a pas dix grains*, pour : *Il n'y en a pas…* — Relevez les incorrections dues à une mauvaise construction : *a)* de la phrase affirmative; *b)* de la phrase interrogative. Faites suivre chaque incorrection de l'expression ou de la phrase rectifiée.

B. Étude de personnages : *a)* Que représentent, pour le jeune ménage de cultivateurs, ces dix sacs de blé : pour l'année écoulée? pour l'année qui vient?

b) De quelles qualités ce jeune paysan fait-il preuve?

C. Dialogue. En prenant le texte comme modèle de dialogue, racontez une scène de vente dont vous avez été témoin.

GRAMMAIRE

La proposition incise et l'inversion du sujet.

Ex : *Touchez pas,* **dit** *l'homme.*

Exercice : Cherchez dans le texte deux autres propositions incises avec inversion du sujet.

CONSEILS POUR LA LECTURE

1. Intonation imposée par la ponctuation. La lecture de cette scène animée demande l'application de tous les conseils déjà donnés au sujet de la ponctuation. On trouvera en effet dans ce texte, heureusement alternées, des phrases descriptives, narratives, exclamatives et interrogatives.

JEAN GIONO (1895)

Écrivain contemporain qui sait faire revivre intensément, avec talent, dans ses œuvres, sa Provence natale. Après la guerre, il change de genre et écrit des romans à la manière de Stendhal, comme *le Hussard sur le toit.* — Il a écrit aussi de nombreux scénarios de films.

I. LA VIE RUSTIQUE
Pissarro. L'entrée de village

COLOMBEY-LES-DEUX-ÉGLISES

... Au moment d'achever ce livre, je sens, autant que jamais, d'innombrables sollicitudes se tourner vers une simple maison.

C'est ma demeure. Dans le tumulte des hommes et des événements, la solitude était ma tentation. Maintenant, elle est mon amie. De quelle autre se contenter quand on a rencontré l'Histoire? D'ailleurs cette partie de la Champagne est tout imprégnée de calme : vastes, frustes et tristes horizons; bois, prés, cultures et friches mélancoliques; reliefs d'anciennes montagnes très usées et résignées; villages tranquilles et peu fortunés, dont rien, depuis des millénaires, n'a changé l'âme ni la place. Ainsi, du mien. Situé haut sur le plateau, marqué d'une colline boisée, il passe les siècles au centre des terres que cultivent ses habitants. Ceux-ci, bien que je me garde de m'imposer au milieu d'eux, m'entourent d'une amitié discrète. Leurs familles, je les connais, je les estime et je les aime.

Le silence emplit ma maison. De la pièce d'angle où je passe la plupart des heures du jour, je découvre les lointains dans la direction du couchant. Au long de quinze kilomètres, aucune construction n'apparaît. Par-dessus la plaine et les bois, ma vue suit les longues pentes descendant vers la vallée de l'Aube, puis les hauteurs du versant opposé. D'un point élevé du jardin, j'embrasse les fonds sauvages où la forêt enveloppe le site, comme la mer bat le promontoire. Je vois la nuit couvrir le paysage. Ensuite, regardant les étoiles, je me pénètre de l'insignifiance des choses.

Sans doute, les lettres, la radio, les journaux, font-ils entrer dans l'ermitage les nouvelles de notre monde. Au cours de brefs passages à Paris, je reçois des visiteurs dont les propos me révèlent quel est le cheminement des âmes. Aux vacances, nos enfants, nos petits-enfants, nous entourent de leur jeunesse, à l'exception de notre fille Anne qui a quitté ce monde avant nous. Mais que d'heures s'écoulent, où, lisant, écrivant, rêvant, aucune illusion n'adoucit mon amère sérénité.

Pourtant, dans le petit parc — j'en ai fait quinze mille fois le tour! — les arbres que le froid dépouille manquent rarement de reverdir et les fleurs plantées par ma femme renaissent après s'être fanées. Les maisons du bourg sont vétustes; mais il en sort, tout à coup, nombre de

61

filles et de garçons rieurs. Quand je dirige ma promenade vers l'une des forêts voisines : les Dhuits, Clairvaux, Le Heu, Blinfeix, La Chapelle, leur sombre profondeur me submerge de nostalgie; mais, soudain, le chant d'un oiseau, le soleil sur le feuillage ou les bourgeons d'un taillis me rappellent que la vie, depuis qu'elle parut sur la terre, livre un combat qu'elle n'a jamais perdu. Alors, je me sens traversé par un réconfort secret. Puisque tout recommence toujours, ce que j'ai fait sera, tôt ou tard, une source d'ardeurs nouvelles après que j'aurai disparu.

A mesure que l'âge m'envahit, la nature me devient plus proche. Chaque année, en quatre saisons qui sont autant de leçons, sa sagesse vient me consoler. Elle chante, au printemps : « Quoi qu'il ait pu, jadis, arriver, je suis au commencement! Tout est clair, malgré les giboulées; jeune, y compris les arbres rabougris; beau, même ces champs cailloux-teux. L'amour fait monter en moi des sèves et des certitudes si radieuses et si puissantes qu'elles ne finiront jamais! »

Elle proclame, en été : « Quelle gloire est ma fécondité! A grand effort, sort de moi tout ce qui nourrit les êtres. Chaque vie dépend de ma chaleur. Ces grains, ces fruits, ces troupeaux, qu'inonde à présent le soleil, ils sont une réussite que rien ne saurait détruire. Désormais, l'avenir m'appartient! »

En automne, elle soupire : « Ma tâche est près de son terme. J'ai donné mes fleurs, mes moissons, mes fruits. Maintenant, je me recueille. Voyez comme je suis belle encore, dans ma robe de pourpre et d'or, sous la déchirante lumière. Hélas! les vents et les frimas viendront bientôt m'arracher ma parure. Mais, un jour, sur mon corps dépouillé, refleurira ma jeunesse! »

En hiver, elle gémit : « Me voici, stérile et glacée. Combien de plantes, de bêtes, d'oiseaux, que je fis naître et que j'aimais, meurent sur mon sein qui ne peut plus les nourrir ni les réchauffer! Le destin est-il donc scellé? Est-ce, pour toujours, la victoire de la mort? Non! Déjà, sous mon sol inerte, un sourd travail s'accomplit. Immobile au fond des ténèbres, je pressens le merveilleux retour de la lumière et de la vie. »

Vieille Terre, rongée par les âges, rabotée de pluie et de tempêtes, épuisée de végétation, mais prête, indéfiniment, à produire ce qu'il faut pour que se succèdent les vivants!

Vieille France, accablée d'Histoire, meurtrie de guerres et de révo-lutions, allant et venant sans relâche de la grandeur au déclin, mais redressée, de siècle en siècle, par le génie du renouveau!

62

Vieil homme, recru d'épreuves, détaché des entreprises, sentant *exhausted by trial* venir le froid éternel, mais jamais las de guetter dans l'ombre la lueur de l'espérance! *très awaiting*

Charles DE GAULLE,
Mémoires de Guerre.
Le Salut, Vol. III, Plon éditeur.

───────── *COMPRENEZ BIEN LE TEXTE* ─────────

LA VIE ET LE SENS DES MOTS

A. LES MOTS

Imprégner : verbe employé ici au sens figuré de pénétrer profondément, comme l'eau imprègne une éponge. On remarquera aussi que le sens primitif du mot, féconder, n'est pas étranger à ce contexte.

Un millénaire : période de mille ans. Depuis des millénaires est ici une image qui signifie depuis très longtemps et non depuis plusieurs milliers d'années.

Vétuste : le mot latin *vetus* a deux dérivés : *vétuste*, mot savant, et *vieux*, mot populaire. Vétuste et vieux sont des *doublets*. En général dans les doublets, le mot savant, qui est le plus proche du latin, appartient à la langue noble et au style relevé; le mot populaire est employé plus fréquemment et appartient d'abord à la langue parlée.

Les frimas (masculin) : des brouillards épais et froids qui gèlent sur la terre, déposant du verglas.

Recru : participe passé du verbe d'ancien français recroire, qui signifiait s'abandonner à son ennemi parce qu'on manque de force, d'où le sens actuel d'épuisé de fatigue, de harassé.

Les mémoires (masculin pluriel) : livre dans lequel une personne raconte son passé; à ne pas confondre avec *la mémoire*, faculté de se souvenir.

Expliquez à l'aide du dictionnaire :
Une sollicitude — fruste — une giboulée — raboté — rabougri.

B. LES EXPRESSIONS

La direction du couchant : vers l'Ouest. Souvent, le soleil couchant a été le symbole de la vieillesse et de la mort (voir plus loin la fin du texte de Chateaubriand, p. 434 et la troisième strophe du poème de Baudelaire, Harmonie du soir, p. 460).

Une amère sérénité : la sérénité est, proprement, la paix du soir, ici du soir de la vie. Elle est amère parce que l'auteur, au moment où il écrit ce texte, voit que la situation politique de la France se détériore et qu'il est écarté du pouvoir.

Le froid éternel : celui de la mort.

Travail personnel. Expliquez :
Une amitié discrète — submerger de nostalgie — la déchirante lumière — un sourd travail.

LES IDÉES ET LES SENTIMENTS

Exercices de conversation :

1. Faites la liste des idées, puis celle des sentiments exprimés dans ce texte.

2. Lorsque l'auteur participait à la vie politique, la solitude était une tentation; maintenant qu'ayant fait retraite, il écrit ses mémoires, la solitude est son amie. Expliquez l'évolution de ces sentiments.

3. Donnez un titre à chacun des paragraphes et expliquez chaque changement de perspective. Vous montrerez ensuite que ces changements de perspectives ne sont que des formes différentes données à un seul thème : *l'amour de la France.*

4. Des trois paragraphes exclamatifs qui terminent le livre, quel est selon vous le plus important? Justifiez votre opinion.

5. Cherchez dans le texte tous les détails qui montrent que le général de Gaulle est un grand homme politique.

63

LYRISME ET POLITIQUE

Le lyrisme est, en littérature, le genre par lequel on décrit un ou plusieurs sentiments éveillant un profond écho chez le lecteur, qui les a aussi ressentis.

Dans ce texte, l'amour de la nature et du pays natal, qui est très romantique (voir plus loin les textes de Michelet, de Chateaubriand et de Lamartine) est le prélude à un acte de foi en la France, exprimé avec passion.

1. Comparez le style de ce texte à celui de Chateaubriand (page 434) et à celui de Michelet (page 69).

Vous étudierez particulièrement :

a) le vocabulaire,

b) le rythme des phrases,

c) l'enchaînement des paragraphes,

d) les moyens de rhétorique employés pour entraîner le lecteur.

2. Croyez-vous que ce texte puisse aussi émouvoir des lecteurs qui ne sont pas français? Justifiez votre opinion.

3. Y a-t-il, dans votre littérature nationale, de grands auteurs qui ont été, ou qui sont, des hommes politiques importants? Leur style a-t-il des ressemblances avec celui du général de Gaulle?

DISSERTATION

Discutez cette pensée de Paul Valéry : « Deux dangers menacent le monde, l'ordre et le désordre ».

GRAMMAIRE

Omission de l'article.

Dans une énumération de noms, pour donner plus de rapidité et de légèreté à la phrase, on peut omettre l'article.

Ex. : *bois, prés, cultures et friches mélancoliques; reliefs..., villages...*

La place du nom complément d'objet direct du verbe.

Au moment d'achever ce livre.

Le nom *livre*, complément d'objet direct du verbe *achever* est, dans cette phrase, normalement placé **après** le verbe.

Leurs familles, je les connais, je les estime, je les aime. Le nom *familles*, complément d'objet direct des verbes *connais, estime, aime*, est placé **avant** les verbes pour souligner, pour donner de l'importance; l'ordre normal des mots serait :

je connais, j'estime, j'aime leurs familles.

Lorsqu'on déplace ainsi, pour une raison de style, le nom, complément d'objet direct, il faut répéter le pronom personnel complément, ici *les*.

Exercices : 1. Analysez le mot *tout* dans « *tout* imprégné de calme ».

2. Écrivez trois phases dans lesquelles vous mettrez un nom complément d'objet direct au début de la phrase. Ex. : *ce livre, je l'admire beaucoup.*

CONSEILS POUR LA LECTURE

Il faut bien faire ressortir la musique du texte et le rythme ample et noble des phrases. Les cinq premiers paragraphes doivent être lus sur un ton calme et intime, qui doit s'échauffer aux évocations des saisons, alors qu'une passion vibrante et contenue doit marquer les trois derniers paragraphes, véritables invocations.

CHARLES DE GAULLE (1890)

Général de brigade en 1940, il refusa d'accepter la défaite : « La France a perdu une bataille, elle n'a pas perdu la guerre » et il prit, le 18 juin, la tête de la résistance nationale française aux dictatures.

Après la libération, il devint le chef du Gouvernement provisoire de 1944 à 1946 et démissionna après le vote de la Constitution de la IVᵉ République, qu'il n'approuvait pas. Durant sa retraite, il écrivit ses *Mémoires*. Il fut triomphalement élu, en 1958, Président de la Vᵉ République.

Dans le Beaujolais. Pressurage.

« En vérité, nul produit n'exige autant de labeur varié, d'attention soutenue que le vin.
(Justin Godard.)

LE BEAUJOLAIS

Le beaujolais est fait par le soleil qui donne la couleur au raisin. Celui-ci retient des chauds rayons l'or et la pourpre dont le vin sera somptueusement vêtu. Celui qui, avant de savourer à petits coups le beaujolais, ne réjouit pas ses yeux de la luminosité discrète qu'éveille la transparence du verre ou le jeu des creux et des reliefs de la tasse d'argent, est indigne de boire. Il absorbe : le papier buvard ne fait pas autre chose. Il passe devant le plus splendide des vitraux comme un aveugle. Il tient entre ses doigts la pierre précieuse la plus pure et, balourd, ne sait solliciter l'éclat ou la douceur de ses feux.

Le beaujolais est fait par la terre. Le bois tordu peine, contourne, s'insinue, écarte, brise pour aller au plus profond où il y a du roc qui commence à s'effriter et qui peut livrer des aliments minéraux rares et vierges. C'est nourriture puissante, de choix, que vont puiser dans le porphyre et la diorite, à Brouilly, à Morgon, à Juliénas, les racines hardies et gourmandes de la vigne. Elle n'est point de ces plantes paresseuses qui dépérissent si on ne leur apporte l'engrais à domicile. Elle ne se contente pas du menu banal de la table d'hôte végétale ordinaire fourni par la cuisine des fumiers ou des chimies industrielles : il lui faut des saveurs spéciales, des sels que la nature a sublimés grâce à ses bouleversements lointains, des sucs qu'ont précipités les catastrophes formidables du chaos...

Le beaujolais est fait par le vigneron. On ne se doute guère, lorsque, les coudes sur la table, après avoir bu du beaujolais, on en parle, du labeur, de la sollicitude et des angoisses du vigneron.

Le cep, sous son écorce rugueuse, a une âme sensible. Il faut qu'il se sente aimé, qu'il soit entouré de soins affectueux.

Ses ennemis sont nombreux, insidieux, minuscules et insaisissables, ou brutaux. Il en est que le brouillard fait éclore dans sa ouate humide et malsaine. D'autres se précipitent des nuages diaboliquement noirs ou sulfureux, hachent les feuilles, dispersent les grains meurtris, contusionnent branches et troncs.

Si, malgré tout, la grappe mûre saigne enfin sous le pressoir, le vigneron n'a point encore de repos. Le vin est vivant. Il faut l'élever. Sa jeunesse serait tumultueuse si elle n'était sagement guidée. Sa maturité a besoin de calme et de fraîcheur, sans quoi elle succomberait aux excitations des retours printaniers. Sa vieillesse pâlissante doit être surveillée pour ne point aller jusqu'au bout d'une ardeur qui s'éteint.

Honneur au vigneron beaujolais! Que d'outils il lui faut manier, que d'expérience il a dû accumuler! Il pioche, il échaude, il taille, il soufre, il sulfate, puis, le raisin cueilli, il commande aux fermentations; son palais doit être aussi affiné que ses bras sont forts et ses doigts habiles : et, d'une oreille fine, il suit la gamme qui doit monter, sans fausses notes, des pétillements de la cuvaison. En vérité, nul produit n'exige autant de labeur varié, d'attention soutenue, de vigilance inquiète, de goût juste que le vin.

A juste titre, ces vignerons ont la fierté de leurs vignes et de leur cave. Cet orgueil s'épanouit quand, de tonneau en tonneau, la pipette en main, ils font goûter leurs crus, ou lorsque, débouchant une vieille bouteille, ils sentent le bouchon et, tranquillisés par son odeur saine, tournent vers vous un regard plein de promesses gourmandes.

Justin GODARD,

Le Beaujolais et ses vins. — Guillermet, éditeur.

─────────────── COMPRENEZ BIEN LE TEXTE ───────────────

LE SENS ET LA VIE DES MOTS

A. LES MOTS

Beaujolais : vin récolté dans le Beaujolais, pays situé au nord du département du Rhône et dont Beaujeu fut la capitale.

Porphyre : marbre rouge ou vert tacheté.

Diorite : roche cristalline qui existe dans le sol des grands crus du Beaujolais.

Brouilly : grand cru de vins, comme Morgon, Juliénas, etc.

Angoisse : anxiété, inquiétude profonde. De *ango*, je serre : qui donne l'impression d'un serrement à la gorge.

Ouate : Coton non tissé, fin et soyeux. On dit le plus souvent : la ouate, mais cependant : une robe doublée d'ouate.

Il échaude : il verse de l'eau bouillante sur l'écorce fendillée des ceps pour tuer les larves de la pyrale, un des ennemis de la vigne.

Travail personnel. — Expliquez à l'aide du dictionnaire :

Savourer — balourd — solliciter — s'insinue — s'effriter — cep — pipette.

B. LES EXPRESSIONS

Luminosité discrète : le vin apparaît clair, lumineux, comme ensoleillé, mais sans éclat excessif.

La cuisine des chimies industrielles : la transformation que subissent les engrais dans le sol pour être rendus assimilables par la vigne.

Les catastrophes du chaos : les bouleversements de la croûte terrestre qui ont abouti à la formation du sol de notre planète.

Ennemis insidieux : certains ennemis de la vigne lui causent, en se développant, des maladies graves, sous des apparences bénignes au début.

La gamme des pétillements de la cuvaison : la cuvaison est la fermentation du raisin dans les cuves. Cette fermentation dégage des bulles de gaz carbonique qui éclatent en produisant une succession de bruits spéciaux ou pétillements. Ces pétillements forment une musique qui monte comme les notes d'une gamme. Le vigneron suit, sur cette gamme, d'une oreille fine, l'évolution de la fermentation de son raisin.

Travail personnel. — Expliquez :

Menu banal — table d'hôte — la ouate du brouillard.

LES IDÉES ET LES SENTIMENTS

Exercices de conversation :

1. D'après le texte, dites ce que donnent au vin du Beaujolais : *a)* le soleil; *b)* la terre; *c)* le vigneron.

2. L'auteur compare à un vitrail d'église le vin du Beaujolais exposé au soleil dans un verre ou une tasse d'argent. Pourquoi? A quoi le compare-t-il encore?

3. A quoi compare-t-il certain buveur de beaujolais? Pourquoi?

4. A quoi compare-t-il la couche arable (voyez le sens de ce mot dans votre dictionnaire) qui nourrit les « plantes paresseuses »?

5. De quel « menu banal » ne se contente pas la vigne? Jusqu'où va-t-elle chercher sa nourriture? Et quelle est cette nourriture spéciale?

6. Le cep est personnifié par l'auteur. Relevez les deux phrases qui l'attestent.

7. De quelles sortes sont les ennemis de la vigne? Quels sont ceux que le brouillard fait éclore? Quels sont ceux qui se précipitent des nuages?

8. En considérant les phénomènes qui se produisent dans la cuve et les tonneaux au début de la vie du vin, dites pourquoi la jeunesse du vin pourrait être tumultueuse. Comment le vigneron la conduit-il sagement?

9. Que se produit-il dans le vin, à chaque retour printanier? Que doit faire le vigneron pour l'empêcher de se gâter?

10. Pourquoi l'auteur dit-il que le vin a une vieillesse pâlissante?

11. Quels sens doivent être particulièrement développés chez le vigneron? Pourquoi?

12. Quels sentiments éprouvent les vignerons du Beaujolais? Pourquoi tournent-ils vers leur hôte, quand ils font goûter leur vin, « un regard plein de promesses gourmandes »?

--------------- UTILISEZ LE TEXTE ---------------

STYLE ET COMPOSITION

I. CONSTRUCTION DE PHRASES

Ce texte nous offre un bel exemple de style métaphorique. L'auteur personnifie souvent les choses. Relevez les qualités, les sentiments, les actions qu'il attribue, comme à des personnes : 1° au raisin; 2° au bois tordu; 3° aux racines. Dans chaque cas, construisez une phrase dans l'ordre logique. Ex. : Le raisin... (qualités, sentiments, actions. — Il se peut qu'une de ces parties manque).

II. LE PLAN

Délimitez les trois parties principales du texte. Dans chaque partie, relevez la phrase qui en résume l'idée générale.

III. APPLICATION A LA RÉDACTION

A la manière de Justin Godard, faites-nous connaître la principale plante cultivée dans votre pays (même plan : trois parties. Dans chaque partie, employez une ou deux personnifications).

GRAMMAIRE

La forme passive du verbe.

Le beaujolais **est fait** (forme passive) *par le soleil*
ou
le soleil **fait** (forme active) *le beaujolais.*

Exercice : Cherchez dans le texte trois autres exemples de forme passive du verbe.

Le mode subjonctif du verbe.

— *Il faut qu'il* **se sente aimé,** *qu'il* **soit** *entouré de soins affectueux.*

Après *il faut que* et après les verbes exprimant l'obligation, la nécessité *ou* la volonté, *le verbe* de la proposition subordonnée est au *mode subjonctif.*

Exercices : 1. Écrivez deux phrases sur le même modèle.

2. Cherchez, dans le texte, deux phrases où *il faut* est suivi d'un verbe à l'infinitif.

CONSEILS POUR LA LECTURE

Phrases riches de faits précis et bien observés, d'une solide architecture, à la fois documentaires et poétiques. Lisez posément, avec netteté, en tenant bien compte de la ponctuation et de l'articulation par *qui, que, dont,* des subordonnées dans la phrase.

JUSTIN GODARD (1871-1956)

Homme politique contemporain. Il a consacré toute son activité à collaborer à l'établissement des lois sociales destinées à améliorer le sort des travailleurs et des lois concernant la santé publique.

LE PAYSAN ET LA TERRE AU XIXᵉ SIÈCLE

Si nous voulons connaître la pensée intime, la passion du paysan de France, cela est fort aisé. Promenons-nous le dimanche, dans la campagne, suivons-le. Le voilà qui s'en va là-bas, devant nous. Il est deux heures ; sa femme est à vêpres ; il est endimanché ; je réponds qu'il va voir sa terre.

Je ne dis pas qu'il y aille tout droit. Non, il est libre ce jour-là, il est maître d'y aller ou de n'y pas aller. N'y va-t-il pas assez tous les jours de la semaine ?... Aussi, il se détourne, il va ailleurs, il a affaire ailleurs... Et pourtant, il y va.

Il est vrai qu'il passait bien près ; c'était une occasion. Il la regarde, mais il n'y entrera pas ; qu'y ferait-il ?... Et pourtant il y entre.

Du moins, il est probable qu'il n'y travaillera pas ; il est endimanché ; il a blouse et chemise blanche. Rien n'empêche cependant d'ôter quelque mauvaise herbe, de rejeter cette pierre. Il y a bien encore cette souche qui gêne ; mais il n'a pas sa pioche, ce sera pour demain.

Alors, il croise ses bras et s'arrête, regarde, sérieux, soucieux. Il regarde longtemps, très longtemps, et semble s'oublier. A la fin, s'il se croit observé, s'il aperçoit un passant, il s'éloigne à pas lents. A trente pas encore, il s'arrête, se retourne et jette sur sa terre un dernier regard, regard profond et sombre ; mais pour qui sait bien voir, il est tout passionné, ce regard, tout de cœur, plein de dévotion.

Si ce n'est là l'amour, à quel signe donc le reconnaîtrez-vous en ce monde ? C'est lui, n'en riez point... La terre le veut ainsi, pour produire ; autrement, elle ne donnerait rien, cette pauvre terre de France, sans bestiaux presque et sans engrais. Elle rapporte parce qu'elle est aimée.

Il est plus d'un pays en France où le cultivateur a sur la terre un droit qui certes est le premier de tous, celui de l'avoir faite... Voyez ces rocs brûlants, ces arides sommets du Midi. Là, je vous prie, où serait la terre sans l'homme ? La propriété y est toute dans le propriétaire. Elle est dans le bras infatigable qui brise le caillou tout le jour, et mêle cette poussière d'un peu d'humus. Elle est dans la forte échine du vigneron qui, du bas de la côte, remonte toujours son champ qui s'écoule toujours. Elle est dans la docilité, dans l'ardeur patiente de la femme et de l'enfant qui tirent à la charrue avec un âne... Chose pénible à voir... Et la nature y compatit elle-même. Entre le roc et le roc, s'accroche la petite vigne. Le châtaignier, sans terre, se tient en serrant le pur caillou de ses racines, sobre et courageux végétal; il semble vivre de l'air et, comme son maître, produire tout en jeûnant.

Je sentis tout cela, lorsque au mois de mai 1844, allant de Nîmes au Puy, je traversai l'Ardèche, cette contrée si âpre où l'homme a créé tout...

Oui, l'homme fait la terre... Songeons que, des siècles durant, les générations ont mis là la sueur des vivants, les os des morts, leur épargne, leur nourriture... Cette terre, où l'homme a si longtemps déposé le meilleur de l'homme, son suc et sa substance, son effort, sa vertu, il sent bien que c'est une terre humaine, et il l'aime comme une personne.

Il l'aime; pour l'acquérir, il consent à tout, même à ne plus la voir; il émigre, il s'éloigne, s'il le faut, soutenu de cette pensée et de ce souvenir... Il rêve au petit champ de seigle, au maigre pâturage qu'au retour il achètera dans sa montagne. Il faut dix ans! n'importe... Il veut pouvoir dire à son fils : « Tu auras de la terre!... »

« Tu auras de la terre, » cela veut dire : « Tu ne seras point un mercenaire qu'on prend et qu'on renvoie demain; tu ne seras point serf pour ta nourriture quotidienne, tu seras libre! » Libre! grande parole, qui contient en effet toute dignité humaine; nulle vertu sans la liberté.

Jules MICHELET,
Le Peuple.

───────── **COMPRENEZ BIEN LE TEXTE** ─────────

LE SENS ET LA VIE DES MOTS

A. *LES MOTS*

Passion : amour puissant du paysan pour sa terre.

Dévotion : le paysan a, pour sa terre, un sentiment d'attachement et de dévouement presque religieux.

Expliquez à l'aide du dictionnaire : *Souche — mercenaire.*

B. *LES EXPRESSIONS*

Sa pensée intime : celle qu'il nourrit constamment au plus profond de lui-même.

Il a affaire ailleurs : une occupation l'appelle ailleurs.

Tu ne seras pas serf : tu ne dépendras pas pour ta nourriture de chaque jour du propriétaire de la terre que tu cultives.

LES IDÉES ET LES SENTIMENTS

Exercices de conversation :

1. Quel autre titre pourriez-vous donner à cette page de Michelet? — titre qui en résumerait l'idée générale.

2. Quelle excuse se donne le paysan pour aller voir sa terre le dimanche?

3. Il ne veut pas travailler. Pourquoi? Et pourtant, que fait-il?

4. Comment regarde-t-il sa terre? Que peut lire, dans son regard, « celui qui sait bien voir »?

5. Pourquoi Michelet a-t-il pu écrire en 1844 : « cette terre de France sans engrais »? Est-ce vrai aujourd'hui?

6. Comment le « propriétaire » a-t-il fait sa terre?

7. Comment ses ancêtres l'ont-ils faite avant de la lui transmettre?

8. Pourquoi l'aime-t-il comme une personne?

9. Quelle est, d'après Michelet, l'unique ambition du paysan qui n'a pas de terre lui appartenant? Pourquoi?

UTILISEZ LE TEXTE

LE VOCABULAIRE ACTIF

1. Le mot *affaire* entre dans plusieurs expressions courantes. Trouvez deux de ces expressions, et faites entrer chacune d'elles dans une phrase ?

2. Quels sont les mots de la famille de campagne: *a)* avec le radical camp; *b)* avec le radical champ.

COMPOSITION FRANÇAISE

Sur le modèle de la première partie (Le paysan va voir sa terre), montrez-nous les hésitations d'une personne qui désobéit à un ordre donné.

GRAMMAIRE

Le mode impératif des verbes. — Le mode impératif n'a que trois personnes, la deuxième personne du singulier, la première et la deuxième personne du pluriel :

Chante — Promenons-nous.
Voyez ces roses.

Exercices : 1. Cherchez dans le texte un autre impératif à la deuxième personne du pluriel et deux autres à la première personne du pluriel.

2. Faites des phrases aux trois personnes de l'impératif, et répondez aux ordres exprimés : ex. : *Allons-y.* — *Non, nous n'irons pas.*

CONSEILS POUR LA LECTURE

1. Une bonne respiration est la condition essentielle d'une bonne diction. Apprenez donc à respirer aux arrêts marqués par la ponctuation : respirez et lisez « sur le souffle que vous rejetez ».

2. Exercice pratique portant sur les quatre premiers paragraphes : découpage, lecture silencieuse et respiration ; puis exercice à haute voix. Appliquez-vous à donner en même temps l'intonation convenable imposée par la ponctuation et par le sens. Les phrases interrogatives mettent de la vie dans ce récit où vibrent la sensibilité de l'auteur et son amour pour le paysan et la terre.

JULES MICHELET (1798-1874)

Historien né à Paris, où son père était imprimeur. S'est élevé par l'étude personnelle, à force de volonté et de persévérance. aux plus hautes fonctions de l'Enseignement et au premier rang des historiens romantiques français (voir page 327). Son style vivant, souple et solide, est d'un grand écrivain. Il a voulu, dans les nombreux volumes de son *His-toire de France*, nous présenter une *résur-rection du passé*. Il a aussi écrit, ayant une âme de poète, des livres sur la nature qui sont des chefs-d'œuvre : *la Montagne; la Mer; l'Oiseau*, etc.

L'été : la moisson, par Breughel (XVIᵉ siècle).

MON BEAU MÉTIER

Vous connaissez tous la chanson à boire :

> Chevaliers de la table ronde
> Goûtons voir si le vin est bon! etc.

Cette chanson nous vient de la Bourgogne, province de France célèbre par ses vins et renommée pour la gaieté de ses habitants, les Bourguignons.

Romain Rolland nous transporte trois siècles en arrière et imagine la vie d'un de ses ancêtres qu'il fait parler.

Je suis Colas Breugnon, bon garçon, Bourguignon, rond de façons et du bedon, plus de la première jeunesse, mais râblé, les dents saines, l'œil frais, placide et railleur...

Je ne dédaigne rien. J'aime tout ce qui est bon, la bonne chère, le bon vin, le divin ne-rien-faire où l'on fait tant de choses! — (on est maître du monde, jeune, beau, conquérant, on transforme la terre, on entend pousser l'herbe, on cause avec les arbres, les bêtes et les dieux) — et toi, vieux compagnon, toi qui ne trahis pas, mon ami, mon travail !

Qu'il est plaisant de se trouver, son outil dans les mains, devant son établi, sciant, coupant, rabotant, rognant, chantournant, chevillant, limant, triturant la matière belle et ferme qui se révolte et plie, le bois de noyer doux et gras, qui palpite sous la main... Joie de la main exacte, des doigts intelligents, les gros doigts d'où l'on voit sortir la fragile œuvre d'art. Joie de l'esprit qui commande aux forces de la terre, qui inscrit dans le bois, dans le fer ou dans la pierre, le caprice ordonné de sa noble fantaisie. Je me sens le monarque d'un royaume de chimère. Mon champ me donne sa chair et ma vigne son sang. Les esprits de la sève font croître pour mon art, allongent, engraissent et polissent au tour les beaux membres des arbres que je vais caresser. Mes mains sont des ouvriers dociles que dirige mon maître compagnon, mon vieux cerveau, et qui font ce qui plaît à ma rêverie. Qui jamais ne fut mieux servi que moi ?...

Ai-je bien fait le tour de mes propriétés ?... Il me reste le meilleur, je le garde pour la bonne bouche, il me reste mon métier. Je suis de la confrérie de Sainte-Anne, menuisier. Je porte, dans les convois et dans les processions, le bâton décoré du compas sur la lyre. Armé du hacheret, du bédane et de la gouge, la varlope à la main, je règne à mon établi, sur le chêne noueux et le noyer poli. Qu'en ferai-je sortir? C'est selon mon plaisir... et l'argent des clients. Combien de formes dorment, tapies et tassées là-dedans! Pour réveiller la Belle au Bois dormant, il ne faut, comme le Prince, qu'entrer au fond du bois...

J'aime un meuble de Bourgogne, à la patine bronzée, vigoureux, abondant, chargé de fruits comme une vigne, un beau bahut pansu, une armoire sculptée, dans la rude fantaisie de maître Hugues Sambin. J'habille les maisons de panneaux, de moulures. Je déroule les anneaux des escaliers tournants; et, comme d'un espalier des pommes, je fais sortir des murs les meubles amples et robustes.

Mais le régal, c'est quand je puis noter sur mon feuillet ce qui rit en ma fantaisie, un mouvement, un geste, une échine qui se creuse, des volutes fleuries, une guirlande, des Grotesques, ou que j'attrape au vol et cloue sur ma planche le museau d'un passant. C'est moi qui ai sculpté (cela est mon chef-d'œuvre) pour ma délectation, dans le chœur de l'église de Montréal, ces stalles où l'on voit deux bourgeois qui trinquent à table, autour d'un broc, et deux lions qui braillent en s'arrachant un os...

Quelle belle existence! Je vois autour de moi des maladroits qui grognent. Ils disent que je choisis bien le moment pour chanter, que c'est une triste époque... Il n'y a pas de triste époque, il n'y a que de tristes gens. Je n'en suis pas, Dieu merci!

Romain ROLLAND,

Colas Breugnon. — Albin Michel, éd.

─────────── COMPRENEZ BIEN LE TEXTE ───────────

LE SENS ET LA VIE DES MOTS

A. *LES MOTS*

Bedon : mot très familier pour ventre.

Chère : au moyen âge, visage. On faisait bonne chère, bon visage, bonne figure, lorsqu'on avait bien mangé. Le sens de ce mot s'est étendu : aimer la bonne chère, c'est aimer les bons mets (sens du texte).

Chantournant : découpant le bois à la scie, suivant des lignes courbes.

Le menuisier : était autrefois l'ouvrier employé à de *menus* travaux; puis ce fut celui qui se spécialisa dans le travail du bois menu, par opposition au charpentier.

Bédane : outil de menuisier pour creuser le bois. Il est en forme de *bec d'ane* ou de canard (ane — du latin *anas* — était le nom du canard en vieux français).

Grotesques : personnages bizarres, ridicules.

Expliquez à l'aide du dictionnaire : *Râblé — placide — gouge — varlope — espalier — volutes — stalles.*

B. *LES EXPRESSIONS*

Je suis rond de façons : je me comporte en homme franc et décidé.

Le divin ne-rien-faire où l'on fait tant de choses : le groupe de mots : *ne-rien-faire*, a la valeur d'un nom. Il est synonyme de *farniente*, flânerie. C'est la flânerie au cours de laquelle le corps se repose des activités manuelles du métier, mais pendant laquelle l'esprit vagabonde et travaille à sa fantaisie.

Monarque d'un royaume de chimères : le menuisier est le maître de tout un monde de formes, d'objets, d'œuvres d'art, qu'il a créées à sa fantaisie.

Confrérie de Sainte-Anne : association des menuisiers sous le patronage de sainte Anne.

Patine bronzée : le vieux meuble prend la teinte du bronze ancien, légèrement vert-de-grisé par le temps.

LES IDÉES ET LES SENTIMENTS

Exercices de conversation :

1. Qui est Colas Breugnon?

2. Dites ce qu'il aime.

3. Quelles choses fait-il pendant ses moments « de divin ne-rien-faire »?

4. Cet ouvrier a un métier qui fait travailler ses mains et son cerveau. Relevez la phrase où il l'indique.

5. Il éprouve deux sortes de joies. Lesquelles? (§ 3).

6. Quels caractères présente, d'après le texte, un meuble de Bourgogne?

7. Comment Colas Breugnon décore-t-il et meuble-t-il une maison bourguignonne?

8. Montrez, d'après le texte, que Colas Breugnon prépare son travail de menuisier en artiste (§ 6).

9. Comment certains jugent-ils l'époque où il vit? Que lui reprochent-ils? Que leur répond le menuisier?

74

LE VOCABULAIRE ACTIF

Relevez dans le texte :

a) tous les verbes se rapportant au métier de menuisier;

b) tous les noms d'outils employés par Colas Breugnon.

COMPOSITION FRANÇAISE

I. LA PHRASE

Le style de Romain Rolland est souvent un style de poète. La phrase expliquée : « Le divin ne-rien-faire où l'on fait tant de choses », est un bel alexandrin. Le texte en renferme beaucoup d'autres. Relevez-en au moins six.

II. CONSTRUCTION DE PARAGRAPHES

A. Colas Breugnon se campe devant son établi en deux attitudes. En utilisant le texte, montrez-le dans chacune de ces attitudes.

B. Récrivez les trois derniers paragraphes en style indirect. (Vous parlez du menuisier Colas Breugnon à un de vos camarades. Ex. : Il aime un meuble de Bourgogne, etc.).

III. RÉDACTION

Un artisan de vos voisins (menuisier, forgeron, garagiste, etc.) raconte, à la manière de Colas Breugnon, comment il exerce son métier et quelles sont les joies qu'il y trouve. Faites-le parler.

GRAMMAIRE

Le pronom relatif sujet QUI. — *C'est* ***moi*** *qui* ***ai*** *sculpté ces stalles...* Quand l'antécédent du pronom relatif sujet est un pronom personnel, le pronom relatif garde la personne de son antécédent. Ici, *moi* est à la première personne du singulier; *qui* est le sujet d'un verbe à la première personne du singulier.

Exercice : Complétez les phrases suivantes :

C'est moi qui ai sculpté les stalles
C'est toi...
C'est lui...
C'est nous...
C'est vous...
Ce sont eux...

2. Cherchez dans le texte un autre exemple où l'antécédent du pronom relatif sujet *qui* est un pronom personnel.

CONSEILS POUR LA LECTURE

Encore un signe de ponctuation dont il faut tenir compte dans la diction : **les parenthèses ( ).**

Dans le deuxième paragraphe, Colas Breugnon énumère ce qu'il aime; mais il coupe cette énumération pour dire ce qu'il fait pendant son *divin ne-rien-faire.* Cette explication est mise entre ( ); il faut la lire sur un ton différent de celui de l'énumération : exercez-vous à le faire.

— On retrouve ce procédé dans une autre phrase du texte : découpage et même exercice d'intonation.

Ce beau texte permet de faire une révision de tous les signes d'intonation. Tenez donc bien compte de la ponctuation pour le lire avec expression. Le ton est vif et rond, un peu faraud au début et à la fin.

ROMAIN ROLLAND (1866-1944)

Romancier et dramaturge contemporain, au style imagé et souvent rythmé de poète et de musicien.

Principales œuvres : le roman cyclique *Jean-Christophe, Colas Breugnon, Musiciens d'autrefois, Musiciens d'aujourd'hui, Beethoven,* etc. Il reçut le Prix Nobel de la Paix en 1916.

PEINTRE SUR PORCELAINE

Le vieux Nicolas Mulot était un des derniers peintres sur porcelaine, un des plus vieux artisans de France aussi. Il avait plus de quatre-vingts ans. Il travaillait encore. Des assiettes, des vases, des bibelots décorés étaient posés sur la commode attendant que d'autres les aient rejoints. Quand il jugeait qu'il y en avait assez, le vieil artiste prenait un fiacre et les apportait au four de la rue Pierre-Levée où on le connaissait depuis un demi-siècle.

Loulou admirait ce vieillard aux cheveux bouclés, évoquant, il y songea plus tard, le Voltaire de Houdon. C'était un miracle que ses yeux fussent restés vivants après soixante et plusieurs années d'une technique de précision qui ne souffrait aucune rature.

Photo Pfalzer-Violet.

Les potiers d'art de Vallauris.

L'assistant du peintre Picasso. « *Il avait un de ces métiers qui paraissent du jeu plus que du travail.* » (H. Poulaille.)

Il pratiquait son métier comme au temps de ses débuts. Il avait conservé ses palettes de verre, broyant ses couleurs qu'il malaxait et étendait avec de l'essence de térébenthine. Cela sentait bon; c'était une odeur agréable et pénétrante...

Il avait un de ces métiers qui paraissent du jeu plus que du travail. Cela consistait à prendre une gravure et à la reproduire.

Prud'hon, Fragonard, Boucher, Watteau, Lancret, Greuze, tout l'art léger du XVIIIe en fournissait la bonne moitié.

D'autres amateurs préféraient les peintres de la nature : Harpignies, Corot, Rosa Bonheur.

D'autres donnaient leurs sujets, certains même faisaient reproduire leurs œuvres.

Le père Mulot avait une prédilection pour les petits maîtres. Fragonard et Boucher surtout avaient ses faveurs.

Loulou restait des heures à le regarder travailler.

— Ne me fais pas bouger surtout, réclamait l'aïeul.

— Non, grand-père...

Celui-ci prenait l'image en main, l'examinait longuement, l'étudiait dans ses moindres détails. Puis il mettait quelques feuilles de papier opaque solide derrière l'image et fixait gravure et papier sur une planchette arrangée pour cet usage. C'était alors un effarant travail de patience. Armé d'une espèce de longue aiguille d'acier très fine, emmanchée comme un poinçon, il reprenait en pointillé les contours de l'image; les moindres détails devaient être traduits, et c'était pour chaque détail des centaines, sinon des milliers de petits trous, espacés d'un demi ou d'un tiers de millimètre, si ce n'est moins.

Un Boucher, un « Frago » comptaient plusieurs milliers de trous. Un Harpignies, un Watteau en exigeaient des dizaines de milliers.

C'étaient les poncifs.

Une fois le poncif terminé, il ne restait plus qu'à le reporter sur l'objet à décorer, plat, bannette, assiette, jardinière, face-à-main, soupière, plateau, panneau, vase, coupe de fruits...

Le poncif n'était que l'ébauche. C'était, une fois celle-ci tracée par la poudre de vermillon déposée trou à trou sur l'objet, à coups légers de tampon, que la véritable tâche minutieuse commençait.

Les couleurs disposées dans sa petite palette carrée de verre épais, plusieurs frêles pinceaux à la main, l'artiste commençait. D'abord, il redessinait au pinceau le sujet en gros, puis le calque tout entier était repris en traits légers. Venait ensuite le coloriage. En général, l'artiste s'inspirait des couleurs mêmes qu'avait utilisées le maître, qu'il transposait sur porcelaine. Il avait fait de longues stations dans les musées, pris des notes, avait longtemps travaillé pour retrouver la chaleur de certains bleus notamment.

D'autres fois, il laissait sa fantaisie aller. C'était parfois mieux ainsi, car il avait beaucoup de goût et un sens merveilleux de l'harmonie des couleurs.

Quand il avait terminé de peindre un objet, il le passait à la flamme sur une lampe à alcool pour qu'il n'y ait pas de bavures.

Malheureusement, s'il n'avait plus ses yeux de quinze ans, ni même de soixante-quinze ans, il avait encore moins les mains agiles. Ses doigts avaient perdu toute souplesse; le pinceau tremblait entre le pouce et l'index et, si fin que fût le trait, cela se voyait vite s'il se trouvait à côté du pointillé de poussière rouge. Depuis plusieurs mois, il était obligé de refuser tout travail soigné, n'acceptant que les tâches grossières qu'il laissait autrefois à ses apprentis...

On insistait parfois :

— Oh! monsieur Mulot, vous seul pouvez faire cette bonbonnière.

— Mais non, mais non, protestait-il, je ne puis plus entreprendre de travaux de minutie, ma main tremble, je ne suis plus bon qu'à bricoler.

De ces refus que lui ordonnait sa conscience d'artiste, l'homme souffrait énormément, et son entourage aussi, car il était devenu acariâtre et se fâchait pour la moindre chose.

Henri POULAILLE,

Les damnés de la terre. — Grasset, éditeur.

──────────── COMPRENEZ BIEN LE TEXTE ────────────

LE SENS ET LA VIE DES MOTS

A. LES MOTS

Porcelaine : poterie très fine, translucide, imperméable, obtenue par la cuisson d'une argile blanche très pure ou kaolin.

Assiette : pièce de vaisselle ainsi appelée parce qu'elle indiquait primitivement la place où chaque convive devait s'asseoir à table.

Commode : meuble bas à tiroirs, utilisé à partir du XIIᵉ siècle pour remplacer les coffres à linge.

Fiacre : voiture de place dont le nom vient de ce que les voitures de louage, à Paris, vers 1560, étaient remisées à l'hôtel Saint-Fiacre. On a dit : une voiture de fiacre, puis un fiacre (voir page 38).

Chaleur : employé au sens figuré; indique la vivacité de certains bleus.

Expliquez à l'aide du dictionnaire :

Bibelots — souffrait — palette — maxer — prédilection — opaque — poncifs — face-à-main — ébauche — vermillon.

B. LES EXPRESSIONS

Un des derniers peintres sur porcelaine : le métier de peintre sur porcelaine tend à disparaître. Ses derniers représentants sont de véritables artistes dont les travaux sont recherchés des connaisseurs.

Petits maîtres : peintres qui ont surtout laissé des œuvres gracieuses et légères.

Harmonie de couleurs : le peintre savait habilement disposer ses couleurs pour rendre leur accord agréable à l'œil.

Expliquez :

Technique de précision — des yeux de quinze ans.

LES IDÉES ET LES SENTIMENTS

Exercices de conversation :

1. En quoi consistait le métier du père Mulot?

2. Énumérez les trois phases que comportait cette peinture sur porcelaine.

3. D'après le texte : *a*) Comment le

peintre réalisait-il un poncif? — *b)* comment le reportait-il sur l'objet à décorer? — *c)* comment piquait-il ensuite le sujet? — *d)* comment fixait-il enfin sa peinture sur la porcelaine?

4. D'après cette lecture, quelles qualités professionnelles doit montrer un peintre sur porcelaine?

──────────── *UTILISEZ LE TEXTE* ────────────

LANGUE ET CIVILISATION

1. La vie des mots. Si, comme nous l'avons vu, certains mots changent de *sens*, d'autres changent de *forme*.

a) L'auteur écrit : « Un Frago ». Complétez ce mot.

b) A notre époque de vitesse, de nombreux mots sont ainsi abrégés et réduits à deux ou trois syllabes. Donnez les abréviations de : accumulateur — automobile — baccalauréat — cinématographie — météorologie — métropolitain — motocyclette — phonographe — photographie — pneumatique — radiodiffusion — radiographie — radioscopie — télévision — vélocipède.

2. Parfois même, tout un groupe de mots est remplacé par les initiales de ces mots. Traduisez les groupes d'initiales suivants qui sont d'un emploi quotidien maintenant : R.F. — P. & T. — S.N.C.F. — R.T.F. — O.N.U.

Indiquez-en d'autres désignant des sociétés sportives; des marques commerciales; des partis politiques. (La pratique des abréviations a été poussée si loin qu'une circulaire ministérielle française, en 1954, demande d'écrire au moins une fois, dans un texte officiel, les groupes de mots représentés ensuite par leur initiales (ou *sigles*) pour qu'on puisse comprendre ces abréviations.)

3. Faites une phrase où chacun de ces mots : faïence — porcelaine — verre, aura pour attribut celui des adjectifs suivants qui lui convient : translucide — transparent — opaque.

COMPOSITION FRANÇAISE

1. « Les couleurs disposées dans sa petite palette carrée de verre épais, plusieurs frêles pinceaux à la main, l'artiste commençait. » La phrase débute par deux notations descriptives juxtaposées et se termine par une proposition exprimant une action. Sur ce modèle, construisez cinq phrases, en parlant, à votre choix : du vendangeur, du moissonneur, du menuisier, du coiffeur, du boulanger, du mécanicien, de l'horloger, de la blanchisseuse, de la couturière, de la cuisinière.

2. En imitant le texte :

a) Faites le portrait physique du père Mulot.

b) Dites comment le vieil artisan montra une grande conscience professionnelle : tout au long de sa carrière; puis dans son extrême vieillesse.

3. En imitant l'auteur :

Présentez-nous un vieil artisan ou un vieil ouvrier de votre village ou de votre quartier.

GRAMMAIRE

L'adjectif indéfini D'AUTRES. — *D'autres amateurs préféraient les peintres de la nature.*

Le pronom indéfini D'AUTRES. — *D'autres donnaient leurs sujets.*

Attention : D'autres est le pluriel de *un autre* ou de *une autre*. Le mot « autre », adjectif ou pronom indéfini, peut se présenter sous la forme : *l'un, l'autre, les uns, les autres.*

Exercices : 1. Cherchez dans le texte un exemple du pronom indéfini *d'autres*, et un exemple de l'adjectif indéfini *d'autres*.

2. Faites deux phrases en employant le pronom indéfini *d'autres*.

CONSEILS POUR LA LECTURE

Tenir compte de tous les conseils précédemment donnés en ce qui concerne la ponctuation et l'intonation.

HENRI POULAILLE (1896)

Écrivain contemporain qui a surtout dépeint le monde du travail, auteur de romans populistes comme *Pain de soldat.*

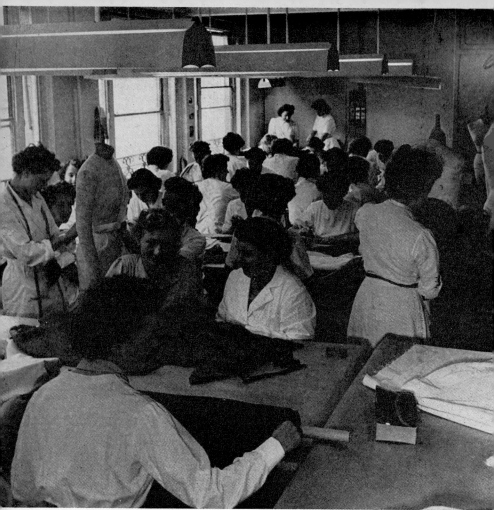

Un atelier moderne de haute couture.

LA VEILLÉE DES COUTURIÈRES

Pour livrer une robe le lendemain, à l'heure promise, les couturières doivent veiller toute la nuit. Et la cliente, exigeante, a demandé « des manches qui n'aient pas l'air de manches ». La scène se passe au début du siècle.

La lumière du jour éclairait encore l'avenue quand Mme Dalignac apporta la lampe tout allumée sur la table. Elle tira un tabouret pour s'installer en face de moi, et la nuit de travail commença.

Les heures passèrent, l'horloge d'une église les comptait une à une sans oublier les quarts et les demies, et les sons entraient par la fenêtre ouverte, comme s'ils étaient chargés de nous rappeler que nous n'avions pas une minute à perdre.

Les douze coups de minuit résonnèrent si longtemps que Mme Dalignac alla fermer la fenêtre, comme elle fermait parfois la porte derrière une cliente trop exigeante. Mais les heures qui suivirent ne se lassèrent pas, elles revinrent à travers la vitre, et leurs sons grêles retenaient sans cesse notre attention.

Par instants, Mme Dalignac cédait au sommeil. Elle lâchait brusquement son aiguille en inclinant la tête, et à la voir ainsi, on eût dit qu'elle regardait attentivement l'intérieur de sa main droite qui restait à demi ouverte sur son ouvrage.

Je la touchais du doigt alors, et le sourire qu'elle m'adressait était plein de confusion.

Depuis longtemps les tramways ne passaient plus sur l'avenue. Les fiacres eux-mêmes avaient cessé de rouler et, dans le silence qui s'étendait maintenant sur la ville, l'horloge de l'église compta tout à coup trois heures.

Mme Dalignac se redressa tandis que sa bouche laissait échapper un souffle court. Elle posa son ouvrage et se leva péniblement pour aller nous faire du thé.

Dès qu'elle fut sortie, je m'aperçus que la lampe baissait. Elle baissait rapidement et j'en ressentis une véritable angoisse.

Ce fut comme si une catastrophe s'abattait sur moi, et pendant un instant, je crus que tout était perdu. Je cherchai du secours en me tournant vers la croisée, mais j'étais si troublée qu'il me sembla voir une large draperie lamée d'argent à travers la vitre. Je reconnus presque aussitôt le ciel et son reste d'étoiles sans éclat. En même temps, je reconnus que le jour se levait et que la lampe devenait inutile. Alors je laissai mon corps se tasser dans le repos et je cédai au désir intense de quelques minutes de sommeil.

Mme Dalignac me réveilla en rentrant avec le thé. Elle se plaignit de la mauvaise odeur que la mèche charbonneuse répandait dans la pièce et elle rouvrit la fenêtre en disant :

— L'air frais va nous faire du bien.

Je frissonnai lorsque l'air frais me toucha. A ce moment, j'eusse préféré toutes les mauvaises odeurs à cet air pur qui m'apportait une souffrance plus vive. Cependant je m'y habituai peu à peu et, bientôt, j'allai m'accouder à la fenêtre.

Toutes les étoiles avaient disparu. Le ciel était d'un bleu gris. Et, là-bas, du côté du levant, des petits nuages roses s'en allaient en bandes au-devant du soleil.

Mme Dalignac versa le thé dans les tasses. Elle le versait doucement pour éviter les éclaboussures, et il coulait si noir de la théière qu'on aurait pu croire que c'était du café.

Il ne nous apporta pas tout de suite l'énergie que nous en attendions. Au contraire, sa chaleur humide nous enveloppait d'un bien-être et nous amollissait, mais la demie de trois heures sonna pleine de force à nos oreilles, et avant même qu'il fît grand jour, je repris ma jupe et Mme Dalignac son corsage.

Malgré moi, je regardais le fouillis de dentelle et de mousseline qui allait servir à faire les manches de Mme Linella.

Mme Dalignac les ajusta d'abord avec de la dentelle, puis elle épingla de la mousseline qu'elle rejeta pour reprendre de nouveau la dentelle.

Rien ne la satisfaisait et, à chaque changement, elle répétait d'un ton machinal ces mots qui sonnaient presque aussi fort que les heures à mes oreilles :

— Des manches qui n'aient pas l'air d'être des manches.

Elle se décida enfin et, après une heure de travail, elle s'éloigna du mannequin pour mieux juger de l'effet. Mais lorsqu'elle se tourna vers moi pour prendre mon avis, comme elle le faisait souvent, elle vit que je regardais déjà les manches et, sans que j'aie dit un seul mot, elle recula jusqu'au mur et se mit à pleurer.

Elle pleurait mollement et disait en prononçant à moitié les mots :

— Je suis trop lasse, je ne peux rien faire de bien.

Elle resta un moment le dos appuyé et le visage caché dans les mains. Puis, comme si elle était vraiment à bout de forces et de courage, elle fléchit tout à coup et tomba sur les genoux.

Elle voulut se redresser, mais le poids de sa tête était trop lourd et ses mains restèrent collées au parquet. Elle eut encore un sursaut comme les gens qui veulent échapper au sommeil, mais dans ce mouvement ses deux coudes se replièrent et elle s'écroula sur le côté.

Je crus qu'elle s'évanouissait et me levai précipitamment pour lui porter secours, mais, en me penchant, je vis qu'elle venait de s'endormir lourdement. Elle dormait la bouche ouverte et son souffle était rude et régulier. Je lui glissai un paquet de doublure sous la tête et, dans la crainte de m'endormir comme elle, je me passai un linge mouillé sur le visage.

« Des manches qui n'aient pas l'air d'être des manches. »

Je les regardai longtemps, puis je les défis, et après avoir plissé de la mousseline, ajusté des entre-deux et plissé de la dentelle, je m'éloignai à mon tour du mannequin pour juger de l'effet...

Six heures sonnaient à ce moment, et le patron entrait dans l'atelier avec son teint jaune et ses cheveux ébouriffés. Il tourna autour du corsage avec des gestes d'admiration et il dit en montrant sa femme :

— Elle peut dormir maintenant, elle a fait là un beau travail.

Et il se sauva bien vite à la cuisine.

Mme Dalignac s'était réveillée au bruit.

Elle ne pouvait pas croire que ses manches étaient faites. Elle les touchait l'une après l'autre d'un air craintif, comme si elle craignait de les voir disparaître subitement. Elle voulut parler aussi, mais il se trouva qu'elle avait perdu la voix.

Je ne parlais pas non plus. Je sentais que la moindre parole m'apporterait un surcroît de fatigue, et j'indiquai par signes ce qui restait à faire.

Je repris ma place. Le soleil qui passait au-dessus de la maison neuve cherchait à s'encadrer dans une vitre et m'aveuglait.

Mes paupières se fermèrent et, pendant un instant, le sommeil m'écrasa. Puis une sorte d'engourdissement me saisit, il me sembla qu'un grand trou se creusait dans ma poitrine, et il n'y eut plus en moi que l'idée fixe qu'il fallait à tout prix livrer la robe avant dix heures.

Marguerite AUDOUX,
L'Atelier de Marie-Claire. — Fayard, éditeur.

─────────────── *COMPRENEZ BIEN LE TEXTE* ───────────────

LE SENS ET LA VIE DES MOTS

A. LES MOTS

Église : du grec *ekklesia* qui signifiait assemblée. Ce mot désigna d'abord la Société des Fidèles : l'Église catholique; puis l'édifice où les fidèles se réunissaient. Mot de la même famille : ecclésiastique.

Mousseline : tissu léger, tirant son nom de Mossoul (Asie Mineure) d'où on l'importait autrefois.

Linge : sens initial, toile de lin; puis toile de coton ou de soie. Par extension de sens, linge désigne les pièces de lingerie fabriquées avec cette toile : linge de corps, linge de table, etc.

Expliquez à l'aide du dictionnaire :

Grêles — mannequin — entre-deux — ébouriffés — surcroît.

B. UNE EXPRESSION

Une draperie lamée d'argent : tissée avec des fils d'argent plats, ayant la forme de petites lames ou lamelles.

LES IDÉES ET LES SENTIMENTS

Exercices de conversation :

1. Relevez la suite des expressions qui indiquent comment, au cours de la veillée, progressent le sommeil et la fatigue : *a)* chez Mme Dalignac; *b)* chez Marie-Claire.

2. Relevez les expressions qui indiquent comment chacune d'elles résiste au sommeil.

3. Quelles notations montrent, au moment où la lampe baisse, que le jour est proche?

4. Quelle est la double préoccupation qui obsède l'esprit des deux couturières?

5. Relevez les phrases montrant que Mme Dalignac fait preuve d'une grande conscience professionnelle.

6. Que lit-elle sur la physionomie de Marie-Claire, quand celle-ci examine les manches pour donner son avis? Pourquoi se met-elle à pleurer?

7. Que fait alors Marie-Claire?

8. Que dit le patron en examinant l'ouvrage terminé? Pourquoi Marie-Claire ne l'a-t-elle pas détrompé?

9. Quelle idée obsède à son tour Marie-Claire quand le sommeil l'écrase?

─────────── *UTILISEZ LE TEXTE* ───────────

LANGUE ET CIVILISATION

1. L'origine de certains noms d'étoffes. Vous avez vu l'origine du mot mousseline. Recherchez, à l'aide du dictionnaire, l'origine des noms d'étoffe suivants et indiquez ce que sont ces tissus : alpaga, cachemire, cadix, calicot, cheviotte, cretonne, damas, gaze, jersey, madras, silésienne, vichy.

2. Que fait chacune des personnes qui participent à la confection d'une robe de haute couture : le grand couturier, le modéliste, le coupeur, la couturière, l'essayeuse, le mannequin?

COMPOSITION FRANÇAISE

1. Relevez les phrases ou membres de phrases (2e et 3e alinéas) dans lesquels l'auteur a personnifié : l'horloge, les sons, les heures.

2. En imitant ce procédé de personnification, décrivez : *a)* le lever du soleil un jour d'été; — *b)* le vent de novembre; — *c)* le printemps fleurissant la terre. (Trois propositions indépendantes dans chaque cas.)

3. C'est le soir. Vous avez à terminer absolument un travail pour le lendemain matin. Vous luttez contre la fatigue et le sommeil jusqu'à ce que votre tâche soit accomplie. Racontez.

GRAMMAIRE

Une forme littéraire du mode conditionnel. — *On eût dit qu'elle regardait*

attentivement... **On eût dit** est un plus-que-parfait du subjonctif qui signifie *on aurait dit;* c'est une forme littéraire; elle a le sens du conditionnel passé.

La même forme se trouve dans la phrase suivante : *A ce moment j'eusse préféré toutes les mauvaises odeurs...*

J'eusse préféré est un plus-que-parfait du subjonctif qui signifie *j'aurais préféré.*

CONSEILS POUR LA LECTURE

Les groupes de souffle dans la phrase. *Les groupes de mots*, dont vous avez étudié la composition, en grammaire, deviennent, pour la lecture, des *groupes de souffle* : ils doivent être lus d'une seule émission de voix, sans coupures. Exemple, première phrase :

La lumière du jour | éclairait encore l'avenue | quand Mme Dalignac apporta | la lampe tout allumée | sur la table.

Exercice : Séparez les groupes de souffle dans les phrases des trois paragraphes suivants. Lecture silencieuse, puis à haute voix. Application à la lecture de tout le texte.

MARGUERITE AUDOUX (1863-1937)

Écrivain contemporain. Bergère en Sologne, puis couturière à Paris. Son roman, *Marie-Claire*, est une évocation de sa propre existence laborieuse.

Route en lacets dans la montagne.

La route « entra dans la vallée pour grimper en lacets vers les crêtes ». (André Chamson.)

LES HOMMES DE LA ROUTE

Sous le Second Empire, on procède à la construction de la route de Saint-André au Col du Minier, dans le Massif Central.

Elle partit de Saint-André à travers les prairies d'eau et les pommiers, en rampe douce, comme un être vivant, volontaire mais calme. Puis elle entra dans la vallée pour grimper en lacets vers les hautes crêtes.

Des équipes marchaient avec elle, remuaient la terre, coupaient les arbres, creusaient les roches à coups de mines, bâtissaient des ponts sur les torrents et les précipices. Sous les rochers, au creux des arbres, aux couverts des taillis, des bêtes couraient, surprises, des serpents s'écrasaient, sous des roches précipitées : une grande odeur de terre violée, violente et riche, s'élevait sur les pentes, dans la chaleur et la lumière, aussi exaltante, aussi vagabonde et tumultueuse que, là-bas contre la rivière et les hautes maisons à quatre étages, aux façades nues, l'odeur des jardins était calme, somnolente et paisible.

Les équipes riaient et s'acharnaient à bousculer ces landes, ces forêts, ces rocailles stériles. Une longue bande de terre s'aplanissait et s'allongeait, comme pour se soumettre, devant des hommes bruns, coiffés de feutres noirs cirés par la pluie et les traces des doigts en sueur ; des hommes trapus, en bras de chemise, au col ouvert, sans cravate, avec des poitrines noires ; des hommes agiles en lourdes braies de velours soutenues par une tayole rouge ou bleue ; des hommes solides, chaussés de gros cuirs cloutés plus forts que les granits, à gros grains d'acier brillant — des hommes semblables à ceux qui, véridiques, aux minces pieds-droits des cathédrales, fauchent les moissons, enfournent le pain, mènent les saisons et les années — des hommes au costume sans âge, faits pour les grands travaux, amis du soleil et de la pluie et marchant durement sur les pierres dures, au milieu d'un cortège d'étincelles.

Tout le long du jour, Combes faisait équipe avec Audibert, un homme de la commune d'Esparron, descendu comme lui de la montagne. Ils creusaient tous deux des trous de mine dans les roches que les contremaîtres marquaient à la craie sur le tracé de la route.

Quand la charge était prête, bourrée, la mèche mise, le briquet battu devant elle, à jets prudents et sûrs, Audibert et Combes redescendaient en courant vers les équipes restées en arrière et criaient à l'écho de la montagne :

— Gare à la mine !

L'écho répétait le cri, par saccades, avec de longs retards et de brusques hâtes, comme terrorisé par une longue attente. Les équipes arrêtaient le travail pendant que brûlaient les mèches.

La mine éclatait, sourde et lente : tous les hommes se levaient et retournaient au travail en silence, devant le chantier bouleversé et les roches rouges, comme ensanglantées par leur chute.

— Quel travail ! disait Combes, en regardant la partie déjà faite de la route. Quel travail ! On ne s'imaginera jamais ce que ça nous a coûté, quand on passera par là, hiver, été, par le mauvais temps ou par le soleil. On méprise toujours le travail des anciens. Nous méprisions bien,

86

nous autres, les chemins ferrés qui vont d'un village à l'autre, et pourtant il en a fallu des bras pour remuer ces pierres et faire leur lit.

Cependant, animés par la présence de l'autre équipe qui déjà empierrait la partie la plus haute de la route, au sommet du col, les hommes de la vallée de Saint-André poussaient fiévreusement leur ouvrage.

Brusquement la corniche rocheuse s'ouvrit sur des pentes d'herbes, et, en quelques jours, les deux tronçons se réunirent.

A la minute même où ils se touchèrent, la partie nord bien finie, empierrée déjà et toute blanche, et celle du sud à peine indiquée pendant les derniers mètres, à travers les mottes d'herbes, une explosion d'allégresse mêla tous ces hommes.

Ils se mirent à courir dans les prés, sous la lisière des bois de sapins, cueillant des fleurs bleues, jaunes et rouges, entassant des œillets de poète, des gentianes et des fleurs d'arnica, réunissant leurs gerbes en une gerbe commune.

Sur le sol, au milieu d'un petit tertre que contournait la route, ils dressèrent le tronc d'un immense sapin abattu par l'hiver et fiévreusement équarri à coups de haches en quelques minutes. Puis en signe de joie et de victoire, ils fixèrent au sommet de cette hampe un rameau de pin et, soutenue par un lacis de joncs et de branches flexibles, cette gerbe de fleurs de la montagne.

Combes, un orgueil formidable au visage, rouge, nerveux, pinçant le bras d'Audibert, répétait :

— Nous avons fait notre route !

André CHAMSON,

Les Hommes de la Route. — Grasset, éditeur.

─────────── COMPRENEZ BIEN LE TEXTE ───────────

LE SENS ET LA VIE DES MOTS

A. LES MOTS

Prairie : l'origine latine est *parare*, orner. La prairie est, en effet, un terrain herbeux, orné, *paré* de verdure et souvent de fleurs.

Tayole : terme local désignant une grande ceinture de flanelle qui entoure la taille plusieurs fois.

Pied-droit : montant vertical ou pilier qui, dans la cathédrale, supporte la voûte à sa naissance.

Corniche : la route en corniche contourne la montagne et domine les précipices.

Expliquez à l'aide du dictionnaire :

Équipes — précipices — taillis — mine — feutres — braies — cuirs — charge — bourrée — tronçons.

B. LES EXPRESSIONS

Les hommes de la route : les hommes qui construisent la route.

Prairies d'eau : prairies très humides, souvent couvertes d'eau.

Chemins ferrés : chemins rudimentaires de graviers ou de pierraille.

La mine éclatait : la charge de poudre mise dans les trous de mine explosait, quand le feu de la mèche l'atteignait, et faisait voler la roche en éclats.

LES IDÉES ET LES SENTIMENTS

Exercices de conversation :

1. A qui l'auteur compare-t-il la route?
2. Quel travail effectuait chacune des équipes?
3. Décrivez l'odeur qui s'élève de la terre remuée. Par opposition, comment est l'odeur des jardins?
4. Relevez les quatre expressions qui caractérisent les hommes de la route.
5. Relevez les quatre phrases correspondantes qui décrivent leurs vêtements.
6. A qui l'auteur compare-t-il les hommes de la route? (§ 3).
7. Quelles réflexions viennent à l'esprit de Combes quand il regarde la partie déjà faite de la route?
8. Quel sentiment puissant éprouve-t-il, la route faite? Et comment l'exprime-t-il?
9. Comment tous les hommes de la route manifestent-ils leur allégresse lorsque les deux tronçons se réunissent?

─────────── UTILISEZ LE TEXTE ───────────

LE VOCABULAIRE ACTIF

1. Les mots de la famille du nom homme s'écrivent avec les radicaux *hom* et *hum*. Donnez six mots avec le premier radical et deux avec le second. (Le pronom *on* provient de la même racine.)

2. Employez dans une courte phrase, avec un sens différent de celui qu'ils ont dans le texte, chacun des mots suivants : rampe — mine — bande — charge.

COMPOSITION FRANÇAISE

1. En imitant la structure de la première phrase du deuxième paragraphe : « Des équipes remuaient... coupaient... creusaient... bâtissaient... », construisez deux phrases pour nous montrer au travail des équipes d'ouvriers : *a*) dans le chantier de construction d'une maison; *b*) dans un champ au moment de la récolte.

2. Relisez la deuxième phrase du deuxième paragraphe. Le mot homme est répété quatre fois et, chaque fois, il est suivi de notations qui concourent à peindre la rudesse des terrassiers. En imitant cette construction, composez une phrase en répétant quatre fois chacun des noms suivants pris comme complément : *a*) des paysans — *b*) des mineurs — *c*) des marins.

3. Des équipes d'ouvriers ont terminé un travail important : construction d'une maison, d'un pont, d'un barrage, fenaison, moisson, etc... Ils manifestent leur joie. Décrivez la scène.

GRAMMAIRE

Le passé simple et l'imparfait du mode indicatif. Le premier paragraphe et la dernière partie du texte sont au passé simple.

Les verbes au **passé simple** indiquent les actions exécutées et finies à un certain moment, tandis que toute la partie centrale du texte nous montre le travail en train d'être exécuté.

Toutes les actions qui sont en train de se faire ou qui sont répétées pour l'exécution du travail sont à l'**imparfait**.

Etudiez bien la valeur de ces deux temps dans le texte.

ANDRÉ CHAMSON (1900)

Écrivain de grand talent, membre de l'Académie française. Il fut d'abord le romancier, à la fois réaliste et lyrique, des Cévennes, puis il s'intéressa aux questions politiques et éthiques, comme dans *Le puits des miracles*.

Photo Régie nationale des usines Renault.

L'automatisme — ou automation — dans l'industrie moderne.

L'usine sans ouvriers. — Machine transfert des usines Renault, à Billancourt, pour l'usinage automatique des culasses de moteurs d'automobiles.

UN OUVRIER QUALIFIÉ

Edmond Maillecotin travaille depuis quatre mois comme tourneur dans l'usine que vient de fonder l'industriel Bertrand, dans la banlieue parisienne.

Edmond travaille dans un atelier assez petit et tout en longueur, au premier étage du bâtiment B. Son tour est installé contre le mur extérieur, un peu au-dessous du vitrage. Il s'appuie à une encoignure que fait le mur avec un large poteau de maçonnerie, à droite, qui soutient la construction. Cette encoignure ne forme pas un lieu désagréable. Elle donne un sentiment de sécurité et de chez soi. La face enduite de plâtre que présente le poteau, très bien éclairée par le jour, fait penser à un de ces pans de mur familiers où se pose de préférence le regard dans une chambre. Edmond y a fixé un calendrier et planté un clou où il accroche sa montre. Il lui arrive aussi d'y épingler les dessins que les services techniques lui ont fournis pour une pièce qu'il exécute.

Depuis avant-hier à midi, Edmond tourne de nouveau des vilebre-

quins pour le moteur 11-12 chevaux 4 cylindres du châssis que Bertrand va présenter au Salon... Il pense qu'il en tournera pendant plusieurs jours encore, sauf imprévu...

Edmond les reçoit bruts de la forge... Il doit les rendre finis et conformes aux mesures... Beau travail qu'on ne peut confier qu'à un tourneur habile et qui suppose un tour réglé avec soin. Au début, Edmond
a réglé le sien de très près ; il y a tâtonné plus d'une semaine, il le vérifie
souvent, chaque fois au moins qu'il commence une nouvelle fabrication.
C'est un tour parallèle, d'une construction excellente. Il a plaisir à
le mettre au point, parce qu'il n'est pas ingrat. Bien entendu, personne
d'autre n'a le droit d'y toucher. Il a façonné lui-même les divers outils
qu'il monte sur le tour. Si leur tranchant a une mauvaise pente, s'ils
mordent mal, s'ils se laissent mal caler dans leur logement, il ne peut
s'en prendre qu'à lui...

Edmond Maillecotin est ainsi amené à connaître certaines des conditions du travail en série... De lui-même, il n'aperçoit pas de monotonie
dans son travail. S'il compare sa situation présente dans l'usine neuve
de Bertrand à celle qu'il a connue, par exemple, dans le petit atelier
de Levallois, où il devait répondre aux injonctions les plus diverses et
les plus imprévues, ce dont il songe le moins à se plaindre, c'est d'avoir
abandonné la variété pour la monotonie. Il lui semble bien plutôt
avoir quitté le désordre pour l'ordre, la bousculade où l'on s'énerve,
où l'on se sent toujours en retard, où dès qu'on a commencé à gauche
une besogne, l'on est sûr d'être appelé d'urgence à droite, pour l'effort
régulier qui, par sa continuité même, prend certains caractères de repos,
tout en se sauvant de l'ennui par l'intensité de l'attention.

Et puis quand même, depuis son entrée à l'usine, il n'aurait fait
que tourner les vilebrequins de la 11-12 chevaux, sa besogne eût été
encore très personnelle et très diverse. Il y a eu d'abord ce réglage du
tour, auquel il a procédé dès le début, et la fabrication des outils. C'est
une façon de mettre de sa personne dans une machine. Deux compagnons n'aboutiront jamais au même réglage, ne donneront pas exactement la même figure ni la même attaque aux outils. Mais surtout le tour-
nage d'un vilebrequin de moteur quatre cylindres est un travail qui
comporte relativement beaucoup de phases, une grande diversité et
inégalité d'opérations. Prendre l'alignement des deux axes, voilà une
affaire qui intéresse ce qu'on peut appeler le haut de l'esprit. Elle
réclame de la discipline dans le coup d'œil, de l'urgence dans le juge-

ment, de la patience. Ce n'est pas tellement différent du mal que se donne un géomètre quand il étudie le tracé d'une route, ou de certaines façons dont les savants doivent procéder dans leurs laboratoires...

Enfin, de temps en temps, lorsqu'il s'agit de mettre en route la fabrication d'une pièce nouvelle ou modifiée, et qu'on tient en mains pour la première fois les dessins du bureau d'études, on a vraiment, pendant qu'on réfléchit, qu'on se gratte la tête, qu'on renifle, l'impression d'être le chef de quelque chose. On a des décisions à prendre : tout un tas de petites dispositions à imaginer. On se dit : « Je vais faire comme ça... ou plutôt non... » On calcule des écartements, des angles. On regarde un pas de vis, un plateau, d'un œil méditatif. On essaie mentalement des trucs. Selon les moments, on tousse ou on sifflote. Votre tour devant vous est à lui seul une petite usine qui vient de recevoir une commande sérieuse et qui attend vos ordres, à vous, son patron.

Jules ROMAINS,
Les Hommes de Bonne Volonté. — Flammarion, éditeur.

───────────── *COMPRENEZ BIEN LE TEXTE* ─────────────

LE SENS ET LA VIE DES MOTS

A. *LES MOTS ET LES EXPRESSIONS*

Atelier : d'abord, tas d'attelles ou éclats de bois dans le chantier d'un charpentier ; puis, chantier de charpentier ; puis lieu de travail d'ouvriers, en général ; puis enfin : équipe de travailleurs.

Cheval : mis pour cheval-vapeur (C. V.).

Salon : pour le Salon de l'Automobile, une exposition annuelle.

Travail en série : dans un travail en série, chaque ouvrier répète un petit nombre de gestes ou d'opérations pour faire toujours le même type d'objet.

Il ne peut s'en prendre qu'à lui : il est le seul responsable.

Mettre au point : Régler parfaitement.

Bureau d'études : bureau où les dessinateurs mettent au net les croquis, les plans établis par les ingénieurs, — croquis ou plans de pièces ou de machines qui seront réalisés dans l'usine.

Expliquez à l'aide du dictionnaire :

Réglage du tour — vilebrequin — cylindre — injonctions — alignement des deux axes — tour de spire d'une vis.

LES IDÉES ET LES SENTIMENTS

Exercices de conversation :

1. Comment Edmond Maillecotin a-t-il arrangé son coin de travail pour s'y sentir chez soi?

2. En quoi consiste son travail?

3. Pourquoi ne peut-on confier ce travail qu'à un tourneur habile?

4. Comment Edmond a-t-il réglé son tour?

5. Pourquoi dit-on « qu'il ne peut s'en prendre qu'à lui » si ses outils fonctionnent mal?

6. De quoi se plaignait-il dans son emploi de Levallois?

7. Quelles satisfactions trouve-t-il dans son nouveau travail?

8. Même s'il ne tournait que des vilebrequins, il exécuterait encore une « besogne très personnelle et très diverse ». Relevez la phrase qui l'exprime dans chaque cas.

9. Qu'exige, de l'ouvrier, le travail qui consiste dans l'alignement des deux axes du tour?

10. A quoi le travail du tourneur peut-il alors être comparé? Cela satisfait-il l'ouvrier? Pourquoi?

LANGUE ET CIVILISATION

1. Ouvrier vient du latin *opus* = ouvrage travail. Les mots de la même famille ont un radical qui peut prendre trois formes : *ou* (ouvrier) — *œu* (œuvre) — *oper* (opération). Recherchez les dérivés et les composés de chacun de ces trois noms.

Qu'est-ce qu'un jour *ouvrable?* un *ouvrage* d'art? une *œuvre* d'art? un *opérateur* de cinéma? un *opuscule?*

2. Qu'est-ce qu'une « 12 chevaux — 4 cylindres »? — Désignez de cette façon quatre automobiles de puissance différente.

STYLE ET COMPOSITION

I. LA COMPARAISON

1. L'auteur compare le tourneur à un chef. Quand Maillecotin a-t-il « l'impression d'être le chef de quelque chose »? Pourquoi?

2. A quoi compare-t-il son tour? Pourquoi?

3. Construisez une phrase sur le modèle de chacune de ces deux comparaisons, et sur un sujet à votre choix.

II. RÉDACTION

Vous avez observé un ouvrier devant sa machine. Montrez-le, accomplissant son travail. — Plan : *a)* situation : quel ouvrier? où et quand? — *b)* cet ouvrier aime sa machine; — *c)* il l'entretient en bon état de fonctionnement; — *d)* il accomplit son travail avec goût et éprouve, à le faire, une grande satisfaction; — *e)* il fait comme s'il avait reçu une commande pour son usine.

GRAMMAIRE

Les pronoms relatifs QUI, QUE, OÙ, DONT, AUQUEL. — Voici comment on les analyse :

... ce dont il songe le moins à se plaindre.

dont : pronom relatif, a pour antécédent le pronom démonstratif neutre ce, complément du verbe se plaindre **(de).**

... planté un clou où il accroche sa montre.

où : pronom relatif, a pour antécédent le nom clou, masculin singulier, complément circonstanciel de lieu du verbe accrocher.

Exercice : Analyser sur ce modèle quatre pronoms relatifs du texte.

L'idée de conditionnel et d'opposition : *Et puis,* ***quand même...*** *il n'aurait fait que tourner les vilebrequins de la 11-12 chevaux, sa besogne* **eût** *encore été très personnelle et très diverse.*

quand même +	conditionnel	+ conditionnel
	passé	passé.
même si +	indicatif	+ conditionnel
	plus-que-parfait	passé

a) La proposition subordonnée : *quand même il n'aurait fait...* commence par la conjonction *quand même* suivie d'un verbe au mode conditionnel; la même idée exprimée par *même si* : *même s'il n'avait fait que tourner...* exigerait le plus-que-parfait de l'indicatif.

b) Dans la proposition principale : *sa besogne* **eût** *encore été très personnelle... eût été* a ici le sens d'un conditionnel passé : *sa besogne* **aurait** *encore été très personnelle...*

Exercice : Dans les phrases suivantes, remplacez : *quand même* par *même si* :

Quand même j'aurais (*ou* j'eusse) été très fatigué, j'aurais **terminé** mon travail.

Quand même on lui aurait **offert** beaucoup d'argent, il n'aurait (*ou* n'eût) pas **changé** de métier.

JULES ROMAINS (1885)

Auteur qui observe et qui décrit en romancier et en philosophe la vie et les mœurs de son époque. Il a écrit notamment *Les Hommes de bonne volonté,* un roman cyclique en vingt-sept volumes; des recueils de poèmes : *L'âme des hommes, La vie unanime;* des pièces de théâtre, dont les plus célèbres sont : *Knock, ou le triomphe de la médecine* et *Donogoo.* Il est membre de l'Académie française.

II. AU CORPS A CORPS AVEC LA MATIÈRE
Le Nain. La forge

HAUT FOURNEAU

L'échelle de fer était étroite et raide. Nous montions en zigzags, de plate-forme en plate-forme, contre le flanc du monstre bardé de ceintures d'acier. Enfin, nous arrivâmes au sommet, à trente-cinq mètres au-dessus du sol. L'usine tout entière s'étendait à nos pieds, depuis les fours à coke jusqu'aux laminoirs.

La terrasse que nous venions d'atteindre s'allongeait au-dessus de quatre hauts fourneaux. Quelques lampes y distribuaient une clarté confuse, et l'on distinguait vaguement, autour de l'appareil de fermeture des gueulards, l'armature des portiques de chargement. Tout à coup une cloche énorme, suspendue à un câble, surgit des profondeurs, passa au-dessus de nos têtes, se posa sur le gueulard dans un vacarme de leviers en mouvement. Une brusque poussée de gaz empesta la plate-forme. L'ingénieur m'entraîna hors du nuage bleuâtre...

La cloche vide était redescendue dans le puits d'ombre. Une autre s'éleva suivant la même courbe, répétant exactement tous ses mouvements, avec les mêmes heurts de métal, les mêmes grincements de chaînes, les mêmes déplacements de leviers, la même poussée de gaz aux fissures du gueulard. Le chargement automatique du minerai et du coke se déroulait hors de toute présence ouvrière. Quatre monstres se nourrissaient sans un geste d'homme, sans un regard de surveillant. Naguère, coke et minerai arrivaient au gueulard sur wagonnets roulés à bras et basculés d'un coup d'épaule. Cela provoquait parfois des écroulements d'asphyxiés en plein ciel...

Vu d'en bas, le haut fourneau était gigantesque dans son armature d'acier, encadré des cylindres noirs des cowpers. Une prodigieuse chimie à 1 200° s'élaborait dans ses flancs, brassant des tonnes de matière sous la tempête d'un vent brûlant. Instinctivement, je cherchais la foule des servants, les équipes d'ouvriers s'affairant, l'outil à la main. Il n'y avait là que six hommes paisibles qui attendaient.

L'ingénieur consultait sa montre, et le premier fondeur, du regard, consultait son chef. Celui-ci fit un signe. Alors les hommes saisirent un long ringard et s'approchèrent du trou de coulée.

Le corps solidement arc-bouté, les bras accrochés à la lourde barre d'acier, les fondeurs penchent et redressent alternativement le torse dans un rythme harmonieux et puissant. Sous les coups du ringard, l'argile vole en éclats. Bientôt des lézardes apparaissent, auréolées d'un lèchement de flammes vertes. Les hommes rejettent leur bélier, et saisissant deux courtes billettes, les enfoncent à grands coups de masse dans la terre durcie et qui cède. Les flammes grandissent : derrière le mur, cinquante tonnes de fonte ardente pèsent de toutes leurs forces. Et, brusquement, l'équipe recule dans un prodigieux giclement d'étincelles : la fonte coule.

Les hommes ne se sont écartés que de deux mètres. Leur feutre à larges bords protège leurs yeux; mais les étincelles frappent en gerbes leurs bras nus et les haillons qui recouvrent leur corps. Il faut pourtant revenir au trou de coulée pour l'élargir, pour le curer. Les billettes amollies se tordent, les ringards plient sous l'effort...

Quand l'opération sera terminée, quand les poches pleines de fonte en fusion seront parties vers l'aciérie, la machine reprendra tous ses droits. Une sorte d'obusier bombardera l'ouverture à grands coups d'argile, et les fondeurs transformés en servants de la pièce lui fourniront sans relâche les munitions de terre. Dans le passé, ce travail se faisait à bout de ringard, et l'habileté du fondeur était d'agglomérer au bout de sa tige le meilleur bouchon d'argile. Parfois la lutte durait deux heures contre la pression du creuset. Aujourd'hui, la machine rebouche le trou de coulée en quelques minutes.

Et le cycle, alors, recommence.

A. Habaru,

Vendredi. — 6-12-1935. N° 5.

─────────── *COMPRENEZ BIEN LE TEXTE* ───────────

LE SENS ET LA VIE DES MOTS

Naguère : contraction de : il n'y a guère, c'est-à-dire il y a peu de temps.

Copwers : du nom de l'inventeur. Chaque haut fourneau a une batterie de 3 ou 4 cowpers. Chaque cowpers est une tour de 25 à 30 m de hauteur et de 5 à 6 m de diamètre qui comporte des appareils destinés à la récupération des gaz sortant du haut fourneau. Ces gaz sont brûlés pour réchauffer à 7 ou 800 degrés centigrades l'air de machines soufflantes qui est ensuite envoyé, par des tuyères, dans le haut fourneau, pour activer la combustion du coke.

Cycle : le haut fourneau est constamment en activité. Les trois opérations : fermeture du trou de coulée, chargement, coulée de la fonte, se répètent toujours dans le même ordre, formant ainsi une sorte de cercle ou cycle.

Travail personnel. — Expliquez à l'aide du dictionnaire :

Haut fourneau — gueulard — fondeur — arc-bouté — billettes — agglomérer.

LES IDÉES ET LES SENTIMENTS

Exercices de conversation :

1. Donnez à ce texte un titre plus complet.
2. Quelle opération l'auteur décrit-il dans la première partie?
3. De quel endroit y assiste-t-il? Comment s'y est-il rendu?
4. Pourquoi fut-il entraîné loin du gueulard par l'ingénieur?
5. A quelle opération l'auteur assiste-t-il dans la deuxième partie de sa visite, et de quel endroit?
6. Avec quelle matière est fermé le trou de coulée? Pourquoi?

7. Comment se faisait naguère le chargement du haut fourneau? Avec quels dangers? — Comment se fait-il aujourd'hui? Relevez, dans le troisième paragraphe, les deux phrases qui l'expriment. (Mettez les verbes au présent.)
8. Comment se faisait naguère la fermeture du trou de coulée? Avec quelle difficulté? — Comment se fait-elle aujourd'hui? Avec quels avantages? Quel est le rôle du fondeur?
9. Dans la lecture suivante, le forgeron Goujet déclare : « Un jour, la machine tuera l'ouvrier. » Dites comment, d'après le texte de Habaru, sa prédiction semble s'être réalisée en ce qui concerne les travailleurs des hauts fourneaux. Donnez d'autres exemples.
10. Ce remplacement de l'ouvrier par la machine vous paraît-il représenter un progrès? Dites pourquoi.
11. Aimez-vous lire ce genre de reportage dans la presse hebdomadaire? Justifiez votre opinion.

UTILISEZ LE TEXTE

LE VOCABULAIRE ACTIF

Les ouvriers occupés aux hauts fourneaux sont des fondeurs. Leur nom est formé à partir du verbe fondre, à l'aide du suffixe *eur*. Ce suffixe peut prendre la forme *ateur*. Formez de cette façon, en les rangeant dans l'une ou l'autre de ces deux catégories, les noms qui correspondent aux verbes suivants : chauffer — cultiver — condenser — convertir — filer — fonder — fondre — laminer — laver — polir — puddler — ventiler.

STYLE ET COMPOSITION

1. Utilisons le texte. — Le cycle de la fonte. Racontez en quatre paragraphes, en vous servant des expressions du texte qui s'y rapportent, les différentes phases du cycle de la fonte : *a)* le chargement du gueulard; *b)* la chimie qui s'élabore; *c)* la coulée de la fonte; *d)* la fermeture de l'orifice de coulée.

2. Imitons le texte. — Le cycle du blé. Racontez l'histoire du blé (ou **du riz**) aux différentes saisons de l'année : *a)* le blé

est semé...; *b)* le blé lève...; *c)* le blé mûrit...; *d)* le blé est moissonné...; *e)* le blé est battu... Et le cycle recommence.

GRAMMAIRE

Le présent de narration.

Quand, dans un texte exprimé au passé, on emploie brusquement le temps présent dans le but de rendre les actions plus réelles et plus vivantes pour le lecteur, on dit qu'il s'agit d'un présent de narration.

Dans toute la première page du texte les verbes sont au passé, mais à la deuxième page, deux paragraphes sont écrits au présent de narration.

Exercice :

Étudiez précisément la valeur des temps du mode indicatif dans le texte.

A. HABARU

Journaliste et écrivain belge contemporain qui s'engagea dans les Forces de résistance françaises et fut fusillé en Savoie (1944).

FORGE A LA MAIN ET A LA MACHINE

Mme Gervaise visite l'usine où son fils Étienne a été récemment embauché. Son voisin, l'ouvrier Goujet, la guide dans l'atelier où l'on travaille à la main, puis dans la partie de la fabrique que le patron modernise.

Étienne s'était pendu de nouveau au soufflet. La forge flambait, avec des fusées d'étincelles; d'autant plus que le petit, pour montrer la poigne à sa mère, déchaînait une haleine énorme d'ouragan. Goujet, debout, surveillant une barre de fer qui chauffait, attendait, les pinces à la main. La grande clarté l'éclairait violemment, sans une ombre. Sa chemise, roulée aux manches, ouverte au col, découvrait ses bras nus, sa poitrine nue. La tête un peu basse entre ses grosses épaules bossuées de muscles, la face attentive, avec ses yeux pâles fixés sur la flamme, sans un clignement, il semblait un colosse au repos, tranquille dans sa force. Quand la barre fut blanche, il la saisit avec les pinces et la coupa au marteau sur une enclume, par bouts réguliers, comme s'il avait abattu des bouts de verre, à légers coups. Puis il remit les morceaux au feu, où il les reprit un à un pour les façonner. Il forgeait des rivets à six pans. Il posait les bouts dans une clouière, écrasait le fer qui formait la tête, aplatissait les six pans, jetait les rivets terminés, rouges encore, dont la tache vive s'éteignait sur le sol noir; et cela d'un martèlement continu, balançant dans sa main droite un marteau de cinq livres, achevant un détail à chaque coup, tournant et travaillant son fer avec une telle adresse qu'il pouvait causer et regarder le monde. L'enclume avait une sonnerie argentine. Lui, sans une goutte de sueur, très à l'aise, tapait d'un air bonhomme, sans paraître faire plus d'effort que les soirs où il découpait des images chez lui.

— Oh! ça, c'est du petit rivet, du vingt millimètres, disait-il pour répondre aux questions de Gervaise. On peut aller à ses trois cents par jour... Mais il faut de l'habitude, parce que le bras se rouille vite...

Et comme elle lui demandait si le poignet ne s'engourdissait pas à la fin de la journée, il eut un bon rire. Est-ce qu'elle le croyait une demoi-selle? Son poignet en avait vu de grises depuis quinze ans; il était devenu en fer, tant il s'était frotté aux outils. D'ailleurs, elle avait raison : un monsieur qui n'aurait jamais forgé un rivet ni un boulon, et qui aurait voulu faire joujou avec son marteau de cinq livres, se serait collé une fameuse courbature au bout de deux heures. Ça n'avait l'air de rien, ça vous nettoyait souvent des gaillards solides en quelques années.

Cependant les autres ouvriers tapaient aussi, tous à la fois. Leurs grandes ombres dansaient dans la clarté; les éclairs rouges du fer sor-tant du brasier traversaient les fonds noirs; des éclaboussements d'étincelles partaient sous les marteaux, rayonnaient comme des soleils, au ras des enclumes.

Et Gervaise se sentait prise dans le branle de la forge, contente, ne s'en allant pas.

Il la conduisit à droite, dans un autre hangar, où son patron installait toute une fabrication mécanique. Sur le seuil, elle hésita, prise d'une peur instinctive. La vaste salle, secouée par les machines, tremblait; et de grandes ombres flottaient, tachées de feux rouges; mais lui la rassura en souriant, jura qu'il n'y avait rien à craindre; elle devait seulement avoir bien soin de ne pas laisser traîner ses jupes trop près des engrenages. Il marcha le premier; elle le suivit, dans ce vacarme assourdissant où toutes sortes de bruits sifflaient et ronflaient, au milieu de ces fumées peuplées d'êtres vagues, des hommes noirs affairés, des machines agitant leurs bras, qu'elle ne distinguait pas les uns des autres. On ne s'entendait pas parler. Elle ne voyait rien encore, tout dansait...

Cependant Goujet s'était arrêté devant une des machines à rivets. Il restait là, songeur, la tête basse, les regards fixes. La machine forgeait des rivets de quarante millimètres avec une aisance tranquille de géante. Et rien n'était plus simple en vérité. Le chauffeur prenait le bout de fer dans le fourneau; le frappeur le plaçait dans la clouière, qu'un filet d'eau continu arrosait pour éviter d'en détremper l'acier; et c'était fait la vis s'abaissait; le boulon sautait à terre avec sa tête ronde comme coulée au moule. En douze heures, cette sacrée mécanique en fabri-quait des centaines de kilogrammes. Goujet n'avait pas de méchanceté mais, à certains moments, il aurait pris volontiers Fifine pour taper dans toute cette ferraille par colère de lui voir des bras plus solides que les siens. Ça lui causait un gros chagrin, même quand il se raisonnait, en se disant que la chair ne pouvait pas lutter contre le fer. Un jour, bien sûr, la machine tuerait l'ouvrier; déjà leurs journées étaient tombées de douze à neuf francs et on parlait de les diminuer encore; enfin, elles n'avaient rien de bien gai, ces grosses bêtes qui faisaient des rivets et des boulons comme elles auraient fait de la saucisse. Il regarda celle-là trois bonnes minutes sans rien dire; ses sourcils se fronçaient, sa belle barbe jaune avait un hérissement de menace. Puis, un air de douceur et de résignation amollit peu à peu ses traits. Il se tourna vers Gervaise qui se serrait contre lui et lui dit avec un sourire triste :

— ... Peut-être que, plus tard, ça servira au bonheur de tous.

Émile Zola,

L'Assommoir. — Fasquelle, éditeur.

─────────── **COMPRENEZ BIEN LE TEXTE** ───────────

LE SENS ET LA VIE DES MOTS

A. LES MOTS

Engrenage : dispositif de roues dont les dents et les crans s'insèrent les uns dans les autres.

Fifine : nom donné par Goujet à son gros marteau.

Francs : Origine du mot : les premières *monnaies* d'or frappées par ordre de Jean II le Bon, en 1360, portaient la devise : *Francorum Rex* (Roi des Francs) — d'où le nom de cette monnaie.

Expliquez à l'aide du dictionnaire :

Pans — clouière — boulon — résignation.

B. LES EXPRESSIONS

Le bras se rouille vite : le bras perd rapidement sa force et son adresse, faute d'exercice régulier et soutenu.

En voir de grises : expression populaire. On dit de même : en voir de vertes; en voir de toutes les couleurs.

Ça vous nettoyait des gaillards solide : ce travail épuisait souvent les plus robustes (forme très familière).

Dans le branle : Gervaise se sentait entraînée dans l'animation et le rythme des travaux de la forge.

Cette sacrée mécanique : dans cette expression, on sent à la fois un reste de respect, de crainte religieuse et l'idée de malédiction. Forme à ne pas employer.

La machine tuerait l'ouvrier : sens figuré, la machine le rendrait inutile, le supprimerait.

Expliquez :

Étienne... déchaînait une haleine énorme d'ouragan — faire joujou.

LES IDÉES ET LES SENTIMENTS

Exercices de conversation :

1. Quelles sont les actions successives faites par Goujet pour fabriquer un rivet? (Mettez les verbes au présent.)

2. L'auteur montre d'abord, en une phrase, Goujet dans une attitude d'attente. Relevez cette phrase. Relevez les phrases qui le montrent ensuite dans deux attitudes de travail.

3. Goujet travaille. Montrez : *a)* son adresse (une phrase); *b)* sa force physique (deux phrases).

4. Par quelles phrases Goujet explique-t-il à Gervaise que le travail du forgeron exige, de l'ouvrier, une très grande résistance physique?

6. Devant la machine à fabriquer les rivets, Goujet éprouve trois sentiments successifs (colère, chagrin, résignation) exprimés dans trois phrases. Relevez ces trois phrases. Dites pourquoi, d'après l'auteur, il éprouve chacun de ces sentiments.

7. Connaissez-vous, dans l'histoire de votre pays, des actes de violente hostilité des ouvriers contre l'introduction de machines dans leur profession? Si oui, retracez-les.

──── UTILISEZ LE TEXTE ────

LE VOCABULAIRE ACTIF

1. Les trois sens du mot forge. (Sens de plus en plus restreint : usine, atelier, fourneau ou foyer.) Employez le mot forge dans une phrase où chacun de ces trois sens apparaîtra.

2. Deux sens du préfixe a. Dans assourdir, il signifie rendre sourd; dans anormal, il a un sens privatif : qui n'est pas normal. Distinguez, à l'aide du dictionnaire, ces deux sens dans les mots suivants : affermir — alourdir — amollir — amoral — amorphe — anonyme — aphone — aplatir — assouplir — attendrir. Employez chacun de ces mots dans une expression qui en fera comprendre le sens (trouvez un nom pour les adjectifs, un complément pour les verbes à l'infinitif).

3. Les noms des monnaies. En vous aidant de votre livre de calcul, du dictionnaire, du journal, recherchez les noms des diverses unités monétaires des grands pays du monde. Écrivez-en la liste et la valeur.

COMPOSITION FRANÇAISE

A. « La machine forgeait des rivets de 40 avec une aisance tranquille de géante. Et rien n'était plus simple en vérité. Le chauffeur prenait le bout de fer dans le fourneau; le frappeur le plaçait dans la clouière qu'un filet d'eau arrosait, et c'était fait. » Sur le modèle de ce paragraphe, en conservant la deuxième phrase, décrivez, de façon brève, le fonctionnement :

a) d'une bétonneuse dans un chantier de construction;

b) d'un pétrin mécanique;

c) d'une autre machine à votre choix.

B. Utilisation d'un texte pour en tirer les éléments d'un tableau. — Relevez, dans le premier paragraphe, les indications que vous donneriez à un peintre pour lui permettre de composer deux tableaux présentant : l'un, Goujet debout devant sa forge; l'autre, Goujet forgeant des rivets à six pans. (Employez le présent de l'indicatif.)

C. Compte rendu d'une visite à une usine.

GRAMMAIRE

Le mode conditionnel.

Le mode conditionnel n'exprime pas un fait réel, mais un fait envisagé, imaginé, supposé.

a) Dans une proposition relative :

*Un monsieur qui **aurait voulu** faire joujou avec son marteau de cinq livres se **serait collé** une fameuse courbature au bout de deux heures.*

Dans cette phrase, Goujet suppose et imagine des faits, il n'exprime pas des faits réels.

b) Dans une proposition comparative après comme :

*Elles faisaient des rivets et des boulons comme elles **auraient fait** de la saucisse.*

Ici encore, dans la pensée de Goujet, la comparaison est imaginaire; en effet, ces machines ne font pas de saucisse.

Exercices :

1. Faites deux phrases en employant le mode conditionnel dans la proposition relative et dans la proposition principale, sur le modèle de la phrase *a).*

2. Faites deux phrases en employant le mode conditionnel dans une subordonnée comparative avec *comme*, sur le modèle de la phrase *b).*

ÉMILE ZOLA (1840-1902)

Un des grands romanciers naturalistes français. Son œuvre est considérable et a provoqué d'importantes réformes sociales. Il a peint, dans un cycle de romans intitulé **les Rougon-Macquart,** avec une vigueur puissante et avec un relief saisissant, comme nous venons de le voir dans le texte étudié, les hommes dans les différents secteurs de leur activité : la mine *(Germinal),* les chemins de fer *(La Bête Humaine),* les grands magasins *(Au Bonheur des Dames),* etc...

(Photo Giraudon).

Zola, par Manet.

VOCABULAIRE D'INITIATION

Vocabulaire descriptif de la nature :

— VERBES :

peindre	colorer
situer	décrire

— NOMS :

un aspect	la lumière
une atmosphère	la nuance
le cadre (sens de lieu)	le paysage
	la peinture
le climat	la situation
la couleur (les coloris)	la solitude
la description	le son (sens de bruit)
un espace	la teinte

— ADJECTIFS :

clair	pittoresque
obscur	sombre

Vocabulaire se rapportant à la vie sociale :

— NOMS :

un bourgeois	un noble,
la bourgeoisie	la noblesse
la condition (« classe sociale »)	la pauvreté
	le peuple
la cour (« sens social »)	la politique
	le prolétaire
la misère	la richesse

— ADJECTIFS :

aristocratique	noble
bourgeois	politique
chevaleresque	populaire
courtois	

Vocabulaire du jugement moral :

— VERBES :

approuver	louer
combattre	protester
condamner	reprocher
flétrir	

— NOMS :

une autorité	la morale
le bien	le sublime
le défaut	la valeur
un idéal	la vertu
un honneur	le vice
le mal	

— ADJECTIFS :

bon	immoral
commun (« ordinaire »)	humain
	mauvais
discret	méchant
grave (sens de sévère)	moral

Un chalutier en vue du port de Saint-Pierre, Terre-Neuve.

PÊCHE A LA MORUE

Jean, dix-sept ans, fils du capitaine du chalutier Vulcain, assiste pour la première fois à une nuit de pêche, en Islande. Par 200 mètres de fond, le bateau traîne un chalut, espèce de grande nasse de 75 mètres de long, dont l'ouverture forme une sorte de gueule de 35 mètres de large sur 12 mètres de haut, par laquelle s'engouffrent les poissons.

Lorsque Jean déboucha dans la coursive de tribord, une énorme tache blanche, laiteuse, s'arrondissait tout près du bateau, à la surface claire de la mer paisible. Le chalut flottait, et c'étaient les ventres blancs de milliers de poissons qui luisaient ainsi sous les feux du projecteur orientable. Le navire tout entier ruisselait de lumière. Des girandoles de lampes électriques faisaient pleuvoir de leurs abat-jour de tôle des cônes de clarté pâle. Seul, le haut du chalutier, où se trouvait Jean, restait sombre; c'est pourquoi il ne sut pas qui avait murmuré, près de lui, dans la nuit :

— On en a déjà viré trois palanquées !

Cela voulait dire que trois fois déjà on avait refoulé le poisson dans le fond du chalut; trois fois, on avait formé une poche ronde gavée de quatre mille kilos de morue. Cette poche, un palan l'avait déjà vidée trois fois à bord...

Jean rentra sur la passerelle comme son père y criait par la fenêtre :

— A la trie et à la pique !

Le triage ressemblait à un déblaiement... Les faux poissons, au bout des piquois, passaient la lisse par centaines, et cela faisait, derrière le bateau, une longue traînée blanche de ventres morts. Il y en avait pour des mille et des mille francs, dans ces rebuts. Mais c'était du poisson qui ne se salait pas ! Les anciens des voiliers qui, pendant des années avaient pris la morue une à une, se navraient :

— C'est gâcher le bien ! On mériterait qu'il n'y ait plus rien dans la mer !

Sur le pont compartimenté par les rectangles lourds des parcs, une autre bordée se disposait pour travailler le poisson. La file des piqueurs d'abord, celle qui puisait directement à l'énorme tas. Ceux-là s'enlisaient jusqu'au ventre dans la morue gluante, les grosses morues d'Islande qui pesaient cinquante livres, parfois. Ils les empoignaient et leur plantaient la tête sur une pique qui dépassait du parc. Les piqueurs ne faisaient que trois mouvements, toujours les mêmes : un grand coup de couteau long qui éventrait, un second qui découpait la trachée et décollait les joues, puis un geste d'arrachement quand l'homme empoignait les viscères et les jetait dans une rigole d'eau courante, au bout de laquelle attendait Camus, le gogotier. Les piqueurs étaient dix.

Les décolleurs, eux, n'étaient que cinq, des petits gars de seize ans, adroits de leurs mains. Ils guillotinaient la morue vidée en l'appuyant sur le tranchant d'une hache fixée à un poteau de bois, puis ils la jetaient aux trancheurs. Ceux-là travaillaient sur un étal, avec une dextérité remarquable. Trois coups pour faire, du poisson rond, un poisson plat, deux pour entailler la chair aux bords de la colonne vertébrale, le troisième pour faire sauter l'os dorsal...

Les trancheurs jetaient enfin le poisson dans les bailles d'eau tiède où les mousses le lavaient, le grattaient, le brossaient, avant de l'entasser dans les mannes que les affaleurs traînaient jusqu'à la gouttière de la cale où elles basculaient. Les saleurs demi-nus les attendaient dans la vaste nef sombre, entre les immenses talus de sel gris.

Installé dans le « cirque », le travail ne lâcha plus, ce travail exténuant de l'usine à poisson... Répéter pendant dix-huit heures le même geste, de jour et de nuit, sous le ciel gris, puis sous les abat-jour des globes électriques ; rester debout devant son étal, les jambes et le ventre glacés par le poisson que d'heure en heure le chalut vous vomit ; couper, trancher, décoller de la chair froide dans le roulis, les brumes, les embruns, les coups de mer ; pleurer de froid et de fatigue, ne connaître ni répit ni dimanche pendant six mois, c'était cela une « bonne campagne » !

Les pêcheurs le savaient et n'en disaient rien ; ils étaient venus chercher le poisson, ils l'avaient trouvé ; le poisson, c'était de l'argent ; mais l'argent, ça se gagne, ça ne se donne point !

Roger VERCEL,

Jean Villemeur. — Albin Michel, éditeur.

─────────── COMPRENEZ BIEN LE TEXTE ───────────

LE SENS ET LA VIE DES MOTS

Coursive : passage étroit le long du bateau.

Tribord : côté droit du navire en regardant vers l'avant. Bâbord désigne le côté gauche.

Une girandole : suite de lampes électriques portées sur des fils peu tendus.

Une palanquée : charge, en principe inférieure à 15 tonnes, qu'un appareil de levage appelé palan soulève et déplace avec ses chaînes et ses poulies.

Un piquois ou piquoir : harpon à main avec lequel on pique le poisson.

Lisse : tringle de fer servant de garde-fou et d'appui, sur le pont du bateau.

Bordée : équipe de marins à bord.

S'enlisaient : les hommes s'enfonçaient dans la morue comme on s'enfonce dans le sable mouvant (*lise* en normand). Victor Hugo a vulgarisé ce mot dans « Les Misérables ».

Gogotier : l'homme chargé, dans un compartiment du bateau, d'extraire, par distillation, l'huile des foies des morues.

Guillotinaient : ils coupaient la tête de la morue comme la guillotine décapite le condamné à mort.

Une baille : Un baquet de bois.

103

Affaleurs (masculin) : marins qui transportent le poisson préparé par les équipes vers la cale de salaison. Le même nom désigne aussi les marins qui rejettent le chalut à la mer.

Cirque : toute la partie du bateau aménagée pour la réception et le travail du poisson.

Travail personnel. — Expliquez à l'aide du dictionnaire :

Chalutier — projecteur — viré — gavée — rebuts — voiliers — viscères — étal — mannes — gouttière — cale — roulis — embruns.

LES IDÉES ET LES SENTIMENTS

Exercices de conversation:

1. Où se passe cette scène de pêche à la morue? A quel moment Jean y assiste-t-il?

2. Comment le travail est-il rendu possible, sur ce chalutier, la nuit?

3. Sur cette véritable usine flottante, les principes les plus modernes de la division du travail et de sa rationalisation sont appliqués, comme dans une usine métullurgique.

a) Quelles sont les différentes équipes ou bordées qui s'occupent du poisson?

b) Que fait chacune des bordées dans ce travail à la chaîne?

c) A combien de gestes successifs est réduit le travail des piqueurs? Lesquels? — Mêmes questions en ce qui concerne le travail des trancheurs.

4. Comment est, pour les pêcheurs, le travail dans cette « usine à poisson »? S'en plaignent-ils? Pourquoi?

--------------- UTILISEZ LE TEXTE ---------------

STYLE ET COMPOSITION

I. TRANSPOSITION D'UN PARAGRAPHE

1. Donnez un titre à l'avant-dernier paragraphe en transposant sa première phrase. (Sujet : Ce travail exténuant...)

2. Récrivez ce paragraphe en mettant à un mode personnel (3e personne du pluriel) les verbes qui s'y trouvent à l'infinitif.

II. RÉDACTION

1. La pêche à la morue aujourd'hui. Résumez le plus succinctement possible, sans omettre l'essentiel, le récit de toutes les opérations qui se déroulent sur le bateau de pêche, depuis le moment où la nasse de poissons monte au bout du palan, jusqu'à celui où les morues sont salées. (Chaque groupe d'opérations constituera un paragraphe.) — Montrez ce qu'il y a de courageux dans le travail des pêcheurs, sur le chalutier.

GRAMMAIRE

L'accord du participe passé (avec *avoir* et *être*).

1. Expliquez l'accord du participe passé dans chacune des deux phrases suivantes :

Cette poche, un palan l'avait déjà rivée...
Ils étaient déjà venus chercher le poisson.

2. Pourquoi le participe passé ne s'accorde-t-il pas dans les phrases suivantes :

On en a déjà viré trois palanquées.
Trois fois déjà on avait refoulé le poisson.

ROGER VERCEL (1894-1957)

Romancier contemporain qui a dépeint, avec beaucoup de vérité et de sympathie, la vie des marins bretons qu'il connaissait bien. On lui doit aussi une remarquable étude de la psychologie du « guerrier » en 1914-1918 : *Capitaine Conan.*

Photo Cie de Fives-Lille.

Vue partielle des usines de la Cⁱᵉ de Fives-Lilles, à Fives-Lille (Nord).

L'infini des fabriques et des usines symétriques. » (Émile Verhaeren.)

LES USINES

Se regardant avec les yeux cassés de leurs fenêtres
Et se mirant dans l'eau de poix et de salpêtre
D'un canal droit, tirant sa barre à l'infini,
Face à face, le long des quais d'ombre et de nuit,
Par à travers les faubourgs lourds
Et la misère en guenille de ces faubourgs,
Ronflent terriblement les fours et les fabriques.

. . . .

Ici, entre des murs de fer et de pierre,

. . . .

Des mâchoires d'acier mordent et fument;
De grands marteaux monumentaux

Broient des blocs d'or sur des enclumes,
Et, dans un coin, s'illuminent les fontes
En brasiers tors et effrénés qu'on dompte.

Là-bas, les doigts méticuleux des métiers prestes,
A bruits menus, à petits gestes,
Tissent des draps avec des fils qui vibrent,
Légers et fins comme des fibres.

Au long d'un hall de verre et fer,
Des bandes de cuir transversales
Courent de l'un à l'autre bout des salles,
Et les volants larges et violents
Tournent, pareils aux ailes dans le vent
Des moulins fous, sous les rafales.

Un jour de cour, avare et ras,
Frôle, par à travers les carreaux gras
Et humides d'un soupirail,
Chaque travail.
. . . .
Et tout autour, ainsi qu'une ceinture,
Là-bas, de nocturnes architectures,
Voici les docks, les ports, les ponts, les phares
Et les gares folles de tintamarres ;
Et plus lointains encore les toits d'autres usines
Et des cuves, et des forges, et des cuisines
Formidables de naphte et de résines
Dont les meutes de feu et de lueurs grandies
Mordent parfois le ciel à coups d'abois et d'incendies.
Au long du vieux canal, à l'infini,
Par à travers l'immensité de la misère
Des chemins noirs et des routes de pierre,
Les nuits, les jours, toujours,
Ronflent les continus battements sourds,
Dans les faubourgs,
Des fabriques et des usines symétriques.
. . . .

Émile VERHAEREN,
Les Villes tentaculaires. — Mercure de France, éditeur.

LE SENS ET LA VIE DES MOTS

A. LES MOTS

Monumentaux : ayant les dimensions d'un monument. A l'origine, un monument était un édifice bâti pour perpétuer le souvenir d'un homme, d'une action mémorable, digne de rester dans la mémoire. Par extension de sens, le mot a désigné ensuite tout grand ouvrage d'architecture.

Tors : tordus en spirales.

Phares. Historique du mot : du grec *Pharos*, île située près d'Alexandrie où fut élevée, dans l'Antiquité, une tour de marbre blanc du haut de laquelle on découvrait les vaisseaux à 100 milles (185 km) en mer.

Cuisines : sens dérivé d'usines de transformation, de distillation.

Abois (masculin) : les crépitements des flammes vers le ciel rappellent les hurlements des chiens de chasse atteignant le gibier, prêts à le mordre.

Expliquez à l'aide du dictionnaire :

Fabriques — effrénés — méticuleux — prestes — volants — tintamarres — naphte — résines — meutes — symétriques.

B. LES EXPRESSIONS

Les yeux cassés : métaphore, — les vitres brisées.

L'eau de poix et de salpêtre : l'eau noircie et salée par les déchets des usines.

Tirant sa barre : traçant une ligne droite.

Des bandes de cuir : les courroies de transmission.

Un jour de cour : une lumière atténuée, voilée, sans vigueur, comme celle d'une cour entourée de hauts bâtiments.

De nocturnes architectures : nocturnes est mis ici pour noires comme la nuit, — de noirs bâtiments, salis par les fumées.

Routes de pierre : les routes du Nord et de Belgique sont des routes pavées.

LES IDÉES ET LES SENTIMENTS
Exercices de conversation :

C'est une agglomération industrielle de Belgique que le poète belge nous présente. Vision d'un enfer que l'homme s'est créé lui-même, rançon d'une civilisation mécanique qui l'asservit aux forces naturelles qu'il a voulu domestiquer.

1. Montrez que le canal est comme le centre de gravité de cette agglomération.

2. Relevez toutes les notations qui peignent une activité : *a)* intense; *b)* ininterrompue.

3. Relevez toutes les notations qui traduisent des impressions : *a)* de laideur; *b)* de misère sociale.

4. Faites ressortir comment la vision d'ensemble de ce paysage d'usines donne une impression d'uniformité.

5. Montrez que, cependant, les usines sont assez diverses et même s'opposent (travail puissant ou besognes mécaniques d'adresse).

6. Quelle impression vous laisse ce poème? Justifiez-la à l'aide d'exemples pris dans le texte.

————————— UTILISEZ LE TEXTE —————————

LE VOCABULAIRE ACTIF

1. Les trois sens d'un même mot. — Employez le nom *monument* dans une courte phrase : *a)* avec son sens primitif; *b)* avec son sens élargi; *c)* au sens figuré.

2. Employez chacun des adjectifs : méticuleux, prestes, menus (3ᵉ strophe)

avec un autre nom, dans une courte phrase qui montrera son sens.

STYLE ET COMPOSITION
La comparaison et la métaphore

1. Relevez deux comparaisons construites avec : *pareils* (4ᵉ strophe), *ainsi que* (6ᵉ strophe).

2. La métaphore est une comparaison abrégée. Au lieu de dire : les fenêtres des usines avec leurs vitres brisées ressemblent à des yeux cassés, le poète écrit : « les yeux cassés de leurs fenêtres ». Il supprime le terme de comparaison et rend ainsi la phrase plus légère et l'image plus poétique.

Relevez quatre autres métaphores.

3. Résumez chaque strophe, en une ou deux courtes phrases suivant le cas. (Construire ces phrases dans l'ordre logique : sujet, verbe, compléments.)

4. Sur le modèle de ce poème, décrivez, en sept courts paragraphes d'une ou deux phrases chacun, un paysage d'usines.

GRAMMAIRE

L'article DES.

1. Le mot *des* est parfois un **article indéfini pluriel**; dans ce cas il est le pluriel de *un* ou de *une*.

Des *mâchoires d'acier mordent et fument.* Quand un adjectif qualificatif précède le nom, l'article indéfini pluriel *des* est souvent remplacé par *de*.

De *grands marteaux monumentaux broient les blocs d'or.*

2. Le mot *des* est parfois un **article défini contracté pluriel**, c'est la contraction de la préposition *de* et de l'article défini *les*; dans ce cas il est le pluriel de *du* (de + le) ou de *de la* ou de (de l').

Les doigts méticuleux des (de + *les*) *métiers. De l'un à l'autre bout des* (de + *les*) *salles.*

Exercice : Cherchez dans le texte six articles indéfinis pluriels et quatre articles définis contractés pluriels.

ANALYSE DU POÈME

Combien y a-t-il de strophes dans ce poème?

Ces strophes n'ont pas toutes le même nombre de vers comme dans le poème d'Henri de Régnier (voir page 48), leur longueur varie avec l'importance de l'idée qu'elles développent. Combien chacune d'elles compte-t-elle de vers?

Les vers. — Les vers n'ont pas tous la même longueur, le même nombre de syllabes. Combien ce poème renferme-t-il de vers de chaque espèce (14, 12, 10, 8, 6 et 4 syllabes). Toutefois, on remarque l'absence de vers ayant un nombre impair de syllabes

Les rimes se suivent tantôt régulièrement (exemple dans la strophe 1), tantôt irrégulièrement (exemple dans la strophe 3). Quelques vers ne riment avec aucun autre : notez-les.

Ce poème est donc un bel exemple de poème moderne en vers libres.

LECTURE ET RÉCITATION

1. Verhaeren renforce les sentiments que traduit sa poésie par l'effet de certaines répétitions de sons à l'intérieur des vers :

a) par des répétitions de consonnes (ou **allitérations**). Exemple : répétition de r et de f (5ᵉ vers) : ron*f*lent, terriblement, *f*ours, *f*abriques;

b) par des répétitions de voyelles (ou **assonances**). Exemple : les faubourgs, lourds, les marteaux monumentaux.

2. Marquez les vers où ce procédé est plus spécialement employé. Soulignez les **allitérations**, les **assonances**, dont vous tiendrez compte dans la lecture à haute voix.

3. Découpage des strophes suivant les signes de ponctuation.

4. Étude particulière de la première phrase dont le sujet est rejeté à la fin du 7ᵉ vers.

ÉMILE VERHAEREN (1855-1916)

Poète belge de langue française qui a peint, avec un relief puissant et vigoureux, les usines, les villes « tentaculaires », la terre des Flandres, et chanté avec ferveur et avec amour le travail et les travailleurs. Voici quelques-uns de ses recueils de poèmes : *Les villes tentaculaires* (1895), *Les forces tumultueuses* (1902), *La multiple splendeur* (1900), *Toute la Flandre* (1907).

UN RESTAURANT PARISIEN

Au contraire de presque toutes les cuisines de Paris, placées en sous-sol, celles de M. Ouvrard occupaient un rez-de-chaussée. Le diable en aurait fait son enfer. Dès cinq heures, les foyers, chargés pour le coup de feu du soir, y maintenaient une chaleur torturante.

La fraîcheur édénique du garde-manger remettait le corps en allégresse. Sur les timbres, dont la glace frappait l'air, gisaient, en bel alignement, les soles de la « Marie-Rose ». Des aides enlevaient les filets. Fort habiles à cette besogne qu'ils accomplissaient du matin au soir, ils ne s'en reposaient qu'en épluchant des moules.

Par-dessus le pupitre passe-plats, limitant le chantier de cuisine, les maîtres d'hôtel annonçaient les cartes : « deux filets de soles, deux tournedos jardinière... ». On disait : « deux filets de soles » tout court et cela s'entendait, à la gloire du patron : « deux filets de soles Ouvrard ». Il n'y en avait pas d'autres. Le bruit des voix se soutenait, la cantilène des commandes n'arrêtant plus. La batterie de cuisine, décrochée à la volée, tapait sur les plaques rouges des fourneaux où fonçaient à coups sourds les pique-feu. Les hommes, ruisselants et forcenés, paraissaient subir un châtiment de l'enfer de Dante. Le garde-manger envoyait la cadence d'un fouet en laiton contre un bassin de cuivre.

M. Ouvrard, le patron, parut en habit. Ses longs cheveux, son large plastron et la serviette dans sa main gauche mettaient trois vastes notes blanches sur le noir du drap. Il portait, à droite, un des glorieux filets de soles, sur plat d'argent. A l'approche de cet homme solennel, le saucier trembla, car il pressentait l'apostrophe. Elle fut impétueuse : « Tâtez! C'est froid! »

Armé d'un nouveau plat qui lui fumait dans la figure, M. Ouvrard traversa l'office; un garçon ouvrit devant lui les portes doublées pour arrêter l'odeur et le vacarme des fourneaux, et le poisson passa de la honte de la cuisine à la splendeur du restaurant illuminé.

Un bruit contenu régnait dans la salle pleine. Sur l'accompagnement sourd des voix sans éclat, les pièces d'or d'une forte addition tintaient, contre une assiette, la note aiguë. Des dîneurs goulus précipitaient leur fourchette sur les porcelaines sonores. Au fond, à gauche, un monsieur déclarait, dans un grand soupir : « Excellent dîner! »

Dîner dans un grand restaurant parisien.

*Un coude sur la nappe, les femmes rêvaient. Les épaules des hommes tenaient tout le dossier
des chaises. Ce moment leur était doux. »* (P. Hamp.)

M. Ouvrard posa son filet de sole sur une table à deux couverts. D'un ton de politesse inattendue chez un homme aussi récemment furieux, il demanda : « Monsieur votre père va bien? »

M. Ouvrard suivait d'un œil sévère le personnel du service. Mais il répandait, avec des paroles affables, un large sourire sur les petites tables où les gens mangeaient bien et demandait à tous : « Est-ce que c'est bon? »

On desservait partout. Des clients à face rouge craquaient d'aise pour mettre le pardessus, tendu sur leur dos large par les garçons habiles.

Sous les clartés électriques, les verres de liqueur prenaient une limpidité de pierres précieuses. Un coude sur la nappe, les femmes rêvaient. Les épaules des hommes tenaient tout le dossier des chaises. Ce moment leur était doux. La suave quiétude qui suit les bons repas apaisait les esprits. Une forteresse de bien-être isolait ces gens. Dans aucune tête n'habitait l'idée de la souffrance du monde...

A dix pas des tables, de l'autre côté de la cloison épaisse, les cuisiniers ruisselants écartaient enfin du fourneau leur visage aux yeux rôtis.

C'était aussi l'heure où la « Marie-Rose », son fanal brûlant clair et bien, sa coque sombre invisible dans la nuit noire, passait en pleine mer, draguant dans l'eau froide son lourd chalut où mouraient les soles des dîners de demain : « Deux filets de soles! Deux! »

Pierre HAMP,
Marée fraîche. — Vin de Champagne. — N. R. F., *éditeur.*

─────────────── *COMPRENEZ BIEN LE TEXTE* ───────────────

LE SENS ET LA VIE DES MOTS

A. LES MOTS

Édénique : délicieuse, digne de l'Eden ou Paradis terrestre, d'après la Bible.

Épluchant : éplucher, c'était d'abord enlever des poils (pels), puis la peau, la pelure : éplucher une pomme; enfin, en généralisant, c'est enlever la partie non comestible (sens du texte).

Cantilène : chanson monotone. La succession des commandes lancées d'un ton uniforme évoque une cantilène.

Forcenés : littéralement, hors de soi (de *fors* = hors), Les cuisiniers sont surexcités par la rapidité du travail à fournir.

Dante : Dante Alighieri, poète italien de Florence (1265-1321), auteur de la *Divine Comédie*, œuvre dans laquelle il imagine un voyage aux Enfers.

Expliquez à l'aide du dictionnaire :
Moules — soles — tournedos — saucier — apostrophe — l'office — fanal.

B. LES EXPRESSIONS

Le coup de feu : le moment où afflue la clientèle et où l'on se presse pour servir.

Le pupitre passe-plats : meuble à guichet séparant la cuisine de la salle à manger et par où l'on passe les plats.

Filets de soles : chair du poisson levée de chaque côté de l'arête.

A la gloire du patron : Ouvrard était justement fier d'une certaine préparation du filet de sole qui avait fait le succès de son restaurant.

La suave quiétude : la douce tranquillité, le calme engourdissement qui suit les bons repas, pendant la digestion.

Forteresse de bien-être : dans ce restaurant luxueux, où tout est consacré au bien-manger, les clients, après un excellent repas, semblent s'enfermer dans leur béatitude digestive, loin du monde, comme en une forteresse.

Draguant son chalut : traînant son filet de pêche en forme de poche sur les fonds de sable où vit la sole. (Rapprochez de la pêche à la morue, page 101.)

Expliquez :
Chantier de cuisine — en habit.

LES IDÉES ET LES SENTIMENTS

Exercices de conversation :

1. Le texte présente trois scènes et en évoque une quatrième. Délimitez chaque partie et donnez-lui un titre en une courte phrase.

2. Relevez, dans chacune de ces quatre scènes, la phrase qui montre que la sole en est le personnage principal.

3. A la cuisine. — A quoi l'auteur compare-t-il la cuisine? Relevez les deux phrases qui expriment cette comparaison.

4. Le personnel. — Relevez les deux phrases qui montrent que la vie du personnel de la cuisine est « infernale ».

5. Le patron. — Comment M. Ouvrard apparaît-il aux yeux du personnel de la cuisine?

6. Les clients. — Montrez-nous les clients, en relevant les phrases où sont notés : *a)* leurs actes; *b)* leurs attitudes.

UTILISEZ LE TEXTE

LE VOCABULAIRE ACTIF

1. Les différents sens d'un même mot. — Le verbe manger n'a pas le même sens dans les différentes expressions suivantes : manger son pain blanc le premier — manger de la vache enragée — manger son blé en herbe — manger des yeux — manger la laine sur le dos. Employez chaque gallicisme dans une phrase de manière à en bien faire comprendre le sens (Voir dictionnaire).

2. « Le saucier *pressentit* l'apostrophe ». Montrez les nuances de sens des verbes suivants, synonymes de pressentir, en employant chacun d'eux dans une courte phrase : pressentir — prévenir — prédire — pronostiquer — prévoir.

STYLE ET COMPOSITION

I. NOTATIONS PITTORESQUES

Relevez les expressions qui permettraient à un peintre de reproduire chacun des trois tableaux de ce texte :
a) la cuisine (le lieu — le personnel — le patron);

b) le restaurant (le lieu — les dîneurs — le patron);

c) la « Marie-Rose ».

II. RÉDACTION

1. En imitant la construction des paragraphes 4 et 8 (portrait de M. Ouvrard), faites le portrait :
a) du directeur d'un grand garage;
b) du chef de rayon d'un grand magasin.

2. En imitant cette description d'un grand restaurant parisien, montrez-nous un restaurant de votre pays.

GRAMMAIRE

Le pronom relatif OÙ. — Ce pronom peut indiquer une idée de temps quand son antécédent est un nom qui exprime le temps (comme l'heure, le mois, l'année, etc...). *C'était l'heure où la « Marie-Rose » passait en pleine mer.*

où : pronom relatif, a pour antécédent le nom heure, complément circonstanciel de temps du verbe passer.

112

Au bon coin

Attention : Le pronom relatif *où* indique plus souvent l'idée de lieu.

Les plaques rouges des fourneaux où fonçaient à coups sourds les pique-feu.

Exercice : Faites trois phrases avec *où*, pronom relatif complément circonstanciel de temps, et trois phrases avec *où*, complément circonstanciel de lieu.

PIERRE HAMP (1896)

Écrivain contemporain. Il a groupé sous ce titre général : *La peine des hommes*, une série de romans sur les différents métiers où il glorifie le travail et les travailleurs.

Un menu de restaurant. ▶

NOS HORS-D'ŒUVRE

LE MELON GLACÉ		LE THON A L'HUILE	2,50
L'ŒUF EN GELÉE	2,00	L'ŒUF A LA RUSSE	2,50

NOS POISSONS

LA SOLE A LA VOSGIENNE......	8,00	LA TRUITE AU BLEU	7,50
LE SAUMON POCHÉ OU GRILLÉ ..	8,00	LA TRUITE AUX AMANDES	8,00

NOS ENTRÉES

LE VOL-AU-VENT A LA REINE	4,00
LA TÊTE DE VEAU SAUCE GRIBICHE ou EN TORTUE	5,00

NOS GRILLADES

LA BROCHETTE DE ROGNONS CARDINAL DE ROHAN	7,00
LES CÔTES D'AGNEAU HARICOTS VERTS	7,50

NOS ROTIS

LE GIGOT D'AGNEAU VERT-PRÉ	7,00
LE 1/4 DE POULET ROTI AUX FEUILLES DE FONTAINE	6,50

NOS LÉGUMES

LES POMMES A L'ANGLAISE	1,50	LA SALADE VERTE	2,50
LES POMMES PONT-NEUF	1,80	LES PETITS POIS	2,00

NOS DESSERTS

LA PÊCHE MELBA	2,70	NOTRE TARTE A L'ALSACIENNE ..	2,50
LA PÊCHE MELBA CHANTILLY ..	3,00	avec *Crème Chantilly*	3,00
L'ANANAS AU KIRSCH	2,50	LES CRÊPES FLAMBÉES	
L'ANANAS MELBA	3,50	au Grand Marnier (pour 2 pers.)..	11,00
L'ANANAS MELBA CHANTILLY ..	4,00		

--- **VOCABULAIRE D'INITIATION** ---

Vocabulaire se rapportant au roman :

— VERBES :

conter	peindre
développer	pénétrer
indiquer	raconter
noter	rapporter
observer	situer
se passer	traiter

— NOMS :

une action	le confident
une analyse	la confidence
une anticipation	la conversation
une atmosphère	la crise
une aventure	le dialogue
le cadre (« lieu »)	le drame
le caractère	un événement
la caricature	une évolution
la clé	un feuilleton
le climat	un héros
la condition	une héroïne
(« sociale »)	une influence

une intention	le roman de cape
une intrigue	et d'épée
le passé	— feuilleton
le peintre	— fleuve
le personnage	— policier
la réalité	— populaire
la rencontre	— psycholo-
le rival	gique
le roman à clé	le romancier
— à thèse	la romancière
— bourgeois	le romanesque
— d'analyse	la situation
— d'anticipa-	le témoignage
tion	la thèse
— d'atmos-	le ton
phère	le trait
— d'aventure	

— ADJECTIFS :

autobiographique	psychologique
bourgeois	quotidien
policier	romanesque
populaire	

113

Grand magasin moderne

— *Où prendrez-vous la clientèle pour emplir une pareille cathédrale ?*
— *La clientèle, mais la voilà !* (p. 115).

NAISSANCE D'UN GRAND MAGASIN

Le jeune commerçant Mouret rêve d'agrandir considérablement son magasin : « Au Bonheur des Dames », et d'en faire le magasin le plus luxueux et le mieux achalandé de Paris. Il a besoin pour cela des terrains que possède la banque du baron Hartmann. Mouret rencontre le banquier à une soirée au cours de laquelle il entreprend de le convaincre de s'associer avec lui.

— Tenez, Monsieur le Baron, puisque j'ai l'honneur inespéré de vous rencontrer, il faut que je me confesse... J'ai besoin de vos conseils...

Il se confessa en effet, il raconta ses débuts, il ne cacha même pas la crise financière qu'il traversait, au milieu de son triomphe. Tout défila, les agrandissements successifs, les gains remis continuellement dans l'affaire, la maison risquant son existence à chaque mise en vente nouvelle, où le capital entier était joué comme sur un coup de cartes. Pourtant ce n'était pas de l'argent qu'il demandait, car il avait en sa clientèle une foi de fanatique. Son ambition devenait plus haute, il proposait au baron une association dans laquelle le Crédit immobilier apporterait le palais colossal qu'il voyait en rêve, tandis que lui, pour sa part, donnerait son génie et le fonds de commerce déjà créé. On estimerait les apports, rien ne lui paraissait d'une réalisation plus facile.

— Qu'allez-vous faire de vos terrains et de vos immeubles ? demandat-il avec insistance. Vous avez une idée sans doute. Mais je suis bien certain que votre idée ne vaut pas la mienne... Songez à cela. Nous bâtissons sur les terrains une galerie de vente, nous démolissons ou nous aménageons les immeubles et nous ouvrons les magasins les plus vastes de Paris, un bazar qui fera des millions !...

— Comme vous y allez, cher monsieur ! se contenta de répondre le baron Hartmann. Quelle imagination !

Il hochait la tête, il continuait de sourire, décidé à ne pas rendre confidence pour confidence... malgré sa passion de l'activité qui lui faisait ouvrir sa bourse à tous les garçons d'intelligence et de courage ; le coup de génie commercial de Mouret l'étonnait plus qu'il ne le séduisait. N'était-ce pas une opération fantaisiste et imprudente, ce magasin gigantesque ? Ne risquerait-on pas une catastrophe certaine à vouloir élargir ainsi hors de toute mesure le commerce des nouveautés ? Enfin, il ne croyait pas, il refusait.

— Sans doute, l'idée peut séduire, disait-il. Seulement, elle est d'un poète... Où prendrez-vous la clientèle pour emplir une pareille cathédrale ?

Mouret le regarda un moment en silence, comme stupéfait de son refus. Était-ce possible ? un homme d'un tel flair, qui sentait l'argent à toutes les profondeurs ! Et tout d'un coup, il eut un geste de grande éloquence, il montra ces dames dans le salon, en criant :

— La clientèle, mais la voilà !

Le baron Hartmann, qui avait suivi le geste de Mouret, regardait ces

115

dames par la porte restée grande ouverte. Et il les écoutait d'une oreille pendant que le jeune homme, enflammé du désir de le convaincre, se livrait davantage, lui expliquait le mécanisme du nouveau commerce des nouveautés. Ce commerce était basé maintenant sur le renouvellement continu et rapide du capital qu'il s'agissait de faire passer en marchandises le plus de fois possible dans la même année. Ainsi, cette année-là, son capital qui était seulement de cinq cent mille francs, venait de passer quatre fois et avait ainsi produit deux millions d'affaires. Une misère d'ailleurs, qu'on décuplerait, car il se disait certain de faire plus tard reparaître le capital quinze et vingt fois dans certains comptoirs.

— Vous entendez, Monsieur le Baron, toute la mécanique est là. C'est bien simple, mais il fallait le trouver. Nous n'avons pas besoin d'un gros roulement de fonds. Notre effort unique est de nous débarrasser très vite de la marchandise achetée, pour la remplacer par d'autre, ce qui fait rendre au capital autant de fois son intérêt. De cette manière, nous pouvons nous contenter d'un petit bénéfice; comme nos frais généraux s'élèvent au chiffre énorme de seize pour cent, et que nous ne prélevons guère sur les objets que vingt pour cent de gain, c'est donc un bénéfice de quatre pour cent au plus; seulement cela finira par faire des millions, lorsqu'on opérera sur des quantités de marchandises considérables et sans cesse renouvelées... Vous suivez, n'est-ce pas? rien de plus clair.

Le baron hocha de nouveau la tête. Lui qui avait accueilli les combinaisons les plus hardies, et dont on citait encore les témérités lors des premiers essais de l'éclairage au gaz, restait inquiet et têtu.

— J'entends bien, répondit-il. Vous vendez bon marché pour vendre beaucoup, et vous vendez beaucoup pour vendre bon marché... Seulement, il faut vendre, et j'en reviens à ma question : à qui vendrez-vous? comment espérez-vous entretenir une vente aussi colossale?...

— Eh! dit Mouret, on vend ce qu'on veut lorsqu'on sait vendre. Notre triomphe est là...

Mouret, cependant, avait jeté un coup d'œil vers le salon. Et, en quelques phrases dite à l'oreille du baron Hartmann, comme s'il lui eût fait des confidences, il acheva d'expliquer le mécanisme du grand commerce moderne : le capital sans cesse renouvelé, le système de l'entassement des marchandises, le bon marché qui attire, la marque en chiffres connus qui tranquillise...

— Eh! bien, cher monsieur, demanda-t-il pour conclure, voulez-vous être avec moi? L'affaire des terrains vous semble-t-elle possible?

Le baron, à demi conquis, hésitait pourtant à s'engager de la sorte. Un doute restait au fond du charme qui opérait peu à peu sur lui. Mais lorsque Mouret se fut approché pour lui dire adieu, le baron le retint dans l'embrasure de la fenêtre, en face du jardin noir de ténèbres. Il cédait enfin à la séduction, la foi lui était venue... Tous deux causèrent un instant à voix basse. Puis le banquier déclara :

— Eh bien! j'examinerai l'affaire... Elle est conclue si votre vente de lundi prend l'importance que vous dites.

Ils se serrèrent la main et Mouret, l'air ravi, se retira, car il dînait mal quand il n'allait pas le soir jeter un coup d'œil sur la recette du « Bonheur des Dames ».

Émile Zola,

Au Bonheur des Dames. — Fasquelle, éditeur.

─────────── COMPRENEZ BIEN LE TEXTE ───────────

LE SENS ET LA VIE DES MOTS

A. LES MOTS

Clientèle : le mot désigna d'abord, à Rome, les plébéiens qui se mettaient sous la protection d'un patricien. De nos jours, un médecin, un avocat disent : « mon client » pour désigner celui qui a recours à leurs services. Un commerçant comme Mouret a aussi ses clients : les acheteurs qui se présentent dans son magasin et dont l'ensemble constitue sa clientèle.

Bazar : du persan bâzâr ou soukh, magasin où l'on vend de multiples objets.

Travail personnel. — Expliquez à l'aide du dictionnaire :

Financière — génie — séduisait — flair.

B. LES EXPRESSIONS

Foi de fanatique : une croyance aveugle, inaccessible au doute.

Crédit immobilier : nom de la banque dirigée par le baron Hartmann. Elle prête de l'argent (fait crédit) en gageant ses prêts sur des immeubles (terres, maisons, etc...).

Magasin de nouveautés : magasin où l'on vend tout ce qui concerne la toilette des dames, et qui se renouvelle sans cesse, au gré de la mode.

LES IDÉES ET LES SENTIMENTS

Exercices de conversation :

1. Quel est le rêve du jeune commerçant Mouret?

2. Que propose-t-il au baron Hartmann, en vue de réaliser ce rêve?

3. L'idée de Mouret se précise. Comment propose-t-il d'utiliser les terrains du Baron?

4. Quel effet produit, dans l'esprit du Baron, « le coup de génie commercial » de Mouret? Pourquoi?

5. Quelle crainte exprime le Baron au sujet de la clientèle? Quelle est la réponse de Mouret?

6. Relevez les phrases par lesquelles

Mouret explique le mécanisme du nouveau commerce des nouveautés.

7. « Nous pourrions nous contenter d'un petit bénéfice », dit Mouret. Quel est ce bénéfice? Comment finira-t-il par « faire des millions »?

8. Le Baron comprend la formule de vente de Mouret. Que dit-il? — Mais il renouvelle ses objections. Que dit-il?

9. Quel est, d'après Mouret, résumé en quatre points, « le mécanisme du grand commerce moderne »?

10. Le Baron est à demi conquis. Il hésite encore. Pourquoi? — Puis il cède à la séduction. Pourquoi? — Que décide-t-il enfin?

UTILISEZ LE TEXTE

STYLE ET COMPOSITION

Initiation au dialogue portant sur une discussion d'affaires.

Premier sujet. — *Imitation du texte.* Résumez le dialogue qui s'établit entre le commerçant MOURET et le banquier, baron HARTMANN.

Plan à suivre. Disposition des paragraphes.

MOURET.   *a)* Entrée en matière.
           b) Présentation d'une association.
           c) Proposition de construire de grands magasins.
LE BARON. *a)* Comme vous y allez!
           b) Mais la clientèle?
MOURET.   *a)* La clientèle...
           b) Le mécanisme de l'affaire.
LE BARON. *a)* Réponse muette.
           b) Réponse formulée : mais à qui vendrez-vous?
MOURET.   *a)* Il faut savoir vendre.
           b) Résumé du mécanisme du grand commerce moderne.
           c) Demande, pour conclure, d'une réponse ferme.
LE BARON. Il exprime sa décision.

Deuxième sujet. — *Sur ce modèle*, et en suivant le même plan, imaginez un dialogue entre un jeune mécanicien, actif et plein d'initiative, qui veut installer un garage à un endroit qu'il a choisi, et un riche commerçant à qui il veut emprunter l'argent qui lui est nécessaire pour cette installation.

GRAMMAIRE

La phrase comparative : NE explétif. La proposition subordonnée comparative (après un comparatif de supériorité, *plus*, ou d'infériorité, *moins*) comporte très souvent le mot *ne* qu'on appelle explétif parce qu'il n'est pas négatif :

Le coup de génie commercial de Mouret l'étonnait plus qu'il ne le séduisait.

Exercice : Faites trois phrases comparatives sur les modèles suivants :

Cette idée est plus poétique qu'elle n'est réaliste. — Cet homme d'affaire à moins de sens pratique que ses amis ne le croient.

La phrase conditionnelle (forme littéraire imitée du latin). — Nous avons déjà vu (pp. 84 et 92) que le plus-que-parfait du subjonctif a parfois le sens du mode conditionnel passé. Dans la proposition suivante :

Comme s'il lui eût fait des confidences... signifie :

comme s'il lui avait fait des confidences... mais c'est une forme littéraire. Dans cette proposition conditionnelle, le plus-que-parfait du subjonctif a la même valeur que le plus-que-parfait de l'indicatif après la conjonction *si*.

Exercices : 1. Cherchez page 21 une proposition subordonnée conditionnelle semblable.

2. Faites deux phrases conditionnelles commençant par *comme si* en employant :

a) le plus-que-parfait du subjonctif,
b) le plus-que-parfait de l'indicatif.

CONSEILS POUR LA LECTURE

Dialogue serré entre les deux personnages. Opposez la fougue convaincante du jeune Mouret à la prudence hésitante du vieux baron qui ne veut pas engager ses capitaux à la légère.

Jouez la lecture (Les deux personnages et le récitant).

ÉMILE ZOLA (1840-1902)

Voir pages 96, 114.

Le thé à l'anglaise chez le Prince de Conti, par Ollivier.
Mozart enfant jouant du clavecin.

LE REQUIEM DE MOZART

Un jour que Mozart était plongé dans une profonde rêverie, il entendit
un carrosse s'arrêter à sa porte. On lui annonce un inconnu qui demande
à lui parler; on le fait entrer, il voit un homme d'un certain âge, fort
bien mis, les manières les plus nobles et même quelque chose d'imposant : « Je suis chargé, monsieur, par un homme très considérable, de
venir vous trouver. — Quel est cet homme? interrompit Mozart. — Il
ne veut pas être connu. — A la bonne heure! Et que désire-t-il? — Il
vient de perdre une personne qui lui était bien chère et dont la mémoire
lui sera éternellement précieuse; il veut célébrer tous les ans sa mort
par un service solennel, et il vous demande de composer un *Requiem*
pour ce service. » Mozart se sentit frappé de ce discours, du ton grave
dont il était prononcé, de l'air mystérieux qui semblait répandu sur
toute cette aventure. Il promit de faire le *Requiem*. L'inconnu conti-

119

nua : « Mettez à cet ouvrage tout votre génie : vous travaillez pour un connaisseur en musique. — Tant mieux. — Combien de temps demandez-vous? — Quatre semaines. — Eh bien! je reviendrai dans quatre semaines. Quel prix mettez-vous à votre travail? — Cent ducats. » L'inconnu les compte sur la table et disparaît.

Mozart reste plongé quelques instants dans de profondes réflexions ; puis, tout à coup, demande une plume, de l'encre, du papier et, malgré les remontrances de sa femme, il se met à écrire. Cette fougue de travail continua plusieurs jours ; il composait jour et nuit et avec une ardeur qui sembla augmenter en avançant ; mais son corps déjà faible ne put résister à cet enthousiasme : un matin, il tomba sans connaissance et fut obligé de suspendre son travail. Deux ou trois jours après, sa femme songeant à le distraire des sombres pensées qui l'occupaient, il lui répondit brusquement : « Cela est certain, c'est pour moi que je fais ce *Requiem*, il servira à mon service mortuaire. » Rien ne put le détourner de cette idée.

A mesure qu'il travaillait, il sentait ses forces diminuer de jour en jour, et sa partition avançait lentement. Les quatre semaines qu'il avait demandées s'étant écoulées, il vit un jour entrer chez lui le même inconnu. « Il m'a été impossible, dit Mozart, de tenir ma parole. — Ne vous gênez pas, dit l'étranger. Quel temps vous faut-il encore? — Quatre semaines. L'ouvrage m'a inspiré plus d'intérêt que je ne pensais et je l'ai étendu beaucoup plus que je n'en avais le dessein. — En ce cas, il est juste d'augmenter les honoraires ; voici cinquante ducats de plus. — Monsieur, dit Mozart toujours plus étonné, qui êtes-vous donc? — Cela ne fait rien à la chose. Je reviendrai dans quatre semaines. » Mozart appelle sur-le-champ un de ses domestiques pour faire suivre cet homme extraordinaire, et savoir qui il était ; mais le domestique maladroit vint rapporter qu'il n'avait pu retrouver sa trace.

Le pauvre Mozart se mit dans la tête que cet inconnu n'était pas un homme ordinaire, qu'il avait sûrement des relations avec l'autre monde et qu'il lui était envoyé pour lui annoncer sa fin prochaine.

Il ne s'en appliqua qu'avec plus d'ardeur à son *Requiem* qu'il regardait comme le monument le plus durable de son génie. Pendant ce travail, il tomba plusieurs fois dans des évanouissements alarmants. Enfin, l'ouvrage fut achevé avant les quatre semaines. L'inconnu revint au terme convenu : Mozart n'existait plus.

Sa carrière a été aussi courte que brillante. Il est mort à peine âgé de trente-six ans; mais, dans ce peu d'années, il s'est fait un nom qui ne périra point tant qu'il se trouvera des âmes sensibles.

sensitive

STENDHAL.

─────────── COMPRENEZ BIEN LE TEXTE ───────────

LE SENS ET LA VIE DES MOTS

A. LES MOTS

Requiem : repos. Premier mot de la Prière pour les Morts (*Requiem aeternam dona eis, Domine* = donnez-leur le repos éternel, Seigneur). Ce mot désigne toute musique composée sur cette prière, et, par extension, l'ensemble de la Messe des morts.

Sa partition : sa composition musicale.

Le monument: Mozart regardait son *Requiem* comme l'œuvre la plus belle et la plus durable créée par son génie de musicien. On retrouve ici le sens premier de monument : construction destinée à perpétuer le souvenir de quelque grande chose.

Expliquez à l'aide du dictionnaire :

Rêverie — considérable — génie — ducats — fougue — composait — dessein — honoraires.

B. UNE EXPRESSION

Service solennel : cérémonie religieuse qui n'a lieu qu'une fois par an. C'est le sens premier du mot solennel (*seul dans l'année*).

A expliquer :

Évanouissements alarmants.

LES IDÉES ET LES SENTIMENTS

Exercices de conversation :

1. Dès sa première visite, l'étranger crée une atmosphère de mystère : a) par sa tenue; b) par ses paroles. Montrez-le, en utilisant dans vos phrases des expressions du texte.

2. Le mystère persiste au cours de la deuxième visite. Relevez le dialogue qui le montre.

3. Que pense Mozart au sujet de cet « inconnu »?

4. Pourquoi l'inconnu a-t-il demandé à Mozart de lui composer un *Requiem?*

5. Quel est l'argument du visiteur qui a le plus de poids pour décider Mozart à accepter?

6. Comment Mozart travaille-t-il d'abord à la composition de son *Requiem?* Qu'en résulte-t-il pour lui?

7. Il ne peut livrer son œuvre au jour fixé. Quelle raison en donne-t-il?

8. Quelle idée exprime-t-il brusquement, quand sa femme cherche à le distraire de ses sombres pensées?

9. Que fit-il quand il fut convaincu de sa fin prochaine?

10. De quelles qualités morales ce grand artiste a-t-il fait preuve pendant les dernières semaines de son existence?

11. Dites pourquoi, selon l'auteur, le nom de Mozart ne périra point.

─────────── UTILISEZ LE TEXTE ───────────

LANGUE ET CIVILISATION

1. Musique vient de *muse*. Dans la mythologie grecque, les Muses étaient neuf sœurs, filles de *Jupiter*, le dieu des dieux, et de *Mnémosyne*, déesse de la Mémoire. Ces déesses présidaient aux destinées des différents arts. En voici la liste : *Calliope — Clio — Erato — Euterpe — Melpomène — Polymnie — Terpsichore — Thalie — Uranie.* A l'aide du dictionnaire, indiquez l'art dont s'occupait chacune d'elles. (Ainsi, *Euterpe* était la muse de la musique.)

2. Les voix chantées se répartissent, de l'aigu au grave, de la façon suivante :

a) pour les femmes : voix de *soprano*, voix de *mezzo-soprano*, voix de *contralto*;

b) pour les hommes : voix de *ténor*, voix de *baryton*, voix de *basse*.

Dites, en vous servant du dictionnaire, à quoi chacune de ces voix correspond.

3. Des musiciens ou des chanteurs exécutant ensemble le même morceau constituent un *ensemble musical.* Voici quelques ensembles musicaux :

a) *Musiciens :* orchestre — fanfare — harmonie — jazz — quatuor instrumental.

b) *Chanteurs :* chœur — chorale — orphéon — maîtrise — quatuor vocal.

A l'aide du dictionnaire, définissez chacun d'eux.

4. Classez les principaux instruments de musique dans les quatre grandes catégories suivantes : *a)* Instruments à vent (cuivres, bois); *b)* Instruments à cordes; *c)* Instruments à clavier; *d)* Instruments à percussion (voir dictionnaire).

5. Mozart (1756-1791). Illustre compositeur autrichien, auteur de nombreux chefs-d'œuvre. On lui doit en particulier des opéras : *Les Noces de Figaro* (voir page 431) — *Don Juan* — *La Flûte enchantée.* Son *Requiem* fut son dernier chef-d'œuvre. Il vécut longtemps à Paris et mourut, miné par la phtisie et très pauvre.

6. Écoutez (disque ou radio) :

a) le *Requiem* de Mozart, ou, à défaut, le *Requiem* de Verdi ou celui de Fauré;

b) le *Rondo du concerto en ré* pour flûte, de Mozart, 2e partie.

Le *Concerto* est un dialogue entre un soliste, la flûte, et l'orchestre. On peut le comparer à un chant en dialogue où se répondent tour à tour le soliste et les chœurs. — Ce concerto de Mozart comprend trois parties. Vous entendez la dernière, qui est un *Rondo.* Le *Rondo* peut être comparé à une chanson avec refrains. Appliquez-vous à distinguer : la flûte, le refrain. Si le *Requiem* de Mozart est un chant religieux et solennel, son *Concerto* est une musique gaie et enjouée.

COMPOSITION FRANÇAISE

Canevas à développer. *La conscience professionnelle d'un grand artiste.* — Comme le tourneur Maillecotin (page 89) l'artiste « reçoit une commande ». (Laquelle? A quelles conditions : qualité, date de livraison, prix?) Quoique malade, il veut la réaliser et la livrer au jour fixé. (Que fait-il alors avec un grand courage?) Le jour venu, elle n'est pas achevée.

Il s'excuse de n'avoir pu tenir sa parole. Sa conscience professionnelle lui défend de livrer un ouvrage qui ne soit pas parfait. (Que dit-il?) Nouvelles conditions acceptées ou offertes par l'acheteur. L'artiste use ses dernières forces pour achever son chef-d'œuvre.

GRAMMAIRE

Le pronom relatif QUE. — Ce pronom a parfois la valeur d'un complément circonstanciel de temps. Dans ce cas, son antécédent est un nom précédé d'un article indéfini et exprimant une idée de temps (ex. : un jour, une semaine, un matin, un soir etc...).

Un jour que Mozart était plongé dans une profonde rêverie, il entendit un carrosse s'arrêter...

Exercices : 1. Faites trois phrases sur le modèle de la phrase ci-dessus.

2. Expliquez l'accord des participes passés dans la phrase suivante : *Les quatre semaines qu'il avait* **demandées** *s'étaient* **écoulées.**

3. Comment appelez-vous le *ne* de la proposition comparative suivante : *L'ouvrage m'a inspiré plus d'intérêt que je* **ne** *pensais...*

Trouvez dans le texte un autre exemple de ce type de phrase.

CONSEILS POUR LA LECTURE

Noblesse et décence du ton. Émotion sans grandiloquence.

STENDHAL (1783-1842)

Pseudonyme d'Henri Beyle, qui fut d'abord soldat de l'Empire, puis mena une vie aventureuse en Europe et notamment en Italie. Son œuvre ne lui valut la célébrité qu'après sa mort. Cependant, elle révélait :

— une chaude sensibilité,

— une analyse profonde et subtile des sentiments,

— un sens de l'action et de la peinture sociale.

Des romans comme *Le Rouge et le Noir* et *la Chartreuse de Parme* comptent parmi les plus célèbres de l'époque romantique.

EUGÈNE DELACROIX

Le romantisme et la couleur me conduisent droit à Eugène Delacroix. J'ignore s'il est fier de sa qualité de romantique; mais sa place est ici, parce que la majorité du public l'a depuis longtemps, et même dès sa première œuvre, institué le chef de l'école *moderne*.

En entrant dans cette partie, mon cœur est plein d'une joie sereine, et je choisis à dessein mes plumes les plus neuves, tant je veux être clair et limpide, et tant je me sens aise d'aborder mon sujet le plus cher et le plus sympathique... Chacun des anciens maîtres a son royaume, son apanage, qu'il est souvent contraint de partager avec des rivaux illustres. Raphaël a la forme, Rubens et Véronèse la couleur, Rubens et Michel-Ange l'imagination du dessin. Une portion de l'empire restait, où Rembrandt seul avait fait quelques incursions, — le drame —, le drame naturel et vivant, le drame terrible et mélancolique, exprimé souvent par la couleur, mais toujours par le geste.

En fait de gestes sublimes, Delacroix n'a de rivaux qu'en dehors de son art... C'est à cause de cette qualité toute moderne et toute nouvelle que Delacroix est la dernière expression du progrès dans l'art. Héritier de la grande tradition, c'est-à-dire de l'ampleur, de la noblesse et de la pompe dans la composition, et digne successeur des vieux maîtres, il a de plus qu'eux la maîtrise de la douleur, la passion, le geste! C'est là vraiment ce qui fait l'importance de sa grandeur. En effet, supposez que le bagage d'un des vieux illustres se perde, il aura presque toujours son analogue qui pourra l'expliquer et le faire deviner à la pensée de l'historien. Otez Delacroix, la grande chaîne de l'histoire est rompue et s'écroule à terre.

Dans un article qui a plutôt l'air d'une prophétie que d'une critique, à quoi bon relever des fautes de détail et des taches microscopiques? L'ensemble est si beau, que je n'en ai pas le courage. D'ailleurs, la chose est si facile, et tant d'autres l'ont faite! N'est-il pas plus nouveau de voir les gens par leur beau côté? Les défauts de M. Delacroix sont parfois si visibles qu'ils sautent à l'œil le moins exercé. On peut ouvrir au hasard la première feuille venue, où pendant longtemps l'on s'est obstiné, à l'inverse de mon système, à ne pas voir les qualités radieuses qui constituent son originalité. On sait que les grands génies ne se trompent jamais à demi, et qu'ils ont le privilège de l'énormité dans tous les sens.

Charles BAUDELAIRE. — *Le Salon de 1846.*

LE SENS ET LA VIE DES MOTS

LES MOTS ET LES EXPRESSIONS

Un apanage : à l'origine, action de donner du pain, puis de doter quelque seigneur d'un domaine qui assure sa vie matérielle; d'où le sens figuré de domaine, de propriété sur laquelle on règne en maître.

Une incursion : proprement, action de courir à l'intérieur du territoire ennemi. Chaque artiste est comparé à un combattant qui envahit une portion du domaine de l'art.

La pompe : appareil magnifique et somptueux qui entoure une cérémonie. Les peintres classiques aimaient une telle recherche de décors.

Une portion de l'empire restait : la peinture est considérée comme un vaste territoire; Delacroix a conquis une partie que ses prédécesseurs avaient négligée ou ignorée.

Le bagage d'un des vieux illustres : les tableaux d'un des grands maîtres du passé, style à la fois recherché et familier.

Expliquez à l'aide du dictionnaire :

Sympathique — prophétie — une feuille (au sens de *journal*) — *la grande chaîne de l'histoire — sauter à l'œil le moins exercé — le privilège de l'énormité.*

LES IDÉES ET LES SENTIMENTS
Exercices de conversation :

1. Quelle est, en ce qui concerne la peinture, la position de Baudelaire vis-à-vis de « la majorité du public »?

2. Pourquoi son cœur est-il plein d'une « joie sereine »?

3. Relevez dans le texte tous les détails qui montrent que Delacroix est un grand peintre.

4. Pour quelle raison Delacroix est-il irremplaçable?

5. Expliquez et discutez la dernière phrase du texte.

──────── *UTILISEZ LE TEXTE* ────────

LE VOCABULAIRE ACTIF

Les familles de mot : Le verbe *conduire* est formé d'un préfixe et du radical *duire*. Tous les mots qui ont le même *radical* appartiennent à la même famille. Cherchez cinq mots de la famille de *conduire* et employez chacun d'eux dans une courte phrase.

Les synonymes de *limpide* sont : *transparent — clair — diaphane — cristallin*. Employez chacun d'eux dans une phrase, puis expliquez pourquoi Baudelaire a choisi limpide.

CIVILISATION

Raphaël (1483-1520) : architecte et peintre italien qui travailla surtout à Rome pour les Papes. Il représentait d'abord ses personnages nus avant de les habiller, aussi leurs formes sont-elles parfaites. On trouve au musée du Louvre un de ses plus célèbres tableaux, la *Sainte-Famille*.

Rubens (1577-1640) : diplomate et peintre flamand. A partir de 1608 commence sa « période d'Anvers » où se manifeste tout son génie extraordinaire de couleur et de mouvement de foules, comme dans la *Kermesse* au musée du Louvre.

Véronèse (1528-1588), né à Vérone, est un peintre de l'école vénitienne. Ses dons magnifiques pour la couleur se révèlent dans *Les Noces de Cana* et les *Pèlerins d'Emmaüs* (Louvre).

Michel-Ange (1475-1564) : architecte, sculpteur et peintre de la Renaissance italienne qui travailla surtout à Rome et à Florence. Il sait traduire avec exactitude le mouvement et a un sens puissant du drame, comme on peut le voir dans son magnifique *Jugement dernier*, dans la chapelle Sixtine du Palais du Vatican.

1. Pourriez-vous définir ce que l'on entend par *romantisme* en peinture?

2. Pourquoi Delacroix est-il, selon Baudelaire, un peintre moderne?

III. APRÈS LE TRAVAIL, LES LOISIRS

Renoir. Le Moulin de la Galette

3. Citez les noms de cinq grands peintres anciens ou modernes, de n'importe quel pays, et caractérisez l'art de chacun d'eux par une phrase.

4. L'Art et la couleur : quelle est, à votre avis, l'importance de la photographie en couleur (voir ci-avant les reproductions des trois tableaux de Pissarro.e

COMPOSITION FRANÇAISE

Choisissez une des planches en couleur du livre, représentant un tableau, et présentez-la par un compte rendu critique.

GRAMMAIRE

Le mot SI.

1. L'adverbe de quantité SI se place toujours devant un adjectif ou devant un adverbe :

la chose est si facile.

Dans cette phrase, l'adverbe SI a le sens de *très.*

2. L'adverbe interrogatif SI introduit une proposition subordonnée complément d'objet qui s'appelle interrogative indirecte :

J'ignore s'il est fier de sa qualité de romantique.

Au style direct la phrase sera :

Est-il fier de sa qualité de romantique? Je l'ignore.

Exercices : 1. Cherchez dans le texte deux autres exemples de SI, adverbe de quantité.

2. Faites des phrases interrogatives indirectes avec l'adverbe SI en changeant les deux phrases suivantes : *Delacroix a-t-il des rivaux? Je ne le sais pas. — Connaissez-vous Delacroix? Je me le demande.*

3. Faites cinq phrases interrogatives soit avec un adverbe interrogatif, soit avec un pronom interrogatif où vous emploierez le mode infinitif. Ex. : *Pourquoi tant travailler? — Que répondre à cette question?*

Le mot TANT.

1. L'adverbe de quantité TANT :

... tant d'autres l'ont faite...

Ici, *tant* signifie *de nombreux autres, beaucoup d'autres.*

2. *La conjonction* TANT signifie *parce que*

et introduit une proposition subordonnée de cause : *Je choisis mes plumes les plus neuves tant je veux être clair et limpide.* peut être remplacée par : *Je choisis mes plumes les plus neuves parce que je veux être très clair et très limpide.*

CHARLES BAUDELAIRE (1821-1867)

Poète dont l'œuvre est une transition entre le romantisme et le symbolisme (voir plus loin, p. 460).

EUGÈNE DELACROIX (1799-1863)

Peintre parisien qui devint, à la mort de Géricault en 1824, le chef incontesté de l'école romantique. Son œuvre est immense, caractérisée par un coloris audacieux, un modelé ferme et puissant, une grande vigueur dramatique. Il choisit ses sujets dans l'histoire passée (*Attila*) et contemporaine (*La liberté conduisant le peuple* ou *la Barricade*); dans la légende (*Orphée, Les travaux d'Hercule*) ; dans la littérature (*Hamlet et les fossoyeurs*) et dans l'exotisme (*Les femmes d'Alger*).

Un tableau de Delacroix.

La Barricade, fragment.
(Cl. Giraudon)

L'EFFORT

Je vous aime, gars des pays blonds, beaux conducteurs
De hennissants et clairs et puissants attelages,
Et vous, bûcherons roux des bois pleins de senteurs,
Et toi, paysan fruste et vieux des blancs villages,
Qui n'aimes que les champs et leurs humbles chemins
Et qui jettes la semence d'une ample main
D'abord en l'air, droit devant toi, vers la lumière,
Pour qu'elle en vive un peu, avant de choir en terre.

Et vous aussi, marins qui partez sur la mer
Avec un simple chant, la nuit sous les étoiles,
Quand se gonflent, aux vents atlantiques, les voiles
Et que vibrent les mâts et les cordages clairs ;
Et vous, lourds débardeurs dont les larges épaules
Chargent ou déchargent, au long des quais vermeils,
Les navires qui vont et vont sous les soleils
S'assujettir les flots jusqu'aux confins des pôles ;

Et vous encor, chercheurs d'hallucinants métaux,
En des plaines de gel, sur des grèves de neige,
Au fond des pays blancs où le froid vous assiège
Et brusquement vous serre en son immense étau ;
Et vous encor, mineurs qui cheminez sous terre,
Le corps rampant, avec la lampe entre vos dents,
Jusqu'à la veine étroite où le charbon branlant
Cède sous votre effort obscur et solitaire ;

Et vous enfin, batteurs de fer, forgeurs d'airain,
Visages d'encre et d'or trouant l'ombre et la brume,
Dos musculeux tendus ou ramassés, soudain,
Autour de grands brasiers et d'énormes enclumes,

Lamineurs noirs, bâtis pour un œuvre éternel
Qui s'étend de siècle en siècle toujours plus vaste
Sur des villes d'effroi, de misère et de faste,
Je vous sens en mon cœur, puissants et fraternels !

O ce travail farouche, âpre, tenace, austère,
Sur les plaines, parmi les mers, au cœur des monts,
Serrant ses nœuds partout et rivant ses chaînons
De l'un à l'autre bout des pays de la terre !
O ces gestes hardis, dans l'ombre ou la clarté,
Ces bras toujours ardents et ces mains jamais lasses,
Ces bras, ces mains unis à travers les espaces
Pour imprimer quand même à l'univers dompté
La marque de l'étreinte et de la force humaines
Et recréer les monts et les mers et les plaines
D'après une autre volonté.

Émile VERHAEREN,

La multiple splendeur. — Mercure de France, éditeur.

─────────── COMPRENEZ BIEN LE TEXTE ───────────

LE SENS ET LA VIE DES MOTS

LES MOTS ET LES EXPRESSIONS

Veine : filon de charbon ou de minerai.

Airain : nom poétique du bronze et, par extension, du métal.

Hennissants attelages : périphrase pour désigner les chevaux de trait.

Les vents atlantiques : les vents qui viennent de l'Océan Atlantique.

Chercheurs d'hallucinants métaux : les chercheurs d'or ou d'autres métaux précieux sont pour ainsi dire hallucinés par ces métaux. Ils en rêvent sans cesse et espèrent les découvrir malgré tout.

Visages d'encre et d'or : visages noircis par la fumée, dorés par la flamme.

Villes de faste : villes où s'étalent aux yeux de tous les richesses de leurs habitants.

Travail personnel. — **Expliquez à l'aide du dictionnaire :**

Fruste — *choir* — *aux confins des pôles* — *lamineurs.*

LES IDÉES ET LES SENTIMENTS

Exercices de conversation :

1. Quels travailleurs le poète chante-t-il dans chacune des quatre premières strophes? (les énumérer).

2. Comment l'auteur caractérise-t-il ou peint-il chacun d'eux? (Utilisez les expressions du texte.)

3. Où et comment le travail farouche enchaîne-t-il les hommes?

4. Les bras et les mains des travailleurs s'unissent. Où? Dans quel but?

5. Quels sentiments avez-vous éprouvés à la lecture de ce poème? Justifiez chaque fois votre réponse à l'aide d'exemples pris dans le texte.

_____ *UTILISEZ LE TEXTE* _____

LANGUE ET CIVILISATION

1. Les vents prennent différents noms suivant les lieux d'où ils viennent et les régions où ils soufflent. Recherchez les noms de ceux qui soufflent en France, dans votre pays, dans les régions équatoriale, tropicale, nordique.

2. L'auteur dit : « Un œuvre éternel » (4ᵉ strophe). Que désigne ce nom au masculin? — Il s'emploie aussi au féminin. Dans quel cas? Donnez-en un exemple.

3. Quel est le contraire de « ville de faste »? (même strophe).

4. L'auteur qualifie le travail par quatre adjectifs de sens voisin (premier vers de la dernière strophe). Donnez le sens, dans le texte, de chacun de ces adjectifs, avec un exemple à l'appui.

ANALYSE DU POÈME

1. L'apostrophe. — Le poète s'adresse aux travailleurs lointains qu'il aime. Cette façon de s'adresser aux absents s'appelle une *apostrophe*.

En employant ce procédé de l'apostrophe, et sur le modèle des quatre premières strophes du poème, dites votre admiration :

1º aux travailleurs à qui, chaque jour, vous devez beaucoup;

2º aux grands savants qui enrichissent l'humanité de leurs découvertes;

3º aux artistes qui nous révèlent la beauté.

Plan à suivre chaque fois — une phrase de deux ou trois lignes par paragraphe :

Portrait par Van Rysselborghe.

Photo Giraudon.

1º Je vous admire .... 2º Et vous aussi.... 3º Et vous encore .... 4º Et vous enfin ....

2. Ce qui caractérise ce poème, c'est l'ampleur du rythme. — Il n'est pas composé de vers libres comme celui des « Usines » (page 105) mais d'alexandrins bien réguliers, groupés en amples strophes de huit vers. La dernière strophe qui renferme deux invocations s'élargit encore en dix alexandrins suivis d'un vers octosyllabe qui comporte l'idée avec le mot essentiel : « volonté ».

3. La disposition des rimes.

Première strophe. 1ᵉʳ quatrain : **rimes croisées** M F M F — les rimes masculines (M) alternent avec les rimes féminines (F); deuxième quatrain : **rimes suivies** M M F F — les rimes masculines et féminines se succèdent deux à deux.

Deuxième strophe. 1ᵉʳ quatrain : **rimes embrassées** M F F M; deuxième quatrain : rimes embrassées F M M F. Dans ce système, deux rimes féminines sont intercalées entre deux rimes masculines, puis deux rimes masculines entre deux rimes féminines. — Le poète n'emploie donc pas, dans tous les quatrains, le même procédé de disposition des rimes. Cette variété donne une certaine souplesse musicale à son poème.

Exercice : continuez cette étude de la disposition des rimes jusqu'à la fin.

4. Lecture. Tenir compte des indications ci-dessus : ampleur du rythme; disposition des rimes et ton de l'apostrophe.

GRAMMAIRE

1. L'attribut du complément d'objet direct. — *Je vous sens en mon cœur puissants et fraternels*; les adjectifs *puissants et fraternels* sont les attributs du pronom personnel *vous*, complément d'objet direct du verbe *sentir*. Ils s'accordent en genre et en nombre avec ce pronom.

2. Exercice : Expliquez pourquoi dans ce texte les verbes *qui n'aimes, qui jettes, qui partez, qui cheminez* sont à la deuxième personne du singulier ou du pluriel.

◀ **ÉMILE VERHAEREN (1855-1916)**

Voir notice page 108.

EN NORMANDIE AU XIXᵉ SIÈCLE :
LES COMICES AGRICOLES

« Catherine-Nicaise-Elizabeth Leroux, de Sassetot-la-Guerrière, pour cinquante-quatre ans de service dans la même ferme, une médaille d'argent, du prix de vingt-cinq francs ! » « Où est-elle, Catherine Leroux ? » répéta le Conseiller.

Elle ne se présentait pas, et l'on entendait des voix qui chuchotaient :

— Vas-y !

— Non.

— A gauche !

— N'aie pas peur !

— Ah ! qu'elle est bête !

— Enfin y est-elle ? s'écria Tuvache.

— Oui !... la voilà !

— Qu'elle approche donc !

Alors on vit s'avancer sur l'estrade une petite vieille femme de main-tien craintif, et qui paraissait se ratatiner dans ses pauvres vêtements. Elle avait aux pieds de grosses galoches de bois et, le long des hanches, un grand tablier bleu. Son visage maigre entouré d'un béguin sans bordure, était plus plissé de rides qu'une pomme de reinette flétrie, et des manches de sa camisole rouge dépassaient deux longues mains, à articulations noueuses. La poussière des granges, la potasse des lessives et le suint des laines les avaient si bien encroûtées, éraillées, durcies, qu'elles semblaient sales quoiqu'elles fussent rincées d'eau claire ; et à force d'avoir servi, elles restaient entr'ouvertes, comme pour présenter d'elles-mêmes l'humble témoignage de tant de souffrances subies. Quelque chose d'une rigidité monacale relevait l'expression de sa figure. Rien de triste ou d'attendri n'amollissait ce regard pâle. Dans la fréquentation des animaux, elle avait pris leur mutisme et leur placidité. C'était la première fois qu'elle se voyait au milieu d'une compagnie si nombreuse ; et intérieurement effarouchée par les drapeaux, par les tambours, par les messieurs en habit noir et par la croix d'honneur du Conseiller, elle demeurait tout immobile, ne sachant s'il fallait s'avancer ou s'enfuir, ni pourquoi la foule la poussait et pourquoi les examinateurs lui souriaient. Ainsi se tenait, devant ces bourgeois épanouis, ce demi-siècle de servitude.

129

— Approchez, vénérable Catherine-Nicaise-Elizabeth Leroux! dit M. le Conseiller, qui avait pris des mains du président la liste des lauréats.

Et tour à tour examinant la feuille de papier, puis la vieille femme, il répétait d'un ton paternel :

— Approchez, approchez!

— Êtes-vous sourde? dit Tuvache, en bondissant sur son fauteuil. Et il se mit à lui crier dans l'oreille :

— Cinquante-quatre ans de service! Une médaille d'argent! Vingt-cinq francs! C'est pour vous.

Puis, quand elle eut sa médaille, elle la considéra. Alors un sourire de béatitude se répandit sur sa figure, et on l'entendait qui marmottait en s'en allant :

— Je la donnerai au curé de chez nous, pour qu'il me dise des messes.

— Quel fanatisme! exclama le pharmacien, en se penchant vers le notaire.

La séance était finie; la foule se dispersa; et maintenant que les discours étaient lus, chacun reprenait son rang et tout rentrait dans la coutume; les maîtres rudoyaient les domestiques et ceux-ci frappaient les animaux, triomphateurs indolents qui s'en retournaient à l'étable, une couronne verte entre les cornes...

Gustave FLAUBERT. — Madame Bovary.

COMPRENEZ BIEN LE TEXTE

LE SENS ET LA VIE DES MOTS

LES MOTS ET LES EXPRESSIONS

Comices (masculin pluriel) : nom que les Romains donnaient à leurs assemblées pour l'élection des magistrats ou pour d'autres affaires publiques. A partir de 1819, on a commencé à favoriser les réunions de cultivateurs pour leur permettre de s'informer des progrès de l'agriculture.

Se ratatiner : être raccourci, rétréci, diminué de volume. La vieille servante semble être toute petite et toute flétrie dans ses vêtements du dimanche.

Vénérable : mot formé sur Vénus, déesse de l'amour et de la beauté, et qui a pris le sens de digne d'admiration et de respect.

Lauréat : encore un mot d'origine romaine : qui est orné de laurier. Chez les Anciens on couronnait de lauriers les vainqueurs et les poètes; un lauréat est aujourd'hui celui qui est distingué, qui reçoit une récompense.

Une médaille d'argent marque habituellement les deuxièmes prix, les premiers recevant une médaille d'or.

Du prix de : on dirait aujourd'hui au prix de...

Travail personnel. Expliquez :

Un béguin — une camisole — articulations noueuses — éraillé — une rigidité monacale — suint — effarouché.

LES IDÉES ET LES SENTIMENTS

Exercices de conversation :

1. Que pensez-vous de cette cérémonie et de la récompense offerte à la servante?

2. Dans le portrait de la servante, montrez comment chacun des traits physiques décrits par Flaubert correspond à un aspect de la psychologie de la vieille femme et rappelle sa longue vie de misères et d'humiliations.

3. La description de Flaubert permet-elle de discerner les résultats de ce « demi-siècle de servitude » sur la personnalité de la servante? Si oui, montrez-le.

4. Pensez-vous que les sentiments de respect montrés par les officiels et en particulier ceux de Tuvache soient sincères? Justifiez votre réponse.

5. Quelles conclusions peut-on tirer de la lecture du dernier paragraphe sur la hiérarchie des rapports entre maîtres, serviteurs et animaux à cette époque?

--------------------- *UTILISEZ LE TEXTE* ---------------------

STYLE ET COMPOSITION

1. *Ainsi se tenait ce demi-siècle de servitude :*
forme abstraite, la personnalité de la servante n'existe pas, elle est le symbole de l'esclavage : cinquante-quatre ans de service!
devant ces bourgeois épanouis
proposition incise très concrète, les bourgeois mangent bien et jouissent des plaisirs matériels de la vie.
Le pathétique et la satire naissent de ce contraste.

2. Étudiez et expliquez l'emploi du style direct et du style indirect dans ce passage.

3. Quels sont les différents éléments de la technique descriptive de Flaubert dans le paragraphe qui commence par *Alors on vit...*

4. Exercice : Décrivez, en vous inspirant de la technique réaliste de Flaubert, un personnage pittoresque de votre choix.

GRAMMAIRE

Le mode impératif des verbes du 1ᵉʳ groupe à la 2ᵉ personne du singulier :

indicatif présent	impératif présent	impératif + $\frac{y}{en}$
tu vas	va	vas-y
tu chantes	chante	chantes-en une

A la 2ᵉ personne du singulier les verbes du 1ᵉʳ groupe ainsi que le verbe *aller* et les verbes du 3ᵉ groupe du type *cueillir, offrir,* etc. ne prennent pas d's *(cueille, offre)*, mais si cette forme impérative est accompagnée du pronom Y ou du pronom EN, il faut rétablir l's : *cueilles-en, offres-en, montes-y.*

Exercice : Faites cinq phrases où vous emploierez des verbes du 1ᵉʳ groupe à l'impératif, 2ᵉ personne du singulier, avec ou sans les pronoms Y et EN.

L'adverbe exclamatif de quantité QUE.
Qu'elle est bête! — Comme elle est bête!
Que est dans ce cas un adverbe de quantité ainsi que *comme.*

CONSEILS POUR LA LECTURE

Il faut bien marquer la différence entre les passages descriptifs et les dialogues.

GUSTAVE FLAUBERT (1821-1880)

Un des plus grands romanciers réalistes français, qui demeura durant presque toute sa vie non loin de sa ville natale, Rouen.
Il est caractérisé par :
— un tempérament romantique,
— une rigueur scientifique et une grande conscience professionnelle,
— l'idée que l'art doit être impersonnel,
— un sens aigu de la beauté du style.
Son chef-d'œuvre, *Madame Bovary* (1857), fit l'objet d'un célèbre procès littéraire où Flaubert faillit être condamné.

LA COURSE LANDAISE

Hup! Caracola! Hup! Hâ!

La petite ville de Houga palpite toute. C'est en juillet, le jour de sa fête patronale. Très fière de ses courses renommées à la ronde, dès trois heures de cet après-midi torride, elle a envahi son amphithéâtre. Ses maisons, en file sur un plateau dominant le pays, des deux côtés de la route de Condom à Mont-de-Marsan, le seuil clos, sont vides. Et des villages voisins : de Mormès, étalé dans ses vignes, de Magnan et de Monlezun, en vedettes sur leurs crêtes, des cantons de Cazaubon et de Nogaro, un peuple est venu. Et maintenant, cette foule, hommes au béret rabattu sur les yeux, femmes au foulard noué sur le chignon, qui s'est amoncelée avec un bruit sonore de marée, reste muette, inquiète et ravie, dans l'attente d'un écart périlleux. Car si l'écart fait, les applaudissements, les cris et les fanfares éclatent à l'adresse de l'homme ou de la bête, un silence profond règne pendant la rencontre.

Hup! Caracola! Hup! Hâ!

Et Marin Ier, écarteur célèbre, face à la bête, haussé sur lui-même, pieds joints, le rein creusé, les mains en l'air, immobile, sa veste soutachée d'or serrant ses flancs et son béret brodé enfoncé, répète son appel. Il a maintes fois attaqué des vaches dangereuses. Mais celle-ci est terrible. Elle a déjà tué. Lui seul, certains jours, ose l'affronter. Elle est dans un de ces jours. Duel poignant. Les hommes, penchés en avant, laissent éteindre les cigarettes à leurs lèvres, les femmes pétrissent leur mouchoir. On ne parle plus. On respire à peine. Car Marin, comme la vache, ne part pas, redoutant une ruse, recule, recule encore. Il recule pour l'attirer.

Caracola veut son moment. Cet homme, tout chamarré, elle le connaît bien. Elle l'a souvent frôlé, touché, atteint presque, mais pris, percé, pas jusqu'ici. Si c'était cette fois? Elle regarde ce peuple muet. Et puis lui, qui l'appelle. Quarante mètres les séparent. Quelques secondes de galop. Elle sait sa vélocité. Des fils de bave pendent à son mufle. Elle gratte le sol du pied, secoue sa tête armée, mugit, mais ne part point. Une tempête d'injures s'abat sur elle. On la siffle et la hue. Plus haut que cette rafale, elle mugit de nouveau. On se tait, le silence angoissé reprend.

Alors Marin, pâle un peu, jouant le tout pour le tout, à petits pas rapides, marche sur elle.

C'en est trop. Des quatre pieds à la fois, elle part, fond sur lui. Ah! Quel train! Soudain, l'homme s'arrête, oscille à gauche, à droite, puis brusquement porte son corps sur sa jambe gauche écartée, feint de choir, et, quand la bête attirée de ce côté, tête basse, va l'éventrer, pivote, opère un demi-tour sur son pied droit, la trompe et la fait passer! ... Et ce pied droit a tourné sur place!... Un cri, deux cris, une stupeur d'admiration et, tout de suite, arraché à ces milliers de mains, un tonnerre de bravos qui va, dans la campagne, faire tressaillir les rares absents, et gronder comme un murmure de cloches dans la haute tour de l'église.

Trois fois, quatre fois, même bonheur. Au cinquième écart, le coup passe si près que la veste soutachée d'or éclate sous la corne et que, trop inclinée sur elle-même, Caracola roule à terre quelques pas plus loin. C'est du délire, aussitôt réprimé. L'émotion a été trop vive. Elle serre la gorge, noue les mains. Et lorsque, jetant loin de lui les lambeaux de sa veste, l'écarteur rappelle la vache relevée, tout ce peuple, bras tendus, gorgé enfin de son plaisir, clame ensemble : « Prou! Prou! Assez! Assez! — Enquoère ün? Encore un?... Arè qu'ün? Rien qu'un? » supplie Marin.

« Nou! Nou! — Non! Non! » reprend la foule. « Barra la baqua! barra! Enfermez la vache, enfermez! »

Et là-bas, à l'autre bout, une porte s'ouvre, où, fuyant cet homme insaisissable, Caracola s'engouffre. Appuyé à la barrière, Marin s'essuie le front.

Joseph DE PESQUIDOUX,

Chez nous. — Plon-Nourrit, éditeur.

─────────── *COMPRENEZ BIEN LE TEXTE* ───────────

LE SENS ET LA VIE DES MOTS

LES MOTS

Landaise : Les *Landes*, région du Sud de la France sur la côte de l'Océan Atlantique.

Écart : mouvement brusque de côté,

Écarteur : par une succession rapide d'écarts calculés et précis, l'écarteur évite les cornes de la vache qu'il a provoquée et qui fonce sur lui.

Amphithéâtre : l'amphithéâtre de Houga où se déroulent les courses ressemble aux amphithéâtres romains : enceintes rondes ou ovales garnies de gradins, autour d'une scène centrale ou arène. C'est sur cette scène que se déroule le duel entre l'*écarteur* et la vache.

133

Soutachée d'or : garnie d'une soutache ou d'une tresse de galon d'or.

Prou : assez, en patois landais et bourguignon. Ce mot signifie beaucoup ; en vieux français, on le retrouve dans l'expression : *peu ou prou.*

Travail personnel. — **Expliquez à l'aide du dictionnaire :**
Torride — chamarré — la vélocité.

LES IDÉES ET LES SENTIMENTS

Exercices de conversation :

1. Pourquoi appelle-t-on la course décrite : course landaise?
2. Qui met-elle aux prises dans l'arène?
3. En quoi consiste le duel entre l'homme et la bête?

4. Par qui est constituée la foule des spectateurs?
5. Comment se manifeste l'émotion des spectateurs (hommes, femmes) en attendant la réponse de la vache à la provocation de l'écarteur, Marin Ier?
6. Caracola reste immobile. Que paraît-elle attendre? Qui regarde-t-elle tour à tour? Comment manifeste-t-elle sa colère? Comment les spectateurs lui témoignent-ils leur déception?
7. L'écarteur veut une décision. Que fait-il? Comment réagit la vache?
8. La rencontre. — Par quelles manœuvres l'homme évite-t-il la bête?
9. Comment se manifestent les réactions de la foule à l'égard de l'homme vainqueur de la bête?
10. Au cinquième écart, que fait la bête? que fait l'homme? — Que fait alors la foule? pourquoi?

UTILISEZ LE TEXTE

LE VOCABULAIRE ACTIF

Employez dans une phrase chacun des mots expliqués : *torride, chamarré, vélocité.*

STYLE ET COMPOSITION

I. IMITATION DE PHRASES

Décrire une foule attendant un résultat. En imitant ces phrases : *a)* « Et maintenant, cette foule... dans l'attente d'un écart périlleux. » *b)* « Duel poignant... On respire à peine... ».

Décrivez une foule :
a) attendant l'arrivée d'une course;
b) assistant à cette arrivée.

II. RÉDACTION

Décrivez le déroulement d'un jeu populaire, spécial à votre pays ou à votre région.

Plan proposé : le lieu — les équipes de joueurs — les joueurs en action dans les différentes phases du jeu — le jeu se termine par la victoire d'un des adversaires — les spectateurs se passionnent pour la partie — leurs réactions après la partie.

GRAMMAIRE

Accord du participe passé employé sans auxiliaire. — Le participe passé employé seul s'accorde avec le nom comme un adjectif :
*Très fière de ses courses **renommées** à la ronde...*

Exercice : Cherchez dans le texte cinq participes passés employés sans auxiliaire.

CONSEILS POUR LA LECTURE

Bien rendre les péripéties mouvementées de ce combat entre l'homme et l'animal, et les réactions diverses de la foule des spectateurs.

J. DE PESQUIDOUX (1869-1926)

Auteur régionaliste qui sait se passer d'intrigue romanesque. Dans son recueil : *Chez nous*, il décrit les paysages et les travaux de sa Gascogne natale avec beaucoup d'exactitude et de poésie rustique.

Photo Bienvenue.

MATCH DE FOOTBALL

Claude Lunant, sportif passionné, est capitaine d'une équipe lyonnaise de football dans laquelle il tient le rôle de gardien de but. Son équipe rencontre à Marseille l'équipe de Saint-Raphaël. Claude rêve d'être sélectionné pour faire partie de l'équipe de France.

A l'extrémité de la ville, pas loin du rivage, l'enceinte de gradins est déjà pleine de spectateurs lorsque les équipes applaudies s'égaillent sur la pelouse et évoluent quelque peu, chacune devant ses buts.

Claude a revêtu un maillot neuf. Sa courte culotte laisse voir ses muscles bosselés. Ses semelles à crampons mordent le sol à l'arrivée de la balle que ses mains recueillent sans faute. Son assurance augmente à chaque mouvement. Il pense que la balle a une âme, que cette âme va lui obéir avec une complaisance nouvelle, qu'un mystérieux messager l'accompagne, visible à lui seul, qui doit l'informer d'avance de ses bonds les plus inattendus.

Les maillots rouges des Raphaëlois et les maillots rouges et noirs des Lyonnais ont peuplé le terrain de leurs lignes espacées. L'arbitre siffle le coup d'envoi. Le soleil favorise les Lyonnais. Durant un assez long moment les joueurs exécutent des passes d'une incohérence agréable parce qu'elles révèlent des corps bien exercés. On a le temps de s'acharner en vue du résultat. Des deux côtés, il s'agit d'ordonner l'affaire, de tâter l'adversaire, de se mettre en train. Un tournoi où l'amour du jeu l'emporte encore sur le plaisir de vaincre, où la violence est rare et passe pour lâcheté. Cependant les Raphaëlois, par l'ordre à peine rompu de leurs lignes, organisent des combinaisons précises qui leur donnent l'avantage moral et les excitent. Une passe du demi-gauche à l'avant-centre dont le démarrage laisse Guibourg sur place, et voilà le ballon tiré au but, filant au-dessus de la barre. « J'ai eu chaud », pense Claude Lunant.

Il renvoie la balle avec force. Il se trouve un peu nerveux. Derrière lui, la surface de but a l'air de s'agrandir. Il a, l'espace d'une seconde, des pieds à la tête, le sentiment du vide. A la pensée qu'il doit se défendre contre l'une des meilleures équipes de France, le danger lui semble imminent, insurmontable, ses jambes et ses bras se figent, ses nerfs deviennent lâches comme des ficelles. En une autre seconde il a vu ses avants fléchir, l'esprit d'offensive changer de camp, l'attaque adverse approcher, menée à folle allure, et le ballon inoubliable, sur une autre série de passes redoublées, soudain repris en plein vol, entrer en sifflant au centre du but, à deux lignes de sa tête, sans qu'il ait même levé la main.

La clameur des bravos le bouleversait de honte, la foule aux mille visages ne lui adressait que des moqueries... Rien n'existait plus chez lui que l'envie naïve de crier : « Simple accident de surprise... Qu'ils reviennent, vous applaudirez. »

Les voici de nouveau? Cette fois, par l'effet d'une fureur exceptionnelle, il regarde les assaillants comme des ennemis, avec défi. Le feu de cette colère pleine de sang-froid le soulève. Il tient du tigre et du taureau, culbute les joueurs qui s'approchent, leur chipe la balle sur les pieds, la dégage en tourbillon.

— Un but à zéro à cause de moi. Rentrez-en un. Égalisez. Il faut. Allez! dit-il, repris de confiance.

La balle fulgurante vole de l'un à l'autre, proie facile et insaisissable, aveugle et fuyante comme la fortune, sautant de l'équipe ordonnée des Raphaëlois aux Lyonnais surexcités. Rivalité de science et d'adresse. Les maillots sont tachés de sueur. La sueur coule...

A la mi-temps, Claude Lunant traversant le terrain à grandes enjam-
bées, invectivant le soleil qui allait l'aveugler, encourageait les autres :

— Nous devons gagner, nous dominons. Allez-y !

Il anima l'attaque, mais l'adversaire, inquiété dans ses derniers
retranchements, montra l'excellence de sa défense : un jeune gardien
de but souple et audacieux que soutenaient deux arrières au choc
redoutable.

Le soleil décline, les ombres s'allongent, les joueurs s'acharnent. A
chaque torse rouge et noir un torse rouge s'accroche. Voltigeurs exaltés.
Le ressort de leurs jambes, la masse de leur tête infligent au bolide blond
des trajectoires de flèche. Ils se taisent, le mouvement les intoxique,
ils se détachent du sol, ils retombent, leur ardeur se multiplie, envi-
ronnée de regards, de rayons de soleil, de poudroiements moléculaires.
d'effluves de joie.

— Un but à zéro à cause de moi, répétait Claude, lamentable, en
renvoyant le ballon au diable, quand retentit le coup de sifflet final.
Et je n'irai pas jouer à Paris, ni à Berlin.

Ses genoux plièrent. La soirée se couvrait d'une teinte blafarde,
Des larmes nerveuses brûlaient ses yeux... Il lui semblait qu'une bête
de proie lui mordait le cœur.

Joseph JOLINON, Le Joueur de balle. — Rieder, éditeur.

─────────── **COMPRENEZ BIEN LE TEXTE** ───────────

LE SENS ET LA VIE DES MOTS

LES MOTS ET LES EXPRESSIONS

S'égaillent : se dispersent.

Pelouse : radical *pel*, poil. Dans le
texte, terrain de jeu couvert d'une herbe
épaisse et courte, comme des poils.

But : ligne où l'adversaire doit envoyer
la balle pour marquer des points.

Crampons (masc.) : les semelles des
souliers de football sont munies de morceaux de cuir supplémentaires qui permettent une meilleure adhérence au sol.

Incohérence (fém.) : les passes manquent de liaison; le jeu est décousu.

Un démarrage : départ brusque, comme
celui d'un bateau dont les amarres ont
été rompues par la tempête.

Fulgurante : radical *fulgur*, éclair.
La balle vole, aussi rapide que l'éclair.

Bolide : le ballon passe tel un bolide,
rapide comme une étoile filante.

**Travail personnel. — Expliquez à
l'aide du dictionnaire :**

*Un arbitre — un tournoi — une combi-
naison — imminent.*

Le coup d'envoi : premier coup de pied
qui met la balle en jeu.

Tâter l'adversaire : lancer de petites
attaques pour connaître sa force et
trouver ses points faibles.

Aveugle et fuyante comme la fortune :
pour les Grecs et les Romains, la Fortune
était une femme personnifiant le hasard.
Ils la représentaient les yeux bandés
(aveugle) et se déplaçant sur une roue
(fuyante). Comme elle, la balle vole capri-
cieusement d'un camp à l'autre.

Effluves de joie (fém.) : émanations de joie qui viennent de la foule.

LES IDÉES ET LES SENTIMENTS

Exercices de conversation :

1. **Présentation des équipes sur le terrain.** Le jeu commence-t-il dès l'arrivée des équipes sur le terrain? Que fait d'abord chaque équipe?

2. **Début de la partie.** D'après le texte, montrez que la partie débute par une mise en train. De quoi se préoccupe d'abord chaque équipe?

3. **Déroulement de la partie.**
A. **Les équipes.** a) *Leur jeu.* Relevez les propositions ou les expressions qui montrent la supériorité de l'équipe des Raphaëlois : dans la préparation de l'attaque; dans la conduite de l'attaque; dans la conduite de la défense.

b) *Jugeons les équipes.* Quels sont les défauts de l'équipe lyonnaise? Quelles sont les qualités de l'équipe raphaëloise? Pourtant les deux équipes peuvent riva-liser de science et d'adresse : le résultat le montre-t-il?

c) *Tirons une leçon.* Comment, à votre avis, l'équipe gagnante a-t-elle, avant le match, préparé sa victoire? — Quelles sont les qualités qui font la force d'une équipe, comme d'une armée ou d'un peuple?

B. **L'individu dans l'équipe.** Quel est le personnage central du récit? De quelle équipe fait-il partie?

a) *Son jeu.* Quelle faute commet-il? Comment essaie-t-il de la réparer par la suite? Y réussit-il? — Quelles furent les conséquences de sa faute pour l'équipe?

b) *Ses états d'âme.* Montrez, d'après le texte : son assurance au début de la partie; ce qu'il éprouve sous la clameur des bravos; ce qu'il ressent à la reprise de l'attaque menée par ses adversaires, puis à la fin de la partie.

4. **La foule.** Relevez les notations qui marquent les réactions de la foule : *a)* à l'égard des Raphaëlois; *b)* à l'égard de Lunant.

────────── *UTILISEZ LE TEXTE* ──────────

LANGUE ET CIVILISATION

1. On a adopté, dans le langage sportif, de nombreux mots anglais. Relevez-en trois dans la lecture. Citez-en cinq autres employés pour désigner d'autres jeux que le football. (Il est amusant de noter que certains de ces mots ont été utilisés en vieux français et nous reviennent d'Angleterre. Ex. : sport, en vieux français *desport*.)

2. Recherchez dans le texte cinq expressions sportives. Employez chacune d'elles dans une courte phrase.

COMPOSITION FRANÇAISE

En suivant le plan du match de football décrit par Jolinon, racontez une partie de football, de baseball ou de basket-ball à laquelle vous avez assisté.

GRAMMAIRE

Le superlatif des adjectifs. — L'adjectif au superlatif se place :

a) **avant le nom** si l'adjectif se place normalement avant le nom : *une des meilleures équipes de France* (une *bonne* équipe);

b) **après le nom** si l'adjectif se place normalement après le nom. Dans ce cas il faut répéter l'article défini devant le superlatif : ... *l'enferme de ses bonds les plus inattendus* (un bond inattendu).

Exercice : Écrire trois exemples d'adjectifs au superlatif placés avant le nom et trois exemples placés après le nom.

Exemple : *C'est la plus belle partie de football de l'année; c'est la partie de football la plus intéressante de l'année.*

2. Cherchez, page 42, deux exemples d'adjectifs au superlatif.

JOSEPH JOLINON (1886)

Écrivain lyonnais contemporain ; dans *Le Joueur de balle*, il glorifie le sport qu'il a lui même pratiqué.

138

Une course de relais.

« Je pars du point où vous arrivez, avec l'avance que vous m'avez gagnée » (p. 140).

LES COUREURS DE RELAIS

Tous quatre lancés comme une seule arme, comme une seule bête, comme une seule barque,

le plus grand à la poupe et le plus petit qui est en avant,

et moi engrené au milieu, moi organe de ce corps vivant,

et tous portant les mêmes couleurs, et tous marqués de la même marque,

et tellement dans le couloir l'un de l'autre que nous sommes trois qui ne sentons pas le vent,

nous entrons à petites foulées piaffantes en nous tenant par les épaules.

Quatre, et nous sommes un seul. La parfaite solidarité.

Un grand accord humain, si juste qu'il donne envie de chanter.

Chacun de nous sur le corps des trois autres exerce un droit de contrôle.

Sur mes mollets, parce qu'ils sont tiens, je te reconnais un droit.

139

Tes muscles, tes nerfs, ta tête, cela me regarde parce qu'ils sont à moi.

Si tu coupes le fil d'émeraude, ce sont quatre qui gagnent, pas un.

Estime égale pour le moins vite et pour celui qui va le mieux.

Allons, prenons nos postes. Au revoir, petit vieux! au revoir, petit vieux!

Vents, ne soufflez pas de face quand il sera dans la ligne d'arrivée.

Je les vois, isolés, perdus, sur trois points cardinaux du terrain.

J'ai peur pour eux et pas pour moi. C'est pour eux que je suis éprouvé.

Comme ils sont à part de tous les autres, et tellement plus! Comme ils sont miens!

. . . .

Régulier. Ce n'était pas pour nous. Mais on a fait tout ce qu'on a pu.

Personne n'a dit à Girardot que c'est à cause de lui qu'on a été battus.

Et le bon honneur est assis dans les poitrines, et l'âme est bonne comme le pain chaud et frais.

O maître de ma pensée, je prends votre suite comme dans le relais.

Je pars du point où vous arrivez, avec l'avance que vous m'avez gagnée.

Nous n'avons pas couru côte à côte, nous n'avons pas fait ensemble le chemin,

pas connu la douceur de pouvoir dire : « Nous avons une seule et même foulée. »

Je vous ai ravi la flamme et j'ai fui. C'est à peine si j'ai vu vos traits.

Et l'enfant qui m'attend plein de fièvre au terme où finira mon relais,

à l'heure de l'arrachement suprême, quand j'aurai tant besoin de bras humains,

à son tour me ravira ce que j'apporte et fuira sans que j'aie senti sa main.

H. DE MONTHERLANT,
Les Onze devant la porte dorée. — Gallimard, édit.

─────────────── *ENQUÊTE* ───────────────

Les Jeux Olympiques internationaux modernes. — Quelle est la date de leur création? Quand ont-ils lieu? Où? Qui mettent-ils en compétition sportive? Utilisez les documents relatifs aux derniers « Jeux Olympiques » que vous aurez pu recueillir.

LE SENS ET LA VIE DES MOTS

A. LES MOTS

Engrené : comme pris dans un engrenage.

Couleurs : les coureurs portent un uniforme, maillot et mi-cuisses aux couleurs adoptées par leur club ou société.

Foulée : longueur du pas du coureur.

Régulier : une autre équipe l'a emporté, d'une façon régulière; sportivement, l'équipe battue accepte sa défaite.

Travail personnel. — Expliquez à l'aide du dictionnaire :

Poupe — postes (masc.).

B. LES EXPRESSIONS

Être dans la coulée l'un de l'autre : être très exactement l'un derrière l'autre. *Coulée* est un terme du vocabulaire de la chasse : il désigne le sentier étroit que suit, dans l'épaisseur des bois, un animal pour regagner son gîte.

Foulées piaffantes : les coureurs se présentent à petites foulées en levant haut les pieds et en frappant le sol à la manière du cheval qui piaffe.

Fil d'émeraude : fil de couleur verte tendu sur la ligne d'arrivée qu'arrache de la poitrine, en passant, le vainqueur.

A l'heure de l'arrachement suprême : à l'heure de la mort.

LES IDÉES ET LES SENTIMENTS

Exercices de conversation :

1. Comment se présentent les quatre coureurs de l'équipe sur le stade?

2. Relevez, dans les deux premières strophes, huit expressions qui attestent la parfaite solidarité des coureurs de cette équipe.

3. Dans une telle équipe, si elle est victorieuse, quel est celui des quatre coureurs qui semble le gagnant? Pourquoi? En réalité, à qui est dû le succès? et à qui va l'estime?

4. Où sont les postes des quatre coureurs?

5. Auquel de ses camarades le coureur qui parle dit-il : « Au revoir, petit vieux »? Relevez les deux phrases qui justifient votre réponse.

6. Pourquoi ne fait-on pas de reproches à Girardot qui paraît être responsable de la défaite?

7. L'auteur nous a conté cette course pour nous parler d'une autre course dans la vie de l'humanité. De qui prenons-nous le flambeau? A qui le remettons-nous?

8. Que permet cette course au flambeau?

9. Mais nous connaissons-nous, comme les coureurs de relais? Que nous manque-t-il?

LE VOCABULAIRE SPORTIF

1. Les Anciens avaient différents jeux publics, tels que : *les Jeux Olympiques* en Grèce (voir p. 492), *les Jeux du Cirque* à Rome, les jeux musicaux et poétiques. A l'aide du dictionnaire, dites ce qu'étaient ces jeux.

2. Citez quelques jeux publics modernes : *a*) courses; *b*) matches; *c*) concours.

3. Donnez un nom au terrain ou au lieu où se déroulent : les courses à pied, les courses de relais, les courses de cyclistes, d'automobiles, de chevaux, de taureaux; où l'on joue au tennis, aux boules; où l'on patine, où l'on nage, où l'on s'exerce au tir, où l'on boxe.

4. *Estime égale pour le moins* **vite** : le mot **vite** est un *adverbe* en français, il n'est donc pas correct de l'employer comme ici avec le sens de l'adjectif *rapide*. Cependant, c'est une habitude du langage sportif.

STYLE ET COMPOSITION

I. CONSTRUCTION DE PHRASES ET DE PARAGRAPHES.

Transposition de forme du dernier paragraphe. — Transposez ce paragraphe de la première à la troisième personne du singulier. Un coureur parle de celui de ses coéquipiers à qui il a remis le témoin. « Il part du point où j'arrive... »

II. RÉDACTION

Transposition de sens du même paragraphe. — Dans ce paragraphe, l'auteur compare la course de relais à la course de l'humanité où les générations successives se relaient pour porter toujours plus loin le flambeau de la vie et du progrès. Dites ce que votre génération a reçu de celles qui l'ont précédée, au point de vue du bien-être matériel, et quels *devoirs* lui sont, de ce fait, imposés à l'égard des générations suivantes.

III. RÉCITATION

Apprenez par cœur le dernier paragraphe : « O maître de ma pensée... »

Cliché Viollet.

GRAMMAIRE

L'idée de cause,
    de la préposition *(à cause de...)*
    à la conjonction *(parce que...).*

C'est à cause de lui qu'on a été battus; à *cause de :* introduit le pronom complément lui, complément de cause du verbe battre.

Cela me regarde **parce qu'ils** *sont à moi; parce que :* introduit une proposition subordonnée complément de cause de la principale « cela me regarde ».

Le mode subjonctif après la conjonction *sans que.*
  — *Il fuira sans que j'aie senti sa main.*

Exercices : 1. Cherchez dans le texte une proposition subordonnée de cause.

2. Cherchez dans le texte page 136 une proposition subordonnée introduite par *sans que.*

L'accord du participe passé.
  — *On a été battus.*
Ici, *on* signifie *nous* et le participe passé du verbe à la forme passive s'accorde avec le sujet *nous.*

CONSEILS POUR LA LECTURE

Cette admirable page est un véritable poème en prose, chantant comme des vers. L'auteur revit intensément les différentes phases de la course, en une belle évocation lyrique et s'en exalte. A la fin, le poème s'élève à une évocation et à une sorte de grave prière. En tenir compte dans la lecture et la récitation.

H. DE MONTHERLANT (1893)

Cet auteur fut d'abord un romancier en vogue avant de venir au théâtre. Son œuvre se caractérise par :

— le romantisme et la violence;
— le mépris des femmes;
— un style noble et classique.

Parmi ses romans nous citerons *les Olympiques* où il célèbre la gloire du sport bien compris et *les Jeunes filles* (quatre volumes). Des pièces comme *le Maître de Santiago, la Reine morte* et *le Cardinal d'Espagne* comptent parmi les plus grandes œuvres théâtrales de notre époque.

HYMNE A LA NEIGE

Royaume candide, précaire, éternel, ô neige! Tu fais de l'homme un enfant gai, appliqué à sa consciencieuse oisiveté sportive. Tu as créé ce luxe : le devoir de s'amuser, le souci de vivre pour un corps qu'enrichit, que perfectionne chaque heure à toi consacrée, et qui, dans chaque chute, puise une force neuve.

Tu vois tes fidèles quitter l'hôtel au petit jour, à l'heure où l'aube rapide laisse dormir le pied violacé des monts, mais découpe leur front comme dans un métal orangé, dur, incandescent, qui taillade l'azur. Ils partent, leurs longues ailes de bois effilé liées sur une épaule et le double bâton dans la main. Ils sont sages et graves comme s'ils avaient tous dix ans.

Ils ont choisi la veille le but du lendemain, un point arbitraire et invisible : la corne d'une montagne ou bien un chalet perdu sous son auvent fourré de neige. Ici ou là, qu'importe? Ici ou là, pourvu que ce soit au prix d'un effort régulier, d'une gymnastique corporelle et mentale.

Ils rentrent à midi, fumants de joie et de sueur saine, avec leur petite ombre d'un bleu vif couchée à leurs pieds. Ou bien ils ne reviennent que le soir, ralentis, muets, et leur mutisme semble plein de poésie parce qu'ils ne pensent plus à rien.

Ils ont vu sous leurs pas diminuer le mont, grandir le paysage. A la halte, ils s'assirent sur un pan vierge de ta robe, et ils se tournaient de côté et d'autre à cause du soleil qui leur brûlait l'épaule. Cependant la faim les rendait creux et légers, et ils fouillèrent leurs poches. Ils mangèrent face au soleil, en recueillant les miettes pieusement. Puis il lièrent à leurs pieds leurs ailes, et ils commencèrent leurs vols par-dessus les petites vallées. Parfois ils rayaient de grands cercles les champs immaculés. Selon leurs bonds, ils voyaient une contrée concave les quitter, revenir à eux, s'écarter encore... Leurs chutes les poudraient de nacre; ils plongeaient, tête première, dans des cratères de paillettes où le soleil mettait les sept couleurs d'Iris.

Photo Office du Tourisme, Chamonix.

Skieurs. Un *Slalom*, à Chamonix.

« *O neige ! Tu fais de l'homme un enfant gai, appliqué à sa consciencieuse oisiveté sportive.* »
(Colette. Voir p. 143.)

Ils ont lutté, entre eux, d'audace, de vitesse. Ils n'ont pas pourchassé ni tué le gibier innocent...

La nuit, ils dorment d'un long sommeil d'enfant, et leurs songes eux-mêmes ne te trahissent pas. Ils te voient en rêve et, mieux que pendant la veille, ils volent. Par leur fenêtre grande ouverte, ton silence entre librement, et rien ne bouge dans ton empire inaccessible au vent, sinon le feu palpitant des étoiles.

Ils dorment, oubliant pour quelques heures la passion qu'ils te vouent, et c'est toi quelquefois qui, jalouse de les rejoindre, descends effeuillée, tournoies indécise autour de leur repos, et verses à leur chevet un fondant hommage de flocons, une brassée de plumes, de fleurs, de joyaux immaculés que dissout, comme l'apport d'un songe, la première atteinte du jour.

COLETTE,

Le Voyage égoïste. — Hachette, éditeur.

─────────────── *COMPRENEZ BIEN LE TEXTE* ───────────────

LE SENS ET LA VIE DES MOTS

A. LES MOTS

Un hymne: poème ou chant en l'honneur des héros ou d'une divinité. La neige est, pour Colette, une sorte de divinité. Son hymne a un certain caractère lyrique, religieux.

Taillader : découper en lanières. La crête des monts semble découper, au matin, l'azur du ciel.

Ralentis : marchant plus lentement, car ils sont las après une journée au grand air.

Pieusement : avec respect; car il s'agit du pain, qui est sacré.

Nacre : nom féminin. La neige fait penser à des éclats de nacre, substance dure et blanche, aux reflets irisés, qu'on trouve, dans maints coquillages.

Effeuillée : les flocons tombent comme des feuilles qui se détachent.

Travail personnel. — **Expliquez à l'aide du dictionnaire :**

Fidèle — violacé — auvent — mutisme — immaculé — concave.

B. LES EXPRESSIONS

Métal incandescent : métal chauffé à blanc.

Les ailes de bois : périphrase pour désigner les skis.

Un point arbitraire : un lieu qu'ils ont choisi volontairement comme but de leur promenade.

Gymnastique corporelle et mentale : la montée dans la neige exige des skieurs un travail continu pour poser leurs pieds aux bons endroits, c'est comme une gymnastique des muscles et de l'intelligence.

Les sept couleurs d'Iris : les sept couleurs de l'arc-en-ciel. Dans la mythologie grecque, Iris était la messagère des dieux. Elle fut changée en arc-en-ciel par Junon, épouse de Jupiter.

LES IDÉES ET LES SENTIMENTS

Exercices de conversation :

1. Quels sont les « fidèles » de la neige dont parle Colette?

2. Que veut dire Colette dans cette phrase : « Ils sont sages et graves... dix ans »?

3. Les skieurs partent-ils au hasard? — Relevez la phrase qui justifie votre réponse.

4. Partent-ils seulement pour atteindre le point qu'ils se sont fixé? — Sinon, quel est l'autre but de leur randonnée?

5. Quand quittent-ils l'hôtel?

6. Quand s'arrêtent-ils dans leur ascension? Que feront-ils à l'étape?

7. Que font-ils ensuite, après avoir de nouveau « lié leurs ailes à leurs pieds »?

8. Comment rentrent-ils à l'hôtel : *a*) à midi? pourquoi? — *b*) le soir? pourquoi?

9. Que font-ils, la nuit, à l'hôtel? Relevez la phrase qui l'indique.

10. Comment leur amie la neige se rappelle-t-elle à eux pendant leur repos de la nuit?

11. Nous avons vu (page 23) que Colette aime beaucoup les animaux. Relevez dans le texte une phrase qui nous le montre encore.

12. Quel devoir la neige semble-t-elle, d'après Colette, avoir créé pour l'homme?

UTILISEZ LE TEXTE

LANGUE ET CIVILISATION

1. Quelles sont, dans leur ordre, les sept couleurs d'Iris?

2. Colette est une artiste qui est sensible aux couleurs des choses. Pour peindre son tableau, elle a pris, comme un peintre sur sa palette, six couleurs ; lesquelles?
Relevez dans le texte six groupes de mots renfermant chacun un adjectif de couleur.

3. *a*) Indiquez les sports d'hiver que vous connaissez. — *b*) Quel sport pratique-t-on le plus souvent dans votre pays ? Décrivez l'équipement nécessaire.

STYLE ET COMPOSITION

I. CONSTRUCTION DE PHRASES IMAGÉES

La personnification. Colette est un délicat poète en prose. Comme un poète, elle emploie souvent des images ou métaphores. Relevez les propositions dans lesquelles elle personnifie successivement : l'aube — les skis sur l'épaule — leur ombre — la neige sur laquelle « ils s'assirent » — une contrée concave — le silence (la nuit).

II. RÉDACTION

1. Racontez une randonnée à laquelle vous avez participé avec un groupe de vos amis.

GRAMMAIRE

L'imparfait de l'indicatif après COMME SI (irréel du présent). — *Ils sont sages et graves* **comme** *s'ils avaient tous dix ans.*

Comme si : introduit une proposition subordonnée de comparaison imaginaire, irréelle.

Les sportifs, les skieurs, n'ont pas dix ans. Le texte est raconté au présent; le temps imparfait ici n'a pas une valeur de temps mais exprime un fait irréel du présent.

Exercices : 1. Faites trois phrases avec un verbe au présent dans la proposition principale et un verbe à l'imparfait de l'indicatif dans la proposition subordonnée introduite par *comme si.* Ex. : *Ils bondissent comme s'ils volaient.*

2. Analysez le mot *où* dans « à l'heure *où...* ».

3. Pourquoi les verbes *descends, tournoies* et *verses* sont-ils à la deuxième personne du singulier ?

CONSEILS POUR LA LECTURE

Lisez sur un ton grave, presque religieux, avec, parfois, une certaine pointe d'ironie voilée, cet hymne à la neige qui est un admirable poème en prose.

COLETTE (1873-1954)

Voir notice page 25.

III. L'APPEL DE L'AVENTURE

Bien-aimée, toi mon étoile,
Sur ta rive droite est bâti le passé.
Le devenir s'érige sur ta rive gauche,
En confluant nous chantons le présent.

Yvan GOLL.

Photo Air France.

Deux avions de transport Caravelle, en plein vol.
(Notez les réacteurs à l'arrière.)

147

La montagne, l'hiver. (Région de Chamonix.)
« *Royaume candide, précaire, éternel, ô neige!* » (p. 143).

CHEZ LES ADOLESCENTS D'UNE ÉCOLE DE VILLAGE

M. Seurel, l'instituteur du village, a depuis quelque temps, comme pensionnaire, un grand garçon de dix-sept ans qui devient rapidement l'ami de son fils François et qu'on appelle le Grand Meaulnes.

Le Grand Meaulnes a souvent parlé à François Seurel d'un merveilleux château des environs où il avait assisté à une grande fête, et où il aurait bien voulu retourner. Mais il n'en connaissait plus le chemin.

Un jeudi matin, François, attiré lui aussi par le mystérieux château, décide de rechercher le sentier perdu qui doit partir de la lisière du bois pour aller dans la direction du Domaine enchanté.

Si j'allais le découvrir ce matin !... Je commençai à me persuader que, avant midi, je me trouverais sur le chemin du manoir perdu...

La merveilleuse promenade !... Prenant un chemin de traverse, j'arrivai bientôt à la lisière du bois — seul à travers la campagne pour la première fois de ma vie, comme une patrouille que son caporal a perdue.

Me voici, j'imagine, près de ce bonheur mystérieux que Meaulnes a entrevu un jour. Toute la matinée est à moi pour explorer la lisière du bois, l'endroit le plus frais et le plus caché du pays, tandis que mon grand frère aussi est parti à la découverte.

C'est comme un ancien lit de ruisseau. Je passe sous les basses branches d'arbres dont je ne sais pas le nom, mais qui doivent être des aulnes. J'ai sauté tout à l'heure un échalier au bout de la sente et je me suis trouvé dans cette grande voie d'herbe verte qui coule sous les feuilles, foulant par endroit les orties, écrasant les hautes valérianes.

Parfois mon pied se pose, durant quelques pas, sur un banc de sable fin. Et, dans le silence, j'entends un oiseau — je m'imagine que c'est un rossignol, mais sans doute je me trompe, puisqu'ils ne chantent que le soir — un oiseau qui répète obstinément la même phrase : voix de la matinée, parole dite sous l'ombrage, invitation délicieuse au voyage entre les aulnes. Invisible, entêté, il semble m'accompagner sous la feuillée.

Pour la première fois, me voilà, moi aussi, sur le chemin de l'aventure. Ce ne sont plus des coquilles abandonnées par les eaux que je cherche, sous la direction de M. Seurel... Je cherche quelque chose de plus mystérieux encore. C'est le passage dont il est question dans les livres, l'ancien chemin obstrué, celui dont le prince harassé de fatigue n'a pu trouver l'entrée. Cela se découvre à l'heure la plus perdue de la matinée, quand on a depuis longtemps oublié qu'il va être onze heures, midi... Et soudain, en écartant, dans le feuillage profond, les branches, avec ce geste hésitant des mains à hauteur du visage inégalement écartées, on l'aperçoit comme une longue avenue sombre dont la sortie est un rond de lumière tout petit.

Mais tandis que j'espère et m'enivre ainsi, voici que brusquement je débouche dans une sorte de clairière qui se trouve être tout simplement un pré. Je suis arrivé sans y penser à l'extrémité des Communaux, que j'avais toujours imaginée infiniment loin...

Et je n'ai rien trouvé.

ALAIN FOURNIER,
Le Grand Meaulnes. (Éditions Émile-Paul Frères.)

─────────── COMPRENEZ BIEN LE TEXTE ───────────

LE SENS ET LA VIE DES MOTS

LES MOTS ET LES EXPRESSIONS

Un manoir : Autrefois, château seigneurial sans donjon ni fortifications. Aujourd'hui, château campagnard au milieu de ses terres, de ses bois.

Obstinément : avec de l'obstination, de la ténacité.

Communaux : mis pour *bois communaux*, bois appartenant à la commune. L'adjectif est employé comme nom.

A me persuader : à me faire croire.

Je débouche : je sors du bois.

Harassé de fatigue : n'ayant plus de force, épuisé par la marche.

Travail personnel. — Expliquez : patrouille — aulnes — échalier — valérianes — clairière — lisière du bois.

LES IDÉES ET LES SENTIMENTS

Exercices de conversation :

1. « La merveilleuse promenade ! » Quand François Seurel la fait-il?

2. Est-il déjà allé se promener seul dans la campagne? Relevez les propositions qui justifient votre réponse.

3. A quoi se compare-t-il? Pourquoi?

4. Connaît-il bien les arbres? les oiseaux et leur chant? — Relevez les phrases qui justifient votre réponse.

5. Que cherche-t-il sur « le chemin de l'aventure » ?

6. Quand espère-t-il, plus heureux que « le prince de la légende », découvrir « cette chose merveilleuse » ?

7. Et soudain, en imagination, que fait-il? Qui voit-il?

8. Pendant qu'il rêve ainsi, que fait-il en réalité? Où est-il arrivé? Et qu'a-t-il trouvé?

UTILISEZ LE TEXTE

LE VOCABULAIRE ACTIF

1. **Deux verbes de sens voisin :** *persuader* (on fait appel au sentiment), *convaincre* (on fait appel à la raison). Employez chacun d'eux dans une phrase qui en montrera bien le sens.

2. **Employez dans une phrase, au sens propre, puis au sens figuré,** chacun des verbes suivants: *explorer*, *découvrir*, *déboucher*.

STYLE ET COMPOSITION

I. CONSTRUCTION DE PHRASES

Les traits de caractère. Quels sont les principaux traits de caractère du jeune Seurel? Justifiez chacun d'eux par un fait pris dans le texte.

II. RÉDACTION

Vous êtes parti, un jour de printemps, seul ou avec un ami, en exploration dans la campagne proche de votre ville ou de votre village. Plus heureux que François Seurel, vous avez découvert ce que vous cherchiez. Racontez, en imitant le texte.

GRAMMAIRE

Une expression exclamative de souhait.

Si j'allais le découvrir ce matin!

$$\underset{\substack{\text{(conjonction} \\ \text{de supposition)}}}{\text{Si}} + \underset{\text{de l'indicatif}}{\text{Imparfait}} + \underset{\text{d'exclamation (!)}}{\text{point}}$$

Dans ce cas la supposition s'applique à un fait futur ou présent, on imagine et on souhaite. C'est une façon de parler très courante dans la conversation pour exprimer un vœu, une crainte, un souhait.

Si cet enfant allait tomber! (supposition, crainte).

Si vous pouviez faire ce voyage avec nous! (souhait).

Exercice : Faites trois phrases sur le même modèle.

La concordance des temps dans la proposition subordonnée complément d'objet. — Le futur du passé :

Je commençai à me persuader que, avant midi, je me trouverais sur le chemin du manoir.

La proposition principale est au passé simple :

Je commençai à me persuader...

la proposition subordonnée indique une idée future (*avant midi*) par rapport à ce passé :

*...que, avant midi, je me **trouverais** sur le chemin du manoir perdu.*

trouverais est une forme du mode **conditionnel** qui a la valeur d'un **futur du passé.**

Si on change le temps du verbe principal en le mettant au présent, la phrase devient :

*Je commence à me persuader que, avant midi, je me **trouverai** (futur) sur le chemin du manoir perdu.*

Exercice : Changez les trois phrases suivantes en mettant au passé simple et le futur au conditionnel présent (sens *futur du passé*) : **1.** *Il croit qu'elle arrivera à l'heure.* **2.** *Nous déclarerons qu'il fera beau avant le soir.* **3.** *Ils disent que vous serez en retard.*

ALAIN FOURNIER (1886-1914)

Enfant, il fut élevé dans divers villages du centre de la France où ses parents étaient tous deux instituteurs. — Il utilisa ses souvenirs pour écrire un roman plein de poésie, de fraîcheur et de jeunesse : *Le Grand Meaulnes*. Il fut tué, au début de la guerre de 1914, quelques jours avant son ami Charles Péguy (voir page 291).

151

CHEZ LES COLLÉGIENS D'UN PORT MÉDITERRANÉEN

Je suis né dans un port de moyenne importance, établi au fond d'un golfe, au pied d'une colline, dont la masse de roc se détache de la ligne générale du rivage...

Sur la colline, à mi-hauteur, se trouvait mon collège. J'y ai appris : *rosa, la rose,* sans trop d'ennui, et je l'ai quitté à regret, à la fin de ma quatrième...

Ce collège avait des charmes sans pareils. Les cours dominaient la ville et la mer. C'étaient trois terrasses d'élévation croissante; les *petits,* les *moyens,* les *grands,* jouissaient d'horizons de plus en plus vastes, ce qui n'est pas si vrai dans la vie! Les spectacles ne manquaient donc pas à nos récréations, car il se passe tous les jours quelque chose, sur les frontières de la vie terrestre et de la mer...

D'autres fois, nous guettions, de notre collège, l'arrivée des escadres qui venaient chaque année mouiller à un mille de la côte. C'étaient d'étranges navires que les cuirassés de ce temps-là, les *Richelieu,* les *Colbert,* les *Trident,* avec leur éperon en soc de charrue, leur crinoline de tôle à l'arrière et, sous le pavillon, le balcon de l'amiral, qui nous faisait tant envie. Ils étaient laids et imposants, ils portaient encore une mâture considérable, et leurs bastingages étaient, à la mode du vieux temps, bordés de tous les sacs de l'équipage. L'escadre envoyait à terre des embarcations merveilleusement tenues, parées et armées. Les canots-majors volaient sur l'eau; six ou huit paires d'avirons, rigoureusement synchrones, leur donnaient des ailes brillantes qui jetaient au soleil, toutes les cinq secondes, un éclair et un essaim de gouttes lumineuses. Ils traînaient à l'arrière, dans l'écume, les couleurs de leur drapeau et les pans du tapis bleu à bordure écarlate, sur lequel des officiers noirs et dorés étaient assis.

Ces splendeurs engendraient bien des vocations maritimes; mais entre la coupe et les lèvres, entre l'état de collégien et la glorieuse fonction de l'aspirant de marine, s'élevaient des obstacles très sérieux : les

Le port de Sète.

figures incorruptibles de la géométrie, les pièges et les énigmes systé-
matiques de l'algèbre... décourageaient plus d'un qui voyait avec désespoir, entre la mer et soi, entre la marine rêvée et la marine vécue,
s'abaisser — comme un rideau de fer infranchissable — l'inexorable
plan d'un tableau noir. Il fallait bien, alors, se contenter de tristes
regards sur le large, ne jouir que des yeux et de l'imagination...

La mer... On pouvait dire, au temps de ma jeunesse, que l'Histoire
vivait encore sur ses eaux. Nos barques de pêcheurs, dont la plupart
portent toujours à la proue des emblèmes que portaient les barques
phéniciennes, ne sont pas différentes de celles qu'utilisaient les navigateurs de l'Antiquité et du Moyen Age. Parfois, au crépuscule, je
regardais rentrer ces fortes barques de pêche, lourdes des cadavres
des thons, et une étrange impression m'obsédait l'esprit. Le ciel absolument pur, mais pénétré d'un feu rose à sa base, et dont l'azur verdis-
sait vers le zénith; la mer, très sombre déjà, avec des brisants et des
éclats d'une blancheur extraordinaire; et vers l'est, un peu au-dessus
de l'horizon, un mirage de tours et de murs, qui était le fantôme d'Aigues-
Mortes. On ne voyait d'abord de la flottille que les triangles très aigus
de leurs voiles latines. Quand elles approchaient, on distinguait l'entas-

153

sement des thons énormes qu'elles rapportaient. Ces puissants animaux, dont beaucoup ont la taille d'un homme, luisants et ensanglantés, me faisaient songer à des hommes d'armes dont on eût ramené les cadavres au rivage. C'était là un tableau d'une grandeur assez épique, que je baptisais volontiers : « Retour de la croisade. »

Paul VALÉRY,

Variété III. — *Inspirations méditerranéennes* — Gallimard, éd.

────────── **COMPRENEZ BIEN LE TEXTE** ──────────

LE SENS ET LA VIE DES MOTS

A. LES MOTS

Une escadre : groupe de navires de guerre sous le commandement d'un amiral.

Mouiller : jeter l'ancre au fond de la mer pour qu'elle immobilise le navire.

Un cuirassé : gros navire de guerre protégé par une cuirasse faite d'épaisses plaques d'acier, ou plaques de blindage.

Un éperon : partie saillante garnie de métal, en forme de soc de charrue, à la proue des premiers cuirassés.

Amiral : de l'arabe *amir*, chef. Un amiral commande une escadre.

Synchrone : les huit paires de rames s'abaissaient, puis s'élevaient *en même temps*, comme une seule rame.

Vocation : on a une vocation pour une profession quand on se sent attiré, comme appelé par cette profession.

Le zénith : le point du ciel situé à la verticale au-dessus de notre tête, ou au-dessus d'un lieu donné.

Épique : capable de faire le sujet d'une épopée. Une épopée est un long récit en vers des exploits merveilleux de héros légendaires. *L'Odyssée* et *l'Iliade* sont des épopées, comme *La légende des siècles*. Ce tableau pourrait illustrer cette sorte d'épopée qu'est, pour l'auteur, le retour des Croisades.

Travail personnel. — Expliquez à l'aide du dictionnaire :

Mille — pavillon — bastingages — canots-majors — avirons — algèbre — emblèmes — brisants.

B. LES EXPRESSIONS

Barques phéniciennes : la Phénicie était la côte occidentale de la Syrie (la situer sur la carte). Dans l'Antiquité, les Phéniciens, habiles navigateurs et commerçants, vinrent s'installer dans tous les ports de la côte méditerranéenne.

M'obsédait l'esprit : s'imposait sans arrêt à ma pensée.

Voiles latines : voiles en forme de triangle comme en avaient les barques romaines ou latines.

LES IDÉES ET LES SENTIMENTS

Exercices de conversation :

1. Quels sont les traits caractéristiques de la ville natale de Paul Valéry? ceux de son collège?

2. A quoi s'intéressaient surtout les collégiens pendant leurs récréations?

3. Quel grand spectacle leur était offert chaque année?

4. Quels navires de l'escadre les intéressaient particulièrement?

5. Pourquoi leur paraissaient-ils : *a)* étranges? *b)* lourds et imposants?

6. Pourquoi le balcon de l'amiral leur faisait-il tant envie?

7. Qu'admiraient-ils dans les canots-majors?

8. Quelle vocation éveillait chez beaucoup de collégiens la vue de ces navires, de ces canots et de ces officiers?

9. Mais que fallait-il faire, au collège, pour devenir aspirant de marine?

154

10. Quels étaient les collégiens qui n'avaient pas de chance de voir se réaliser leur rêve? — Pourquoi le tableau noir semblait-il mettre un rideau de fer entre eux et la « marine rêvée »? Alors, de quoi devaient-ils se contenter?

11. Paul Valéry, en regardant la mer, voyage en imagination dans le passé. Quels souvenirs historiques lui rappellent : les barques des pêcheurs? — le fantôme d'Aigues-Mortes? — le retour, au crépuscule, des barques chargées de thons?

UTILISEZ LE TEXTE

LANGUE ET CIVILISATION

1. Quelques grades dans la marine de guerre. Que commande un amiral? un capitaine de vaisseau? — Qu'est-ce qu'un lieutenant de vaisseau? un enseigne de vaisseau? un aspirant de marine? un quartier-maître?

2. Quels sont les noms des différents navires de guerre classés par catégories?

3. Voici quelques mots et expressions concernant certaines manœuvres de navires ou de bateaux : *aborder — mouiller — rompre ses amarres — être drossé — s'échouer — arraisonner — couler — appareiller — lever l'ancre — larguer les voiles — mettre le cap — faire escale.* — Expliquez-les.

Faites entrer chacun d'eux dans une phrase qui en montrera bien le sens, au cours du compte rendu d'une tempête en mer.

STYLE ET COMPOSITION

I. « *C'étaient d'étranges* navires *que* les cuirassés de ce temps-là... *avec*... (indication de ce qui était étrange)... tant envie. » — Sur ce modèle, et en reprenant les éléments soulignés, construisez deux phases au sujet : *a)* des premières automobiles ; *b)* des premiers avions.

II. « Ce collège avait des charmes sans pareils... (indication de ces charmes)... et de la mer. » Sur le modèle de ce paragraphe (même nombre de phrases) et en reprenant la première phrase, parlez-nous : *a)* d'une maison que vous aimez bien ; *b)* d'un lieu où vous aimiez aller vous promener pendant les dernières vacances.

III. 1º **Plan du morceau.** — En combien de parties peut-on diviser ce texte? Donnez, en une phrase, un titre à chacune de ces parties.

2º **Relevez,** dans le texte, les indications que vous donneriez à un peintre pour faire le tableau décrit par Paul Valéry et qui serait intitulé : « Retour, au crépuscule, des pêcheurs de thons. »

3º **Canevas à développer.** — Vous avez senti s'éveiller en vous une vocation pour un métier bien déterminé. (Quel métier? dans quelles circonstances?) Mais ce métier vous demande, soit la préparation d'un examen ou d'un concours, soit un apprentissage (détails). Quels sont les obstacles que vous rencontrerez sur votre chemin et comment pourrez-vous les vaincre?

GRAMMAIRE

Un emploi de l'article défini pluriel devant un nom propre. — *Les Richelieu, les Colbert, les Trident* signifient les navires semblables à ceux dont les noms sont cités; les cuirassés de la classe du cuirassé qui porte le nom de Richelieu, etc.

PAUL VALÉRY (1871-1945)

Un des plus grands écrivains contemporains, à la fois prosateur et poète. Sa poésie, intellectuelle et souvent difficile, est d'une grande richesse de vocabulaire, d'images et de pensée, elle est symboliste de fond et classique de forme : *Le Cimetière marin* et *la jeune Parque*. Ses publications sont fréquentes et variées : un recueil de poésie, *Album de vers anciens;* des essais d'esthétique, *l'Ame de la danse* et *Eupalinos* et enfin les volumes de *Variété*, où il juge le monde et la condition humaine.

Professeur de « poétique » au Collège de France, membre de l'Académie française, il mourut chargé de gloire et la France lui fit des funérailles nationales.

Des disciples modernes de J.-J. Rousseau : les campeurs.

LES VOYAGES A PIED

Je ne conçois qu'une manière de voyager plus agréable que d'aller à cheval, c'est d'aller à pied. On part à son moment, on s'arrête à sa volonté, on fait tant et si peu d'exercice qu'on veut. On observe tout le pays ; on se détourne à droite, à gauche ; on examine tout ce qui nous flatte, on s'arrête à tous les points de vue. Aperçois-je une rivière, je la côtoie ; un bois touffu, je vais sous son ombre ; une grotte, je la visite ; une carrière, j'examine les minéraux. Partout où je me plais, j'y reste. A l'instant que je m'ennuie, je m'en vais. Je ne dépends ni des chevaux,

IV. L'APPEL DE L'AVENTURE
Van Gogh. Les roulottes

ni du postillon. Je n'ai pas besoin de choisir des chemins tout faits, des routes commodes ; je passe partout où un homme peut passer ; je vois tout ce qu'un homme peut voir ; et, ne dépendant que de moi-même, je jouis de toute la liberté dont un homme peut jouir. Si le mauvais temps m'arrête et que l'ennui me gagne, alors je prends des chevaux...

Voyager à pied, c'est voyager comme Thalès, Platon et Pythagore. J'ai peine à comprendre comment un philosophe peut se résoudre à voyager autrement, et s'arracher à l'examen des richesses qu'il foule aux pieds et que la terre prodigue à sa vue. Qui est-ce qui, aimant un peu l'agriculture, ne veut pas connaître les productions particulières au climat des lieux qu'il traverse, et la manière de les cultiver ? Qui est-ce qui, ayant un peu de goût pour l'histoire naturelle, peut se résoudre à passer sur un terrain sans l'examiner, un rocher sans l'écorner, des montagnes sans herboriser, des cailloux sans chercher des fossiles ? Vos philosophes de ruelles étudient l'histoire naturelle dans des cabinets ; ils ont des colifichets, savent des noms et n'ont aucune idée de la nature. Mais le cabinet d'Émile est plus riche que ceux des rois ; ce cabinet est la terre entière. Chaque chose y est à sa place : le naturaliste qui en prend soin a rangé le tout dans un fort bel ordre : Daubenton ne ferait pas mieux.

Combien de plaisirs différents on rassemble par cette agréable manière de voyager ! Sans compter la santé qui s'affermit, l'humeur qui s'égaye. J'ai toujours vu ceux qui voyageaient dans de bonnes voitures bien douces, rêveurs, tristes, grondants ou souffrants ; et les piétons toujours gais, légers et contents de tout. Combien le cœur rit quand on approche du gîte ! Combien un repas grossier paraît savoureux ! Avec quel plaisir on se repose à table ! Quel bon sommeil on fait dans un mauvais lit ! Quand on ne veut qu'arriver, on peut courir en chaise de poste ; mais quand on veut voyager, il faut aller à pied.

Jean-Jacques ROUSSEAU,
L'Émile.

─────────── *COMPRENEZ BIEN LE TEXTE* ───────────

LE SENS DE LA VIE DES MOTS

LES MOTS ET LES EXPRESSIONS

Postillon : le postillon était un des conducteurs de la *poste* aux chevaux. Des transports de voyageurs étaient organisés avec des chaises de poste, voitures légères et rapides dont on changeait les chevaux à chaque relais ou *poste*. Sous Louis XI, en 1475, on adjoignit au transport des personnes celui de la correspondance.

Cabinets : ici, pièces d'un appartement plus particulièrement destinées au travail intellectuel. On dit : un cabinet de travail.

Colifichet (masc.) : altération de *coeffichier*, ornement de lingerie qu'on *fichait*, qu'on plantait sur la coiffe. Dans le texte : chose sans valeur.

Philosophes de ruelles : Rousseau désigne ainsi avec dédain les philosophes de salons, ceux qui se contentent d'étudier l'histoire naturelle dans les livres.

Travail personnel. — Expliquez : *Résoudre — herboriser — philosophe — un gîte.*

LES IDÉES ET LES SENTIMENTS

Exercices de conversation :

1. D'après Rousseau, quels sont les agréments des voyages à pied? (1er §).

2. Quels sont les avantages qu'on retire d'une promenade à pied, au point de vue physique? (3e §).

3. Pourquoi Rousseau dit-il que voyager à pied c'est voyager comme les philosophes grecs qu'il cite?

4. Que reproche-t-il aux *philosophes de ruelles* de son temps?

5. Comment un homme peut-il s'instruire véritablement : *a*) s'il s'intéresse à l'agriculture? *b*) s'il s'intéresse à l'histoire naturelle?

6. Rousseau tire une conclusion pour l'instruction du jeune Émile. Laquelle?

LANGUE ET CIVILISATION

1. Trouvez deux noms de la famille de herboriser. Faites entrer chacun d'eux dans une phrase.

2. Les deux sens du nom ruelle. Faites entrer le mot ruelle dans deux phrases qui marqueront bien chacun des deux sens de ce mot.

3. Enquête. — Quelles sont les plantes caractéristiques de votre pays et où les trouve-t-on? — Qui étaient : *Thalès — Platon — Pythagore?*

Daubenton : naturaliste du XVIIIe siècle, collaborateur de Buffon.

158

GRAMMAIRE

Une forme littéraire pour exprimer la supposition, la forme interrogative. —

La forme interrogative peut remplacer la supposition : Si + présent ou imparfait.

Aperçois-je une rivière, je la côtoie signifie :

Si j'aperçois une rivière, je la côtoie.

Dans ces exemples, la supposition est formulée de façon générale, et signifie *toutes les fois que* ou *quand*. Le même type de phrase, s'appliquant au passé, s'exprime à l'imparfait :

Apercevais-je une rivière, je la côtoyais.

Si j'apercevais une rivière, je la côtoyais.

Exercice : Plus loin dans le texte, vous trouvez la phrase : *Si le mauvais temps m'arrête, alors je prends des chevaux;* on pourrait dire : *Le mauvais temps m'arrête-t-il, alors je prends des chevaux.* Changez les trois phrases suivantes en employant la forme interrogative au lieu de *Si* :
1. Si je vois un bois touffu, je vais sous son ombre. **2.** Si je rencontre une grotte, je la visite. **3.** Si je passe près d'une carrière, j'examine les minéraux.

Un emploi de la conjonction QUE. — La conjonction **SI** est parfois remplacée par la conjonction **QUE** suivie du mode **subjonctif** pour éviter une répétition : *Si le mauvais temps m'arrête et que l'ennui me gagne, alors je prends des chevaux* (*gagne* est au mode subjonctif).

Nous avons déjà vu, page 48, la conjonction **que** remplacer d'autres conjonctions pour éviter une répétition, mais alors le mode du verbe n'était pas modifié.

Exercice : Faites trois phrases sur le modèle suivant : *Si vous aimez la nature et que vous en ayez le temps, alors voyagez à pied.*

COMPOSITION FRANÇAISE

Vous avez fait à pied une longue excursion dans la montagne ou à la campagne, à la manière de Rousseau. Racontez-la.

J.-J. ROUSSEAU (1712-1778)

Voir notice plus loin, page 428.

Cliché S. N. C. F.

Une locomotive électrique.
(Société Nationale des Chemins de Fer français.)
« Nulle part on n'est mieux qu'en wagon ; je parle des trains rapides. » (Alain.)

LES VOYAGES EN CHEMIN DE FER

J'ai vu une des nouvelles locomotives de l'Ouest, plus longue encore, plus haute, plus simple que les autres; les rouages en sont finis comme ceux d'une montre; cela roule presque sans bruit; on sent que tous les efforts y sont utiles et tendent tous à une même fin; la vapeur ne s'en échappe point sans avoir usé sur les pistons toute l'énergie qu'elle a reçue du feu; j'imagine le démarrage aisé, la vitesse régulière, la pression agissant sans secousse, et le lourd convoi glissant de deux kilomètres en une minute. Au reste, le tender monumental en dit long sur le charbon qu'il faudra brûler.

Voilà bien de la science, bien des plans, bien des essais, bien des coups de marteau et de lime. Tout cela pourquoi? Pour gagner peut-être un quart d'heure sur la durée du voyage entre Paris et Le Havre. Et que feront-ils, les heureux voyageurs, de ce quart d'heure si chèrement acheté? Beaucoup l'useront sur le quai à attendre l'heure; d'autres resteront un quart d'heure de plus au café et liront le journal jusqu'aux annonces. Où est le profit? Pour qui est le profit?

Tout homme perd au moins un quart d'heure... Pourquoi ne perdrait-il pas aussi bien ce temps-là en wagon?

Nulle part on n'est mieux qu'en wagon; je parle des trains rapides. On y est fort bien assis, mieux que dans n'importe quel fauteuil. Par de larges baies on voit passer les fleuves, les vallées, les collines, les bourgades et les villes; l'œil suit les routes à flanc de coteau, des voitures sur ces routes, des trains de bateaux sur les fleuves; toutes les richesses du pays s'étalent, tantôt des blés et des seigles, tantôt des champs de betteraves et une raffinerie, puis de belles futaies, puis des herbages, des bœufs, des chevaux. Les tranchées font voir les couches du terrain. Voilà un merveilleux album de géographie, que vous feuilletez sans peine, et qui change tous les jours, selon les saisons et selon le temps. On voit l'orage s'amasser derrière les collines et les voitures de foin se hâter le long des routes; un autre jour, les moissonneurs travaillent dans une poussière dorée et l'air vibre au soleil. Quel spectacle égale celui-là?

Mais le voyageur lit son journal, essaie de s'intéresser à de mauvaises gravures, tire sa montre, bâille, ouvre sa valise, la referme. A peine arrivé, il hèle un taxi, et court comme si le feu était à sa maison. Dans la soirée, vous le retrouverez au théâtre; il admirera des arbres en carton peint, des fausses moissons, un faux clocher; de faux moissonneurs lui brailleront aux oreilles; et il dira, tout en frottant ses genoux meurtris par l'espèce de boîte où il est emprisonné : « Les moissonneurs chantent faux; mais le décor n'est pas laid. »

ALAIN, *Propos sur le bonheur*. — N.R.F., éditeur.

COMPRENEZ BIEN LE TEXTE

LE SENS ET LA VIE DES MOTS

LES MOTS ET LES EXPRESSIONS

Ouest : mis pour : Réseau de l'Ouest. Avant la nationalisation des chemins de fer et la constitution de la S. N. C. F., les chemins de fer français formaient six réseaux : Nord, Est, PLM (Paris, Lyon, Méditerranée), Midi, Orléans, Ouest.

L'énergie : la force. Sous l'action du feu, l'eau s'est transformée en vapeur dont la force élastique fait mouvoir le piston.

Convoi : l'ensemble des wagons qui forment le train.

Tender : mot anglais. Wagon spécial attaché à la locomotive à vapeur, qui contient le charbon et, dans un réservoir, l'eau destinés à cette locomotive.

Il hèle : il appelle en criant.

L'espèce de boîte : le fauteuil trop étroit et trop rapproché du rang précédent et, par suite, inconfortable.

Travail personnel. — Expliquez : *Pistons — raffinerie — tranchée.*

LES IDÉES ET LES SENTIMENTS

Exercices de conversation :

La locomotive.

1. Quels sont les traits caractéristiques de cette nouvelle locomotive?

2. A quoi tendent tous les efforts de la machine?

3. Résultats. Quelle est la vitesse horaire du convoi? la diminution de la durée du trajet Paris-Le Havre?

Les voyageurs.

4. Que font les voyageurs du temps ainsi gagné? « Où est le profit? »

5. Que fait, en wagon, le voyageur qui ne sait pas voyager, celui dont parle l'auteur? Que va-t-il admirer dans la soirée?

6. Que fait, au contraire, en wagon, le voyageur qui sait voyager? Et que semble-t-il feuilleter? — Il s'intéresse :

a) au paysage : que voit-il passer?

b) aux voies de communication : lesquelles et qu'y voit-il?

c) aux productions du sol : lesquelles?

d) à la géologie, à la constitution du terrain : comment?

Comment cet album de géographie change-t-il tous les jours? Quels sont les deux tableaux qu'il présente à l'auteur en été?

─────────────── *UTILISEZ LE TEXTE* ───────────────

LE VOCABULAIRE ACTIF

1. Quelques autres emplois du mot convoi. — Employez le mot convoi dans trois phrases différentes. Formez avec ce mot un verbe et un nom. Employez chacun d'eux dans une phrase qui en marquera bien le sens.

2. Qu'est-ce qu'un talus en remblai? un talus en déblai?

STYLE ET COMPOSITION

I. CONSTRUCTION DE PARAGRAPHES

Savoir voyager en chemin de fer. — En trois paragraphes, résumez les conseils donnés par l'auteur : ce qu'il ne faut pas faire; ce qu'il faut faire; profit à retirer d'un voyage intelligent.

Savoir voyager en automobile. — Ne pas abuser de la vitesse. Sur le modèle du paragraphe 2, parlez d'un automobiliste qui roule à une vitesse exagérée et des dangers auxquels il s'expose. Pour quel profit?

II. RÉDACTION

En voyage. — Vous êtes dans un wagon de chemin de fer.

1. Décrivez vos compagnons de voyage et dites ce que fait chacun d'eux.

2. Vous regardez le paysage (lequel? en quelle saison?) et les images qu'il vous offre (que voyez-vous?)

GRAMMAIRE

Un gallicisme avec le pronom EN. — *Le tender monumental* **en dit long** *sur le charbon qu'il faudra brûler.* On ne peut pas analyser cette expression qui signifie *montre bien, révèle bien, explique bien.*

Exercices : 1. Faites deux phrases en vous servant de l'expression *en dire long sur.... ou en dire plus long sur ... que ... ..*

Ex. : *Cette petite phrase* **en dit plus long** *sur l'amitié que tout un livre de psychologie.*

2. Analysez les deux mots *tous* dans : *Tous les efforts y sont utiles et tendent* **tous** *à la même fin.*

ALAIN (1868-1951)

Pseudonyme du célèbre écrivain philosophe E.-A. Chartier, qui, par ses *Propos*, a exercé une grande influence sur les intellectuels de son temps. Sa pensée est caractérisée par l'absence de système, une critique serrée de la connaissance et la conscience des limites de l'esprit humain.

Une des premières automobiles et ses constructeurs.
A gauche, Panhard ; à droite, conduisant le véhicule, Levassor.

EN AUTO : LA FAUNE DES ROUTES

*Octave Mirbeau a observé et décrit la façon dont se comportent les ani-
maux au passage des automobiles, à l'occasion d'un voyage qu'il accomplit
dans les Alpes en 1910. Tout est bien changé en France aujourd'hui.*

Ce printemps dernier, allant à Grenoble par les Grands-Goulets,
nous fûmes arrêtés, à quelques kilomètres au-delà de Pont-en-Royans.
par un troupeau de deux mille moutons qu'on menait dans les hauts
pâturages et qu'il nous fallut suivre pas à pas, jusqu'au Villard-de-Lans,
En ces régions difficiles, où les routes souvent dangereuses, toujours
étroites, très rares d'ailleurs, ne se croisent presque jamais, où un
carrefour est un scandale, impossible de traverser une telle masse
Les pâtres, disons-le, ne mettaient aucune complaisance à nous faciliter
le passage... Suivant l'exemple de leurs maîtres, les chiens, visiblement,

encourageaient le troupeau à ne pas se garer, et à leur mauvaise volonté vraiment humaine, ils ajoutaient la joie, humaine aussi, de se tourner de temps en temps vers nous et de nous insulter par un aboiement...

Le cheval est stupide... Il a peur de l'odeur, peur de la couleur, de la lumière, de l'ombre, de son ombre, de l'ombre de celui qui le mène ; il a peur d'un bout de papier, d'un sac d'avoine tombé, d'un morceau de verre qui brille, d'une lueur de lune dans une flaque d'eau, d'un reflet de feuille qui bouge ou du nuage qui chemine sur la route. Le cheval a toutes les phobies...

Les chats... On en rencontre peu sur les routes qui ne sont pas un bon terrain pour leurs affaires, toujours un peu mystérieuses... Ils préfèrent les endroits touffus et obscurs. Parfois, de très loin, ils sortent de la haie, avec prudence, et traversent la route, en rampant, un mulot vivant entre leurs dents. Le plus souvent, dans les villages, assis sur leur derrière, au seuil des portes, ils suivent, d'un regard rêveur, faussement distrait, la voiture qui passe, comme ils suivent, en l'air, le vol d'un papillon...

Les poules sont absurdes... On dirait qu'elles ne traversent que pour le plaisir de se confronter au radiateur. Si, par hasard, elle l'ont évité, ce n'est que pour mieux se fracasser contre un poteau télégraphique, un tronc d'arbre, un pan de mur, s'empêtrer dans les broussailles de la haie... Pour fuir, elles s'étirent en avant, bec ouvert, plumes hérissées, se courbent tellement sur leurs bouts d'ailes qu'on dirait qu'elles vont continuer à quatre pattes... Mais à peine ont-elles tiré de l'aile jusqu'à l'abri, qu'un seul grain d'avoine, ou un moucheron aperçu sur un brin d'herbe, leur fait oublier tout le drame. Elles ne s'en souviendront même pas demain ni dans quelques minutes. Elles picorent.

Mais ce sont les oies que je voudrais réhabiliter. Je n'ai jamais tant regretté de n'être pas Plutarque, pour conter comme il faudrait la Vie de ces Bêtes Illustres. Je ne m'étonne plus, maintenant, qu'on leur ait confié la garde du Capitole... Elles méritaient cet honneur...

Les oies ont une sagesse forte, tenace, tranquille... Sur la route, quand passe une auto, immanquablement les oies s'écartent sans désordre, sans le moindre signe de terreur. Elles s'alignent l'une près de l'autre, sur le bord de la berge, et, fâchées un peu, très dignes encore que boiteuses, elles disent leur fait à ces importuns qui les dérangent.

J'ai gardé pour la fin le cycliste... Il ne faut pas qu'on embête le cycliste. Son importance tracassière, sa dignité agressive s'en prend à tout le monde, aux piétons, aux voitures, aux autos, aux bêtes... C'est le maître, le seul maître de la route... On le voit devant le moteur qui, les mains dans les poches, la casquette collée à la nuque, fait des effets de torse et de jambes, s'amuse à décrire des courbes, des spirales, des zigzags, exercices inutiles et vexatoires au cours desquels il lui arrive, comme au chien, de tomber sous les roues... Et alors, c'est toute une histoire qui nous vaut des mois de prison et d'énormes indemnités.

Octave MIRBEAU, La 628-E8. — Fasquelle, éditeur.

─────────── *COMPRENEZ BIEN LE TEXTE* ───────────

LE SENS ET LA VIE DES MOTS

LES MOTS ET LES EXPRESSIONS

Carrefour : vient du latin *quadrifurcum*, signifiant quatre fourches. En fait, un carrefour est l'endroit où se croisent deux ou plusieurs routes.

Scandale : une chose anormale, contraire aux usages et, par suite, choquante. Ici : chose exceptionnelle — le relief en pays montagneux ne permettant pas de croisements de routes fréquents. *(Dites pourquoi.)*

Hérissées : les plumes sont dressées comme les piquants du hérisson.

Picorer : du latin *pecus* = bétail. Picorer, c'était voler du bétail, aller en maraude ; c'est maintenant chercher sa nourriture, en parlant des oiseaux. Le sens actuel est influencé par *piquer*.

Indemnité : de *in*, privatif, et de *damnare*, dommage. C'est la somme que devrait payer l'automobiliste pour réparer le dommage causé.

Expliquez à l'aide du dictionnaire : *Stupide — absurde — se confronter — réhabiliter — spirale — vexatoire.*

628-E8 : numéro d'immatriculation de l'automobile de l'auteur.

Un regard faussement distrait : le chat regarde la voiture qui passe sans paraître s'intéresser à elle.

La garde du Capitole : le Capitole était à la fois un temple dédié à Jupiter et une citadelle sur le mont Capitolin, l'une des sept collines de Rome. Une nuit, des oies qui se trouvaient dans la citadelle assiégée par les Gaulois réveillèrent, par leurs cris, les défenseurs romains qui purent repousser les assaillants.

Elles disent leur fait : elles expriment énergiquement leur mécontentement à ceux qui les dérangent.

Son importance tracassière : le cycliste est très susceptible et toujours prêt à protester contre les automobilistes qui gênent son allure capricieuse.

LES IDÉES ET LES SENTIMENTS

Exercices de conversation :

1. Quels sont les animaux que l'automobiliste rencontre successivement?

2. Relevez la proposition par laquelle l'auteur indique le trait de caractère dominant de chacun de ces animaux.

3. Que fait chaque animal au passage de l'automobile?

4. Pourquoi Mirbeau juge-t-il que les oies ont besoin d'être réhabilitées?

5. D'après le texte : *a)* Le cycliste se prend pour un personnage important : que fait-il? — *b)* le cycliste est agressif : que fait-il? que lui arrive-t-il parfois?

LANGUE ET CIVILISATION

1. L'idée de quatre se retrouve dans de nombreux mots avec les radicaux : *quatr — quart — quadr — quar — carr*. Citez un mot présentant chacune de ces formes et employez-le dans une phrase.

2. Citez les différentes sortes de voitures offertes en ce moment à la clientèle par les principaux constructeurs d'automobiles de quatre pays.

3. Construisez une phrase avec chacune des expressions suivantes : la croisée des chemins ; le croisement de deux routes ; croiser un ami.

4. En France tout conducteur d'automobile doit avoir deux cartes : la carte d'immatriculation de sa voiture, ou « carte grise, » et le « permis de conduire ». En est-il de même dans votre pays ?

GRAMMAIRE ET STYLISTIQUE

Un gallicisme avec EN. — S'en prendre à *quelqu'un ou à quelque chose...* C'est se mettre en colère contre cette personne ou s'irriter de quelque chose, le plus généralement à tort.

L'emploi des temps du mode indicatif dans le texte. — La première phrase est au *passé simple*, car il s'agit d'actions passées qui ont eu lieu à un moment précis : *au printemps dernier ;* seul le verbe *menait* est à l'*imparfait*. Pourquoi ? Parce que ce verbe indique une action qui était en train de se faire lors de la rencontre.

La deuxième phrase est au *présent* car elle décrit un état de choses permanent.

La troisième phrase est à l'*imparfait* parce qu'elle décrit l'attitude, l'état d'esprit des pâtres et des chiens au moment de la rencontre.

Les deux paragraphes suivants sont au *présent* parce qu'alors l'auteur cesse de raconter une anecdote et s'élève à des considérations générales sur les traits de caractère et le comportement des chevaux, des chats, puis des poules.

Plus loin, le *passé composé* dans une proposition subordonnée de temps : *si, par hasard, elles l'ont évité, ce n'est que pour mieux se fracasser contre un poteau...* exprime une action antérieure à une autre action au présent. Dans cette phrase, le mot SI a un sens temporel voisin de celui de **quand, toutes les fois que**.

Nous trouvons ensuite : *Mais à peine ont-elles tiré de l'aile... qu'un seul grain d'avoine... leur fait oublier tout le drame.* Dans cette phrase temporelle, l'expression *à peine... que* est suivie du verbe au *passé composé ont-elles tiré* qui exprime une action immédiatement passée par rapport au *présent fait oublier*.

Remarque : *à peine*, suivi d'un verbe dont le sujet est inversé, introduit la proposition subordonnée, et la conjonction *que* est placée devant la proposition principale. On pourrait exprimer la même idée ainsi : *Dès qu'elles ont tiré de l'aile... un seul grain d'avoine... leur fait oublier tout le reste.*

Exercice : Faites trois fois deux phrases sur le modèle suivant : a) *A peine a-t-elle échappé au danger qu'elle a oublié sa peur ;* b) *Dès qu'elle a échappé au danger, elle a oublié sa peur.*

COMPOSITION FRANÇAISE

1. Racontez les aventures d'un étudiant qui fait de l'*auto-stop* dans un pays étranger.

2. Après les doléances de l'automobiliste, les plaintes du cycliste. — Vous avez voyagé dernièrement à bicyclette. Dans quelles circonstances (temps — lieu — but — incidents) ? Racontez.

OCTAVE MIRBEAU (1850-1917)

Auteur naturaliste. Il critique le monde de la finance dans sa pièce *Les Affaires sont les Affaires*. Il raconte, avec un sens aigu de la réalité et avec verve, ses impressions de voyage en auto, dans son livre : *La 628-F8*.

Le paquebot FRANCE de la Cie Générale Transatlantique,
dans le port de New York.

LE DÉPART DU PAQUEBOT

Marseille était toute grise, le jour de mon départ. Les trottoirs étaient
si luisants de pluie et les nuages si sombres qu'on eût dit, vraiment,
que c'était la rue mouillée qui éclairait le port.

C'est tout au bout de la ville que l'on s'embarque, après des kilomètres de hangars, de voies bruyantes, de quais encombrés où défilent
sans arrêt des camions débordants et des tramways bondés. Partout
du charbon, en montagnes, en sacs, en poussière. Des grues qui fer-
raillent, des navires qui appellent et, dans les bassins de radoub, de
vieux cargos qu'on dirait écorchés, avec leur tôle à vif qu'on repeint
au minium.

Mon paquebot domine le quai, comme un lourd édifice. Sur la passerelle se croisent les porteurs qui redescendent les mains vides et ceux qui montent, pliant sous la charge. Là-haut, c'est une cohue d'abordage. Les chaînes, en grinçant, balancent au-dessus des têtes des poignées de colis qui s'engouffrent par les panneaux béants. Des gens tournent, étourdis.

— Le pont C, s'il vous plaît? Le pont C?...

On dirait un immense hôtel qui s'emplit d'un seul coup, par tous ses escaliers, tous ses sabords ouverts. Aux étages, les garçons affairés renseignent.

— A droite... à gauche... descendez... au-dessus...

Les coursives sont trop étroites pour cette ruée de passagers, de porteurs, de parents. Les cabines s'ouvrent : petites cellules blanches, chambres miniatures dont on a, brusquement, rapproché les quatre murs. Comment tout tiendra-t-il dedans, les valises, la trousse, la malle de cabine?

— Tout à l'heure, crie la femme de chambre en se sauvant.

Il faudrait sagement s'étendre ou bien ouvrir ses bagages, s'installer Mais non, on ne peut pas. Le bruit environnant vous attire, cette agitation vous entraîne et, ayant tiré sa porte, on s'en va à la découverte.

Çà et là des familles bavardent. Ceux qui partent, ceux qui restent... Ils ne trouvent plus rien à se dire, tous les mots échangés, toutes les promesses faites, et ils restent face à face, muets, se souriant. Ces dernières minutes, on n'en peut plus rien faire, et tous frémissent de la même impatience : se dire un dernier adieu, relever la passerelle, en finir...

La nuit a tombé vite. Autour de nous, des navires s'illuminent, percés de hublots, ainsi qu'un décor. Peu après, les grandes lampes à arc s'allument toutes ensemble, dessinant la ligne droite des quais, et leurs innombrables reflets tremblent dans l'eau qui bouge, cherchant à tâtons où commence la mer. Une vedette passe, rapide : un œil rouge, un œil vert. Puis un phare s'éveille, je ne sais où, lançant un regard et refermant la paupière, comme s'il allait se rendormir.

Depuis un instant, les machines se sont mises à ronfler et le paquebot tremble de toute sa carcasse. Prévenus par la cloche, visiteurs et parents viennent de quitter le bord, et le pont soudain paraît vide, tous les passagers penchés à la rambarde. Sur le quai, qu'on domine ainsi que d'un cinquième étage, la foule s'épaissit. Des inconnus, la tête renversée, échangent les suprêmes paroles avec ceux de là-haut, pauvres mots inutiles où l'on met tout son cœur. Des Italiens, deux mandolines et un violon, installés là comme au coin d'une rue, jouent leurs airs napolitains, et tout cela rend le départ plus déchirant encore.

Enfin, la cloche retentit une dernière fois, de l'avant à l'arrière. Des chaînes grincent. La sirène pousse un cri... Cette fois, c'est fini : nous levons l'ancre...

On ne sent rien, pas une oscillation, pas une secousse, et c'est seulement à la clameur jaillie de la jetée que j'ai compris que nous étions partis.

Roland DORGELÈS,
Paris. — Albin Michel, éditeur.

─────────── *COMPRENEZ BIEN LE TEXTE* ───────────

LE SENS ET LA VIE DES MOTS

A. *LES MOTS*

Paquebot : de l'anglais *packet-boat*, bateau qui transporte les paquets de dépêches. C'est un navire de commerce pour passagers, marchandises et courrier.

Miniature : ce mot vient de minium, poudre rouge employée au moyen âge par les artistes qui ornaient les manuscrits de petites peintures très fines. Les chambres miniatures du paquebot sont de jolies chambres aux *dimensions* réduites.

Expliquez à l'aide du dictionnaire :
Grues — minium — abordage — sabords — coursives — cabines — hublots — rambarde — oscillation — jetée.

B. *LES EXPRESSIONS*

A expliquer :
Bassins de radoub — une cohue d'abordage (sens propre et sens dans le texte).

LES IDÉES ET LES SENTIMENTS

Exercices de conversation :

A. Le port.

1. Relevez une observation curieuse, dans le premier paragraphe. Expliquez-la.

2. A quels signes reconnaît-on qu'il s'agit d'un grand port?

3. Relevez les phrases qui montrent l'activité intense de ce port.

B. Le **paquebot.**

4. A quoi l'auteur compare-t-il le paquebot?

5. Comment est effectuée la mise en place : *a)* des bagages à main des voyageurs? *b)* des colis?

6. Relevez, en construisant logiquement vos phrases, les notations montrant qu'il règne, sur le paquebot, avant le départ, une activité fébrile.

C. Les **voyageurs.**

7. Pourquoi, pendant les derniers moments, « ceux qui partent et ceux qui restent » deviennent-ils muets?

8. Quel sentiment éprouvent-ils et quel est leur unique désir?

D. La **nuit tombe sur le port.**

9. Relevez les phrases montrant l'éveil successif des lumières dans le port.

E. Le **départ.**

10. Le paquebot va partir. — Indiquez les actions successives qui le font prévoir.

11. Le paquebot part. — Indiquez les actions qui se déroulent alors.

168

LANGUE ET CIVILISATION

1. Il est des bateaux de formes et d'usages divers. Citez ceux que vous connaissez appartenant aux catégories suivantes : bateaux anciens; bateaux fluviaux; bateaux de haute mer : *a*) pour les voyageurs; *b*) pour les marchandises.

2. En vous aidant du dictionnaire, relevez les noms des parties essentielles d'un paquebot.

3. Caractéristiques du paquebot **France** :
Longueur : 315 m 70 cm.
Largeur : 33 m 70.
Déplacement : 57 000 tonnes.
Vitesse : 31 nœuds (57 km/heure).
Puissance : 160 000 chevaux
Consommation : 3 300 tonnes de mazout par traversée.
Équipage : 1 000 personnes.
Capacité : 2 044 personnes.
Places offertes : 90 000 par an.

STYLE ET COMPOSITION

I. CONSTRUCTION DE PHRASES

Résumez en une phrase chacun des paragraphes du passage : « Enfin la cloche... nous étions partis. »

II. CONSTRUCTION DE PARAGRAPHES

Sur le modèle des deux derniers paragraphes (trois observations annonçant le départ; puis le départ; trois observations sur le début de la marche du paquebot; puis : « Nous étions partis ») composez un paragraphe pour montrer : 1º le départ d'un train (observé de l'intérieur d'un wagon); 2º le départ d'un car (observé de l'intérieur du car); 3º le départ d'un avion.

III. RÉDACTION

Dans la gare ou l'aéroport. C'est un soir d'été. Vous prenez le train ou l'avion pour partir en vacances. En imitant le texte de Roland Dorgelès, racontez ce départ.

DISSERTATION

Commentez un de ces deux proverbes français :
« *Partir, c'est mourir un peu.* »
« *Les voyages forment la jeunesse.* »

GRAMMAIRE

Le mot TOUT. — Ses divers emplois dans le texte :

a) adjectif indéfini quand il est placé devant un nom ou un pronom :

tous les mots	*toutes les promesses*
tout son cœur	*tout cela*

b) pronom indéfini lorsqu'il a, dans la phrase, la fonction d'un nom :

Comment **tout** *tiendra-t-il?*
Tous *frémissent.*

c) adverbe quand il signifie très, entièrement, devant un adjectif ou un autre adverbe.
Marseille était **toute** *grise.*

d) l'adverbe tout entre dans la composition d'expressions adverbiales comme **tout à l'heure.**

Exercices :

1. Expliquez pourquoi l'adverbe **toute** s'accorde devant l'adjectif grise (voir p. 57).

2. Expliquez la valeur de l'imparfait de l'indicatif dans la phrase : *Puis un phare s'éveille... refermant la paupière comme s'il* **allait** *se rendormir.*

ROLAND DORGELÈS (1886)

Romancier contemporain, né à Amiens. Ses récits de la guerre de 1914-18 l'ont rendu célèbre, notamment son livre émouvant : *Les Croix de bois*. Il a publié d'intéressants récits de voyage en Orient : *Sur la route mandarine* et *Partir*. Il est Président de l'Académie Goncourt.

I. VOL DE NUIT DANS LE CALME

En 1928, Saint-Exupéry est pilote sur la nouvelle ligne de l'Aéropostale en Amérique du Sud. Dans Vol de Nuit, *il raconte la vie des pionniers de cette compagnie française, en ces temps héroïques de l'aviation. Trois avions convergent vers Buenos-Aires, mais celui qui vient du sud de l'Argentine, celui de Fabien, n'arrivera jamais...*

Les collines, sous l'avion, creusaient déjà leur sillage d'ombre dans l'or du soir. Les plaines devenaient lumineuses, mais d'une inusable lumière : dans ce pays elles n'en finissent pas de rendre leur or, de même qu'après l'hiver elles n'en finissent pas de rendre leur neige.

Et le pilote Fabien, qui ramenait de l'extrême Sud, vers Buenos-Aires, le courrier de Patagonie, reconnaissait l'approche du soir aux mêmes signes que les eaux d'un port : à ce calme, à ces rides légères qu'à peine dessinaient de tranquilles nuages. Il entrait dans une rade immense et bienheureuse.

Il eût pu croire aussi, dans ce calme, faire une lente promenade, presque comme un berger. Les bergers de Patagonie vont, sans se presser, d'un troupeau à l'autre : il allait d'une ville à l'autre, il était le berger des petites villes. Toutes les deux heures, il en rencontrait qui venaient boire au bord des fleuves ou qui broutaient leur plaine.

Quelquefois, après cent kilomètres de steppes plus inhabitées que la mer, il croisait une ferme perdue, et qui semblait emporter en arrière, dans une houle de prairies, sa charge de vies humaines, alors il saluait des ailes ce navire.

« San Julian est en vue; nous atterrirons dans dix minutes. »

Le radio navigant passait la nouvelle à tous les postes de la ligne.

Sur deux mille cinq cents kilomètres, du Détroit de Magellan à Buenos-Aires, des escales semblables s'échelonnaient; mais celle-ci s'ouvrait sur les frontières de la nuit comme, en Afrique, sur le mystère, la dernière bourgade soumise.

Le radio passa un papier au pilote :

« Il y a tant d'orages que les décharges remplissent mes écouteurs. Coucherez-vous à San Julian? »

Fabien sourit : le ciel était calme comme un aquarium et toutes les escales, devant eux, leur signalaient : « Ciel pur, vent nul. » Il répondit : « Continuerons. »

Mais le radio pensait que des orages s'étaient installés quelque part, comme des vers s'installent dans un fruit ; la nuit serait belle et pourtant gâtée : il lui répugnait d'entrer dans cette ombre prête à pourrir.

. . . .

« Je ne vois plus les cadrans : j'allume. »

Il (Fabien) toucha les contacts, mais les lampes rouges de la carlingue versèrent vers les aiguilles une lumière encore si diluée dans cette lumière bleue qu'elle ne les colorait pas. Il passa les doigts devant une ampoule : ses doigts se teintèrent à peine.

« Trop tôt. »

Pourtant la nuit montait, pareille à une fumée sombre, et, déjà, comblait les vallées. On ne distinguait plus celles-ci des plaines. Déjà pourtant s'éclairaient les villages, et leurs constellations se répondaient. Et lui aussi, du doigt, faisait clignoter ses feux de position, répondait aux villages. La terre était tendue d'appels lumineux, chaque maison allumant son étoile, face à l'immense nuit, ainsi qu'on tourne un phare vers la mer. Tout ce qui couvrait une vie humaine déjà scintillait. Fabien admirait que l'entrée dans la nuit se fît, cette fois, comme une entrée en rade, lente et belle.

Il enfouit sa tête dans la carlingue. Le radium des aiguilles commençait à luire. L'un après l'autre, le pilote vérifia des chiffres et fut content. Il se découvrait solidement assis dans ce ciel. Il effleura du doigt un longeron d'acier, et sentit dans le métal ruisseler la vie : le métal ne vibrait pas, mais vivait. Les cinq cents chevaux du moteur faisaient naître dans la matière un courant très doux, qui changeait sa glace en chair de velours. Une fois de plus, le pilote n'éprouvait, en vol, ni vertige, ni ivresse, mais le travail mystérieux d'une chair vivante.

Maintenant, il s'était recomposé un monde, il y jouait des coudes pour s'y installer bien à l'aise.

Il tapota le tableau de distribution électrique, toucha les contacts un à un, remua un peu, s'adossa mieux, et chercha la position la meilleure pour bien sentir les balancements des cinq tonnes de métal qu'une nuit mouvante épaulait. Puis il tâtonna, poussa en place sa lampe de secours, l'abandonna, la retrouva, s'assura qu'elle ne glissait pas, la quitta de nouveau pour tapoter chaque manette, les joindre à coup sûr, instruire ses doigts pour un monde aveugle. Puis, quand ses doigts le connurent bien, il se permit d'allumer une lampe, d'orner sa carlingue d'instruments précis, et surveilla sur les cadrans seuls son entrée dans la nuit, comme une plongée. Puis, comme rien ne vacillait, ni ne vibrait, ni ne tremblait, et que demeuraient fixes son gyroscope, son altimètre et le régime du moteur, il s'étira un peu, appuya sa nuque au cuir du siège, et commença cette profonde méditation du vol où l'on savoure une espérance inexplicable.

Antoine DE SAINT-EXUPÉRY,
Extraits de *Vol de Nuit*. — N. R. F. Gallimard, éditeur.

────────────── *COMPRENEZ BIEN LE TEXTE* ──────────────

LE SENS ET LA VIE DES MOTS

LES MOTS ET LES EXPRESSIONS

Radio : abréviation de radiotélégraphiste (voir p. 79).

Navigant : les termes de la navigation maritime ont été adoptés pour la navigation aérienne.

Escales : on plaçait autrefois une échelle ou *escale* (du latin *scala* = échelle) contre le bateau qui accostait pour permettre le débarquement ou l'embarquement des voyageurs. D'où le nom d'escales donné, par extension de sens, aux lieux d'arrêt fixes des bateaux et, par analogie, aux lieux d'arrêt fixes des avions. Le mot échelle (pour escale) a été conservé dans l'expression : « Les Echelles du Levant » (voir dictionnaire).

Orage : du latin *aura*, qui signifiait souffle du vent. Le sens du mot orage s'est enrichi. Orage signifie grand vent accompagné de pluie ou de grêle, d'éclairs et de tonnerre.

Les décharges : il s'agit des décharges électriques qui se traduisent par des crissements dans les microphones des écouteurs du radio.

Les contacts : les interrupteurs qui commandent la lumière.

Diluée : la lumière des ampoules semble délayée dans la lumière du jour, et elle est, par suite, affaiblie.

Une houle de prairies : les prairies qui s'éloignent sous l'avion et derrière lui semblent onduler comme les vagues de la mer.

Cette ombre prête à pourrir : l'ombre de la nuit sera bientôt pleine de nuages prêts à crever en pluie. On dit aussi : un temps pourri; un temps gâté.

Le radium des aiguilles : les aiguilles sont recouvertes d'une matière phosphorescente qui brille dans la nuit.

Travail personnel. — Expliquez à l'aide du dictionnaire :

Sillage — steppe — constellation — carlingue — feux de position — longeron — vertige — manette — gyroscope — altimètre — régime du moteur — méditation.

LES IDÉES ET LES SENTIMENTS

Exercices de conversation :

1. Pourquoi l'auteur dit-il que, après l'hiver, ces plaines n'en finissent pas de rendre leur neige? — Pourquoi dit-il que, ce soir-là, sous l'avion, « les plaines n'en finissent pas de rendre leur or »?

2. A quoi le pilote reconnaissait-il l'approche de la nuit?

3. Pourquoi se compare-t-il, lui, pilote d'avion, aux bergers de Patagonie?

4. A quoi compare-t-il chaque ferme perdue qu'il croise dans la steppe?

5. A quoi compare-t-il, ce soir-là, la ville de San Julian?

6. Pourquoi le radio voudrait-il coucher à San Julian? — Pourquoi le pilote veut-il continuer sa route?

172

7. Le jeu des lumières dans la nuit. — Quelles lumières le pilote voit-il sous lui? A quoi les compare-t-il? Comment leur répond-il?

8. Montrez, d'après le texte, que pour Fabien l'avion semble un être vivant.

9. Que fait Fabien, avant la nuit, en ce qui concerne : a) l'appareillage électrique; b) les commandes de l'avion?

10. Quand se permet-il d'allumer sa lampe? Sur quels points précis se porte son attention?

11. Quels sentiments successifs éprouve le pilote? le radio navigant?

UTILISEZ LE TEXTE

LANGUE ET CIVILISATION

1. Les mots concernant l'aviation viennent de deux sources : a) de la racine latine *avis*, oiseau; b) de la racine grecque *aer*, air. Recherchez le plus grand nombre possible de ces mots en les groupant d'après leur origine.

2. Trouvez, pouvant s'appliquer aux avions, trois verbes dans le vocabulaire relatif aux oiseaux et deux verbes dans le vocabulaire relatif aux navires. Employez chacun de ces verbes dans une phrase se rapportant aux avions.

3. En vous aidant du dictionnaire, relevez les noms des parties essentielles d'un avion de transport.

STYLE ET COMPOSITION

I. IMITATION D'UN PARAGRAPHE

Supposez que Fabien ait passé la nuit à San Julian. Il décolle à l'aube et observe la terre. En imitant le paragraphe : « Pourtant la nuit montait, lente et belle », dites ce qu'il voit et ce qu'il éprouve.

II. UNE ÉNUMÉRATION D'ACTIONS

Énumérez les actions successives du pilote, dans sa carlingue, à « l'entrée dans la nuit ». (Phrases avec sujet, verbe et compléments.)

COMPOSITION FRANÇAISE

Imaginez et écrivez les réflexions d'un homme dont le métier comporte de graves responsabilités (pilote d'avion, capitaine de paquebot, savant, etc.).

GRAMMAIRE

Les adverbes de quantité SI et TANT et la proposition subordonnée de consé- quence. — *Il y a tant d'orages qu'ils remplissent mes écouteurs.*

Les lampes rouges versèrent vers les aiguilles une lumière si diluée qu'elles ne les coloraient pas.

Ces propositions subordonnées de conséquence sont introduites dans ces deux phrases par la conjonction *que*, précédée, dans la proposition principale, par les adverbes de quantité SI (+ **un adjectif**) et TANT (+ **un nom**).

Un gallicisme avec le pronom EN. — *Dans ce pays, elles n'en finissent pas de rendre leur or.*

Dans cette phrase, *en* ne peut pas être analysé, il souligne la longue durée de l'action. Cette expression s'emploie presque toujours à la forme négative et elle est très familière :

elle n'en finit pas de s'habiller, elle met beaucoup de temps à s'habiller.

ANTOINE DE SAINT-EXUPÉRY (1900-1944)

Célèbre aviateur et remarquable écrivain, il nous retrace l'épopée des débuts de l'aviation commerciale. Philosophe de l'action, il est admirable par sa noblesse, sa grandeur d'âme, sa profonde sensibilité et par son amour fraternel pour les hommes. — Volontaire pendant la dernière guerre, il disparut avec son avion, le 31 juillet 1944, au cours d'une mission qu'il était venu effectuer dans le sud de la France. Principaux ouvrages : *Terre des hommes, Vol de nuit, Pilote de guerre, Le petit Prince* et ses *Carnets*.

173

II. VOL DE NUIT DANS LA TEMPÊTE

Cependant le courrier de Patagonie abordait l'orage, et Fabien renonçait à le contourner. Il l'estimait trop étendu, car la ligne d'éclairs s'enfonçait vers l'intérieur du pays et révélait des forteresses de nuages. Il tenterait de passer par-dessous, et, si l'affaire se présentait mal, se résoudrait au demi-tour.

Il lut son altitude : mille sept cents mètres. Il pesa des paumes sur les commandes pour commencer à la réduire. Le moteur vibra très fort et l'avion trembla. Fabien corrigea, au jugé, l'angle de descente, puis, sur la carte, vérifia la hauteur des collines : cinq cents mètres. Pour se conserver une marge, il naviguerait vers sept cents. Il sacrifiait son altitude comme on joue une fortune.

Un remous fit plonger l'avion qui trembla plus fort. Fabien se sentit menacé par d'invisibles éboulements. Il rêva qu'il faisait demi-tour et retrouvait cent mille étoiles, mais il ne vira pas d'un degré.

Fabien calculait ses chances : il s'agissait d'un orage local, probablement, puisque Trelew, la prochaine escale, signalait un ciel trois quarts couvert. Il s'agissait de vivre vingt minutes à peine dans ce béton noir. Et pourtant le pilote s'inquiétait. Penché à gauche, contre la masse du vent, il essayait d'interpréter les lueurs confuses qui, par les nuits les plus épaisses, circulent encore. Mais ce n'était même plus des lueurs. A peine des changements de densité, dans l'épaisseur des ombres, ou une fatigue des yeux.

Il déplia un papier du radio :

« Où sommes-nous ? »

Fabien eût donné cher pour le savoir. Il répondit :

« Je ne sais pas. Nous traversons, à la boussole, un orage. »

Il se pencha encore. Il était gêné par la flamme de l'échappement, accrochée au moteur comme un bouquet de feu, si pâle que le clair de lune l'eût éteinte, mais qui, dans ce néant, absorbait le monde visible. Il la regarda. Elle était tressée drue par le vent, comme la flamme d'une torche.

Chaque trente secondes, pour vérifier le gyroscope et le compas, Fabien plongeait sa tête dans la carlingue. Il n'osait plus allumer les

Saint-Exupéry (à droite) *et son mécanicien André Prévot,*
devant l'avion Caudron-Renault Simoun du raid Paris-Saïgon (voir page 202).

faibles lampes rouges, qui l'éblouissaient pour longtemps, mais tous les instruments aux chiffres de radium versaient une clarté pâle d'astres. Là, au milieu d'aiguilles et de chiffres, le pilote éprouvait une sécurité trompeuse : celle de la cabine du navire sur laquelle passe le flot. La nuit, et tout ce qu'elle portait de rocs, d'épaves, de collines, coulait aussi contre l'avion, avec la même étonnante fatalité.

. . . .

La pâle clarté promise plus loin l'engageait à poursuivre. Pourtant, comme il doutait, il griffonna pour le radio :

« J'ignore si je pourrai passer. Sachez-moi s'il fait toujours beau en arrière. »

La réponse le consterna :

« Commodoro signale : Retour ici impossible. Tempête. »

Il commençait à deviner l'offensive insolite qui, de la Cordillère des Andes, se rabattait vers la mer. Avant qu'il eût pu les atteindre, le cyclone raflerait les villes.

« Demandez le temps de San Antonio.

— San Antonio a répondu : Vent ouest se lève et tempête à l'ouest. Ciel quatre quarts couvert. San Antonio entend très mal à cause des parasites. J'entends mal aussi. Je crois être obligé de remonter bientôt l'antenne à cause des décharges. Ferez-vous demi-tour? Quels sont vos projets?

— ... Demandez le temps de Bahia Blanca.

— Bahia Blanca a répondu : Prévoyons avant vingt minutes violent orage ouest sur Bahia Blanca.

— Demandez le temps de Trelew.

— Trelew a répondu : Ouragan trente mètres seconde ouest et rafales de pluie.

— Communiquez à Buenos-Aires : Sommes bouchés de tous les côtés, tempête se développe sur mille kilomètres, ne voyons plus rien. Que devons-nous faire? »

...L'essence manquerait dans une heure quarante... S'il avait pu gagner le jour...

Un des radiotélégraphistes de Commodoro Rivadavia, escale de Patagonie, fit un geste brusque, et tous ceux qui veillaient, impuissants, dans le poste, se ramassèrent autour de cet homme et se penchèrent...

Il nota quelques signes indéchiffrables. Puis des mots. Puis on put rétablir le texte :

« Bloqués à trois mille huit au-dessus de la tempête. Naviguons plein ouest vers l'intérieur, car étions dérivés en mer. Au-dessous de nous tout est bouché. Nous ignorons si survolons toujours la mer. Communiquez si tempête s'étend à l'intérieur. »

...Buenos-Aires fit répondre :

« Tempête générale à l'intérieur. Combien vous reste-t-il d'essence?

— Une demi-heure. »

...Commodoro Rivadavia n'entend plus rien, mais à mille kilomètres de là, vingt minutes plus tard, Bahia Blanca capte un second message :

« Descendons. Entrons dans les nuages... »

Puis ces deux mots d'un texte obscur apparurent dans le poste de Trelew :

« ...rien voir... »

...L'essence est-elle épuisée, ou le pilote joue-t-il, avant la panne, sa dernière carte : retrouver le sol sans l'emboutir ?

La voix de Buenos-Aires ordonne à Trelew :

« Demandez-le lui. »

... — On ne répond pas ?

— On ne répond pas. »

... Les secondes s'écoulent. Elles s'écoulent vraiment comme du sang. Le vol dure-t-il encore ?... Chaque seconde emporte quelque chose. Cette voix de Fabien, ce rire de Fabien, ce sourire. Le silence gagne du terrain. Un silence de plus en plus lourd qui s'établit sur cet équipage comme le poids d'une mer.

Alors quelqu'un remarque :

— Une heure quarante. Dernière limite de l'essence : il est impossible qu'ils volent encore.

Et la paix se fait.

Antoine DE SAINT-EXUPÉRY,

Extraits de *Vol de nuit*. — N.R.F. Gallimard, éditeur.

COMPRENEZ BIEN LE TEXTE

LE SENS ET LA VIE DES MOTS

LES MOTS ET LES EXPRESSIONS

Les commandes : les leviers qui commandent aux différents mécanismes de l'avion et notamment au gouvernail de profondeur.

Parasites : il s'agit des parasites atmosphériques, dus aux décharges électriques, qui brouillent les transmissions par les ondes hertziennes. Ces parasites, vous les avez entendus vous-même à l'écoute de votre poste de radio.

Panne : « avant la panne », c'est avant l'arrêt du moteur. Le terme, maintenant courant, fut un terme de marine au XVIIᵉ siècle ; mettre en panne, c'était disposer les voiles pour que le navire reste immobile.

Travail personnel. — Expliquez : *Compas — antenne — emboutir.*

Des forteresses de nuages : des groupes redoutables de nuages noirs et chargés d'électricité qui forment, par leurs entassements, leurs escarpements, comme autant de forteresses que l'avion ne peut franchir.

Au jugé : approximativement, avec son bon sens, sans avoir recours aux appareils.

Tressée drue : la flamme était tordue par le vent comme une tresse serrée.

L'offensive insolite : l'attaque inattendue et surprenante de la tempête.

Signes indéchiffrables : incompréhensibles, intraduisibles en langage clair.

Jouer sa dernière carte : tenter la dernière chance, risquer l'ultime tentative.

Expliquez à l'aide du dictionnaire :

L'angle de descente — un ciel trois quarts couvert — béton noir — la flamme de l'échappement — sommes bouchés.

LES IDÉES ET LES SENTIMENTS

Exercices de conversation :

1. Quel est le devoir supérieur qui s'impose à cet aviateur transportant de la correspondance?

2. Relevez deux propositions montrant que Fabien, malgré le danger, veut avant tout remplir sa mission.

3. Pourquoi l'auteur écrit-il que « Fabien sacrifie son altitude comme on joue sa fortune » ?

4. L'avion rencontre des nuages très denses et dangereux. Relevez la proposition qui l'exprime.

5. Quelle précaution le pilote prend-il avant de descendre? Pourquoi?

6. A quoi l'auteur compare-t-il Fabien et l'avion, quand l'aviateur « plonge sa tête » dans la carlingue? Expliquez cette comparaison.

7. Où des hommes suivent-ils la fin de ce drame aérien? Comment?

8. Vous êtes à leur place. Émettez deux hypothèses différentes pour expliquer pourquoi l'avion ne répond pas aux appels de Buenos-Aires.

9. De quelles qualités fait preuve le pilote Fabien? et le radiotélégraphiste?

10. Quels sentiments avez-vous éprouvés à la lecture de ce récit?

UTILISEZ LE TEXTE

LANGUE ET CIVILISATION

1. Relevez, dans chacun des deux textes, quatre noms empruntés à la navigation maritime par la navigation aérienne.

2. Le « moteur vibra très fort et l'avion trembla ». Indiquez les nuances de sens des deux verbes. Employez-les dans une courte phrase relative à une automobile.

3. Voici des noms de vents ou de mauvais temps : *un orage, un cyclone, un ouragan, la tempête, la mousson, le mistral, la tramontane, la bise, la brise, le zéphyr.* Classez-les dans chacune des deux catégories par ordre de grandeur croissante. Définissez chacun d'eux.

4. Enquête. — Quels furent les différents moyens de transport : *a)* sur terre; *b)* sur mer, à travers l'histoire?

STYLE ET COMPOSITION

I. CONSTRUCTION DE PHRASES

« S'il avait pu gagner le jour... » Terminez cette phrase en imaginant trois actions que Fabien aurait pu accomplir dans ce cas. (Veillez à la concordance des temps.)

II. CONSTRUCTION DE PARAGRAPHE

Imaginez un dénouement à ce drame aérien et racontez-le en un court paragraphe.

Rétablissez, en style télégraphique et dans la forme ci-dessous, les dialogues successifs du radio avec les différentes stations citées dans le texte :
— Le radio à Commodore : Fait-il toujours beau ?
— Commodore : Retour impossible. Tempête.
— Le radio à San Antonio ...
— San Antonio...
— Etc...

GRAMMAIRE

Exercices :

1. Expliquez les formes verbales suivantes en vous reportant page 84 : *Fabien eût donné cher pour le savoir.* — ... *le clair de lune l'eût éteint.*

2. Analysez le mot *si* (voir p. 125) dans les phrases suivantes : *J'ignore si je pourrai le passer. — Dites-moi s'il fait toujours beau en arrière. — Nous ignorons si nous survolons toujours la mer.*

IV. IMAGES DU MONDE

Je repars,
Je suis toujours merveilleusement attendu à l'autre bout du monde !

Jules SUPERVIELLE.

La route de Middelharnis, par Hobbema.

« Elle suivait un chemin de là-bas, entre deux rangées de hauts tilleuls ébranchés jusqu'au faîte, et qui ne gardaient qu'à la cime un bouquet de feuillage. » (M. Van der Meersch.)

EN HOLLANDE
PAR UN CLAIR MATIN D'OCTOBRE

Un matin de la fin d'octobre, la grande Maria, femme de Josef Van Oostland, le pêcheur, s'apprêtait pour aller vendre des crevettes au marché de Middelburg. Beaucoup de femmes, à Veere, vont ainsi les jours de marché jusqu'à la ville vendre la pêche de leur mari.

Elle était dans la petite cuisine propre, debout en face du miroir accroché à l'espagnolette de la fenêtre... Elle noua sur sa jupe à raies grises et noires un gigantesque tablier de forte toile bleue, si durement

180

amidonné qu'il se tenait rigide. Sur sa blouse blanche à gros pois bleus, elle épingla un vaste mouchoir de cou, brodé de fleurs et de perles rouges, et qui, derrière, descendait dans le dos en pointe, très bas, jusqu'à la taille. Elle ajusta sa coiffe, une coiffe immense, garnie de dentelles finement repassées, et qui dessinait, de chaque côté de la tête, deux espèces de conques démesurées. Puis elle se para de ses bijoux, un lourd collier de corail rouge brun, serrant le cou de cinq ou six rangées de grosses perles, et fermé devant par une énorme agrafe en or ciselé; des anneaux d'oreilles pesants, une grosse broche en or, du même travail que l'agrafe, pour retenir les coins du mouchoir brodé; et, à la ceinture, pendu par un massif crochet d'argent, un sac de velours noir, monté aussi sur une armature d'argent.

Ainsi parée, elle prit sous son bras son grand panier d'osier blanc, plein de crevettes roses. Et elle sortit, enfourcha sa bicyclette, et s'en alla.

Elle suivait la route de Veere à Middelburg, un chemin de là-bas, pavé de briques roses, entre deux rangées de hauts tilleuls ébranchés jusqu'au faîte, et qui ne gardaient qu'à la cime un bouquet de feuillage. Ce chemin sinuait à travers un pays plat, humide et vert, planté d'arbres et de haies, et que parsemaient de petites maisons proprettes. Pays pacifique, monotone, d'une richesse un peu triste... Des voitures roulaient vers Middelburg, au trot des bidets et des mules, de grands autobus, des camionnettes, et de nombreux cyclistes, des femmes surtout, pareilles à Maria avec leurs tabliers bleus de toile raide, leurs coiffes blanches et leurs gros bijoux primitifs, et qui poussaient sur les pédales de tout le poids de leurs énormes sabots blancs. Ou bien des gosses, des fillettes à la petite coiffe serrée sur les oreilles, des gamins en bonnet noir et en sabots. Et de vieux paysans, les cheveux longs et gris débordant de dessous la petite casquette, et cachant les oreilles dont on ne voyait que les anneaux, le cou serré dans un mouchoir de soie noire agrafé d'une épingle à gros cabochon d'or ciselé, et la face hâlée, impassible et dure, éclairée de deux yeux bleus couleur d'infini, des yeux de roulier des mers dans ces faces de primitifs.

Beaucoup de femmes allaient aux champs traire les vaches. On les voyait revenir, lentement, d'un pas sûr largement balancé, les épaules emboîtées dans une grande pièce de bois creuse d'où pendait, de chaque côté, un vaste seau émaillé, vert dehors, rouge dedans, pimpant et gai comme un jouet, et où le lait blanc clapotait. Elles allaient, superbes, les bras nus et rouges, droites sous cette charge qui leur faisait cambrer la taille. Et on avait, à les voir, l'impression d'une race solide et saine.

Il faisait un temps clair d'octobre, un vent vif dans un ciel lumineux. Et toute cette vie simple, fouettée de grand air, égayait la grande route, sous les feuillages roux des tilleuls et des haies.

Maria atteignit Middelburg. Elle traversa les faubourgs, sorte de cité-jardin où, parmi des pelouses, de petites maisons carrées, en briques brunes, s'alignaient deux à deux. Elles étaient proprettes, peintes de frais...

Sur la place, une vaste place irrégulière, entourée d'hôtels et de cafés à pignons et façades blanches, Maria se chercha un coin et s'installa, son panier à ses pieds.

Maxence VAN DER MEERSCH,

L'Empreinte du Dieu. — Albin Michel, éditeur.

─────────── *COMPRENEZ BIEN LE TEXTE* ───────────

LE SENS ET LA VIE DES MOTS

A. LES MOTS

Conques : grandes coquilles de mollusques marins. Les deux côtés de la coiffe de Maria ressemblaient à des conques.

Un cabochon : ici, grosse tête d'épingle en or ciselé.

Hâlée : bronzée, brunie par le soleil et par le vent de la mer.

B. LES EXPRESSIONS

Cambrer la taille : courber le dos en arrière en forme d'arc.

Roulier des mers : le roulier conduisait les chevaux des voitures transportant des marchandises sur les routes. Par analogie, les rouliers des mers sont les marins qui conduisent leurs barques ou leurs cargos sur les « routes des mers ».

Travail personnel. — **Expliquez à l'aide du dictionnaire :**

Espagnolette — corail — crevette.

LES IDÉES ET LES SENTIMENTS

Exercices de conversation :

1. La femme du pêcheur : « Elle s'est apprêtée pour aller au marché ». *a)* Comment est-elle vêtue ? coiffée ? — *b)* Comment est-elle parée ?
Elle sort de chez elle. Que fait-elle ?

2. La route suivie : « C'est un chemin de là-bas. » Qu'est-ce qui la caractérise ?

3. Le paysage traversé : *a)* son aspect; *b)* son caractère.

4. La vie sur la route : *a)* Quels véhicules y voit-on rouler ? Pourquoi tant de bicyclettes ? — Quels personnages y rencontre-t-on ? Comment est vêtu chacun d'eux ?
b) L'auteur est frappé par la physionomie des vieux paysans. Comment la décrit-il ? — Aucun homme en âge de travailler, sur cette route et dans ce paysage. Pourquoi ?

5. La vie dans les champs : *a)* Quels animaux et quels personnages y voit-on ? *b)* Comment les femmes apportent-elles à la maison le lait de leurs vaches ? Leur lourd fardeau ne paraît pas les écraser. Comment vont-elles ? Et quelle impression donnent-elles ? *c)* Quel temps

182

fait-il ce matin-là ? Et quel aspect a la route ?

6. Les habitations. Relevez dans le texte les expressions ou propositions par lesquelles l'auteur caractérise : la maison du pêcheur; les maisons dans la campagne; les maisons des faubourgs; les maisons du centre de la ville.

UTILISEZ LE TEXTE

LANGUE ET CIVILISATION

1. Qu'est-ce qu'une cité-jardin ? Une cité ouvrière ? Une cité universitaire, dans certaines grandes villes ?

2. Employez dans une phrase chacune des expressions suivantes : « ébranchés jusqu'au faîte » — « sinuait à travers... ».

STYLE ET COMPOSITION

1. Ce que fait Maria ce matin-là. Deux paragraphes au présent : *a)* elle se prépare; *b)* en route pour le marché. (Relevez, dans le texte, les actions successives qu'elle accomplit. Pour chaque phrase : sujet, verbe, complément d'objet.)

2. Quelques traits de caractère du peuple de Hollande. Les qualités des femmes de ce pays : femmes de pêcheurs et fermières, d'après le texte.
Elles sont travailleuses. Que font-elles ?
Elles ont le goût de l'ordre et de la propreté. A quoi le voit-on ?
Elles ont le goût des vêtements bien soignés et de la parure. A quoi le voit-on ?
La race est saine et forte. A quoi le reconnaît-on ?

3. Sur le modèle de l'exercice ci-dessus (n° 2), indiquez quelques traits du caractère des habitants de votre pays.

4. Rédaction. En suivant le plan du texte dans toutes ses parties, montreznous un paysan — ou une paysanne — de votre pays allant, un matin d'automne, au marché de la ville voisine.

5. Dialogue. Imaginez un dialogue entre un défenseur de l'urbanisme et de la planification et un partisan de la liberté totale de chaque propriétaire de faire construire à sa fantaisie.

GRAMMAIRE

Quelques sens de la préposition PAR. — *Par un clair* **matin** *d'octobre...*
Ici la préposition *par* exprime une relation de temps; de même dans la leçon précédente page 174 :
il essayait d'interpréter les lueurs confuses qui, **par les nuits** *les plus épaisses, circulent encore.*

La préposition *par* peut avoir beaucoup d'autres sens et emplois. Page 174, nous trouvons une phrase dans laquelle *par* introduit un nom, complément d'agent du verbe passif : *Elle était tressée drue par le vent.*

A la page 162, la la préposition *par* est employée avec un sens de lieu : *Ce printemps dernier, allant à Grenoble par les grands Goulets...*
Elle introduit un complément circonstanciel de lieu, indiquant *par où* l'on passe.

Exercice :

Faites trois phrases dans lesquelles vous emploierez la préposition *par* : *a)* avec le sens de temps; *b)* avec le sens de complément d'agent du verbe passif; *c)* avec le sens de complément de lieu.

MAXENCE VAN DER MEERSCH (1907-1951)

Romancier qui se rattache à la tradition naturaliste; il a surtout décrit le nord de la France et les drames de ses milieux industriels et ouvriers, ainsi que les actions colorées des contrebandiers qui violent la frontière belge. Il obtint le Prix Goncourt.
Son roman le plus célèbre, *Corps et Ames*, attaque contre certains médecins, eut un grand succès.

EN ANGLETERRE, CHEZ LES SMITH

Ionesco présente les décors ainsi : Intérieur bourgeois anglais, avec des fauteuils anglais. Soirée anglaise. M. Smith, Anglais, dans son fauteuil et ses pantoufles anglais, fume sa pipe anglaise et lit un journal anglais, près d'un feu anglais. Il a des lunettes anglaises, une petite moustache grise, anglaise. À côté de lui, dans un autre fauteuil anglais, Mme Smith, Anglaise, raccommode des chaussettes anglaises. Un long moment de silence anglais. La pendule anglaise frappe dix-sept coups anglais.

Mme SMITH. — Tiens, il est neuf heures. Nous avons mangé de la soupe, du poisson, des pommes de terre au lard, de la salade anglaise. Les enfants ont bu de l'eau anglaise. Nous avons bien mangé, ce soir. C'est parce que nous habitons dans les environs de Londres et que notre nom est Smith.

M. SMITH, *continuant sa lecture, fait claquer sa langue.*

Mme SMITH. — Les pommes de terre sont très bonnes avec le lard, l'huile de la salade n'était pas rance. L'huile de l'épicier du coin est de bien meilleure qualité que l'huile de l'épicier d'en face, elle est même meilleure que l'huile de l'épicier du bas de la côte. Mais je ne veux pas dire que leur huile à eux soit mauvaise.

M. SMITH, *continuant sa lecture, fait claquer sa langue.*

Mme SMITH. — Pourtant, c'est toujours l'huile de l'épicier du coin, qui est la meilleure...

M. SMITH, *continuant sa lecture, fait claquer sa langue.*

Mme SMITH. — Mary a bien cuit les pommes de terre, cette fois-ci. La dernière fois elle ne les avait pas bien fait cuire. Je ne les aime que lorsqu'elles sont bien cuites.

M. SMITH, *continuant sa lecture, fait claquer sa langue.*

Mme SMITH. — Le poisson était frais. Je m'en suis léché les babines. J'en ai pris deux fois. Non, trois fois. Toi aussi tu en as pris trois fois. Cependant la troisième fois, tu en as pris moins que les deux premières fois, tandis que moi j'en ai pris beaucoup plus. J'ai mieux mangé que toi, ce soir. Comment ça se fait? D'habitude, c'est toi qui manges le plus. Ce n'est pas l'appétit qui te manque.

M. SMITH *fait claquer sa langue.*

Mme SMITH. — Cependant, la soupe était peut-être un peu trop salée. Elle avait plus de sel que toi. Ah, ah, ah! Elle avait aussi trop de poireaux et pas assez d'oignons. Je regrette de ne pas avoir conseillé à Mary d'y ajouter un peu d'anis étoilé. La prochaine fois, je saurai m'y prendre.

M. Smith, *continuant sa lecture, fait claquer sa langue.*

Mme Smith. — Notre petit garçon aurait bien voulu boire de la bière, il aimera s'en mettre plein la lampe, il te ressemble. Tu as vu à table, comme il visait la bouteille? Mais moi, j'ai versé dans son verre de l'eau de la carafe. Il avait soif et il l'a bue. Hélène me ressemble : elle est bonne ménagère, économe, joue du piano. Elle ne demande jamais à boire de la bière anglaise. C'est comme notre petite fille qui ne boit que du lait et ne mange que de la bouillie. Ça se voit qu'elle n'a que deux ans. Elle s'appelle Peggy.

La tarte aux coings et aux haricots a été formidable. On aurait bien fait, peut-être, de prendre, au dessert, un petit verre de vin de Bourgogne australien mais je n'ai pas apporté le vin à table afin de ne pas donner aux enfants une mauvaise preuve de gourmandise. Il faut leur apprendre à être sobre et mesuré dans la vie.

M. Smith, *continuant sa lecture, fait claquer sa langue.*

Mme Smith. — Mrs Parker connait un épicier roumain, nommé Popesco Rosenfeld, qui vient d'arriver de Constantinople. C'est un grand spécialiste en yaourt. Il est diplômé de l'école des fabricants de yaourt d'Andrinople. J'irai demain lui acheter une grande marmite de yaourt roumain folklorique. On n'a pas souvent des choses pareilles ici, dans les environs de Londres.

M. Smith, *continuant sa lecture, fait claquer sa langue.*

Mme Smith. — Le yaourt est excellent pour l'estomac, les reins, l'appendicite et l'apothéose. C'est ce que m'a dit le docteur Mackenzie-King qui soigne les enfants de nos voisins, les Johns. C'est un bon médecin. On peut avoir confiance en lui. Il ne recommande jamais d'autres médicaments que ceux dont il a fait l'expérience sur lui-même. Avant de faire opérer Parker, c'est lui d'abord qui s'est fait opérer du foie, sans être aucunement malade.

M. Smith. — Mais alors comment se fait-il que le docteur s'en soit tiré et que Parker en soit mort?

Mme Smith. — Parce que l'opération a réussi chez le docteur et n'a pas réussi chez Parker.

M. Smith. — Alors Mackenzie n'est pas un bon docteur. L'opération aurait dû réussir chez tous les deux ou alors tous les deux auraient dû succomber.

Mme Smith. — Pourquoi?

M. Smith. — Un médecin consciencieux doit mourir avec le malade s'ils ne peuvent pas guérir ensemble. Le commandant d'un bateau périt avec le bateau, dans les vagues. Il ne lui survit pas.

Mme Smith. — On ne peut comparer un malade à un bateau.

M. Smith. — Pourquoi pas? Le bateau a aussi ses maladies; d'ailleurs ton docteur est aussi sain qu'un vaisseau : voilà pourquoi encore il devait périr en même temps que le malade comme le commandant et son bateau.

Mme Smith. — Ah! Je n'y avais pas pensé... C'est peut-être juste... et alors, quelle conclusion en tires-tu?

M. Smith.. — C'est que tous les docteurs ne sont que des charlatans. Et tous les malades aussi. Seule la marine est honnête en Angleterre.

Mme Smith. — Mais pas les marins.

M. Smith. — Naturellement.

Eugène Ionesco,
La Cantatrice chauve, Acte I, scène 1. — Gallimard, éditeur.

L'AUTEUR S'EXPLIQUE

En 1948, avant d'écrire ma première pièce, *la Cantatrice chauve*, je ne voulais pas devenir auteur dramatique. J'avais tout simplement l'ambition de connaître l'anglais. L'apprentissage de l'anglais ne conduit pas nécessairement à la dramaturgie. Au contraire, ce n'est que parce que je n'ai pas réussi à apprendre l'anglais que je suis devenu écrivain de théâtre. Je n'ai pas non plus écrit ces pièces pour me venger de mon échec, bien que l'on ait dit que *la Cantatrice chauve* était une satire de la bourgeoisie anglaise. Si j'avais voulu et n'avais pas réussi à apprendre l'italien, le russe ou le turc, on aurait pu tout aussi bien dire que la pièce résultant de cet effort vain était la satire de la société italienne, russe ou turque...

Mon ambition était devenue plus grande : communiquer à mes contemporains les vérités essentielles dont m'avait fait prendre conscience le manuel de conversation franco-anglaise.

COMPRENEZ BIEN LE TEXTE

LE SENS ET LA VIE DES MOTS

A. *LES MOTS*

Rance : adjectif qui se dit d'un corps gras ayant pris une mauvaise odeur en vieillissant.

Viser : verbe de la famille de voir. Ici, regarder fixement une chose que l'on veut atteindre; le but de l'enfant est la bouteille.

Une apothéose : de *apo*, préfixe grec signifiant *à partir de, hors de...* et de *theos*, dieu. Mme Smith emploie ici un mot savant dont elle ne connaît pas le sens réel (action d'élever au niveau des dieux) et lui attribue un sens fantaisiste de nom de maladie, sans doute à cause de la sonorité similaire de terminaison dans des termes tels que *bacillose*, maladie causée par des *bacilles*.

Succomber : proprement tomber sous le coup de la maladie; le mot est plus littéraire que mourir.

Un vaisseau : ce mot a eu d'abord le sens de vase, puis il passe au sens général de navire (forme littéraire). La comparaison est ici, à dessein, ambiguë : le docteur est peut-être aussi assimilé à un récipient.

Un **charlatan** : de l'italien *ciarlare*, bavarder. Se dit d'un imposteur, souvent d'un médecin, qui endort par son bavardage.

Expliquez à l'aide du dictionnaire : *La carafe — la bouillie — folklorique — la cantatrice — chauve.*

B. LES EXPRESSIONS

Claquer la langue : le bruit de langue que fait M. Smith exprime d'abord la satisfaction profonde qu'il éprouve à être M. Smith; de plus, il lui permet de ne pas répondre à sa femme.

Anis étoilé : nom populaire des graines de badiane. On pense en France que les Anglais sont friands de ce genre de condiment exotique.

Une tarte aux coings et aux haricots : la cuisine anglaise est célèbre en France pour ses mélanges déconcertants. Ici, l'auteur invente un mélange de fruits (les coings) et de légumes, mélange dont la seule pensée fait frémir d'horreur un auditoire français.

Le Bourgogne australien : la Bourgogne est une province française ayant pour capitale Dijon. Les vins de Bourgogne proviennent de certaines parties de cette province soigneusement limitées : ces vins sont des *appellations contrôlées*. Vendre sous le nom de bourgogne un vin provenant d'autres vignobles est un grave délit en France, puni par de sévères amendes et donnant lieu à des dommages-intérêts fort élevés. Bourgogne australien est donc en français une absurdité, comme si Ionesco avait écrit, par exemple, un cercle carré.

Travail personnel. Expliquez :

Comment ça se fait? — sobre et mesuré.

LES IDÉES ET LES SENTIMENTS

Exercices de conversation :

1. Pour quelle raison Ionesco répète-t-il si souvent l'adjectif *anglais* dans sa présentation?

2. Même la pendule est absurde, pourquoi? Quelle est l'attitude de Mme Smith devant cette absurdité?

3. Pour quelles raisons Mme Smith parle-t-elle? Que nous dit-elle d'intéressant? Connaissez-vous des gens comme elle? Que pensez-vous du portrait que Mme Smith fait d'elle-même à travers Hélène?

4. Jugez les enthousiasmes de Mme Smith : *a)* pour le yaourt; *b)* pour le docteur MacKensie-King. Y a-t-il un rapport entre ces deux enthousiasmes?

5. Faites le portrait psychologique de M. Smith.

6. A quoi correspond, à votre avis, la digression sur la marine?

—————— UTILISEZ LE TEXTE ——————

LE VOCABULAIRE ACTIF

Les homonymes : on appelle ainsi des mots différents qui se prononcent de la même manière. Par exemple, le mot *fois* a pour homonymes *la foi* et *le foie*.

1. Employez ces trois homonymes dans trois phrases qui en illustreront clairement le sens.

2. Revoyez la définition de synonyme (p. 9) et citez un synonyme de *fois* et un synonyme de *foi*, en les employant chacun dans une phrase.

STYLE ET COMPOSITION

1. Ionesco nous dit que sa pièce a été inspirée par l'étude de la langue anglaise. Dans son manuel d'anglais, il trouva des vérités étonnantes dans la bouche de ceux qui les prononcent, comme : « Nous habitons dans les environs de Londres et notre nom est Smith. » Relevez d'autres phrases surprenantes parce qu'il est certain qu'elles ne s'adressent pas réellement à l'interlocuteur dans la pièce, mais aux lecteurs. Il dit aussi qu'il a été étonné par les vérités profondes que l'on trouve dans les manuels, telles que : « le plancher est en bas, le plafond est en haut ». Y a-t-il des vérités de ce genre dans la scène que vous venez de lire?

2. Montrez que l'auteur ne se moque pas vraiment des Anglais, mais des idées que se font les Français au sujet des Anglais. Ce comique est-il particulier ou universel? Justifiez votre réponse.

3. Composez une scène analogue ou un dialogue entre M. et Mme Dupont où seront ridiculisées certaines idées fausses que les étrangers se font des Français.

Suggestions : les Français mangent souvent des grenouilles et des escargots. Les Français sont casaniers et ignorent la géographie. Les enfants français sont des puits de science. Tous les Français sont alcooliques. Les Français sont tous militaristes et chauvins. Les Français cultivés s'expriment tous dans le style de Bossuet, les autres parlent argot. Tous les Français sont agriculteurs.

Ces erreurs sont généralement répandues, et notre sélection aurait pu être beaucoup plus longue; ne manquez pas d'en ajouter d'autres et surtout les préjugés **sur la France** les plus répandus dans votre pays, s'il y en a.

GRAMMAIRE ET STYLISTIQUE

Le mode subjonctif après une idée négative. — *Je ne veux pas dire que leur huile à eux soit mauvaise.* Dans cette phrase c'est l'idée négative de la proposition principale qui entraîne le mode subjonctif dans la proposition subordonnée complément d'objet : *que leur huile à eux soit mauvaise.*

L'adjectif possessif renforcé. — *Leur huile à eux.* Cette façon de s'exprimer est très fréquente dans la langue parlée; on dit *mon livre à moi, ses robes à elle* pour renforcer l'idée de possession. Dans ce cas il faut toujours employer la préposition *à* devant le pronom personnel tonique.

Attention : il faut dire *l'huile de l'épicier, le livre de M. Smith, la robe de Jeanne.*

La forme tonique du pronom personnel sujet.

a) Renforcement du pronom atone par répétition.

Toi *aussi* **tu** *en as pris trois fois.*
Moi, *j'en ai pris beaucoup plus.*

b) Après un comparatif.

J'ai mieux mangé que **toi.**

Ici, **toi** est le sujet de la proposition comparative sous-entendue *que tu n'as mangé.* — Ex. : *Elle avait plus de sel que toi.*

c) Avec le gallicisme *c'est... qui.*

C'est **toi** *qui manges le plus.*

C'est lui d'abord qui s'est fait opérer, signifie *il s'est fait opérer d'abord.*

Exercice : analysez le pronom *y* dans les phrases suivantes (voir p. 45) :

... à Mary d'y ajouter un peu d'anis étoilé. — Je n'y avais pas pensé.

Quelques gallicismes avec Y et EN.

Savoir s'y prendre : savoir exactement comment faire une chose.

S'en mettre plein la lampe : expression très familière signifiant manger beaucoup.

S'en lécher les babines : expression familière aussi qui exprime une satisfaction gourmande (*les babines* (fém.) sont les lèvres des animaux).

S'en tirer : ici, échapper à la mort, survivre.

Dans ces expressions, Y et EN ne peuvent pas être analysés, ils forment avec le verbe des gallicismes.

CONSEILS POUR LA LECTURE

Faire ressortir le burlesque de ce texte en le lisant sévèrement, et en faisant sentir que Mme Smith parle très vite et dogmatiquement, surtout parce qu'elle ne peut pas supporter le silence. M. Smith s'exprime sur le ton du sage à la fin de cette scène. Il importe naturellement de lire à deux voix.

EUGÈNE IONESCO (1912)

Dramaturge né en Roumanie de mère française. Il a vécu à Paris jusqu'à l'âge de treize ans, puis continua ses études en Roumanie et finalement à l'Université de Bucarest, où il composa des élégies à la manière de Francis Jammes et de Maeterlinck. Il revint en France en 1938 et s'y maria.

Il veut renouveler la littérature dramatique par l'*anti-théâtre.* Ses pièces, de *la Cantatrice chauve* au *Rhinocéros,* ont eu de grands succès parce que toutes les lois du théâtre y sont violées; parce que l'on y parle pour ne rien dire; elles ont ainsi provoqué de violentes querelles littéraires.

L'ALLEMAGNE AU XIXᵉ SIÈCLE

Elle est naturellement littéraire et philosophique ; toutefois la séparation des classes, qui est plus prononcée en Allemagne que partout ailleurs,
parce que la société n'en adoucit pas les nuances, nuit à quelques égards
à l'esprit proprement dit. Les nobles y ont peu d'idées, et les gens de
lettres trop peu l'habitude des affaires. L'esprit est un mélange de la
connaissance des choses et des hommes ; et la société où l'on agit sans
but, et pourtant avec intérêt, est précisément ce qui développe le mieux
les facultés opposées. C'est l'imagination, plus que l'esprit, qui caractérise les Allemands. J.-P. Richter, l'un de leurs écrivains les plus distingués, a dit que « l'Empire de la mer était aux Anglais, celui de la terre
aux Français, et celui de l'air aux Allemands ». En effet, on aurait
besoin, en Allemagne, de donner un centre et des bornes à cette éminente
faculté de penser, qui s'élève et se perd dans le vague, pénètre et disparaît dans la profondeur, s'anéantit à force d'impartialité, se confond à
force d'analyse, enfin manque de certains défauts qui puissent servir
de circonscription à ses qualités.

On a beaucoup de peine à s'accoutumer, en sortant de France, à la
lenteur et à l'inertie du peuple allemand ; il ne se presse jamais, il trouve
des obstacles à tout ; vous entendez dire en Allemagne *c'est impossible*,
cent fois contre une en France. Quand il est question d'agir, les Allemands
ne savent pas lutter avec les difficultés ; et leur respect pour la puissance
vient plus encore de ce qu'elle ressemble à la destinée, que d'aucun
motif intéressé.

Dès que l'on s'élève un peu au-dessus de la dernière classe du peuple
en Allemagne, on s'aperçoit aisément de cette vie intime, de cette poésie
de l'âme qui caractérise les Allemands. Les habitants des villes et des
campagnes, les soldats et les laboureurs, savent presque tous la musique ;
il m'est arrivé d'entrer dans de pauvres maisons noircies par la fumée
du tabac, et d'entendre tout d'un coup non seulement la maîtresse, mais
le maître du logis, improviser sur le clavecin, comme les Italiens improvisent en vers. L'on a soin, presque partout, que, les jours de marché, il
y ait des joueurs d'instruments à vent sur le balcon de l'hôtel de ville
qui domine la place publique : les paysans des environs participent
ainsi à la douce jouissance du premier des arts. Les écoliers se promènent

dans les rues le dimanche, en chantant les psaumes en chœur. On raconte que Luther fit souvent partie de ce chœur, dans sa première jeunesse.

J'étais à Eisenach, petite ville de Saxe, un jour d'hiver si froid que les rues mêmes étaient encombrées de neige ; je vis une longue suite de jeunes gens en manteau noir, qui traversaient la ville en chantant les louanges de Dieu. Il n'y avait qu'eux dans la rue, car la rigueur des frimas en écartait tout le monde ; et ces voix, presque aussi harmonieuses que celles du Midi, en se faisant entendre au milieu d'une nature si sévère, causaient d'autant plus d'attendrissement. Les habitants de la ville n'osaient, par ce froid terrible, ouvrir leurs fenêtres ; mais on apercevait, derrière les vitraux, des visages tristes ou sereins, jeunes ou vieux, qui recevaient avec joie les consolations religieuses que leur offrait cette douce mélodie.

La musique instrumentale est aussi généralement cultivée en Allemagne que la musique vocale en Italie ; la nature a plus fait à cet égard, comme à tant d'autres, pour l'Italie que pour l'Allemagne ; il faut du travail pour la musique instrumentale, tandis que le ciel du midi suffit à rendre les voix belles : mais les hommes de la classe laborieuse ne pourraient jamais donner à la musique le temps qu'il faut pour l'apprendre, s'ils n'étaient organisés pour la savoir. Les peuples naturellement musiciens reçoivent, par l'harmonie, des sensations et des idées que leur situation rétrécie et leurs occupations vulgaires ne leur permettraient pas de connaître autrement.

Madame de Staël, De l'Allemagne, 1810.

────────── COMPRENEZ BIEN LE TEXTE ──────────

LA VIE ET LE SENS DES MOTS

LES MOTS ET LES EXPRESSIONS

Distingué : proprement, qui est nettement séparé des autres, surtout par son talent et ses qualités.

La circonscription : terme géométrique de la famille de cirque et de cercle, signifie limite qui borne l'étendue d'un corps. Ici, sens figuré : les qualités n'ont pas de défauts pour les empêcher de devenir exagérées. *Note :* le mot s'emploie aussi dans la langue administrative pour indiquer la subdivision d'un territoire (province, département, arrondissement).

Rétréci : participe passé du verbe rétrécir dont le premier sens est *rendre plus étroit* et le second *diminuer l'étendue, le développement*. Employé au sens figuré il signifie ici qui a peu de portée, d'ampleur.

Expliquez à l'aide du dictionnaire : *Nuire — une inertie — un clavecin — frimas (masculin pluriel).*

L'empire de l'air : le domaine de l'imagination. Les voix du midi : ici, midi signifie sud, ce sont donc les voix italiennes.

Travail personnel. Expliquez : *A force de... — l'esprit proprement dit.*

190

LES IDÉES ET LES SENTIMENTS

Exercices de conversation :

1. Pourquoi la séparation des classes nuit-elle à l'esprit? Pouvez-vous déduire de cette affirmation de Mme de Staël des conclusions quant à ses idées politiques?

2. Pourquoi la puissance ressemble-t-elle à la destinée?

3. Quels sont les deux traits de caractère des Allemands que l'auteur a admirés le plus?

4. Quelle idée du caractère allemand peut-on se faire à la lecture de ce texte?

UTILISEZ LE TEXTE

LANGUE ET CIVILISATION

1. Trouvez quatre mots de la famille de *distinct* et employez chacun d'entre eux dans une phrase.

2. Trouvez les contraires de : *opposé — beaucoup — intéressé — premier — harmonieux — partout.*

3. Cherchez la distinction entre *apercevoir* et *s'apercevoir.* Employez chacun de ces verbes dans deux phrases.

4. Ce texte est-il toujours d'actualité? Justifiez votre réponse.

5. Nommer trois auteurs allemands contemporains de Mme de Staël.

STYLE ET COMPOSITION

1. Étudiez la différence de composition de chacun des paragraphes.

2. Décrivez les aspects les plus caractéristiques d'un pays étranger que vous connaissez.

GRAMMAIRE ET STYLISTIQUE

Une forme littéraire : le négatif exprimé seulement par NE. — Dans la proposition subordonnée de condition introduite par SI, lorsque cette proposition subordonnée est placée après la principale : *Ces hommes de la classe laborieuse ne pourraient jamais donner à la musique le temps (nécessaire), s'ils n'étaient organisés pour la savoir.*

Une expression de l'idée de cause : RENDRE + un adjectif.

Le ciel du midi suffit à rendre les voix belles. Dans ce cas, l'adjectif est l'attribut du nom *voix,* complément d'objet direct.

Exercices : 1. Faire trois phrases sur le modèle : *la musique me rend triste.*

2. Cherchez page 168 un exemple du verbe *rendre* employé de la même façon.

Le mode subjonctif et l'idée de but ou d'intention.

L'on a soin que... les jours de marché il y ait des joueurs d'instruments à vent sur un balcon... L'expression *l'on a soin que* exprime une intention et entraîne donc le mode subjonctif dans la proposition subordonnée.

Le mode subjonctif dans la proposition subordonnée relative.

Cette faculté de penser, qui manque de certains défauts qui **puissent** *servir de circonscription à ses qualités.*

Dans la première proposition relative *qui manque de certains défauts,* le verbe est au mode indicatif car il exprime la constatation d'un fait; dans la seconde proposition relative, *qui puisse servir de circonscription à ses qualités,* le verbe est au mode subjonctif parce qu'il n'exprime pas la réalité, mais une éventualité qui ne serait possible que par l'existence de ces défauts qui précisément manquent.

MADAME DE STAËL (1766-1817)

Fille d'un célèbre banquier genevois, Necker, qui devint premier ministre de Louis XVI. Pénétrée de l'esprit nouveau, elle fut la théoricienne du romantisme naissant. Elle épousa un Suédois, le baron de Staël-Holstein. Son indépendance d'esprit fut telle qu'elle dut s'exiler trois fois, en 1792, en 1795 et en 1803. Napoléon Ier fit brûler son livre, *De l'Allemagne.*

La critique moderne doit beaucoup aux idées que Mme de Staël développe dans *De la Littérature.*

PROMENADES EN ITALIE

Milan, 24 septembre 1816.

J'arrive, à sept heures du soir, harassé de fatigue ; je cours à la Scala.
— Mon voyage est payé. Mes organes épuisés n'étaient plus susceptibles
de plaisir. Tout ce que l'imagination la plus orientale peut rêver de plus
singulier, de plus frappant, de plus riche en beautés d'architecture, tout
ce que l'on peut se représenter en draperies brillantes, en personnages
qui non seulement ont les habits, mais la physionomie, mais les gestes
des pays où se passe l'action, je l'ai vu ce soir...

J'appelle la Scala le premier théâtre du monde, parce que c'est celui
qui fait avoir le plus de plaisir par la musique. Il n'y a pas une lampe dans
la salle ; elle n'est éclairée que par la lumière réfléchie par les décorations.
Impossible même d'imaginer rien de plus grand, de plus magnifique, de
plus imposant, de plus neuf, que tout ce qui est architecture. Il y a eu
ce soir onze changements de décorations. Me voilà condamné à un
dégoût éternel pour nos théâtres : c'est le véritable inconvénient d'un
voyage en Italie.

Je paie un sequin par soirée pour une loge aux troisièmes, que j'ai
promis de garder tout le temps de mon séjour. Malgré le manque absolu
de lumière, je distingue fort bien les gens qui entrent au parterre. On
se salue à travers le théâtre, d'une loge à l'autre. Je suis présenté dans
sept ou huit. Je trouve cinq ou six personnes dans chacune de ces loges,
et la conversation établie comme dans un salon. Il y a des manières
pleines de naturel et une gaîté douce, surtout pas de gravité.

5 novembre 1816.

Je suis allé tous les soirs, vers les une heure du matin, revoir le Dôme
de Milan. Éclairée par une belle lune, cette église offre un aspect d'une
beauté ravissante et unique au monde.

Jamais l'architecture ne m'a donné de telles sensations. Ce marbre
blanc découpé en filigranes n'a certainement ni la magnificence ni la
solidité de Saint-Paul de Londres. Je dirai aux personnes nées avec un
certain tact pour les beaux-arts : « cette architecture brillante est du

gothique sans l'idée de mort : c'est la gaîté d'un cœur mélancolique;
et, comme cette architecture dépouillée de raison semble bâtie par le
caprice, elle est d'accord avec les folles illusions de l'amour. Changez
en pierre grise le marbre éclatant de blancheur, et toutes les idées de
mort reparaissent. — Mais ces choses sont invisibles au vulgaire et
l'irritent. » En Italie, ce vulgaire est le petit nombre; il est l'immense
majorité en France.

28 novembre 1816.

... Ce qui me plaît le plus à Milan, ce sont les cours dans l'intérieur
des bâtiments. J'y trouve une foule de colonnes et, pour moi, les
colonnes sont en architecture ce que le chant est à la musique...

STENDHAL, Promenades en Italie.

COMPRENEZ BIEN LE TEXTE

LA VIE ET LE SENS DES MOTS

A. LES MOTS

La physionomie : déformation de
physiognomie, à l'origine science de discerner le caractère à partir des traits du
visage; d'où le sens d'ensemble des
traits du visage et, au sens figuré, d'ensemble des traits caractéristiques d'un
pays.

Les décorations : aujourd'hui on emploie
le mot *les décors* (masculin pluriel) pour
désigner la décoration d'une scène.

Un sequin : mot d'origine arabe désignant une pièce de monnaie.

Le vulgaire : celui qui est vulgaire,
c'est-à-dire qui appartient à la foule
(*vulgus* en latin) au sens péjoratif du
mot, le commun des hommes.

Expliquez à l'aide du dictionnaire :
*Harasser — un inconvénient — ravis-
sant.*

B. LES EXPRESSIONS

Découpé en filigranes : découpé *en
fils à grains,* c'est-à-dire comme un dessin
fait en fils de métal ou de verre. Le fili-
grane du papier est fait avec des fils que
l'on met dans la pâte et que l'on retire
ensuite.

Travail personnel. Expliquez :
*La lumière réfléchie — un dégoût éternel
— un certain tact.*

LES IDÉES ET LES SENTIMENTS

Exercices de conversation :

1. Pour quelle raison Stendhal dit-il
« mon voyage est payé »?

2. Quelle idée l'auteur se fait-il de
l'imagination des Orientaux?

3. Commentez la dernière phrase de la
première partie.

4. Pour quelle raison Stendhal retourne-
t-il tous les soirs voir l'église appelée le
Dôme?

5. Par quoi l'idée de mort est-elle
remplacée, selon Stendhal, dans cette
architecture italienne?

6. Que pense l'auteur des Français de
son temps?

7. Relevez dans ce texte tous les détails
qui montrent que le voyageur a une vraie
âme d'artiste.

8. Expliquez et commentez la dernière
phrase du texte.

9. Pourquoi le titre de l'ouvrage est-il
« Promenades en Italie » au lieu de
« Voyage en Italie »?

Le grand escalier
de l'Opéra, un soir
◀ de gala.

Photo Viollet

─────────── *UTILISEZ LE TEXTE* ───────────

CIVILISATION

L'influence italienne a été très importante dans le développement de l'art et de la littérature française, notamment au XVIe siècle. On voit que Stendhal considère encore l'Italie comme un pays plus évolué et plus civilisé que la France.

Au théâtre, on utilise encore le plus souvent *la scène à l'italienne*, avec un rideau qui se lève au début du spectacle et une « rampe de lumière » séparant les comédiens des spectateurs. La *commedia dell'arte* et la technique des comédiens italiens qui parcouraient la France au XVIIe siècle ont beaucoup influencé Molière.

Stendhal s'extasie sur le fait que, durant le spectacle, les lampes qui éclairent la salle et les spectateurs soient éteintes.

Ce procédé, par lequel l'attention des spectateurs est concentrée sur la scène, seule éclairée, ne sera adopté à l'Opéra de Paris qu'après la Grande Guerre (1914-1918), soit plus d'un siècle après le voyage de Stendhal! De même, dans le premier paragraphe, il est fait allusion à un réalisme qui ne sera découvert sur les scènes françaises que soixante-dix ans plus tard.

1. Relevez tous les détails montrant que cette supériorité de l'Italie, dans l'esprit de Stendhal, n'est pas seulement artistique.

2. Ce texte est écrit un an après Waterloo et la France sort d'une longue période de guerre. Cela n'explique-t-il pas les durs jugements de Stendhal? Commentez votre réponse.

3. Que pensez-vous de la raison pour laquelle Stendhal appelle *la Scala* de Milan le « *premier théâtre du monde* »?

GRAMMAIRE

Exercice : Cherchez dans le texte les compléments circonstanciels : a) *de temps*, b) *de lieu*, en faisant les remarques nécessaires, s'il y a lieu, sur les prépositions qui les introduisent.

CONSEILS POUR LA LECTURE

Votre ton doit faire sentir le double but de Stendhal : relater son séjour avec enthousiasme et donner à ses compatriotes une leçon qui les amène à faire des progrès.

STENDHAL (1783-1842)

Voir notice page 122.

194

PRÉSENTATION DE L'ESPAGNE

Sous une lumière dramatique, le ciel des plateaux déferlait, avec une vitesse de tourmente. Le vent n'avait plus le goût d'algues et de sel qu'il gardait dans les châtaigneraies de la montagne basque, en arrière. Il sentait la terre intérieure, châtiée par les sécheresses, la fumée des campements et la cendre des feux de bergers. Au lieu de puiser aux sources de la mer, les nuages naissaient de je ne sais quel continent secret, terre si obscure qu'elle faisait elle-même sa nuit. Plus nous avancions vers le sud, et plus la tempête croissait, déchiquetant les arbres mutilés et chassant une poussière de désert. Avec son gréement de nef en détresse, la cathédrale de Burgos avait sombré au creux d'un pli, et une paire de gardes civils, bicorne noir, fusil, et manteau réséda, motif du paysage espagnol, près d'être emportée par le vent, louvoyait à la surface de la route. Nous rejoignîmes une voiture en panne, celle d'un jeune ménage français, qui n'aurait pas été plus désemparé sur les steppes d'Anatolie. Un véritable effroi le possédait, celui d'un naufragé qui eût abordé un continent encore en proie au drame d'avant l'homme. Pour le rassurer, il fallut toute la chaleur de l'auberge d'Aranda del Duero, ses fauteuils de club et sa cheminée à l'anglaise, et la radio qui, à travers la nuit et le vent d'Asie, nous reliait aux terres d'Europe. Car la route espagnole offre au voyageur délicat ses refuges, les plus modernes que le tourisme ait installés et, aussi bien que la savoureuse hospitalité des auberges du cru, il est possible d'y trouver un confort de palaces et de wagons-lits.

Pour son voyage dans l'Espagne de carte postale de ses rêves, ce couple en lune de miel aurait dû choisir une autre route, ou une autre saison : les ramblas encore en fleurs de Barcelone, la côte levantine, le printemps de la Feria de Séville, ou le mois d'avril en Andalousie. Il aurait échappé à cette tempête d'Atlas, à ce jour sombre d'arrière-automne, saison que j'ai toujours choisie pour mes arrivées en Espagne, parce qu'elle me donne le sentiment de trouver d'un seul coup l'exil, et d'aborder sans transition au cœur des terres et des hommes épargnés. Je sais certes que je parle pour mon humeur sauvage, pour mon goût du désert et de l'âpreté.

Nulle frontière n'ouvre, en effet, sur un pays plus éloigné du nôtre, pour l'espace, le temps, ou pour le caractère. Le pas pyrénéen nous introduit d'emblée dans un univers que nous devrions aller chercher au-delà de la mer, aussi bien que dans un âge périmé... Forte de sa masse quadrangulaire, inentamée, continent accosté à l'Europe, mais qui lui demeure étranger, protégée sur son flanc par l'épaisseur du Portugal contre les influences océaniques, l'Espagne des hauts plateaux résiste en effet à l'attendrissement des mers et à l'humanisation de leurs souffles. Ainsi conserve-t-elle son cœur minéral, sa violence, la dureté de sa matière. Les villes fortes espacées, leurs citadelles et leurs remparts, nées de la même pierre et fondues en elles, semblent appartenir aux mêmes âges. Depuis celui des migrations, rien n'est survenu autour d'elles qui les mette en désaccord avec la terre essentielle, et leur confère un air de ruines. L'éternité leur appartient, comme elle appartient à l'homme qui apparaît enfin sur la piste — j'allais écrire sur la piste chamelière — luttant contre le vent sous la couverture brune des pasteurs, et sur lequel rien n'a tracé. Homme essentiel lui aussi, et fidèle à lui-même, aussi bien dans le Guadarrama que dans les rues américaines de Madrid, sur la steppe de la Manche, où la silhouette de Don Quichotte surgit encore à chaque pas, et dans la montagne andalouse, ou la terre à taureaux des marismas.

Comment le berger de la Frontera, qui tisse le doum au bord de la route, ne ressemblerait-il pas à l'homme chassé par la Reconquête ? Et comment les villages rouges de la meseta ne se mueraient-ils pas ici en blancs villages à la chaux, couronnés de nids de cigognes ? Les plateaux asiatiques ont fait place au paysage africain. Mais, cette fois, il ne s'agit plus d'une image. C'est l'Afrique elle-même qui vous accueille, et non seulement dans les vestiges de l'histoire, mosquées, palais et citadelles, Giralda sœur de la Koutoubia marocaine, mais dans sa chair. Des millénaires avant les invasions arabes, la terre passait le détroit de Gibraltar. Montez au-dessus de Tarifa, dans la forêt de chênes-lièges. Vous verrez la terre africaine descendre encore sous vos yeux des montagnes du Rif, et vous aurez la sensation qu'elle passe par-dessous les eaux du détroit, pour venir épouser sous vos pieds le mouvement de la terre andalouse. De fait, elles ne font qu'un... La vertu du voyage espagnol est sur le chemin de Saint-Sébastien à Tarifa, chemin qui, par-delà les Méditerranées, mène le voyageur au cœur des terres intérieures, Asie, Afrique, terres violentes, élémentaires, dures à l'homme, et dont notre cap occidental ignore les esprits.

Joseph PEYRÉ, *L'Espagne*, Odé, éditeur.
Collection « *Le Monde en Couleurs* ».

LA VIE ET LE SENS DES MOTS

LES MOTS ET LES EXPRESSIONS

Déferler : au sens transitif (avec un complément direct), rare, *déployer*.

Au sens intransitif (sans complément d'objet), se dit des vagues de la mer qui semblent se déployer pour monter à l'assaut des côtes. Ici, les nuages semblent se déployer pour attaquer le ciel.

Châtier : ici, sens figuré de punir; on aurait dit que le ciel, par la sécheresse, punissait la terre pour la purifier.

Le pas : ici, sens littéraire de passage.

Inentamé : du préfixe *in*, privatif, et de entamer (du latin *tangere*, toucher), qui signifie couper le premier morceau, porter la première atteinte. L'Espagne semble être restée intacte.

Les motifs du paysage : ce qui semble appartenir au paysage en s'y répétant, comme un motif d'architecture se répète sur un monument.

Un air de mine : les édifices semblent avoir été directement extraits des paysages rocheux sur lesquels ils ont été construits. Ils font corps avec ce paysage.

Piste chamelière : chemin rudimentaire parcouru par les chameaux, surtout dans le désert.

Expliquez à l'aide du dictionnaire :

Un grément (ou gréement) — réséda — louvoyer — un remblai — épargner — une citadelle — essentiel — trouver.

Trouver d'un seul coup l'exil — l'âge des migrations.

LES IDÉES ET LES SENTIMENTS

Exercices de conversation :

1. Cherchez dans le texte tous les détails qui montrent que le romancier admire profondément l'Espagne et qu'il aime les Espagnols.

2. Après avoir lu ce texte, avez-vous envie d'aller visiter l'Espagne? Justifiez votre réponse.

3. En quoi consiste « l'attendrissement des mers et l'humanisation de leur souffle »?

4. Est-ce habile de terminer l'avant-dernier paragraphe par une allusion à la « terre à taureaux »? Expliquez votre sentiment.

5. Qu'avons-nous, d'après le dernier paragraphe, à apprendre de l'Espagne?

──────── UTILISEZ LE TEXTE ────────

STYLE ET CIVILISATION

1. L'auteur parsème son texte de *couleur locale* en employant un grand nombre de termes se rapportant spécifiquement à l'Espagne et de mots géographiques. Ainsi nous avons :

Le garde civil : nom donné au gendarme espagnol, dont l'uniforme traditionnel est très caractéristique. Montrez comment, en peu de mots, l'auteur esquisse la silhouette des gardes avec suffisamment de détails pour qu'on puisse les dessiner et les peindre.

La feria : la foire qui, à Séville, a lieu au printemps.

Le doum : un tissu grossier fait avec des fibres de palmier nain.

La meseta : mot espagnol, passé en français, et signifiant plateau.

2. Vous relèverez tous les mots géographiques *locaux* et vous les situerez sur une carte de l'Espagne.

3. L'auteur emploie aussi des termes géographiques se rapportant à d'autres continents. Cherchez-les. A quels continents se rapportent-ils? Pourquoi Joseph Peyré les emploie-t-il?

Don Quichotte : grand roman de Cervantès (1547-1616), célèbre dans le monde entier, et où l'idéalisme du chevalier Don Quichotte et le réalisme de son domestique Sancho Pança s'opposent d'une manière burlesque.

197

COMPOSITION FRANÇAISE

— Rédigez, sous forme d'un rapide récit de voyage, un texte dont le but sera d'inciter les étrangers à venir visiter votre pays.   *Ou :*

— Dans une lettre à un ami, vous expliquerez comment les voyages et les séjours à l'étranger permettent de mieux connaître ceux qui ne sont pas des compatriotes, de voir qu'ils ont, comme tout le monde, des qualités et des défauts. Vous montrerez enfin que cette connaissance est la base de la compréhension internationale et de la paix.

GRAMMAIRE ET STYLISTIQUE

L'inversion du sujet dans les propositions commençant par :

Ainsi, sans doute. peut-être, aussi, à peine.

Ainsi conserve-t-elle un cœur minéral.

Dans cette proposition la forme du verbe est semblable à la forme interrogative avec inversion du sujet parce que la proposition commence par *Ainsi.*

À la page 61 nous trouvons :

Sans doute, les lettres, la radio, les journaux font-ils entrer dans l'ermitage les nouvelles de notre monde.

Exercices : 1. Faites deux phrases commençant par *ainsi* et par *sans doute* en employant dans l'une un pronom personnel sujet et dans l'autre un nom sujet.

2. Cherchez à la page 163 une phrase commençant par *à peine* et dans laquelle le sujet est inversé.

Expression de l'idée comparative proportionnelle. — *Plus... plus.*

Plus nous avancions vers le sud et plus la tempête croissait.

L'idée comparative proportionnelle peut s'exprimer par l'adverbe de quantité *plus* répété devant chaque proposition.

Exercice : Faites quatre phrases sur le modèle de « *Plus l'Espagne est sauvage et **plus** elle plaît à l'auteur.* »

Le mode subjonctif dans la proposition subordonnée relative.

Quand l'antécédent du pronom relatif est qualifié par un superlatif, on emploie le verbe au mode subjonctif :

La route espagnole offre au voyageur délicat ses refuges, les plus modernes que le tourisme ait installés.

Ici au temps passé, parce que l'auteur compare ces hôtels espagnols à ceux qu'il a déjà vus ailleurs.

Exercice : Faire trois phrases sur le modèle suivant : *l'Espagne est le pays le plus moderne que je connaisse — ou que j'aie visité.*

JOSEPH PEYRÉ (1896)

Cet auteur, qui obtint le prix Goncourt en 1935 pour son roman *Sang et lumière*, s'est spécialisé dans l'évocation exotique de l'Espagne et de l'Afrique. Le grand public apprécie son style riche et haut en couleurs.

En Espagne : **Covadonga** (Province des Asturies).

LES ÉLÉPHANTS D'AFRIQUE ET LA SÉCHERESSE

C'était le meilleur moment. Il ne faisait pas chaud et les oiseaux, au-dessus des troupeaux, avaient les couleurs de l'aube. Des milliers d'échassiers, de marabouts, de jaribus erraient autour des bêtes sur les dunes et les rochers, et les pélicans avaient à peine la place pour s'élancer. Chaque matin, on voyait la terre rouge émerger de l'eau un peu plus ; normalement, les rochers, avec les touffes d'herbe, d'oiseaux et de roseaux, n'étaient que des îles de végétation sortant à peine de l'eau : à présent, on voyait jusqu'à cinq mètres de roches et de terre, qui couraient d'une falaise à l'autre ; on pouvait traverser le lac à pied sans se mouiller. Le nombre des éléphants s'était encore accru pendant la nuit. Les derniers arrivés restaient parfois quarante-huit heures sans s'écarter de l'eau, et demeuraient prostrés pendant des journées entières. Sans doute ne s'agissait-il pas seulement d'épuisement physique, mais aussi d'une réaction nerveuse après les semaines qu'ils venaient de vivre : Morel savait que les éléphants se remettaient plus lentement que les autres bêtes de leurs émotions. Dans les articles qu'il leur avait consacrés, Haas, qui avait vécu vingt-cinq ans parmi les éléphants, du Kenya au Tchad, disait qu'il avait souvent vu une femelle à laquelle il avait pris ses petits, après quelques heures de fureur et de course enragée à leur recherche, perdre parfois brusquement toute trace d'énergie, et demeurer couchée inerte pendant que les autres membres du troupeau essayaient en vain, avec leur front, de la pousser à se mettre debout. Il prétendait avoir pu s'approcher d'une de ces mères effondrées dès que ses congénères l'avaient quittée, de guerre lasse, et caresser sa trompe sans enregistrer la moindre réaction. Caresser sa trompe — c'était le terme que cet homme remarquable employait. Cela ne l'empêchait pas de continuer à leur enlever leurs petits pour les emmener en captivité. En captivité ! Des éléphants en captivité !... Morel sentit le sang lui cogner au visage, et il serra sa carabine, avec une haine totale, farouche, pour tous les capteurs du monde...

L'éléphant épuisé était couché sur le flanc gauche et, sur l'autre, il y avait encore la poussière rouge du désert, poudreuse, pas touchée d'eau, avec deux hérons qui rôdaient entre ses jambes ; et d'abord Morel le crut mort, mais lorsqu'il sortit des roseaux, il surprit un bref frémissement d'oreille, un début de réflexe d'alerte et il vit son œil bouger et s'arrêter sur lui. Il toucha la poussière du doigt : la bête n'avait même plus la force de se doucher. Il n'y avait pas trente centimètres d'eau dans la mare, la surface boueuse bouillonnait par endroits et il était entouré de claquements secs et continus, une incessante pétarade : les poissons de boue quittaient le lac en bondissant sur leurs nageoires caudales. C'était la première fois qu'il les entendait se déplacer pendant le jour... Il s'assit sur une roche, la carabine sur les genoux, l'odeur de vase et de plantes pourries dans les narines et les zigzags d'insectes devant les yeux. Il avait déjà surpris les villageois Kaï coupant les tendons de bêtes isolées comme celle-là. Après la correction qu'il leur avait administrée il ne pensait pas qu'ils allaient recommencer, mais il n'avait rien d'autre à faire que de monter la garde, puisque de toute façon il n'était venu que pour ça... Au bout d'une demi-heure, l'éléphant leva la tête et s'aspergea mollement. Morel lui cligna de l'œil. « C'est ça, mon gars, dit-il. Faut jamais désespérer. Pour ça, il faut être fou, mais le premier reptile qui a traîné son ventre hors de l'eau pour vivre sur la terre, sans poumons, et essaya quand même de respirer, il était fou, lui aussi. N'empêche que ça a fini par faire des hommes. Faut toujours essayer le plus qu'on peut. »

Romain GARY,
Les Racines du ciel. — Gallimard, éditeur.

─────────── *COMPRENEZ BIEN LE TEXTE* ───────────

LA VIE ET LE SENS DES MOTS

LES MOTS ET LES EXPRESSIONS

Un échassier : du nom féminin échasses, qui désigne de longs bâtons de bois qui allongent les jambes. Ce mot a été inventé par le naturaliste Cuvier (1769-1832) pour désigner les oiseaux aquatiques à longues pattes.

Dans le texte, *le marabou, le jaribu, le pélican* et *le héron* sont des oiseaux de la famille des échassiers.

Prostré : étendu à terre, au sens propre et au sens figuré. Ici, le mot a les deux sens : l'éléphant est couché à terre et il a renoncé à la volonté de vivre, tel est son état d'abattement physique et moral.

Un congénère : qui appartient au même genre, à la même espèce.

Un réflexe : participe passé du verbe latin *reflectere*, réfléchir. C'est proprement une réaction qui réfléchit l'impression reçue, sans que celle-ci passe par les centres nerveux supérieurs. L'animal attaqué se défend automatiquement.

Une carabine : à l'origine, arme des carabins, soldats de cavalerie légère (XVIe siècle). Aujourd'hui, fusil léger d'une grande précision.

La vase : mot néerlandais entré dans la langue française au XIVe siècle et signifiant le mélange de terre et de matière organique que l'on trouve au fond des eaux.

Les couleurs de l'aube : le ciel de l'Afrique est célèbre pour la richesse et la beauté de ses colorations au point du jour. L'auteur a donc l'habileté d'employer, pour décrire ces oiseaux, une métaphore de couleur locale.

Émerger de l'eau : *de l'eau* est nécessaire ici parce qu'il serait possible d'émerger de la boue et de la vase. Si ce n'était pas ce cas particulier, l'expression serait *un pléonasme* (défaut consistant à répéter inutilement la même idée).

Travail personnel. Expliquez :
Une réaction nerveuse — caresser sa trompe — caudal — un tendon — asperger.

LES IDÉES ET LES SENTIMENTS

Exercices de conversation :

1. Pour quelles raisons les éléphants souffrent-ils? Relevez tous les détails montrant que la situation est exceptionnelle.

2. En quoi Haas est-il « un homme remarquable »?

3. Comparez Haas et Morel.

4. Quels sentiments éprouvez-vous pour cet éléphant? Pour chacun de vos sentiments, vous relèverez les expressions du texte qui l'ont fait naître.

5. Morel est l'ami des bêtes sauvages, et cette situation a pour conséquence certaines attitudes et certaines prises de position à l'égard de la condition humaine et à l'égard de la société. Vous relèverez deux passages dépeignant cette prise de position de Morel et vous jugerez ces attitudes du personnage.

--- *UTILISEZ LE TEXTE* ---

LE VOCABULAIRE ACTIF

1. Trouvez un adjectif et un verbe de la famille de *correction*, les employer chacun dans une phrase qui en illustrera le sens.
2. Trouvez un homonyme de *vase* et employez-le dans une phrase.
3. Pour quelle raison l'auteur emploie-t-il *ça* pour *cela ?* (Voir page 60).

COMPOSITION FRANÇAISE

1. Décrivez un animal en voie de disparition et exprimez, comme Morel, vos sentiments à ce sujet.
2. « Il faut toujours essayer le plus qu'on peut. » — Expliquez et discutez, grâce à des exemples tirés de la vie ou de la littérature.

GRAMMAIRE

La proposition infinitive après les verbes *regarder, voir, entendre* et *sentir*.

On voyait la terre rouge émerger de l'eau un peu plus.

Dans cette phrase, le sujet de l'infinitif *émerger* est *la terre rouge*, et le sujet du verbe *voir* est *on*.

L'infinitif est souvent complément d'un autre verbe; mais quand l'infinitif a dans une phrase un sujet propre, on dit qu'il s'agit d'une proposition infinitive.

Exercices : 1. Cherchez dans le texte trois autres propositions infinitives après les verbes *regarder, entendre, sentir*.

2. Expliquez l'ordre des mots dans la proposition suivante : *Sans doute ne s'agissait-il pas seulement d'épuisement physique* (voir page 198).

CONSEILS POUR LA LECTURE

Le texte doit être lu d'une manière sobre et objective, à l'exception de la dernière phrase du premier paragraphe (lire avec passion) et de la dernière phrase du second paragraphe (prendre un ton paternel).

ROMAIN GARY (1914)

Romancier qui fut commandant dans l'aviation militaire de la *France libre* avant d'entrer dans la carrière diplomatique. Son œuvre est à la fois épique et humaniste. Dans *les Racines du ciel* (Prix Goncourt 1956), son héros Morel est un moderne Don Quichotte qui veut sauver les animaux menacés d'extermination par les progrès implacables d'une civilisation vouée à la machine; ce faisant, Morel a la conviction de lutter pour ce qui donne de la valeur à la vie humaine.

Nous citerons aussi *Civilisation Européenne* et *les Couleurs du jour.*

Dunes au Sahara.
« *Au crépuscule, le mirage meurt. L'horizon s'est déshabillé de sa pompe... C'est un horizon de désert.* » (Saint-Exupéry.)

DANS LE DÉSERT DE LIBYE : MIRAGES

A la fin de 1935, Saint-Exupéry tente un grand raid : Paris-Saïgon, avec son mécanicien André Prévot (voir page 175). De Benghazi, à bord d'un « Simoun », ils volent vers Le Caire, à 270 km-h ; mais leur avion percute le sol du désert de Libye. Saint-Exupéry décide de partir seul en exploration, pendant que Prévot reste auprès des débris de l'appareil.

Je m'en vais donc, et je ne sais même pas si j'aurai la force de revenir. Il me revient à la mémoire ce que je sais du désert de Libye. Il subsiste, dans le Sahara, 40 % d'humidité, quand elle tombe ici à 18 %. Et la vie s'évapore comme une vapeur. Les bédouins, les voyageurs, les officiers coloniaux, enseignent que l'on tient dix-neuf heures sans boire. Après vingt heures, les yeux se remplissent de lumière et la fin commence : la marche de la soif est foudroyante...

Je m'en vais donc, mais il me semble que je m'embarque en canoë sur l'océan...

Je poursuis ma route et déjà, avec la fatigue, quelque chose en moi se transforme. Les mirages, s'il n'y en a point, je les invente...

— Ohé !

J'ai levé les bras en criant, mais cet homme qui gesticulait n'était qu'un rocher noir. Tout s'anime déjà dans le désert. J'ai voulu réveiller ce bédouin qui dormait et il s'est changé en tronc d'arbre noir. En tronc d'arbre ? Cette présence me surprend et je me penche. Je veux soulever une branche brisée : elle est de marbre ! Je me redresse et je regarde autour de moi; j'aperçois d'autres marbres noirs. Une forêt antédiluvienne jonche le sol de ses fûts brisés...

Depuis hier j'ai déjà parcouru près de quatre-vingts kilomètres. Je dois sans doute à la soif ce vertige. Ou au soleil... Ah ! là-bas...

— Ohé ! ohé !

— Il n'y a rien là-bas, ne t'agite pas, c'est le délire.

Je me parle ainsi à moi-même, car j'ai besoin de faire appel à ma raison. Il m'est si difficile de refuser ce que je vois. Il m'est si difficile de ne pas courir vers cette caravane en marche... là... tu vois !

— Imbécile, tu sais bien que c'est toi qui l'inventes...

— Alors rien au monde n'est véritable...

Rien n'est véritable sinon cette croix, à vingt kilomètres de moi sur la colline. Cette croix ou ce phare...

Mais ce n'est pas la direction de la mer. Alors c'est une croix. Toute la nuit j'ai étudié la carte. Mon travail était inutile, puisque j'ignorais ma position. Mais je me penchais sur tous les signes qui m'indiquaient la présence de l'homme. Et, quelque part, j'ai découvert un petit cercle surmonté d'une croix semblable. Je me suis reporté à la légende et j'y ai lu : « Établissement religieux ». A côté de la croix, j'ai vu un point noir. Je me suis reporté encore à la légende, et j'y ai lu : « Puits permanent ». J'ai reçu un grand choc au cœur et j'ai relu tout haut : « Puits permanent... Puits permanent... Puits permanent ! »...

Le voilà mon établissement religieux! Les moines ont dressé une grande croix sur la colline pour appeler les naufragés! Et je n'ai qu'à marcher vers elle. Et je n'ai qu'à courir vers ces dominicains... vers ces dominicains studieux. Ils possèdent une belle cuisine fraîche aux carreaux rouges et, dans la cour, une merveilleuse pompe rouillée. Sous la pompe rouillée, sous la pompe rouillée, vous l'auriez deviné... sous la pompe rouillée, c'est le puits permanent! Ah! ça va être une fête là-bas quand je vais sonner à la porte, quand je vais tirer sur la grande cloche...

— Imbécile, tu décris une maison de Provence où il n'y a d'ailleurs point de cloche.

... Quand je vais tirer sur la grande cloche! ... Je tremblerai de bonheur...

Mais non, je ne veux pas pleurer, pour la seule raison qu'il n'y a plus de croix sur la colline...

Le crépuscule m'a dégrisé. Je me suis arrêté brusquement, effrayé de me sentir si loin. Au crépuscule, le mirage meurt. L'horizon s'est déshabillé de sa pompe, de ses palais, de ses vêtements sacerdotaux. C'est un horizon de désert...

Je fais demi-tour.

Après deux heures de marche, j'ai aperçu les flammes que Prévot, qui s'épouvantait de me croire perdu, jette vers le ciel. Ah! cela m'est tellement indifférent...

Encore une heure de marche... Encore cinq cents mètres. Encore cent mètres. Encore cinquante.

— Ah!

Je me suis arrêté stupéfait. La joie va m'inonder le cœur et j'en contiens la violence. Prévot, illuminé par le brasier, cause avec deux Arabes adossés au moteur. Il ne m'a pas encore aperçu. Il est trop occupé par sa propre joie. Ah!... si j'avais attendu comme lui... Je serais déjà délivré! Je crie joyeusement :

— Ohé!

Les deux Bédouins sursautent et me regardent. Prévot les quitte et s'avance seul au-devant de moi. J'ouvre les bras. Prévot me retient par le coude. J'allais donc tomber? Je lui dis :

— Enfin, ça y est!

— Quoi?

— Les Arabes !

— Quels Arabes ?

— Les Arabes qui sont là, avec vous !...

Prévot me regarde drôlement, et j'ai l'impression qu'il me confie, à contrecœur, un lourd secret :

— Il n'y a point d'Arabes...

Sans doute, cette fois, je vais pleurer.

Après une marche de 200 km dans le sable, Saint-Exupéry et Prévot rencontrent un Bédouin qui leur donne à boire et va leur servir de guide. Ils sont sauvés.

Antoine DE SAINT-EXUPÉRY,

Extraits de *Terre des Hommes*. — N.R.F., édit.

─────────── **COMPRENEZ BIEN LE TEXTE** ───────────

LE SENS ET LA VIE DES MOTS

LES MOTS ET LES EXPRESSIONS

Mirages (masc.) : dans le désert, aux heures chaudes de la journée, des objets éloignés (des arbres par exemple) apparaissent proches du voyageur, avec leur image renversée comme s'ils se miraient dans une nappe d'eau. Mais la vision s'éloigne ou s'évanouit à mesure que le voyageur s'avance vers elle.

La fin : la fin de la vie, l'agonie.

Un canoë : Pirogue légère qu'on fait avancer à la pagaie; on ne saurait donc, sans danger de naufrage, l'utiliser sur un océan.

Antédiluvienne : avant (*anté*) le déluge (*diluv*). Une forêt antédiluvienne est donc une forêt très ancienne, qui existait avant le déluge.

Vertige : On éprouve un vertige quand on a un étourdissement, la sensation d'une perte d'équilibre.

Légende : Ici : explications jointes à une carte pour en faciliter la compréhension.

Travail personnel. — Expliquez :

Bédouins — naufrages — dominicains — sa pompe.

Puits permanent : le puits permanent fournit de l'eau sans interruption, l'on peut toujours y *puiser* de l'eau.

Vêtements sacerdotaux : vêtements des prêtres pour les offices du culte religieux. Après le coucher du soleil, l'horizon a perdu les riches couleurs dont il paraissait vêtu.

On tient dix-neuf heures : l'organisme humain résiste pendant dix-neuf heures.

LES IDÉES ET LES SENTIMENTS

Exercices de conversation :

1. Où se passe la scène?

2. Quels sont les deux personnages du récit? (Voir l'illustration page 175.)

3. Que leur est-il arrivé? Que fait alors chacun d'eux?

4. Saint-Exupéry s'en va, mais il éprouve un sentiment de découragement. Relevez les deux phrases où il l'exprime. Sur quelles connaissances, qui lui reviennent à la mémoire, ce sentiment est-il fondé?

5. Il est bientôt en proie aux mirages. Son imagination travaille; mais sa raison veille toujours et lui montre la réalité. Que lui fait voir, successivement, son imagination et, dans chaque cas, sa raison?

205

6. Dans ses moments de lucidité, il se juge et s'apostrophe vivement à trois reprises. Relevez les trois phrases qui le montrent.

7. Il étudie sa carte. Mais que lui manque-t-il pour que cette étude soit utile ? Et quelle en est la conséquence ?

Quels signes, sur cette carte, lui indiquent la présence de l'homme à certains points du désert ?

8. Quand meurt le mirage ? Pourquoi ?

9. Prévot, à son retour, le « regarde drôlement ». Pourquoi ?

UTILISEZ LE TEXTE

LE VOCABULAIRE ACTIF

1. Mirage. *a)* Employez ce mot dans une première phrase au sens propre; dans une deuxième, au sens figuré.

b) Mots de sens voisin : *vision — illusion — hallucination.* Donnez la définition de ces trois mots (dictionnaire). Faites entrer chacun d'eux dans une phrase qui en montrera bien le sens.

3. Vertige. Formez un adjectif avec ce nom. Employez-le dans une phrase.

4. Qu'est-ce qu'une pluie diluvienne ?

5. Le mot *pompe* est employé, dans le texte, avec deux sens différents. Relevez les deux propositions où il figure.

6. Trouvez le contraire de « puits permanent ». Employez le nouvel adjectif dans une phrase avec un autre nom.

STYLE ET COMPOSITION

LE TEXTE

a) « Est-ce une croix ou un phare? » Ne pouvant se fier à sa vue et à son imagination, Saint-Exupéry tente d'arriver, par le raisonnement, à des conclusions précises. Rapportez le raisonnement qu'il fait pour résoudre la question ci-dessus, et dites à quelle conclusion il aboutit.

b) Il part de l'idée de croix pour aboutir, par le raisonnement, à l'idée « de puits permanent dans une cour ». Refaites son raisonnement. Par quoi la conclusion en est-elle ensuite détruite ?

II. LA RÉDACTION

1º Un de vos amis a peur des revenants. Il vous affirme qu'il en a vu un la nuit dernière. Faites-le parler.

2º **Annoncez par lettre à un de vos amis,** qu'un *Martien* a atterri près de chez vous, et qu'il est reparti aussitôt dans sa *soucoupe volante.* (Évitez de parler trop sérieusement.)

GRAMMAIRE

Un emploi de la conjonction QUAND. — Le sens d'opposition :
Il subsiste, dans le Sahara, 40 % *d'humidité, quand elle tombe ici à* 18 %.

Dans cette phrase, *quand* a perdu sa valeur temporelle pour marquer une valeur d'opposition, de contraste et signifie alors *tandis que, alors que.*

Une valeur expressive de l'adjectif possessif. — *Le voilà mon établissement religieux!* Ici l'adjectif possessif n'a pas de valeur de possession, mais rappelle que le narrateur a pensé, a imaginé cet établissement religieux qu'il croit reconnaître dans le mirage.

Exercices :

1. Expliquez l'ordre des mots dans la phrase suivante : *Les mirages, s'il n'y en a point, je les invente* (voir page 64).

2. Faites trois phrases conditionnelles sur le modèle de la phrase du texte : *Si j'avais attendu* (plus-que-parfait) *comme lui, je serais déjà délivré* (conditionnel passé exprimant l'irréel du passé.)

SAINT-EXUPÉRY (1900-1944)

Voir notice page 173.

EN U.R.S.S. : LE CIRQUE DE MOSCOU

Ce qui caractérise le cirque soviétique, c'est son profond respect des traditions, ce qui n'exclut pourtant pas la recherche de la nouveauté, par exemple dans la conception de l'agrès que l'on veut scientifique, voire atomique. C'est aussi le souci de considérer le programme non pas comme un heureux rassemblement d'attractions diverses, mais comme un spectacle aussi logiquement et harmonieusement élaboré qu'un ballet classique. La musique fait l'objet d'une véritable partition écrite comme celle d'un film, les costumes sont dessinés en fonction les uns des autres, ainsi que les tapis de piste ou les housses de banquettes qui servent à créer une atmosphère d'une somptuosité tantôt joyeusement naïve, tantôt orientale. Notons en passant que l'esthétique de cette décoration, qui n'a aucun rapport avec nos propres préoccupations plastiques actuelles, et que les Soviétiques considèrent comme moderne, a dans ce domaine une efficacité visuelle certaine.

Pour réaliser de tels spectacles il faut évidemment disposer d'un matériel humain considérable. Mais la ressource est surtout due au recrutement et à la formation.

N'importe quel citoyen de l'U. R. S. S. peut ambitionner d'entrer dans la grande famille de la balle. Le candidat, fréquemment présenté par une compagnie d'amateurs, scolaire, ouvrière ou paysanne, est admis à faire une année d'études artistiques à titre d'essai; après quoi, si l'épreuve est concluante, la deuxième année est réservée à l'apprentissage de toutes les disciplines : acrobatiques, équestres, chorégraphiques, mimiques, etc., la culture classique allant de pair. Ce n'est qu'à la troisième session que l'élève peut prétendre au choix d'une spécialité. Ce temps révolu, son engagement est assuré dans des petits établissements, fixes ou itinérants, sa progression restant constamment surveillée par la direction centrale. Vient la compétition annuelle publique ouverte à tous les artistes de l'Union des Républiques. Ce sont de véritables Olympiades du cirque, où les meilleurs champions de chaque spécialité s'affrontent en de vastes tournois passionnément suivis par des milliers de spectateurs.

Le résultat est qu'un clown comme Popov, issu de l'amateurisme, se présente aujourd'hui sur les pistes et même, accidentellement, sur les scènes, comme un artiste complet : jonglant à terre et sur le fil, voltigeant à cheval, sautant au tapis, jouant la comédie ou la pantomime, faisant de la musique et surtout animant, sans aucun préjugé de vedette, un spectacle d'un bout à l'autre, lui conférant une parfaite unité de style.

L'homme est jeune mais déjà profondément cultivé, s'intéressant à tous les arts avec curiosité et avec un sens critique aiguisé. Il est en quelque sorte le symbole du nouveau système de formation de l'artiste soviétique.

Yves-BONNAT.

Article dans la revue *Spectacle* n° 2, 1958.

──────────── *COMPRENEZ BIEN LE TEXTE* ────────────

LE SENS ET LA VIE DES MOTS

LES MOTS ET LES EXPRESSIONS

Un agrès : terme de marine signifiant tout ce qui concerne la mâture d'un navire : poulies, voiles, cordages, etc... Par extension le mot s'applique à des appareils de gymnastique comme les trapèzes.

Atomique : ici, le mot est employé ironiquement et signifie du tout dernier modèle, à la pointe du progrès, notre époque étant caractérisée par le développement de la science de l'atome et de la physique nucléaire.

Élaborer : au sens propre, réaliser par le labeur, par le travail. En dépit de ses apparences faciles, le programme a demandé beaucoup d'efforts, surtout de préparation et de coordination.

Une esthétique : d'un mot grec qui signifie sentir (*une anesthésie :* état où l'on ne sent rien), c'est la science qui aide à sentir la beauté ; ici, système de décoration par lequel on donne au spectateur le sentiment de la beauté.

La pantomime : proprement, où tout est mimé, c'est-à-dire imité, donc pièce de théâtre ou petite scène où la parole n'est pas employée, où les idées et les sentiments sont exprimés par des gestes.

Expliquez à l'aide du dictionnaire :
Une partition — plastique — équestre — chorégraphique — itinérant.

Un matériel humain : expression employée au sens technique militaire et signifiant de grandes réserves d'hommes.

La famille de la balle : du vieux verbe *baller* qui signifiait danser; *les baladins* (mot provençal) furent, à l'origine, des danseurs professionnels qui allaient de ville en ville ; puis le mot se généralise et signifie acteurs ambulants; la famille de la balle est donc l'ensemble des acteurs qui ont, entre eux, une grande solidarité.

Travail personnel. — Expliquez :
L'apprentissage des disciplines — Aller de pair — sans aucun préjugé de vedette — un sens critique aiguisé.

LES IDÉES ET LES SENTIMENTS

Exercices de conversation :

1. Quelle est l'attitude des acteurs du cirque soviétique par rapport :
a) au passé;
b) au présent;
c) à l'ensemble d'un spectacle;

2. Comment est créée l'atmosphère d'un programme?

3. Relevez tous les détails qui montrent que les Soviétiques considèrent le cirque comme un art important.

4. Pour quelles raisons le clown Popov est-il une sorte de symbole?

5. Faites une liste des idées et une liste des sentiments exprimés dans ce texte. Montrez comment les sentiments découlent des idées.

HISTOIRE ET CIVILISATION

1. Le cirque, au sens moderne du mot, fut inventé par le cinquième roi de Rome, Tarquin l'Ancien, qui régna au VIᵉ siècle avant Jésus-Christ. Il s'agit donc d'une forme de spectacle dont les traditions sont fort anciennes.

Pour cette raison, l'auteur fait allusion à deux autres faits historiques, *les tournois* et les *Olympiades*.

Dites, en trois ou quatre phrases, ce qu'étaient les tournois et les Olympiades.

2. En France et dans beaucoup de pays, le cirque ne semble pas avoir le même idéal qu'en Union Soviétique.

Caractérisez cette différence d'idéal et commentez-la.

3. Est-il possible aussi à n'importe lequel de vos compatriotes d'entrer « dans la grande famille de la balle »? Justifiez votre réponse.

4. Croyez-vous nécessaire que, dans un spectacle de cirque, le clown ait un rôle aussi important que celui de Popov?

COMPOSITION FRANÇAISE

Décrivez un spectacle de cirque en insistant sur les aspects pittoresques et en formulant des jugements esthétiques sur le programme.

CONSEILS POUR LA LECTURE

Le ton objectif ne doit pas trop cacher l'enthousiasme du journaliste pour ce qu'il décrit.

GRAMMAIRE

Exercices : 1. Relevez dans le texte les pronoms démonstratifs et relatifs en expliquant quelle est leur fonction.

2. Cherchez dans le texte les pronoms et les adjectifs indéfinis.

3. Quels sont les participes présents et les gérondifs de ce texte? Quelle fonction ont-ils dans la phrase?

Hookaï, Paysage (Musée du Louvre)
Tous les grands thèmes favoris des paysagistes japonais sont réunis sur ce document très caractéristique de l'art nippon.

Photo Giraudon.

DISCOURS AUX ÉTUDIANTS DE NIKKO

Et tout de suite, une fois traversée la zone utilitaire où l'humanité, au Japon comme ailleurs, subvient avec le même appareil mécanique d'engins et de bâtiments à ses besoins les plus généraux, je me trouve en présence d'un pays qui n'est pas, comme tant d'autres en Amérique ou en Europe, une simple exploitation agricole ou industrielle, l'hôtellerie d'un jour ou d'une nuit dont le client use sans attention et sans ménagement, mais un domaine héréditaire dont le sens est moins la commodité pratique de ses détenteurs actuels que la composition autour d'eux d'un spectacle solennel et instructif. Tout au Japon, depuis le dessin d'une montagne jusqu'à celui d'une épingle à cheveux ou d'une coupe de saké, obéit au même *style*. Pour trouver la tradition japonaise, il n'est pas nécessaire, comme pour les gens de France, de pénétrer jusqu'à ce for intime où se forment les idées et s'asseyent les attitudes, il n'y a qu'à ouvrir les oreilles et les yeux à ce concert autour de nous irrésistible auquel la tâche de chaque génération à son tour est d'accorder ses instruments et sa voix.

Écoutons-le, mais pour l'entendre il faut commencer par faire silence. La musique ne commence que là où le bruit a cessé. Laissons tomber en nous ce tumulte confus de velléités et de paroles. Ce serait le cas si j'étais un de vos rustiques pèlerins, de faire réciter sur moi quelque antique *noritô* et de me soumettre à la bénédiction de cette espèce de chasse-mouches qui confère la purification et le recueillement.... Je suis une allée interminable que bordent d'énormes cèdres dont les troncs colorés se perdent dans un noir velours : un violent rayon de soleil fait tout à coup fulgurer sur un poteau de pierre une inscription indéchiffrable. Les détours de l'étrange chemin servent à dépister les démons et à me séparer à jamais d'un monde profane. Sur une arche de corail je traverse un étang de jade (est-ce lui qui, par un éclair fugitif entre les nappes de lotus étalées, décèlera mes compagnons invisibles?). A l'ombre des siècles et avec une sébile de bois je verse sur mes mains une eau froide, si saisissante que je renais! Derrière la porte fermée je guette la cloche lentement qui mûrit, un cierge qui brûle, et là-bas dans le chaos des feuilles j'entends la voix du coucou par intervalles qui répond à la prédication éternelle de la cascade.

Et c'est là que j'ai compris que l'attitude spécialement japonaise devant la vie, c'est ce que, faute de meilleur mot, car la langue française n'offre pas beaucoup de ressources à l'expression de ce sentiment, j'appellerai la révérence, le respect, l'acceptation spontanée d'une supériorité inaccessible à l'intelligence, la compression de notre existence personnelle en présence du mystère qui nous entoure, la sensation d'une présence autour de nous qui exige la cérémonie et la précaution. Ce n'est pas pour rien que le Japon a été appelé la terre des Kami, et cette définition traditionnelle me paraît encore la plus juste et la plus parfaite qui ait été donnée de votre pays.

Le Japon repose comme un groupe de nuages solidifiés au sein d'un océan sans bornes. Ses rivages découpés, ses bassins intérieurs, ses passages mystérieux, sont pour les navigateurs une surprise continuelle. Les montagnes qui forment son support constituent une des constructions les plus enchevêtrées qui soient au monde, troublée en outre par d'étranges convulsions, et dont le caractère précaire est attesté par les frissons qui agitent encore son sol mal apaisé. C'est comme un décor de théâtre que les machinistes viennent à peine de quitter et dont les toiles et les portants tremblent encore. La partie des plaines est l'un des territoires les plus peuplés de la planète ; certaines régions montagneuses, au contraire, couvertes d'une véritable jungle qui rappelle les tropiques, restent, sur de vastes étendues, aussi désertes qu'au jour de la création. Partout ce ne sont que des vallées dix fois repliées, des forêts plus noires que la nuit, des maquis inextricables de roseaux, de fougères et de bambous. Sur tout cela descend le rideau d'une pluie à certaine saison presque continuelle, errent ces étranges vapeurs, dont vos peintres anciens et nouveaux ont si bien tiré parti, qui cachent et découvrent tour à tour et comme à dessein certains coins du paysage, comme si quelqu'un voulait les signaler à notre attention, exposer pour un moment leur signification occulte. Et au-dessus de tout le pays, dominant les plaines et les montagnes, les îles et l'océan, s'élève comme l'autel le plus grandiose que la nature ait jamais élevé à son Créateur, comme une borne milliaire digne de marquer le point où le soleil, après sa longue course au travers des Eaux inhabitées, va s'engager dans sa carrière humaine, la masse énorme du Fouji.

Paul CLAUDEL,
Morceaux choisis. — Gallimard, éditeur.

LA VIE ET LE SENS DES MOTS

A. LES MOTS

Subvenir : au sens propre, venir au secours de... ; ici, le mot est employé au sens de satisfaire aux besoins élémentaires de la vie.

Un engin : littéralement, appareil fabriqué par une personne à l'esprit ingénieux.

For : emprunté au latin ecclésiastique *forum*, qui signifie juridiction, le mot a le sens de juridiction intime, de conscience personnelle. Paul Claudel apprécie le fait que les Japonais ne semblent pas avoir de fausse honte qui les oblige à cacher le respect de leurs ancêtres.

Une velléité : mot de la famille de vouloir. Une velléité est une volonté qui n'est pas suivie de l'action correspondante.

La jade : pierre verdâtre, très dure, dont on fait des statuettes et des objets d'art, surtout en Orient. Le mot vient de l'espagnol *ejade* (que l'on met sur le flanc), car on attribuait à ce minéral des propriétés thérapeutiques dans les maladies du ventre.

La révérence : proprement, attitude par laquelle on manifeste une crainte ou un respect religieux.

Inextricable : qualifie un embarras ou une intrigue dont on n'arrive pas à sortir. Ici, ces maquis — régions à végétation sauvage et rudimentaire — sont comme des pièges desquels on n'arrive pas à s'extraire.

Expliquez à l'aide du dictionnaire :
Irrésistible — conférer — fulgurer — une sébile — le chaos — spontané — une convulsion — milliaire.

B. LES EXPRESSIONS

Compagnons invisibles : le poète se voit entouré par des fantômes du passé qui le suivent partout et lui révèlent, lui dévoilent la profonde signification du présent.

Une prédication éternelle : le bruit de la cascade semble être un discours religieux qui cherche à nous convertir et ne cesse jamais. Dans cette métaphore, la description physique est habilement utilisée pour évoquer un sens spirituel.

Un nuage solidifié : admirable image nous donnant bien l'impression de la richesse et de l'irréel poétiques des paysages japonais.

Une signification occulte : ces paysages ont un sens caché et mystérieux qui ne se révèle que par instants.

Travail personnel. — Expliquez :
Un rustique pèlerin — une inscription indéchiffrable — la compression de notre existence personnelle — des étranges vapeurs.

LES IDÉES ET LES SENTIMENTS

Exercices de conversation :

1. Pourquoi le spectacle de la vie japonaise est-il « solennel et instructif »?

2. Cherchez le sens profond de la première phrase du deuxième paragraphe et expliquez-le.

3. Pour quelles raisons Paul Claudel parle-t-il de *purification?*

4. Après avoir déclaré que la langue française n'offre pas beaucoup de ressources pour l'expression de *ce sentiment*, le poète emploie deux noms et trois circonlocutions. Expliquez ce paradoxe.

5. Donnez un titre à chacun des quatre paragraphes de ce discours et montrez par quelle association d'idées Paul Claudel passe du premier au second, du second au troisième et du troisième au quatrième.

6. Quels sont « ces machinistes » qui viennent de quitter les décors du Japon?

7. Relevez dans le texte tous les termes évoquant un sentiment religieux. La plupart ont une résonance poétique; pourquoi?

STYLE ET CIVILISATION

1. Comme Joseph Peyré dans sa description de l'Espagne (voir page 195), Paul Claudel introduit de la couleur locale en employant de nombreux termes typiquement japonais ou orientaux. Vous les expliquerez; ce sont : *le saké, un noritô, les Kami, le lotus, le bambou, le Fugi.*
Pour quelle raison le poète emploie-t-il ces mots dans un discours s'adressant à des Japonais?

2. Cherchez dans le texte trois phrases particulièrement poétiques et dites pourquoi vous les trouvez poétiques.

3. Claudel est aussi un grand dramaturge. Cherchez dans le texte des preuves que cet auteur pense en termes d'homme de théâtre.

4. Cherchez dans le dernier paragraphe toutes les phrases qui pourraient s'appliquer au paysage peint par Hooukaï (page 209).

LE VOCABULAIRE ACTIF

1. Trouvez deux homonymes de *voix* et deux homonymes de *parti* et employez-les chacun dans une phrase.

2. Trouvez deux synonymes d'*appareil* et employez-les chacun dans une phrase.

3. Cherchez quatre sens du verbe *accorder* et faites quatre phrases les illustrant.

COMPOSITION FRANÇAISE

1. Composez un discours aux étudiants de France dans lequel vous leur parlerez de leur pays.

2. Composez un discours politique exposant vos idées sur la paix mondiale et sur les moyens de parvenir à la fraternité des peuples.

GRAMMAIRE

Le pronom relatif DONT.

Le pronom relatif *dont* peut avoir des fonctions multiples car il s'emploie presque toujours quand la préposition DE précède le pronom relatif; il est parfois complément d'un verbe, ou d'un nom, ou d'un adjectif, ou même d'une expression de quantité.

Un pays qui n'est pas... l'hôtellerie d'un jour ou d'une nuit dont le client use sans attention.

Dont : pronom relatif, a pour antécédent le nom hôtellerie, féminin singulier, complément du verbe *use* (on dit **user d'**une chose pour employer, utiliser cette chose).

Mais un domaine héréditaire dont le sens est moins la commodité pratique de ses détenteurs que la composition...

Dont : pronom relatif, a pour antécédent le nom domaine, masculin singulier, complément déterminatif du nom *sens* (le sens de ce domaine héréditaire).

Exercices : 1. Cherchez les autres pronoms relatifs DONT dans ce texte et analysez-les.

2. Expliquez pourquoi le verbe est au mode subjonctif dans les propositions relatives suivantes, expliquez également la raison du temps employé.

*Cette définition traditionnelle me paraît encore la plus juste et la plus frappante qui **ait été donnée** de votre pays.*

*Une des constructions les plus enchevêtrées qui **soient** au monde.*

3. Trouvez dans le texte une autre proposition relative semblable à celles de l'exercice 2.

PAUL CLAUDEL (1868-1955)

Ce diplomate qui a parcouru le monde fut aussi le plus grand des poètes religieux catholiques français du XXᵉ siècle.
Il est surtout célèbre par sa forme personnelle, le *verset claudélien* dont il dit : « Les mots que j'emploie, ce sont les mots de tous les jours et ce ne sont point les mêmes » ; il aboutit ainsi à des œuvres uniques comme les *Cinq Grandes Odes*; on lui doit un théâtre mystique très important, dont *le Soulier de Satin*, achevé au moment où Claudel était ambassadeur de France à Tokyo (1924) et surtout son chef-d'œuvre, *l'Annonce faite à Marie* (1912).

213

EN CHINE : LA CONDITION HUMAINE

Changhaï, 11 avril 1927
10 heures et demie.

« Pourvu que l'auto ne tarde plus », pensa Tchen. Dans l'obscurité
complète, il n'eût pas été aussi sûr de son coup, et les derniers réverbères
allaient bientôt s'éteindre. La nuit désolée de la Chine des rizières et
des marais avait gagné l'avenue presque abandonnée. Les lumières
troubles des villes de brume qui passaient par les fentes des volets
entrouverts, à travers les vitres bouchées, s'éteignaient une à une;
les derniers reflets s'accrochaient aux rails mouillés, aux isolateurs du
télégraphe; ils s'affaiblissaient de minute en minute; bientôt Tchen ne
les vit plus que sur les pancartes verticales couvertes de caractères
dorés. Cette nuit de brume était sa dernière nuit, et il en était satisfait.
Il allait sauter avec la voiture, dans un éclair en boule qui illuminerait
une seconde cette avenue hideuse et couvrirait un mur d'une gerbe
de sang. La plus vieille légende chinoise s'imposa à lui : les hommes sont
la vermine de la terre. [...] Tchen connaissait les objections opposées
au terrorisme : répression policière contre les ouvriers, appel au fascisme.
La répression ne pourrait être plus violente, le fascisme plus évident.
Et peut-être Kyo et lui ne pensaient-ils pas pour les mêmes hommes.
Il ne s'agissait pas de maintenir dans leur classe, pour la délivrer, les
meilleurs des hommes écrasés, mais de donner un sens à leur écrasement
même : que chacun s'instituât responsable et juge de la vie d'un maître.
Donner un sens immédiat à l'individu sans espoir et multiplier les
attentats, non par une organisation, mais par une idée : faire renaître
des martyrs. Peï, écrivant, serait écouté parce que lui, Tchen, allait
mourir : il savait de quel poids pèse sur toute pensée le sang versé
pour elle. Tout ce qui n'était pas son geste résolu se décomposait dans
la nuit derrière laquelle restait embusquée cette automobile qui arri-
verait bientôt. La brume, nourrie par la fumée des navires, détruisait
peu à peu au fond de l'avenue les trottoirs pas encore vides : des
passants affairés y marchaient l'un derrière l'autre, se dépassant rarement, comme si la guerre eût imposé à la ville un ordre tout-puissant.
Le silence général de leur marche rendait leur agitation presque

214

fantastique.... Tchen regardait toutes ces ombres qui coulaient sans bruit vers le fleuve, d'un mouvement inexplicable et constant; n'était-ce pas le Destin même, cette force qui les poussait vers le fond de l'avenue où l'arc allumé d'enseignes à peine visibles devant les ténèbres du fleuve semblait les portes mêmes de la mort? Enfoncés en perspectives troubles, les énormes caractères se perdaient dans ce monde tragique et flou comme dans les siècles; et, de même que si elle fût venue, elle aussi, non de l'état-major, mais des temps bouddhiques, la trompe militaire de l'auto de Chang-Kaï-Shek commença à retentir sourdement au fond de la chaussée presque déserte. Tchen serra la bombe sous son bras avec reconnaissance. Les phares seuls sortaient de la brume. Presque aussitôt, précédée de la Ford de garde, la voiture entière en jaillit; une fois de plus il sembla à Tchen qu'elle avançait extraordinairement vite. Trois pousses obstruèrent soudain la rue, et les deux autos ralentirent. Il essaya de retrouver le contrôle de sa respiration. Déjà l'embarras était dispersé. La Ford passa, l'auto arrivait : une grosse voiture américaine, flanquée des deux policiers accrochés à ses marchepieds; elle donnait une telle impression de force que Tchen sentit que, s'il n'avançait pas, s'il attendait, il s'en écarterait malgré lui. Il prit sa bombe par l'anse comme une bouteille de lait. L'auto du général était à cinq mètres, énorme. Il courut vers elle avec une joie d'extatique, se jeta dessus, les yeux fermés.

Il revint à lui quelques secondes plus tard : il n'avait ni senti ni entendu le craquement d'os qu'il attendait, il avait sombré dans un globe éblouissant. Plus de veste. De sa main droite il tenait un morceau de capot plein de boue ou de sang. A quelques mètres un amas de débris rouges, une surface de verre pilé où brillait un dernier reflet de lumières, des... déjà il ne distinguait plus rien : il prenait conscience de la douleur, qui fut en moins d'une seconde au-delà de la conscience. Il ne voyait plus clair... Il ouvrit enfin les yeux. Tout tournait, d'une façon lente et invincible, selon un très grand cercle, et pourtant rien n'existait que la douleur. Un policier était tout près. Tchen voulut demander si Chang-Kaï-Shek était mort, mais il voulait cela dans un autre monde; dans ce monde-ci, cette mort même lui était indifférente.

André MALRAUX,
La Condition humaine. — Gallimard, éditeur.

LA VIE ET LE SENS DES MOTS

A. LES MOTS

Hideux : propre à susciter un sentiment de frayeur et d'horreur. Cette rue de Shanghaï, où se mêlent les défauts de l'architecture européenne et ceux des constructions chinoises, est d'une laideur exceptionnelle.

Une mystique : mot de la famille de *mystère* (secret réservé aux initiés), d'où, par extension, le sens d'idée-force, à laquelle on attache une foi personnelle suffisante pour renoncer à la vie.

Une objection : proprement, argument « jeté en avant » d'un projet pour empêcher qu'il ne se réalise.

Un martyr : proprement, témoin de Dieu — homme qui accepte de mourir pour une foi, qu'elle soit religieuse ou politique. A ne pas confondre avec *le martyre*, qui est le sacrifice du martyr.

Le poids : mot de la famille de *peser*, du latin *pensum*, et non de la famille de pendre, comme le croyaient des pédants du XVIe siècle; de même, *dompter* vient de *domitare*. Pour cette raison, ces lettres ajoutées *(d, p)* ne se prononcent pas. Beaucoup de Français espèrent qu'un jour elles seront supprimées.

Obstruer : proprement : « construire devant » pour empêcher un projet de se réaliser. On objecte par un argument abstrait, on obstrue par une action concrète.

Expliquez à l'aide du dictionnaire :

Illuminer — fantastique — un éventaire (à ne pas confondre avec *un inventaire*, cherchez aussi ce mot) — *une anse.*

B. LES EXPRESSIONS

Les appels au fascisme : Si les partis de gauche usent du terrorisme, cela favorise l'action des partis de droite qui veulent « rétablir l'ordre » par la dictature.

Un sens immédiat : dans ce pays, l'individu était écrasé par la pauvreté et n'avait aucun espoir d'en sortir. Tchen propose que le pauvre, au lieu d'attendre la mort passivement, commette au moins un attentat terroriste pour donner un sens à sa vie, par cette action, sans attendre que les générations futures agissent.

Flou dans les siècles : dans sa fresque épique et révolutionnaire, Malraux a bien su introduire un arrière-plan historique révélateur évoquant les fortes traditions et le culte du passé qui caractérisaient alors la Chine.

Travail personnel. — Expliquez :

Une joie d'extatique — une façon lente et invincible.

LES IDÉES ET LES SENTIMENTS

Exercices de conversation :

1. Montrez comment le décor décrit par Malraux évoque l'idée de la mort.

2. Relevez, dans le texte, les détails de couleur locale et commentez-les.

3. Tchen nous présente les arguments *pour* le terrorisme. Pourriez-vous présenter les arguments *contre* le terrorisme?

4. Pourquoi l'auteur remarque-t-il : « une fois de plus » (il semblait à Tchen qu'elle avançait extrêmement vite)?

5. Pourriez-vous expliquer pourquoi Tchen éprouve « de la reconnaissance »?

6. Quel aurait été le mobile de sa réaction s'il s'en était « écarté malgré lui »?

7. Montrez comment, dans le dernier paragraphe, l'homme est littéralement effacé et absorbé par sa propre action.

8. Ce passage vous semble-t-il justifier le titre du roman, la Condition humaine ? Expliquez votre réponse.

HISTOIRE ET CIVILISATION

1. Dans la nuit du 21 mars 1927, des agitateurs communistes attendent l'arrivée imminente des troupes du Kuomintang, commandées par Chang-Kaï-Shek, pour déclencher l'insurrection à Changhaï. Mais le général chinois négocie avec les États capitalistes pour consolider son pouvoir, et l'Internationale communiste (Komintern) pense que le moment n'est pas venu pour entrer en conflit avec lui. Après l'échec de l'attentat de Tchen, les communistes chinois sont forcés de rendre leurs armes et ils seront sauvagement écrasés, en attendant la revanche de la Révolution...

2. Le bouddhisme est une des doctrines qui a le plus formé et le plus déterminé la mentalité asiatique par son enseignement des quatre nobles vérités (qui permettent d'arracher l'homme à la souffrance, née de l'ignorance et du désir, par une sorte de renoncement à soi-même), dont le terme ultime est l'entrée dans *le Nirvâna*, état de paix éternelle. Cinq cents millions d'hommes suivent les enseignements de Bouddha. Citez quelques autres grandes religions de l'humanité et définissez-les en quelques phrases.

STYLE ET COMPOSITION

1. Cet extrait comporte trois thèmes : *a)* Une description de la ville de Changhaï; *b)* Les réflexions de Tchen; *c)* L'attentat.
Montrez comment le romancier adapte son style à la variété des thèmes; vous considérerez plus particulièrement les points suivants :

a) longueur et rythme des phrases,
b) le vocabulaire (abstrait ou concret),
c) la valeur des verbes,
d) la ponctuation.

2. Racontez un événement historique auquel vous avez assisté. Si cela vous est impossible, relatez un grand événement de l'histoire de votre pays.

GRAMMAIRE

Une expression de souhait.

pourvu que + le mode subjonctif
Pourvu que l'auto ne tarde plus.

Par cette phrase, Tchen exprime le souhait que l'auto vienne bientôt.

Exercice : Faites trois phrases sur ce modèle : *Pourvu que le chauffeur ne soit pas en retard.*

Une phrase conditionnelle.
Dans l'obscurité complète, il n'eût pas été aussi sûr de son coup.
Dans cette phrase la condition est exprimée simplement par *dans l'obscurité complète* qui signifie *si l'obscurité avait été complète.* La supposition irréelle s'exprime ici par le moyen du plus-que-parfait du subjonctif, c'est la forme littéraire qui a la même valeur que *il n'aurait pas été aussi sûr de son coup.*

Exercice : Faites deux phrases conditionnelles sur le même modèle en exprimant la condition par les expressions :
a) *Dans un état de fatigue aussi grand, il...*
b) *Sans l'aide de ses amies, elle...*

ANDRÉ MALRAUX (1901)

L'œuvre de ce grand romancier est liée à sa vie aventureuse de lutte contre le fascisme, d'abord en Extrême-Orient, puis en Europe. Il s'attache surtout à peindre de vastes fresques épiques où il montre l'homme moderne aux prises avec son destin. Un style riche et imagé vient souligner le sens de l'action dans des romans tels que *le Temps du Mépris*, *l'Espoir*, *les Noyers de l'Altemburg*.

Il s'est ensuite tourné vers la psychologie de l'Art et c'est encore le thème de *la Condition humaine* dans ces *Voix du Silence* par lesquelles nous parlent les générations passées et les artistes morts : « Le plus grand mystère n'est pas que nous soyons jetés au hasard sur la terre... c'est que dans cette prison nous tirions de nous-mêmes des images assez puissantes pour nier notre néant. »

217

New York — Les gratte-ciel.

Vue prise de l'Empire State Building (380 m de haut, 102 étages).

L'ARRIVÉE A NEW YORK

Dès l'abord, la beauté de Manhattan est indéniable, obsédante. Mais il s'agit d'une beauté arithmétique. L'admiration que suscite l'architecture de l'île n'est pas fonction de la qualité, mais de la quantité. L'esprit européen accepte avec émerveillement le total d'une addition de fenêtres toutes pareilles, de pieds, de pouces, de tonnes de métal et de pierre, d'heures de travail et de dollars, de vies humaines et de fumées. A bien considérer ces buildings découpés en escaliers sur un fond de soleil brumeux, je songe tout à coup non point au profil d'une cité, mais à une sorte de graphique excessif, à une statistique taillée dans le roc, à une représentation concrète des ressources industrielles et agricoles du pays. Un pointillé vertical prolonge dans l'air, du moins je l'imagine, le dessin des colonnes grises. D'année en année, ces colonnes gagnent en hauteur ou s'abaissent. Des bureaucrates soigneux gomment quelques étages dans le ciel ou en rajoutent une dizaine, selon les résultats des rapports officiels. C'est une affiche colossale qui vous accueille, un coup de poing publicitaire, et l'on devine derrière, tassée, industrieuse, et noire, toute une ville qui n'est pas formée de gratte-ciel, mais dont les gratte-ciel sont la suprême fierté. D'ailleurs, à plus courte distance, les gratte-ciel perdent leurs qualités inhumaines. Leur carapace révèle peu à peu ses lèpres, ses traînées de suie, sa laideur d'objet utile. Des fumées blanches et bouclées comme les plumes d'autruche se balancent entre les édifices...

« Comme c'est grand! » murmura auprès de moi un monsieur qui manquait de vocabulaire. C'était grand, incontestablement. Et mon enthousiasme n'était pas dicté par l'équilibre des couleurs, la direction des lignes, la grâce de la composition, mais exclusivement par le format du paysage. Fait curieux, même pour les voyageurs qui n'ont eu sous les yeux, pendant six jours consécutifs, que l'étendue sans borne de l'Océan, New York paraît gigantesque. Ils ne sentent pas leur regard arrêté, leur élan intérieur gêné par cette construction d'eau et de pierre qui leur barre la route. En vérité, l'océan se continue à travers New York. On ne débarque pas à New York. On y poursuit sa navigation.

Henri TROYAT,
La Case de l'Oncle Sam. — La Table Ronde, éditeur.

LA VIE ET LE SENS DES MOTS

LES MOTS ET LES EXPRESSIONS

Indéniable : que l'on ne peut nier, à laquelle on ne peut pas dire non.

Un graphique : d'un mot grec signifiant écrire et dessiner (la *graphie*, manière d'écrire). Il s'agit d'un tracé qui exprime par un dessin une fonction mathématique ou mécanique.

Un bureaucrate : du mot grec *kratein*, gouverner. Mot péjoratif signifiant celui qui gouverne sur son bureau.

Un coup de poing publicitaire : une forme de publicité, de réclame, qui a pour but de donner un choc violent.

Travail personnel. — Expliquez :

Obsédant — un pointillé vertical — gommer — une carapace — le format du paysage — consécutif.

LES IDÉES ET LES SENTIMENTS

Exercices de conversation :

1. Donnez une définition de « la beauté arithmétique ».

2. Le romancier voit dans la ville de New York un symbole. Quel est-il?

3. Quels sont, selon l'auteur, les divers aspects des gratte-ciel?

4. Quelles sont les caractéristiques qui, habituellement, éveillent l'enthousiasme du romancier? Les retrouve-t-il à New York?

5. Expliquez pourquoi le fait dont parle l'auteur est « curieux ».

6. L'adjectif qualifiant l'aspect de la ville est *gigantesque*. Relevez tous les détails du texte qui concourent à justifier l'emploi de cet adjectif.

7. Quels sont les sentiments de cet écrivain français à l'égard de cette grande ville américaine?

LANGUE ET CIVILISATION

1. Trouvez un homonyme de *dessin*. Faites deux phrases montrant bien le sens différent des deux homonymes.

2. Cherchez des mots avec le suffixe **crate** et expliquez-les.

3. Cherchez tous les termes de couleur locale et expliquez-les.

4. Étudiez la phrase : *L'esprit européen*, etc. en montrant pourquoi elle est si évocatrice. Voyez en particulier :
— l'emploi des mots abstraits et concrets,
— l'usage vague de termes de mesure,
— les réflexions qui s'imposent à la lecture de ces deux dernières parties.

5. Manhattan est une île. Les urbanistes américains ont tenu compte de ce fait. Quelles exceptionnelles caractéristiques cela donne-t-il à New York?

6. Par quels procédés l'auteur nous donne-t-il une idée de la puissance industrielle américaine?

GRAMMAIRE ET STYLISTIQUE

La forme impersonnelle IL S'AGIT DE.

Le verbe *s'agir de* s'emploie toujours et uniquement au singulier avec il (pronom impersonnel) pour sujet :

Mais il s'agit d'une beauté géométrique.

Exercice : Écrivez cinq phrases en imitant les phrases suivantes et en employant le verbe *s'agir de* à divers temps et modes :

1. *Il s'est agi pour elle, ce jour-là, de défendre des intérêts qui lui étaient chers.*

2. *Pour cet élève, il s'agissait de réussir brillamment à son examen.*

3. *A ce moment, il s'agira de ne pas vous tromper.*

4. *Si vous écriviez ce roman, il s'agirait d'exposer les problèmes de votre temps.*

5. *Je crains que, dans ce livre, il ne s'agisse d'un personnage bien léger.*

HENRI TROYAT (1911)

Auteur né à Moscou qui remporta le prix Goncourt en 1938 pour son roman *l'Araigne*. Il a écrit une vaste fresque de la Russie de 1888 à l'après-guerre intitulée *Tant que la Terre durera*. Il s'y révèle émule de Tolstoï.

Au Groenland : attelage de chiens esquimaux.
« *Les chiens s'étirent et tirent sur leurs chaînes.* » (P.-E. Victor.)

LE VENT AU GROENLAND

Côte Est du Groenland; 66º14' Nord — 35º30' Ouest.

Lorsque le soleil se couche derrière la montagne de Noudou, le vent se lève.

Je connais le vent des forêts du Jura, celui qui sent les buis, les sapins et les cyclamens. On l'entend, on le suit, on le comprend. On sait que c'est lui et que ce ne peut être que lui. Personne ne s'étonne ni ne demande ce que c'est.

Ici, cela commence comme dans les montagnes. C'est d'abord, sans que rien l'annonce, une rumeur qui remplit le silence, comme le bruit d'une soufflerie. On croit que c'est la mer ou une cascade au loin, ou encore le silence. Parfois, au milieu de la nuit, ce silence fait place tout à coup à un autre silence, le vrai. On s'aperçoit alors qu'il y avait « quelque chose » avant lui. On prête l'oreille. Rien. Et, tout d'un coup, à nouveau, la même rumeur uniforme. La mer ne s'arrête pas ainsi de bruire, ni une cascade. On demande ce que c'est.

— Comment? Tu ne sais pas encore? répond-on. C'est le vent. Il est là-haut. Bientôt il arrivera sur nous.

A cette rumeur s'ajoute bientôt un murmure particulier de la mer. Un clapotis invisible, presque inexistant, mais tout proche, là au bord du rocher. Le vent est descendu sur le fjord quelque part.

Puis là-bas, vers Tsiokra, le long de l'autre rive, apparaît sur l'eau une bande grise très foncée, presque bleue.

Le vent vient lentement, il avance vers nous. Déjà presque tout le fjord est gris foncé presque bleu. Il ne reste plus qu'une bande gris clair devant nous, le long de la rive. Le gris foncé grignote lentement le gris clair et atteint les cailloux du rivage. Le vent est tout près de nous, presque sur nous, mais rien ne bouge encore.

Puis c'est le fanion aux huit étoiles, celui qui a traversé l'Inlandsis avec nous et que j'ai planté devant la tente, qui se met à vivre.

Et, enfin, c'est la tente qui s'éveille. Le vent est là, le vent est sur nous.

Les chiens le hument, levant le nez. Il apporte des parfums nouveaux, lointains, de neiges, de glaciers. Peut-être aussi de renards et d'ours. Les chiens se lèvent, s'étirent, bâillent... Et c'est la galopade à travers le champ...

Bientôt tout se calme. J'enchaîne les chiens pour la nuit qui tombe déjà. Les goélands rentrent chez eux, vers le fond du fjord, venant de la pleine mer. De jeunes mouettes, toutes grises, sont suivies de leurs mères, toutes blanches.

Le fjord devient noir, les glaces grises, les montagnes incolores. Il fait nuit.

Deux corbeaux passent lentement au-dessus de nous. On entend le froissement de leurs ailes. Ils nous interpellent : « Croa, croa », comme tous les corbeaux du monde, puis vont se coucher. Tout dort, sauf les glaces qui craquent et qui parlent toute la nuit. De temps en temps, le tonnerre roulant d'un iceberg qui s'écroule.

Il fait nuit encore, mais le soleil s'étire déjà par-delà les montagnes, derrière la mer. Le Tsoutsousok, le premier levé, petit et nerveux, volette de rocher en rocher et annonce à tous que le noir va finir. « Piwi-piwi? » dit-il sur une note aiguë, et on lui répond : « Je n'ai pas pris. »

Les montagnes s'éclairent. Les sommets deviennent roses, les glaciers bleus. Le vent se tait pour se reposer, car tout à l'heure, il reparlera. Les goélands repartent vers la mer. Les chiens s'étirent et tirent sur leurs chaînes et pleurent, en crescendos brusquement coupés, leur désir de fêter le jour.

Paul-Émile VICTOR,
Boréal. — Grasset, édit.

––––––––––– COMPRENEZ BIEN LE TEXTE –––––––––––

LE SENS ET LA VIE DES MOTS

LES MOTS

Fjord ou **fiord** : golfe, échancrure étroite et profonde des côtes du Groenland et de la Norvège.

Iceberg : mot formé de deux mots suédois (ice, de *is* = glace, et *berg* = montagne). Un iceberg est donc une montagne de glace flottante qui s'est détachée d'une banquise ou d'un glacier des régions polaires.

Inlandsis : calotte de glace couvrant le Groenland, sur une surface quatre fois plus grande que celle de la France.

Travail personnel. — Expliquer à l'aide du dictionnaire :

Cyclamen — clapotis — goélands.

LES IDÉES ET LES SENTIMENTS

Exercices de conversation :

Le vent.

1. Il naît là-haut dans la montagne. A quel moment de la journée? — On l'entend. Qu'entend-on d'abord; puis ensuite?

2. Il vient lentement. On voit ses effets progressifs sur les bords du fjord. Quels sont ses effets?

3. Il arrive sur les explorateurs. Que fait-il? Qu'apporte-t-il aux hommes et peut-être aux chiens qui le hument?

4. Le vent se calme et la nuit tombe. Que font les animaux? Que deviennent les choses?

5. Le lendemain au lever du jour. Que font : le vent? le soleil? les montagnes ? les goélands? les chiens?

6. L'auteur pense au vent de son pays natal. Que dit-il à son sujet?

––––––––––– UTILISEZ LE TEXTE –––––––––––

LE VOCABULAIRE ACTIF

Le vent joue un grand rôle dans la vie de l'homme. Aussi trouve-t-on le mot *vent* dans un grand nombre de locutions, expressions et proverbes.

1. Quelques mots de la famille de vent. Comment qualifie-t-on un endroit exposé au vent? Comment nomme-t-on : un appareil qui produit du vent? un volet qui arrête le vent? un étalage à tout vent?

2. Employez chacune des locutions suivantes dans une courte phrase qui en fera bien comprendre le sens : en plein vent — aux quatre vents — vent debout.

223

3. Expliquez les gallicismes : Tourner à tout vent — aller comme le vent — aller contre vents et marées — avoir vent de quelque chose. Employez chacun d'eux dans une phrase.

4. Qu'est-ce que : une saute de vent — un vent à rafales ?

5. Que signifient les expressions : le vent se lève — le vent tombe — le vent tourne?

6. Quand dit-on à une personne : « Quel bon vent vous amène? »

7. Que signifie ce proverbe : « Petite pluie abat grand vent »?

8. Le pôle nord est appelé à jouer un grand rôle dans les relations par avions entre les divers continents. Pourquoi? — Quels sont les grands pays qui y sont directement intéressés? — Tracez, sur une carte, les nouvelles lignes aériennes commerciales *transpolaires*.

STYLE ET COMPOSITION

Décrivez un jour de grand vent. (S'inspirer du plan suivi par P. E. Victor.)

DISSERTATION

Théophile Gautier (1811-1872), théoricien de la doctrine de *l'art pour l'art*, écrit dans la préface de *Mademoiselle de Maupin* : « En art, tout ce qui est utile est laid. » Henri Troyat partage cette opinion, puisqu'il parle de la « laideur d'objet utile ». (Voir page 219.)
Par contre, de nombreux penseurs contemporains sont opposés à cette doctrine, Le Corbusier par exemple. (Voir p. 41.)
Exposez vos idées sur cette importante question.

CONSEILS POUR LA LECTURE

Lire d'une manière vivante en soulignant les passages les plus pittoresques.

GRAMMAIRE

L'interrogation indirecte.

On demande ce que c'est.

La forme *ce que c'est* est une forme d'interrogation indirecte. *c'est* une proposition subordonnée complément d'objet de la principale. Dans le style direct cette forme devient :
Qu'est-ce que c'est? — On se le demande.

Exercice : mettez au style indirect les phrases suivantes : *Qu'est-ce que vous voulez? Je vous le demande.*

Les verbes SAVOIR et CONNAÎTRE.

On sait que c'est lui...
Je connais le vent des forêts du Jura...

On emploie le verbe *connaître* lorsque le complément d'objet est un nom (*le vent*).

On emploie le verbe *savoir* lorsque le complément d'objet est une proposition (*que c'est lui*) ou un infinitif.

Tu ne sais pas encore?
Ici, le complément d'objet n'est pas exprimé, mais la phrase précédente *On demande ce que c'est?* nous indique que, dans ce cas encore, le complément d'objet sous-entendu du verbe savoir est la proposition *ce que c'est*.

Remarque. — Le verbe *savoir* s'emploie parfois avec un nom complément d'objet, mais seulement lorsque ce nom exprime l'objet d'une étude.
Je sais ma leçon.

Exercice : Faites 4 phrases où vous emploierez *savoir* et *connaître*.

PAUL-ÉMILE VICTOR (1907)

Explorateur français contemporain, qui s'est spécialisé dans les expéditions d'études scientifiques et géographiques au Pôle Nord (Groenland) et au Pôle Sud (Terre Adélie).
Le récit de ses explorations, à la fois précis et poétique, révèle un beau talent d'écrivain.

EN POLYNÉSIE : L'EXPLORATEUR ET L'INDIGÈNE

Mr. BANKS. — Outourou... nous n'avons plus une minute à perdre.

OUTOUROU. — Tout d'abord, Mr. Banks, quels sont ces quinze pasteurs dont tu parles? Que viennent-ils nous dire?

Mr. BANKS. — Ils viennent vous dire qui a créé le monde.

OUTOUROU. — Ah! Vous le savez en Angleterre?

Mr. BANKS. — L'enfant du Sussex au berceau le sait.

OUTOUROU. — Comme les Anglais sont généreux de nous livrer de tels secrets! Dans l'archipel, il n'est qu'une personne qui le sache, une vieille femme de Tonamotou. Mais elle se refuse absolument à le dire. Elle est butée. Et que nous apprendront-ils, les quinze pasteurs? De nouvelles danses? De nouvelles façons d'aimer?

Mr. BANKS. — Ils vous apprendront les trois devoirs de l'homme, dont je voulais justement cette nuit te donner quelques notions sommaires, à savoir : le travail, la propriété et la moralité. Commençons par le plus pressé, dans ce pays de mollesse, par le travail. Il est, en premier lieu, nécessaire que tous tes camarades donnent à nos marins, non pas l'exemple d'une épidémique et scandaleuse paresse, mais le spectacle d'honnêtes travailleurs.

OUTOUROU. — En quoi consiste le travail, Mr. Banks?

Mr. BANKS. — A ne pas s'étendre mollement sur le gazon, mais à prendre des outils et à bêcher le sol jusqu'au soir.

OUTOUROU. — Ce serait notre mort, Mr. Banks! Dès que nous bêchons ici, ou labourons le sol, il devient stérile.

Mr. BANKS. — A se lever dès minuit et à malaxer la farine jusqu'au lever du jour à grands coups de reins et de bras, pour qu'elle devienne notre pain.

OUTOUROU. — Mais nous avons l'arbre à pain! Si nous y touchons, fût-ce pour l'élaguer, il meurt... Mr. Banks, nous avons eu autrefois, dans l'île, un travailleur. Il allait chercher ses coquillages au large, alors que la côte en est tapissée. Il creusait des puits, alors que tout ici ruisselle de sources. Il détournait les cochons de notre herbe pour les engraisser avec une bouillie spéciale, et les faisait éclater. Tout dépérissait autour de lui. Nous avons été obligés de le tuer. Il n'y a pas de place ici pour le travail.

225

Mr. Banks. — La grandeur de l'homme est justement qu'il peut trouver à peiner là où une fourmi se reposerait.

Outourou. — Et ils restent beaux, ceux qui travaillent? Ce qui importe dans la vie, c'est d'être beau. Notre travailleur était devenu bossu à labourer, bancal à pêcher, rhumatisant à arroser. Il était le plus laid de l'île. Et il ne sentait pas bon. Un liquide sortait de sa peau, que jamais nous n'avions vu couler d'aucun de nous.

Mr. Banks. — C'était la sueur, mon cher Outourou, c'était une sécrétion sacrée. Le plus grand mérite de l'homme, c'est la sueur de son front.

Outourou. — Il en sortait de partout, Mr. Banks.

Mr. Banks. — Outourou, il est un spectacle émouvant qui s'impose à ma mémoire à la vue de vos corps oisifs, dormant dans les fleurs ou flottant entre les eaux, et dont je veux que nos marins retrouvent demain ici l'équivalent. C'est la sortie de la mine de nos mineurs. Ils ne sont pas vêtus de vos étoffes éclatantes. Un droguet les couvre, puant et taché. Ils n'ont pas aux bras des chapelets de perles, mais une mauvaise montre-bracelet qui leur a donné chaque minute et chaque seconde de leur journée d'enfer. Ils ne connaissent pas le soleil. Il pleut toujours quand ils sortent, leur sueur n'est lavée que par la pluie, et elle coule d'eux, toute noire, et noir aussi le sang de leurs égratignures. Ils n'ont pas dans les cheveux d'insectes qui brillent. Ils n'éteignent la chandelle de la mine que pour allumer la chandelle de la soupe. Ils marchent, hébétés, butant contre le brouillard même, la lèvre amère, et non point seulement parce qu'il leur a fallu ramasser leurs frères asphyxiés ou pousser le wagonnet dont le cheval s'est rompu la jambe, mais parce qu'ils ont mangé trop de charbon. Ils ignorent qu'ils ont de la chance, que le charbon anglais est d'une qualité hors de pair, et qu'il est encore au monde le meilleur charbon à manger. Ils semblent atteints de nausées. Mais ils personnifient le travail à tel point que tous ceux qui croisent leur cortège, les armateurs et les banquiers, les poètes et les pastellistes, se dirigent plus allègres vers les grands feux de houille clairs et purs qui rendent dans chaque club un hommage au mineur et à la sueur anglaise, et y consomment leur porto d'un cœur plus éclatant d'orgueil. Voilà ce que c'est que le travail, Outourou, c'est magnifique!

Outourou. — Évidemment!

Mr. Banks. — Et c'est un spectacle analogue que l'île doit offrir demain à nos matelots déjà trop enclins à la paresse.

226

OUTOUROU. — Je le veux bien, Mr. Banks. Mais par quel subterfuge? Je vous répète qu'il n'y a chez nous aucune raison de travail.

MR. BANKS. — Nous allons pouvoir nous entendre, car ce n'est pas tant le travail qui est nécessaire au panorama de la société moderne, Outourou, que le travailleur. Tiens, vois ce bel adolescent appuyé mollement à la forêt. Fais-lui signe. Il vient, parfait. Tu vas voir la transformation. Sullivan, tu as les bêches et les râteaux. *yakes* Donne une *spades* bêche à ce jeune homme...

OUTOUROU. — Que va-t-il en faire?

MR. BANKS. — Ce qu'il voudra. Peu importe. C'est son insigne. *badge*

OUTOUROU. — Ces bêches ressemblent à des avirons. Il pourrait *oars* peut-être ramer, avec sa bêche? *row*

MR. BANKS. — Excellente idée, qu'il bêche la mer? Et maintenant, mon ami, prononce le mot *Travail*. Qu'a-t-il à s'asseoir?

OUTOUROU. — Certains de nos jeunes sont si pénétrés d'indolence qu'ils préfèrent s'asseoir pour parler... Parle, Valao.

VALAO, *très lentement*. — *Tra - vail!*

MR. BANKS. — Mon Dieu, comme il est beau de voir les lèvres d'un être qui n'a jamais peiné, jamais sué, prononcer pour la première fois le mot *Travail*... Répète, mon ami, tu te baptises toi-même.

LE JEUNE HOMME. — Tra... vail...

MR. BANKS. — Il le prononce déjà moins bien... Il est fatigué... Va te reposer, mon ami. Il faut que tu sois frais demain. *(Le jeune homme s'en va, avec sa bêche, en titubant.)*

Jean GIRAUDOUX,
Supplément au Voyage de Cook. — Bernard Grasset, éditeur.

———————— COMPRENEZ BIEN LE TEXTE ————————

LE SENS ET LA VIE DES MOTS

LES MOTS ET LES EXPRESSIONS

Un pasteur : dans l'ancienne langue, un berger (le pâturage); le berger conduit le troupeau comme le prêtre ses fidèles, d'où le sens de prêtre, qui s'est spécialisé peu à peu en *ecclésiastique* d'une religion chrétienne protestante.

Épidémique : qui se répand comme une épidémie, c'est-à-dire une maladie qui touche le peuple (*dêmon*, en grec, dont la racine se retrouve dans démocratie) au sens de tout le monde.

Stérile : qui ne produit rien. C'est évidemment le contraire qui se produit ailleurs qu'en Polynésie : si on ne laboure pas le sol, il ne produit pas de récoltes.

Rhumatisant : dérive du grec *rheuma*, couler (une hémorragie est un écoulement de sang). Beaucoup de maladies ont des noms composés sur cette racine, parce que les Anciens croyaient qu'elles étaient provoquées par un écoulement intérieur des humeurs, ou liquides du corps. Les rhumatismes sont des maladies des articulations du corps qui rendent pénibles ou impossibles les mouvements.

Tituber : marcher de façon incertaine, chanceler, trembler sur ses jambes.

Expliquez à l'aide du dictionnaire :

Bêcher — élaguer — dépérir — bancal.

La côte est tapissée : il y a tant de coquillages qu'ils cachent la côte comme une tapisserie cache le mur.

Pénétrés d'indolence : le goût de ne pas travailler et de ne pas faire d'effort les imprègne, les marque tant que l'effort fait pour parler et l'effort nécessaire pour se tenir debout ne peuvent pas être fournis en même temps.

Travail personnel. — Expliquez :

Une scandaleuse paresse — être buté — butant contre le brouillard.

LES IDÉES ET LES SENTIMENTS

Exercices de conversation :

1. Montrez comment la naïveté d'Outourou place, à plusieurs reprises, l'explorateur, Mr. Banks, dans une situation difficile.

2. Que pensez-vous de la façon dont Mr. Banks définit les trois devoirs de l'homme?

3. Est-ce que les marins ont réellement envie de travailler?

4. Que pensez-vous du travailleur dont parle Outourou? Cherchez, à ce propos, le détail par lequel Giraudoux indique que les indigènes de l'île ne sont pas encore civilisés.

5. Croyez-vous que Mr. Banks se condamne lui-même en opposant la vie agréable de l'indigène et la vie épouvantable du mineur « civilisé »? Justifiez votre réponse en vous appuyant sur le texte.

6. Mr. Banks est un aristocrate. Quels détails le prouvent?

7. Que pensez-vous de la description du monde occidental faite par son représentant, Mr. Banks? Est-elle noble ou méprisable, réelle ou fantaisiste?

8. Mr. Banks sépare deux fois le travail de l'utilité, soutenant la thèse qu'il faut travailler, même si cela ne sert à rien. Cherchez les deux passages où il explique cela. Quelle différence y a-t-il entre ces deux passages? Partagez-vous la thèse de Mr. Banks à ce sujet?

9. Pourquoi est-il important que Valao soit « frais demain »? Pourquoi sort-il de la scène « en titubant »?

10. Relevez tous les passages humoristiques de ce texte et dites pourquoi chacun d'eux vous a amusé.

——————— UTILISEZ LE TEXTE ———————

HISTOIRE ET CIVILISATION

James Cook (1728-1779) était un grand explorateur anglais qui fut à la tête d'expéditions organisées par la Marine Royale et par la *Royal Society*. Il traversa le Pacifique à la recherche du « Continent austral », allant d'Australie et de Nouvelle-Zélande à la Terre de Feu. Il découvrit les îles Sandwich aujourd'hui appelées Hawaï et l'Archipel de Polynésie qui porte son nom et dépend aujourd'hui de la Nouvelle-Zélande. Il fut tué par les indigènes des Iles Sandwich.

La Polynésie : on appelle ainsi une des parties de l'Océanie, celle qui comprend les îles du Pacifique les plus proches du continent américain : les Marquises, Tuamotou, Toubouaï, Samoa, Hawaï,

etc... Surtout depuis le peintre Paul Gauguin, qui alla vivre et mourir à Tahiti (1903), ces îles du Pacifique sont devenues pour les Français le symbole du printemps perpétuel, d'une vie heureuse parce qu'entièrement libérée de toute contrainte dans un cadre naturel qui est un des plus beaux du monde. En bref, ces îles sont — dans notre imagination — le paradis sur terre.

C'est de ce thème de fantaisie que part Giraudoux pour nous amener à réfléchir sur les tares et les fausses conceptions sur lesquelles repose notre civilisation. Mr. Banks est, de son côté, le symbole de l'Européen plutôt que de l'Anglais.

Quelles réflexions faites-vous à la lecture de ce texte?

ANALYSE STYLISTIQUE

1. Dans ce texte, Giraudoux oppose systématiquement le matérialisme à la poésie. Montrez-le.

2. En exprimant cette opposition, l'auteur marque habilement sa préférence. Par quels moyens?

3. Par quels détails comprend-on que Banks est un homme civilisé, ayant l'habitude de manier sa propre langue et de faire des discours?

4. Citez trois exemples montrant comment la totale naïveté d'Outourou oblige Mr. Banks à définir des mots qu'il avait employés toute sa vie sans les définir. Montrez comment, par le simple fait qu'ils sont définis, ces mots perdent beaucoup de leur appel et de leur force.

5. En reprenant les termes de Mr. Banks faites trois portraits :

a) celui de l'indigène de Polynésie,
b) celui du mineur britannique,
c) celui du bourgeois britannique.

Vous expliquerez ensuite les raisons qui ont amené Jean Giraudoux à mêler ces trois portraits et vous jugerez leur valeur littéraire et morale.

COMPOSITION FRANÇAISE

1. Expliquez et discutez le proverbe : « L'oisiveté est la mère de tous les vices. »

2. Commentez cette pensée de Voltaire : « Il y a trois manières de perdre son temps : ne pas faire ce que l'on doit, le mal faire et le faire à contretemps. »

3. En 1936, lorsqu'il était Président du Conseil, Léon Blum avait nommé un *Ministre des Loisirs*, M. Léo Lagrange.

Beaucoup s'étaient moqués de cette initiative, mais ne pensez-vous pas qu'elle répondait à un besoin réel du monde moderne? Vous traiterez de cette question sous forme de dialogue entre un détracteur et un partisan de cette innovation.

GRAMMAIRE ET LINGUISTIQUE

Quelques sens de la préposition « à ». — La préposition « à » introduit des compléments de valeurs très diverses.

1. Des compléments de verbes exigeant la préposition à :

ces bêches ressemblent **à des avirons,**
un spectacle qui s'impose **à ma mémoire,**
elle se refuse **à le dire**
le travail consiste **à ne pas s'étendre,**
   à prendre des outils,
   à pêcher...
   à se lever...

2. Des compléments circonstanciels de lieu d'un verbe :

il allait chercher ses coquillages **au large,**
ils n'ont pas **aux bras des chapelets,**
appuyés mollement **à la forêt.**

3. Des compléments circonstanciels de temps d'un verbe :

à la vue *de vos corps oisifs.*

4. Des compléments circonstanciels d'attribution d'un verbe :

l'exemple que tes camarades donnent **à nos marins.**
rendant un hommage **aux mineurs et à la sueur anglaise.**

5. Des compléments circonstanciels de manière d'un verbe :

malaxer la farine **à grands coups de reins.**

6. Des compléments circonstanciels de cause d'un verbe :

il était devenu bossu **à labourer,**
   bancal **à pêcher,**
   rhumatisant **à arroser.**

7. Des compléments déterminatifs d'un nom :

un enfant **au berceau** — *l'arbre* **à pain** — *le meilleur charbon* **à manger.**

8. Des compléments d'adjectifs :

enclins **à la paresse...**
nécessaires **au panorama...**

Exercices : 1. Construisez une phrase en imitation de chacun des huit cas ci-dessus.

2. Expliquez l'emploi des modes dans les propositions relatives suivantes :

Quels sont ces quinze pasteurs dont tu me **parles?** — *Il peut trouver à peiner là où une fourmi se* **reposerait** — *Il n'est qu'une personne qui le* **sache.**

CONSEILS POUR LA LECTURE

Il est indispensable de faire lire cette scène à trois voix par trois personnes

Giraudoux et Jouvet à la répétition d'*Electre*.

différentes. Outourou cherche la simplicité; il s'exprime avec naïveté et témoigne extérieurement du respect.

Banks est hautement imbu de sa supériorité et de l'importance de sa mission; il parle avec emphase et pédantisme, et parfois avec une réelle émotion.

Valao doit donner l'impression de la fatigue à l'état pur.

JEAN GIRAUDOUX (1882-1944)

Grand auteur français né à Bellac, dans le Limousin. Comme Paul Claudel (voir p. 213), il fit carrière dans la diplomatie. Après avoir écrit quelques romans, dont le plus célèbre est *Simon le Pathé-* *tique*, il se consacra surtout au théâtre sous l'influence du grand acteur et metteur en scène Louis Jouvet.

Des pièces telles que *Siegfried, Judith, Amphitryon 38, Ondine, la Guerre de Troie n'aura pas lieu* sont des chefs-d'œuvre joués dans le monde entier.

L'art de Giraudoux se caractérise par :

— un style poétique où le vocabulaire scintille d'une manière inimitable;

— un sens très développé et très subtil de l'humour;

— une influence profonde de la littérature allemande qu'il aime tout en s'en moquant;

— une intelligence incomparable.

230

HEUREUX QUI, COMME ULYSSE...

Heureux qui, comme Ulysse, a fait un beau voyage,
Ou comme celui-là qui conquit la Toison,
Et puis est retourné, plein d'usage et raison,
Vivre entre ses parents le reste de son âge !

Quand reverrai-je, hélas ! de mon petit village
Fumer la cheminée ; et en quelle saison
Reverrai-je le clos de ma pauvre maison,
Qui m'est une province, et beaucoup davantage ?

Plus me plaît le séjour qu'ont bâti mes aïeux
Que des palais romains le front audacieux ;
Plus que le marbre dur me plaît l'ardoise fine,

Plus mon Loire gaulois que le Tibre latin,
Plus mon petit Liré que le mont Palatin,
Et plus que l'air marin la douceur angevine.

Joachim DU BELLAY, Les Regrets.

COMPRENEZ BIEN LE TEXTE

LE SENS ET LA VIE DES MOTS

A. LES MOTS

Ulysse : Personnage de l'Antiquité grecque ; roi d'Ithaque, petite île de la mer Ionienne. Il fut l'un des principaux héros de la guerre de Troie. Après la prise de la ville, il regagna sa patrie, au cours d'un voyage mouvementé qui dura une dizaine d'années. Ce sont les aventures merveilleuses d'Ulysse, pendant ce voyage, que raconte le grand poète grec Homère, dans l'Odyssée.

Celui-là : Jason. Fils du roi d'un pays de la Grèce antique, il partit en expédition en Colchide, au sud du Caucase, à la tête de cinquante compagnons, sur un navire, l'Argo, — d'où le nom d'Argonautes donné à ces hardis marins — pour s'emparer de la *Toison* d'Or. L'un de ces cinquante compagnons était le célèbre chanteur Orphée.

Toison d'Or : toison merveilleuse d'un bélier légendaire que le roi de Colchide faisait garder dans son palais par un dragon. Jason parvint à s'en emparer.

Liré : nom du petit village de du Bellay dans la vallée de la Loire — de son « Loire gaulois ».

Travail personnel. — **Expliquez à l'aide du dictionnaire :**

Clos (le clos de la maison) — *séjour* — *Tibre* — *Mont Palatin.*

B. LES EXPRESSIONS

Plein d'usage et raison : ayant acquis beaucoup d'expérience et de savoir-vivre; sachant vivre et se conduire d'une manière raisonnable.

Qui m'est une province : la pauvre maison natale de du Bellay et son clos — dont il est si éloigné — ont pour lui autant de valeur, et même davantage, qu'une grande et riche province.

Le front audacieux : la partie supérieure de la haute façade orgueilleuse des palais romains.

Douceur angevine : douceur du climat d'Anjou.

LES IDÉES ET LES SENTIMENTS

Exercices de conversation :

1. Quel est, pour du Bellay, le plus grand bonheur de ceux qui ont répondu à l'appel de l'aventure? (premier quatrain).

2. L'auteur éprouve, loin du pays natal, un sentiment de nostalgie (voir ce mot dans le dictionnaire). Comment l'exprime-t-il dans le deuxième quatrain?

3. Que préfère-t-il aux palais romains? au mont Palatin? au Tibre latin? (Répondez chaque fois par une phrase.)

UTILISEZ LE TEXTE

LE VOCABULAIRE ACTIF

1. Deux mots de la famille de *front* employés en architecture. — Qu'est-ce que *le frontispice* d'un monument? un *fronton*? Employez chacun de ces mots dans une phrase.

2. Faites entrer dans une phrase : *a)* l'adjectif *audacieux*, employé au sens propre; *b)* le nom *audacieux*.

STYLISTIQUE

Emploi du pronom démonstratif. — *Heureux qui, comme Ulysse, a fait un beau voyage.* Cet emploi du pronom relatif, non précédé du pronom démonstratif CELUI, est une forme archaïque qu'on rencontre encore dans certains proverbes. En français moderne il faut dire :

*Heureux **celui** qui, comme Ulysse...*

Ou comme celui-là qui conquit la Toison.

En français moderne, on n'emploie généralement plus le pronom démonstratif composé *celui-là* devant un pronom relatif; la forme habituelle serait : *Ou comme **celui** qui conquit la Toison.*

COMPOSITION FRANÇAISE

Les jeunes gens d'aujourd'hui ne partent plus, comme Jason et les Argo-nautes, à la conquête de la Toison d'Or, mais ils répondent au même appel de l'aventure et vont conquérir, dans de périlleux voyages, d'autres « choses » merveilleuses : haut sommet de montagne lointaine, fond mystérieux d'un gouffre inexploré, l'espace, etc. — Racontez une de ces aventures de jeunes gens qui vous a récemment beaucoup frappé.

ANALYSE DU POÈME

1. Comment appelle-t-on ce poème? Pourquoi? (Voir plus loin, p. 384.)

2. Quelles sont : 1º les rimes masculines; 2º les rimes féminines?
Relevez les rimes et notez leur disposition dans les quatrains, puis dans les tercets (rimes embrassées, suivies, alternées) suivant les indications données page 128.

En lecture, marquez bien le rythme des alexandrins.

JOACHIM DU BELLAY (1522-1560)

Il fut, après Ronsard, le plus grand poète français de la Renaissance (voir page 380) et l'un des chefs de la Pléiade.

On lui doit un manifeste extrêmement important, *Défense et illustration de la langue française.* Dans ses *sonnets*, il utilisa toutes les ressources du rythme et de l'harmonie.

L'ESPACE SANS BORNES *limites*

Nous sommes sur la Terre, globe flottant, roulant, tourbillonnant, jouet de plus de douze mouvements incessants et variés; mais nous sommes si petits sur ce globe que tout nous paraît immobile et immuable.

Cependant la nuit répand ses voiles, les étoiles s'allument au fond des cieux, la Lune verse dans l'atmosphère sa blanche clarté. Partons, élançons-nous avec la vitesse de la lumière qui est, rappelons-le, de 300 000 kilomètres par seconde. Dès la deuxième seconde, nous passerons en vue du monde lunaire qui ouvre devant nous ses cratères béants, ses montagnes annulaires aux remparts abrupts, ses crêtes sauvages et dénudées, ses vallées profondes, les crevasses multipliées de son sol bouleversé. Mais ne nous arrêtons pas. Le Soleil reparaît et nous permet de jeter un dernier regard à la Terre illuminée, petit globe penché qui tombe en se rapetissant dans la nuit infinie.

Vénus approche, terre nouvelle, égale à la nôtre... Ne nous attardons pas. Nous passons assez près du Soleil pour reconnaître ses explosions gigantesques et formidables, mais nous continuons notre essor. Voici Mars, avec ses neiges polaires, ses mers étroites, ses plaines végétales, ses canaux sombres, ses terrains rougeâtres... Le temps nous presse : pas de halte. Colosse énorme, Jupiter apparaît de plus en plus proche. Mille terres ne le vaudraient pas... Volons, volons toujours. Quelle est cette planète tournant impérieusement sur elle-même, aussi vite que Jupiter, et couronnée d'une étrange auréole, d'un prodigieux système d'anneaux tourbillonnants? — C'est Saturne. Autour de ce globe fantastique, dix lunes offrent des phases variées. Allons plus loin encore. Uranus et Neptune sont les derniers mondes que nous rencontrions sur notre passage; le dernier est déjà à plus de quatre milliards de kilomètres de la Terre, invisible de ces régions lointaines... Avec la vitesse constante de 300 000 kilomètres par seconde, quatre heures avaient suffi pour nous y transporter.

Volons, volons encore, pendant quatre ans, avant d'atteindre le soleil le plus proche... Continuons pendant dix ans, vingt ans, cent ans, mille ans, ce même voyage, avec la même vitesse!... Oui, pendant mille années, sans repos ni trêve, traversons l'espace, examinons au passage

233

ces soleils de toutes grandeurs, foyers féconds et puissants, astres dont la lumière flamboie et palpite, ces innombrables familles de planètes, variées, multipliées, terres lointaines, peuplées d'êtres inconnaissables, de toutes formes et de toute nature, ces satellites aux phases multicolores et tous ces paysages célestes inattendus...

Encore mille ans, encore dix mille ans, encore cent mille ans de cet essor, sans ralentissement, toujours en ligne droite!... Imaginons que nous voguions ainsi pendant un million d'années ou même un million de siècles... Sommes-nous aux confins de l'univers visible? Voici des immensités noires qu'il faut franchir. Mais là-bas, d'autres étoiles s'allument; élançons-nous vers elles, atteignons-les. Nouveau million d'années, nouvelles révélations, nouvelles splendeurs étoilées, nouveaux univers, nouveaux mondes, nouvelles terres, nouvelles formes de vie! Eh quoi! jamais de fin? jamais d'horizon fermé? jamais de voûte, jamais de barrière qui nous arrête? Toujours le vide! Où sommes-nous donc? Quel chemin avons-nous parcouru?...

En réalité, nous n'avons pas avancé d'un seul pas! « Le centre est partout, la circonférence nulle part... » Oui, voilà ouvert devant nous l'INFINI...

Nous pouvons tomber, tomber en ligne droite, tomber toujours; jamais, jamais nous n'atteindrons le fond, pas plus que nous n'avons atteint aucune limite à l'horizon toujours ouvert. En quelque direction que nous considérions l'abîme, il est infini dans tous les sens. Dans cette immensité, les associations de soleils et de mondes qui constituent notre univers visible ne forment qu'une île du grand archipel, et, dans l'éternité de la durée, la vie de notre humanité, la vie de notre planète tout entière n'est que le songe d'un instant.

Camille FLAMMARION,
Initiation astronomique. — Hachette, éditeur.

——————— *COMPRENEZ BIEN LE TEXTE* ———————

LE SENS ET LA VIE DES MOTS

LES MOTS ET LES EXPRESSIONS

Immuable : qui ne peut pas changer. Ainsi les quatre saisons de l'année se suivent dans un ordre immuable. A rapprocher de : muer, mutation.

Annulaire : en forme d'anneau.

Astres (masc.) : terme général qui désigne les étoiles, le soleil, les planètes qui, comme la terre, tournent autour du soleil, les satellites de planète comme la lune, et les comètes.

Satellite : d'un mot latin qui veut dire escorte. La lune est le satellite de la terre puisqu'elle tourne autour d'elle et semble l'escorter dans son incessant voyage autour du soleil. La plupart des planètes ont des satellites.

L'univers (masc.) : l'ensemble des choses qui existent dans l'infini des mondes.

Le monde lunaire : ce que l'on voit à la surface de la lune.

Les phases de la lune : les aspects successifs sous lesquels la lune se présente à nous.

Familles de planètes : les planètes qui tournent autour d'un soleil forment comme un groupe naturel, comme une sorte de famille.

Les confins de l'univers : les frontières, les dernières limites de l'univers.

LES IDÉES ET LES SENTIMENTS

Exercices de conversation :

L'auteur nous fait faire, par la pensée, un voyage dans l'infini des mondes. A quelle vitesse? Pendant quelle durée?

A. Les différentes étapes de ce voyage.

1. Partons. Nous atteignons le monde lunaire, puis la dernière planète (laquelle)? de notre système solaire. A quelle distance de la terre et après un trajet de quelle durée. dans chaque cas?

2. Nous quittons notre système solaire. Dans combien de temps rencontrerons-nous un autre soleil? Après un parcours de quelle longueur? A quelle distance de la terre?

3. Nous quittons ce système solaire et traversons l'espace pendant mille ans. Que voyons-nous?

4. Nous voguons ensuite pendant un million de siècles. Arrivons-nous aux confins de l'univers? Expliquez.

5. Continuons. Que traversons-nous? Nous voguons encore pendant de nouveaux millions d'années. Que voyons-nous? Et que trouvons-nous devant nous au bout de ce trajet?

6. Quelle est la question que se pose alors le voyageur? A quelle conclusion arrive-t-il en ce qui concerne : a) l'infini de l'espace; b) notre univers visible; c) la vie de l'humanité sur la terre?

B. Ce que nous voyons au cours de notre voyage dans le système solaire.

1. Quels astres rencontrons-nous successivement?

2. Comment se présentent à nous successivement : le monde lunaire? le soleil? chacune des planètes?

C. La vie dans l'univers.

1. Quels sont les astres dont « la lumière flamboie et palpite »?

2. Quels sont les astres où peuvent exister de « nouvelles formes de vie »? Pourquoi? Relevez la phrase par laquelle l'auteur l'exprime.

D. Dans l'immensité de l'univers, tous les astres sont en perpétuel mouvement, dans un merveilleux et harmonieux équilibre. Un grand savant anglais, Newton, à la fin du XVIIIe siècle, en a découvert les *lois* élémentaires. Quelles sont ces lois?

UTILISEZ LE TEXTE

LANGUE ET CIVILISATION

1. Quelques mots de la famille du nom étoile (en latin : *stella*) : constellation, constellé, stellaire. — Qu'est-ce qu'une constellation? un ciel constellé? la lumière stellaire? — Employez chacun de ces trois mots dans une courte phrase, ainsi que constellé au sens figuré.

2. Quelques mots de la famille du nom astre : astronomie et astronome, astrologie et astrologue, astronautique. Donnez le sens de ces cinq noms. Employez

chacun d'eux dans une phrase. — Formez un adjectif avec le nom astronome. Définissez-le. Employez-le dans une phrase au sens propre, puis au sens figuré.

3. Grands noms et dates importantes dans l'histoire de l'astronomie : Avant **Newton** (1642-1727), **Ptolémée** (IIe siècle de notre ère), **Copernic** (1473-1543), **Galilée** (1564-1642), **Képler** (1571-1630) et après **Newton, Einstein** (1879-1955) ont aussi formulé des systèmes expliquant le mécanisme de l'univers.

En vous aidant d'une documentation (dictionnaire, encyclopédie, livre de sciences, etc...) essayez de définir brièvement ce qui caractérise chacun de ces systèmes.

4. Quelles sont les huit grandes planètes qui tournent autour du soleil (dans leur ordre d'éloignement du soleil)?

5. Quelles sont les principales constellations que vous connaissez déjà?

6. Le soleil semble parcourir, dans l'année, douze constellations. Leur représentation dans un cercle dont le soleil occupe le centre s'appelle le *zodiaque*. Quelles sont les douze constellations du zodiaque et à quel mois de l'année correspond chacune d'elles?

7. D'un point quelconque de la terre, on ne peut voir qu'une moitié du ciel ayant la forme d'un hémisphère. Comment s'appelle chacun des deux hémisphères célestes? Lequel de ces deux hémisphères voyez-vous?

8. Les Russes ont réussi à lancer, le 4 octobre 1957, le premier satellite artificiel autour de la terre. Dans quelles conditions? (nature du satellite, propulsion, direction, durée de sa révolution autour de la terre, etc.) — Le 12 avril 1961, Youri Gagarine a fait le tour de la terre en 1 heure et demie, à 300 km du globe et à 8 000 km/h. Il a « ouvert l'ère de l'astronautique ». Qu'entend-on par là? — Quels progrès ont été réalisés depuis dans cette voie?

9. Après l'infiniment grand, l'infiniment petit. — **L'atome** est la plus petite partie d'un corps. Il ressemble à notre système solaire. Il a son *noyau* central (soleil) autour duquel tournent les *électrons*, comme les planètes.

Noyau vient d'un mot latin qui a donné le radical *nucl*. On retrouve ce radical dans *nucléaire :* qui appartient au noyau de l'atome. Au lieu de dire : l'énergie *atomique* (de l'atome) on dit souvent, avec plus de précision : l'énergie *nucléaire* (du noyau de l'atome).

Employez *atomique* et *nucléaire* avec un autre nom, chacun dans une phrase.

STYLE ET COMPOSITION

1. Par une belle nuit d'été, vous avez observé le ciel. Décrivez les étoiles et les constellations que vous y avez reconnues. Sentiments que vous avez éprouvés.

2. Enquête. — **L'ère de l'astronautique.** — Les savants envisagent la possibilité d'un voyage interplanétaire, au moyen d'une *fusée*. Rédigez un article sur ce sujet pour votre journal.

GRAMMAIRE

Le mode subjonctif dans la proposition relative. — *Uranus et Neptune sont les derniers mondes que nous rencontrions sur notre passage.*

Nous avons vu page 198 que le verbe de la proposition subordonnée relative est au mode subjonctif quand l'antécédent est qualifié par un superlatif; la même règle s'applique quand l'antécédent est précédé d'expressions telles que *le premier..., le seul..., le dernier...,* assimilées à une forme superlative.

L'expression de l'idée d'opposition et le mode subjonctif. — *En quelque direction que nous considérions l'abîme, il est infini dans tous les sens.*

Ici l'idée d'opposition s'exprime dans la proposition subordonnée par l'adjectif *quelque* suivi du nom *direction*, de la conjonction *que* et du mode subjonctif *considérions*; le sens est :

Nous considérons l'abîme dans toutes les directions mais il est infini...

Exercice : Faites deux phrases sur les modèles suivants : *De quelque façon que je fasse ce travail, il me fatigue.* — *A quelque vitesse que nous parcourions le ciel, nous n'atteindrons jamais ses limites.*

CAMILLE FLAMMARION (1847-1926)

Célèbre astronome qui a publié de nombreux ouvrages, écrits avec la précision d'un savant et l'âme d'un poète, pour vulgariser les connaissances de son temps sur les astres et la vie des mondes célestes. Nous citerons *l'Astronomie populaire* et *l'Initiation astronomique*.

BLAISE PASCAL (1623-1662)

Voir notice page 248.

Ce grand philosophe écrit dans les **Pensées :** « Tout ce que nous voyons du monde n'est qu'un trait imperceptible dans l'ample sein de la nature. Nulle idée ne s'approche de l'étendue de ses espaces. Nous avons beau enfler nos conceptions, nous n'enfantons que des atomes au prix de la réalité des choses. **C'est une sphère infinie dont le centre est partout, la circonférence nulle part.** »

Et, plus loin :

« Car enfin qu'est-ce que l'homme dans la nature ? Un néant à l'égard de l'infini, un tout à l'égard du néant, un milieu entre rien et tout. »

Portrait par Philippe de Champaigne. ▶

Cl. Giraudon.

VOCABULAIRE D'INITIATION

Termes se rapportant au point de vue intellectuel et logique :

— VERBES :

affirmer	imaginer
analyser	penser
comparer	préciser
concevoir	prouver
contredire	raisonner
croire	réfléchir
définir	révéler
développer	traiter

— NOMS :

un absolu	la discussion
une anologie	une doctrine
un argument	une erreur
(« raison »)	une érudition
une articulation	une évidence
(de la pensée)	une explication
un artifice	un humour
le bon sens	une imagination
la clarté	un inconnu
le commentaire	un intellectuel
la compréhension	une intelligence
la contradiction	une interprétation
la controverse	une ironie
le débat	la logique (*nom*)
la démonstration	la mémoire
le développement	la méthode

le mystère	la règle (« ensemble
une opinion	de principes »)
une opposition	le ridicule
un philosophe,	la rigueur
la philosophie	la signification
la preuve	le témoignage
le principe	le trait
le raisonnement	le vrai
la réflexion	la vraisemblance

— ADJECTIFS :

absolu	intéressant
abstrait	léger
achevé	logique
authentique	mystérieux
concret	original
conscient	philosophe
conventionnel	précis
didactique	réfléchi
ennuyeux	remarquable
évident	ridicule
exact	spirituel
facile	(« de l'esprit »)
imaginaire	subtil
intellectuel	véritable
intelligent	vrai, vraisemblable

— ADVERBES :

exactement	précisément

237

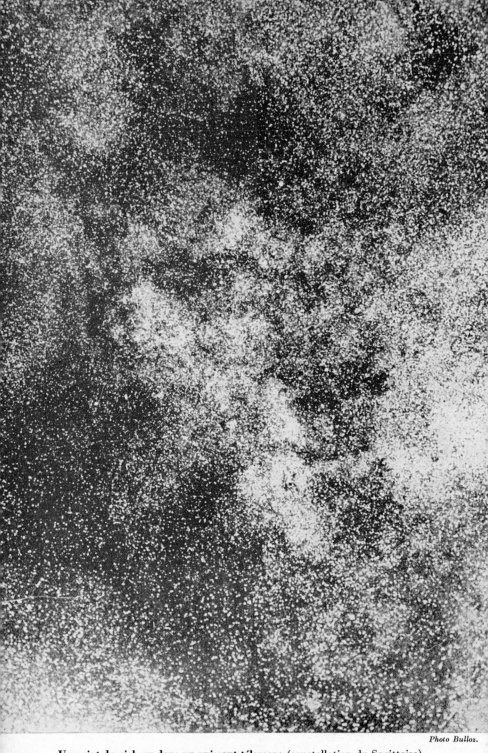

Un point du ciel, vu dans un puissant télescope (constellation du Sagittaire).

Le silence éternel de ces espaces infinis m'effraie (Pascal).

DEUXIÈME PARTIE

I. A LA RECHERCHE DE LA VÉRITÉ

Cliché Bulloz.

Le Penseur de Rodin.

GOHA LE SIMPLE

Goha se rend pour la première fois à l'Université. Il se trouve en présence des vieux Maîtres : chacun d'eux présente la vérité à sa manière.

LE MAÎTRE DE LA DEUXIÈME COLONNE *(à ses disciples).* — Écoutez bien... et ne vous laissez pas surprendre, ô jeunes gens!... La vérité a plusieurs visages, le mensonge n'en a qu'un... quelqu'un l'a dit avant moi qui avait raison...

LE MAÎTRE DE LA PREMIÈRE COLONNE. — La vérité, je vous le dis tout haut, est une chose simple. Elle est fraîche et pleine d'écailles!... Je veux dire qu'elle est vivante comme un poisson!... *(un temps).* Mes chers enfants, la vérité est une ligne droite! C'est une canne... Mettez vos yeux dans les miens... et vous verrez que c'est le plus court chemin!... Surtout ne croyez pas que c'est une ligne droite... Elle est obscure... Elle est céleste!... Elle tourne autour de vous comme un taon!

MAÎTRE 1. — Elle est rayonnante.

MAÎTRE 2. — C'est une bougie éteinte... Il faut la rallumer!

GOHA. — Lequel a raison?

LE MAÎTRE DE LA TROISIÈME COLONNE. — Elle n'est visible... ni invisible... La vérité est ronde!...

GOHA. — Ils se contredisent effrontément...

MAÎTRE 1. — Je l'affirme tout haut : c'est le plus court chemin qui va de la porte de la connaissance à la fenêtre de l'esprit *(un temps)...* en passant par la lucarne de l'observation!

MAÎTRE 2. — Elle n'est ni longue... ni ronde...

MAÎTRE 1. — Elle est droite!... comme mon doigt.

MAÎTRE 2. — Elle est sèche!

MAÎTRE 1. — Elle est ruisselante!

MAÎTRE 3. — Elle n'est ni sèche, ni ruisselante, la vérité est pendante!

MAÎTRE 1. — Elle est souveraine!

MAÎTRE 3. — Particulière!... Personnelle!... Ronde!...

MAÎTRE 2. — Invisible!...

GOHA *(geste du doigt levé et décrivant l'espace... Très majestueux).* — Ils vont me faire perdre la tête!... *(s'adressant à tous les maîtres à la fois)*. Décidez-vous, ô Maîtres, la vérité est-elle droite, ronde... ou pendante comme l'oreille de mon âne quand il fait chaud?...

MAÎTRE 1 *(se levant)*. — Elle est droite!...

MAÎTRE 2 *(se levant)*. — Arrondie! *(puis il ajoute à lui-même)* si elle n'est pas tout à fait ronde!

MAÎTRE 3 *(se levant)*. — Invisible... et visible.

GOHA. — Eh bien, je vais vous dire, moi, ce que c'est, la vérité... c'est un singe!... Elle est pleine de grimaces de toutes sortes! *(ricanements, grimaces de singes)*... et allez l'attraper quand elle est au sommet d'un arbre!... *(il éclate de rire)*.

MAÎTRE 1. — Dehors!

MAÎTRE 2. — Dehors!

MAÎTRE 3. — Dehors!

GOHA. — Vous êtes tous d'accord, vous voyez bien que la vérité est un singe!

TAJ'EL OULOUM *(se levant)*. — Il y a plus d'esprit dans la tête de ce garçon que dans le turban des Maîtres...

Georges SCHÉHADÉ,

Goha le Simple. — Calmann-Lévy, éditeur.

─────────── COMPRENEZ BIEN LE TEXTE ───────────

LA VIE ET LE SENS DES MOTS

LES MOTS ET UNE EXPRESSION

Céleste : qui appartient au ciel, avec l'idée qu'on ne trouve pas la vérité sur la terre.

Un taon (ne pas prononcer l'o — *tan*) : genre d'insecte ressemblant à une grosse mouche qui pique la peau des chevaux ou des bêtes à cornes pour sucer leur sang.

Majestueux : adjectif de la famille de *magnus*, que l'on retrouve dans Charlemagne et qui signifie grand, plein de grandeur.

Se laisser surprendre : a ici le sens particulier de permettre à quelqu'un de vous tromper, parce que vous n'avez pas eu le temps de réfléchir.

Expliquez à l'aide du dictionnaire : *Une écaille — une lucarne — le turban.*

LES IDÉES ET LES SENTIMENTS

Exercices de conversation :

1. Montrez comment et en quoi chacun des Maîtres dit le contraire des deux autres. Trouvez-vous cela comique? Pourquoi?

2. Cet auteur, qui est arabe, introduit dans la langue française des images aussi inattendues qu'intéressantes. Citez-en au moins trois et analysez-les.

3. Que pense Goha de la vérité? La sagesse est-elle de son côté ou de celui des Maîtres? Justifiez votre réponse.

4. En quoi la dernière réplique est-elle amusante?

5. Quels détails montrent que le Maître de la première colonne et celui de la deuxième sont vieux?

LANGUE ET CIVILISATION

1. Le Maître de la première colonne : Dans cette université orientale imaginée, les professeurs, comme Aristote, comme Socrate, donnent leur enseignement en plein air. Schéhadé rappelle ainsi le caractère traditionnel qu'il confère à ces vieux Maîtres ; il s'est aussi souvenu peut-être de Zénon d'Elée, qui donnait son enseignement sous un portique (*stoikos* en grec), d'où le nom de sa philosophie, le *stoïcisme.*

2. Expliquez pourquoi les Maîtres, qui se contredisent mutuellement, sont finalement d'accord pour chasser Goha le Simple.

3. Une des fautes les plus communes consiste à remplacer la définition d'une idée ou d'un terme par une comparaison.

Montrez en quoi les comparaisons proposées dans ce texte ne nous renseignent nullement sur ce qu'est la vérité.

Cela soulève un grave problème philosophique : est-il vraiment possible de définir la vérité ? Tout l'art de Schéhadé, et celui de son personnage légendaire, Goha le Simple, consiste ainsi à présenter de très graves problèmes sur un ton léger, badin et parfois franchement burlesque.

4. Composez sur un sujet quelconque un dialogue amusant entre un professeur dogmatique et un étudiant naïf en apparence.

DISSERTATION

Expliquez et discutez la pensée du grand philosophe Gaston Bachelard : « Il n'y a pas de vérités premières, il n'y a que des erreurs premières. »

GRAMMAIRE

Le nom en apostrophe et l'interjection ô.

Ne vous laissez pas surprendre, ô jeunes gens! Le nom mis en apostrophe désigne une personne à qui on adresse la parole en l'interpellant. En général le nom en apostrophe n'est pas précédé d'un article, il est parfois précédé de l'interjection ô.

Exercice : Cherchez dans le texte :

a) Un autre nom mis en apostrophe précédé de l'interjection ô.

b) Un autre nom mis en apostrophe et non précédé de l'interjection ô.

L'adjectif HAUT employé comme adverbe.

Je vous le dis tout haut.

Dans cette phrase le mot *tout* est un adverbe et l'adjectif *haut* a également la valeur d'un adverbe. Il modifie le verbe *dire* et il est invariable (on dit aussi *parler haut, parler bas, crier fort,* etc.).

Exercice : Cherchez dans le texte une autre phrase où l'adjectif *haut* est aussi employé adverbialement.

Un emploi de la conjonction SI avec un sens limitatif, correctif.

Elle est arrondie, si elle n'est pas tout à fait ronde.

Cela signifie qu'elle est même peut-être tout à fait ronde.

Exercice : Faites deux phrases sur ce modèle*: elle est très malade, si elle n'est à l'agonie.* (Elle est même peut-être à l'agonie.)

GEORGES SCHÉHADÉ (1910)

Écrivain libanais de langue française, né au Caire. D'abord professeur, puis secrétaire général de l'Ecole supérieure des Lettres françaises de Beyrouth, il devint rapidement un poète d'avant-garde, remarqué dès son premier recueil (*Etincelles,* 1928). Il publia en 1952 l'ensemble de ses pièces de vers, dont il avait détaché ses écrits de jeunesse : (*Poésies, zéro* ou *l'écolier sultan.*)

Poète surréaliste, George Schéhadé se tourna bientôt vers le théâtre. Sa première pièce, *Monsieur Bob'le,* jouée à Paris en 1951, fut très discutée. Il essaie d'opposer le monde de la poésie et du rêve à celui du réel et de l'action, et cela dans une atmosphère de fantaisie et d'humour. Ses autres pièces, *La Soirée des Proverbes* et *Histoires de Vasco* ainsi que son film *Goha le Simple* sont des tentatives analogues.

242

LA « MATHÉMATIQUE UNIVERSELLE »

...Je me demandai d'où venait qu'autrefois les premiers créateurs de la Philosophie ne voulaient pas admettre à l'étude de la sagesse quiconque était ignorant de la Mathématique, comme si cette discipline leur paraissait la plus facile et la plus nécessaire pour apprendre aux esprits à saisir d'autres sciences plus importantes et à les y préparer. Je soupçonnai nettement alors qu'ils avaient connu une sorte de Mathématique très différente de la Mathématique ordinaire de notre époque, sans estimer pour cela qu'ils aient eu la science parfaite... Il me semble que quelques traces de cette véritable mathématique apparaissent dans Pappus et dans Diophante qui, sans être des premiers âges, ont vécu pourtant de nombreux siècles avant notre temps...

Il n'est presque personne, pourvu qu'il ait seulement touché le seuil des écoles, qui ne distingue facilement, parmi ce qui se présente à lui, ce qui appartient à la Mathématique et ce qui appartient aux autres disciplines. En y réfléchissant avec plus d'attention, il me parut enfin clair de rapporter à la Mathématique tout ce en quoi on examine seulement l'ordre et la mesure, sans avoir égard si c'est dans des nombres, des figures, des astres, des sons ou n'importe quel autre objet qu'une telle mesure soit à chercher. Il en résulte qu'il doit y avoir une science générale qui explique tout ce qu'on peut chercher concernant l'ordre et la mesure sans les appliquer à une matière spéciale : cette science se désigne par le terme, non pas emprunté à une langue étrangère, mais déjà ancien et reçu par l'usage, de Mathématique universelle, parce qu'elle renferme tout ce qui a fait donner à d'autres sciences l'appellation de parties des mathématiques.

René DESCARTES,
Regulae ad directionem ingenii. (1628),
traduction J. Sirven, J. Vrin éditeur.

COMPRENEZ BIEN LE TEXTE

LE SENS ET LA VIE DES MOTS

La mathématique : nom formé sur un mot grec signifiant *la science par excellence*; c'est la science de ce qui se mesure. Depuis le XIXᵉ siècle, on emploie le pluriel (voir la dernière phrase du texte).

La philosophie : nom formé sur un mot grec qui signifie *aimer la sagesse*; à l'origine, la philosophie comprenait l'ensemble des sciences. Ces sciences, y compris les mathématiques, se sont peu à peu détachées de la philosophie.

Une discipline : nom formé sur un

verbe latin signifiant *apprendre*; il s'agit donc d'une science que l'on apprend. De là vient le second sens, qui n'est pas celui du texte, d'un ensemble de règles auxquelles il faut obéir.

Travail personnel. — Expliquez :
Universel — un objet.

LES IDÉES

Exercices de conversation :

1. Descartes répète-t-il deux fois la même idée en parlant des *premiers créateurs*? Justifiez votre réponse.

2. En quoi d'autres sciences sont-elles plus importantes que les mathématiques?

3. Pourquoi, selon Descartes, les Anciens avaient-ils raison de vouloir commencer par l'étude des mathématiques? Ceci est-il toujours vrai aujourd'hui?

4. Cherchez dans le texte une définition des mathématiques. Que pensez-vous de cette définition?

5. Essayez de déterminer quelques-unes des raisons pour lesquelles le philosophe a écrit ce livre — *Les règles pour la direction de l'esprit* — en latin.

UTILIZEZ LE TEXTE

LANGUE ET CIVILISATION

1. Au Moyen Age, les érudits parlaient latin et, à l'Université, l'enseignement était donné en latin (d'où le nom *le quartier latin*). La révolution commence au XVIe siècle et, en 1530, le roi François Ier établit, juste en face de la Sorbonne, de l'autre côté de la rue Saint-Jacques, le **Collège de France** où l'enseignement est donné en français. Descartes semble écrire indifféremment en latin ou en français. Son œuvre la plus célèbre, *le Discours de la Méthode*, est écrite en français, mais on sent dans son style l'influence du rythme de la phrase latine.

Le latin a-t-il eu, et a-t-il encore, un rôle important dans la vie intellectuelle de votre pays?

2. Pappus (fin du IVe siècle après J.-C.), mathématicien d'Alexandrie, célèbre en particulier pour un théorème relatif aux propriétés des quadrilatères inscrits.

Diophante (compatriote et contemporain du précédent) à qui l'on doit une théorie des équations du premier degré et une formule de résolution des équations du second degré.

3. Descartes veut rapporter les mathématiques à l'ensemble des sciences. Ceci reste-t-il toujours vrai aujourd'hui? Justifiez votre réponse.

4. Descartes pense que l'étude des mathématiques a une grande valeur pédagogique. Qu'en pensez-vous?

5. Descartes est un grand philosophe moderne, il a encore une forte influence sur la pensée française. Voyez-vous des raisons de cet état de fait dans le texte ci-dessus ? (aidez-vous de vos réponses aux questions 3 et 4).

6. Trouvez des mots de la même famille que le nom *philosophe* (attention à ses deux parties, *philo/sophe*) et définissez chacun d'entre eux.

GRAMMAIRE

La conjonction de condition POURVU QUE suivie du subjonctif.

Nous avons vu page 217 la conjonction *pourvu que* avec le sens d'un souhait. Dans la phrase suivante : *Il n'est presque personne, pourvu qu'il ait seulement touché le seuil des écoles, qui ne distingue facilement ce qui appartient à la mathématique et ce qui appartient aux autres disciplines.*

La proposition *pourvu qu'il ait seulement... écoles* est une proposition conditionnelle; on pourrait dire : *à condition qu'il ait seulement touché* ou encore : *s'il a seulement touché.*

Exercice : Faites une phrase conditionnelle avec *pourvu que* suivi du subjonctif, puis remplacez suivant le modèle : *Vous comprendrez pourvu que vous fassiez attention*; *vous comprendrez à condition que vous fassiez attention*; *vous comprendrez si vous faites attention.*

Remarque : On peut dire aussi *Vous comprendrez à condition de faire attention*, l'infinitif remplace alors le subjonctif.

Descartes, par *Franz Hals.* ▶

L'expression d'une double négation qui se détruit pour exprimer une affirmation plus forte.

*Il n'est presque **personne** qui **ne** distingue facilement ce qui appartient à la mathématique...*

Dans la proposition principale, la première, la négation complète est exprimée par **ne... personne**; dans la deuxième proposition, subordonnée relative, la négation est exprimée seulement par *ne* et le verbe est au mode subjonctif. Le sens de ces deux propositions peut se résumer ainsi :

Presque tout le monde distingue facilement ce qui appartient à la mathématique.

Exercice : Faites trois phrases exprimant une double négation qui se détruit. Exemple : *Il n'y a pas de femmes qui ne soient coquettes (toutes les femmes sont coquettes).*

DISSERTATION

A. La *méthode* de Descartes comporte quatre parties :

1. Vérifier chaque chose avant de l'accepter pour vraie.

2. Diviser les difficultés pour résoudre chaque partie.

3. Ordonner ses pensées en allant du simple au composé.

4. Récapituler soigneusement afin de ne rien oublier dans la synthèse.

Montrez que cette méthode s'apparente à celle des mathématiques et jugez sa valeur aujourd'hui.

B. Montrez à l'aide d'un exemple comment l'introduction de *la mesure* dans les sciences a permis l'expression mathématique de la loi.

CONSEILS POUR LA LECTURE

Lire ce texte clairement et posément, en détachant bien les diverses articulations de la pensée.

Cliché Giraudon.

RENÉ DESCARTES (1596-1650)

Un des plus grands philosophes français, il fut aussi mathématicien et physicien. Il fit d'abord une carrière militaire, après avoir été formé par les Jésuites et avoir fait, à l'Université de Poitiers, des études de droit et de médecine. Ensuite, après quelques voyages, il s'installa durant vingt ans en Hollande, de 1629 à 1649. Parti pour la Suède sur l'invitation de la reine Christine, il mourut à Stockholm.

Mathématicien, il inventa *la géométrie analytique;* physicien, il découvrit *les lois de la réfraction.*

Philosophe, il fut un des destructeurs, en France, de la *philosophie scolastique* inspirée d'Aristote. Son système commence par une *table rase*, un doute total où s'instaure une première vérité indiscutable, le célèbre *cogito : je pense, donc je suis (cogito, ergo sum).* Ses œuvres principales sont : *Regulae ad directionem ingenii* (écrites en 1628, publiées en 1701), *le Discours de la Méthode* (écrit en 1632, publié en 1637), *les Méditations* métaphysiques (en latin, 1641), les *Passions de l'âme* (1649); on lui doit aussi une vaste *Correspondance.*

PROGRÈS ET TRADITION

(L'homme) est dans l'ignorance des premiers âges de sa vie, mais il s'instruit sans cesse dans son progrès ; car il tire avantage non seulement de sa propre expérience, mais encore de celle de ses prédécesseurs ; parce qu'il garde toujours dans sa mémoire les connaissances qu'il s'est une fois acquises et que celles des Anciens lui sont toujours présentes dans les livres qu'ils en ont laissés. Et comme il conserve ces connaissances, il peut aussi les augmenter facilement ; de sorte que les hommes sont aujourd'hui en quelque sorte dans le même état où se trouveraient ces anciens philosophes, s'ils pouvaient avoir vieilli jusqu'à présent, en ajoutant aux connaissances qu'ils avaient celles que leurs études auraient pu leur acquérir à la faveur de tant de siècles. De là vient que, par une prérogative particulière, non seulement chacun des hommes s'avance de jour en jour dans les sciences, mais que tous les hommes ensemble y font un continuel progrès à mesure que l'univers vieillit, parce que la même chose arrive dans la succession des hommes que dans les âges différents d'un particulier. De sorte que toute la suite des hommes, pendant le cours de tant de siècles, doit être considérée comme un même homme qui subsiste toujours et qui apprend continuellement. D'où l'on voit avec combien d'injustice nous respectons l'Antiquité dans ces philosophes ; car, comme la vieillesse est l'âge le plus distant de l'enfance, qui ne voit que la vieillesse, dans cet homme universel, ne doit pas être cherchée dans les temps proches de sa naissance, mais dans ceux qui en sont le plus éloignés ? Ceux que nous appelons Anciens étaient véritablement nouveaux en toutes choses, et formaient l'enfance des hommes proprement ; et comme nous avons joint à leurs connaissances l'expérience des siècles qui les ont suivis, c'est en nous que l'on peut trouver cette antiquité que nous révérons chez les autres...

C'est ainsi que, sans les contredire, nous pouvons assurer le contraire de ce qu'ils disaient ; et, quelque force enfin qu'ait cette antiquité, la vérité doit toujours avoir l'avantage, quoique nouvellement découverte, puisqu'elle est toujours plus ancienne que toutes les opinions qu'on en a eues, et ce serait ignorer sa nature de s'imaginer qu'elle ait commencé au temps qu'elle a commencé d'être connue.

Blaise PASCAL,
Fragments d'un Traité du Vide (1647).

LE SENS ET LA VIE DES MOTS

Un prédécesseur : proprement, celui qui précède, qui s'en va (au sens de *décéder, de mourir*) avant.

Une prérogative : d'un mot latin qui signifiait droit de voter avant les autres, d'où le sens actuel de *droit particulier*. Chaque génération a le privilège de pouvoir se servir des connaissances accumulées par les générations précédentes.

Les Anciens : nom collectif donné aux grands hommes de l'Antiquité, c'est-à-dire techniquement de la période allant des origines de l'humanité à la fin de l'Empire romain d'Occident (476 après J.-C.).

LES IDÉES ET LES SENTIMENTS

Exercices de conversation :

1. Relevez toutes les expressions montrant que Pascal compare l'évolution de l'humanité à la vie d'un individu.

2. Cette comparaison vous paraît-elle juste? Justifiez votre opinion.

3. Recherchez dans le texte de Renan, *Qu'est-ce qu'une nation?* (page 49), une comparaison du même ordre.

4. Pascal est-il en faveur du progrès ou de la tradition? Attaque-t-il vraiment les Anciens?

5. Analysez le sens de la proposition suivante et discutez-le : *c'est en nous que l'on peut trouver cette antiquité.*

LE VOCABULAIRE ACTIF

1. Nous avons expliqué *prédécesseur* et *prérogative*. Ces deux mots commencent par le même *préfixe*, trouvez-en cinq autres et employez chacun d'eux dans une phrase qui en montrera bien le sens.

2. Synonymes : expliquez les différences de sens entre les synonymes suivants : *Une opinion — un avis — un sentiment — une pensée — une thèse.*
Un avantage — une supériorité.
Respecter — honorer — vénérer — révérer — adorer.
Distant — éloigné.

3. Homonymes : trouvez deux homonymes de *sans* et deux homonymes de *son*. Expliquez chacun d'eux.

4. On ne dit plus aujourd'hui *au temps que* mais *au temps où*; employez cette locution dans une phrase.

GRAMMAIRE

L'accord du participe passé quand le verbe est à la forme pronominale.

Le participe passé d'un verbe à la forme pronominale est conjugué avec l'auxiliaire être, mais il s'accorde comme si c'était l'auxiliaire avoir, c'est-à-dire avec le complément direct d'objet quand il est placé avant le verbe.

L'homme garde dans sa mémoire les connaissances qu'il s'est acquises.

Dans cette phrase l'objet direct est le pronom relatif *que*, ayant pour antécédent *connaissances* (fém. plur.), placé avant le verbe, c'est pourquoi le participe passé *acquises* est au féminin pluriel.

Exercice : Expliquez l'accord des participes passés dans les phrases suivantes : *les opinions qu'on en a eues — elle a commencé d'être connue — elle s'est cassé la jambe.*

Une expression de la concession.

quelque... que (adjectif indéfini) + le subjonctif

Quelque force enfin qu'ait cette antiquité, la vérité doit toujours avoir l'avantage. Cette forme littéraire exprime l'idée de concession ou d'apposition; on pourrait dire plus simplement :
L'antiquité a de la force, mais la vérité doit avoir l'avantage ; ou *quoique l'antiquité ait de la force, la vérité doit avoir l'avantage.*

Exercice : Faites trois phrases concessives en exprimant successivement chacune d'elles au moyen de

l'adjectif quelque + un nom + que + le subjonctif
la conjonction quoique + le subjonctif
deux propositions à l'indicatif reliées par *mais*.

Exemples : *Quelque talent qu'ait cet artiste, personne n'achète ses œuvres. — Quoique cet artiste ait du talent, personne n'achète ses œuvres. — Cet artiste a du talent, mais personne n'achète ses œuvres.*

HISTOIRE DE LA PENSÉE

En général, la pensée du Moyen Age est caractérisée par une attitude de respect envers les Anciens et en particulier Aristote. A quelques exceptions près, le principe d'autorité fait loi. Quelques attaques contre ce principe marquent le XVIᵉ siècle; puis Descartes se félicite d'avoir oublié le grec et affirme la suprématie de la raison. On doit à Pascal le premier argument logique contre la suprématie des Anciens. Un peu plus tard, la querelle des Anciens et des Modernes va faire rage, de 1687 à 1715.

Cette prise de conscience de la supériorité des Modernes — pour les simples raisons que Pascal expose — a pour conséquence la croyance dans le progrès et va être le cadre de la révolution scientifique qui s'amorce à cette époque, où l'expérience remplace peu à peu l'autorité des anciens philosophes.

LITTÉRATURE ET CIVILISATION

Molière se moque souvent du **principe d'autorité.** Voici un bref exemple tiré du *Médecin malgré lui* (1666) :

Sganarelle : Hippocrate... dit que nous nous couvrions tous deux.

Géronte : Hippocrate dit cela?

Sganarelle : Oui.

Géronte : Dans quel chapitre, s'il vous plaît?

Sganarelle : dans son chapitre ... des chapeaux...

Hippocrate (466-377 av. J.-C.) était l'autorité par excellence en médecine.

COMPOSITION FRANÇAISE

Imaginez un dialogue entre un **Ancien** et un **Moderne** d'aujourd'hui.

BLAISE PASCAL (1623-1662)

Un des plus grands penseurs français, qui fut aussi mathématicien et physicien. Il écrivit en 1639 un *Essai sur les coniques* et inventa, deux ans plus tard, une machine à calculer; il découvrit aussi le calcul des probabilités. Physicien, il refit l'expérience de Torricelli et formula la théorie de la pression atmosphérique dans le *Traité sur le vide.*

Il était janséniste et publia, contre les Jésuites, ses dix-huit *lettres provinciales,* ensuite il prépara un vaste ouvrage qui devait être une Apologie de la Religion chrétienne; mais il mourut avant de le terminer et ses notes furent publiées en 1670 sous le titre de *Pensées sur la religion chrétienne.* (Voir p. 237 et 403.)

Voici ce qu'écrivait Chateaubriand dans le *Génie du Christianisme* (voir plus loin, page 434) : *Il y avait un homme, qui, à douze ans, avec des barres et des ronds, avait créé des mathématiques; qui, à seize ans, avait fait le plus savant traité des coniques qu'on eût vu depuis l'antiquité; qui, à dix-neuf ans, réduisit en machine une science qui existe tout entière dans l'entendement; qui à vingt-trois ans, démontra les phénomènes de la pesanteur de l'air et détruisit une des grandes erreurs de l'ancienne physique; qui, à cet âge où les autres hommes achèvent à peine de naître, ayant achevé de parcourir le cercle des sciences humaines, s'aperçut de leur néant et tourna ses pensées vers la religion, qui (...) fixa la langue que parlèrent Racine et Bossuet (...) et jeta sur le papier des pensées qui tiennent autant du dieu que de l'homme : cet effrayant génie se nommait **Blaise Pascal.**

LE DÉVOUEMENT A LA SCIENCE

Si, comme je me plais à le croire, l'intérêt de la science est compté au nombre des grands intérêts nationaux, j'ai donné à mon pays tout ce que lui donne le soldat mutilé sur le champ de bataille... Je voudrais que cet exemple servît à combattre l'espèce d'affaissement moral, qui est la maladie de la génération nouvelle; qu'il pût ramener dans le droit chemin de la vie quelqu'une de ces âmes énervées qui se plaignent de manquer de foi, qui ne savent où se prendre et vont cherchant partout, sans le rencontrer nulle part, un objet de culte et de dévouement. Pourquoi se dire avec tant d'amertume que, dans le monde constitué comme il est, il n'y a pas d'air pour toutes les poitrines, pas d'emploi pour toutes les intelligences? L'étude sérieuse et calme n'est-elle pas là? Et n'y a-t-il pas en elle un refuge, une espérance, une carrière à la portée de chacun de nous? Avec elle on traverse les mauvais jours sans en sentir le poids; on se fait à soi-même sa destinée; on use noblement la vie. Voilà ce que j'ai fait et ce que je ferais encore; si j'avais à recommencer ma route, je prendrais celle qui m'a conduit où je suis. Aveugle, et souffrant sans espoir et presque sans relâche, je puis rendre ce témoignage, qui de ma part ne sera pas suspect : il y a au monde quelque chose qui vaut mieux que les jouissances matérielles, mieux que la fortune, mieux que la santé elle-même, c'est le dévouement à la science.

Augustin THIERRY,
Dix ans d'études historiques.

COMPRENEZ ET UTILISEZ LE TEXTE

LE SENS ET LA VIE DES MOTS

A. LES MOTS

Sa destinée : sa vie, telle qu'elle devait être.

Témoignage : déclaration d'un témoin qui atteste la vérité d'un fait.

B. LES EXPRESSIONS

Affaissement moral : manque de vigueur morale, de volonté; tendance au découragement devant l'effort à fournir.

La génération nouvelle : une génération est l'ensemble des humains nés et vivant dans le même temps. La nouvelle génération dont parle Augustin Thierry est la génération qui vient immédiatement après celle à laquelle il appartient.

Ames énervées : au sens propre, autrefois, énerver c'était couper les nerfs, ou plutôt les tendons d'un supplicié, et, par là, lui ôter toute vigueur. *Le sens du mot s'est affaibli.* Énervé signifie : qui a les nerfs agacés. Dans le texte, ce mot est pris au sens figuré : les âmes énervées sont celles qui ont subi l'affaissement moral dont parle l'auteur.

Où se prendre : qui ne savent où trouver prise (comme l'alpiniste), à quoi s'intéresser. On dit, en style familier : où s'accrocher.

Un objet de culte : un idéal pour lequel on a un respect religieux.

LES IDÉES ET LES SENTIMENTS

Exercices de conversation :

1. A qui Augustin Thierry se compare-t-il? Pourquoi?

2. Que reproche-t-il : à la génération nouvelle? à certaines âmes énervées de cette génération?

3. Quel remède Augustin Thierry propose-t-il aux jeunes qui semblent manquer d'idéal?

(Photo B. N. E.)

Le duc d'Orléans recevant Augustin Thierry aveuglé.

250

4. Que trouveront-ils dans l'étude?

5. Augustin Thierry a-t-il lui-même suivi ce conseil qu'il donne à la jeune génération? — Relevez la phrase qui l'exprime.

6. Quel grand principe de morale exprime enfin A. Thierry?

GRAMMAIRE

La concordance des temps dans la subordonnée au subjonctif. — *Je voudrais que cet exemple servît à combattre l'espèce d'affaiblissement moral...*

La conjonction QUE introduit une proposition subordonnée au *mode subjonctif* (après un verbe de volonté) au *temps imparfait* (parce que le verbe principal est au mode conditionnel).

Exercices : 1. Cherchez dans le texte une autre proposition subordonnée dont le verbe est également à l'imparfait du subjonctif. Expliquez pourquoi.

2. Faites trois phrases sur le modèle suivant : *A. Thierry voudrait que chacun aimât l'étude.*

3. Expliquez la forme : *et vont cherchant partout un objet du culte* (voir p. 40).

4. Expliquez la forme : *pourquoi se dire* (voir p. 52).

DISSERTATION

A. Thierry écrivait, il y a plus de cent ans : « *L'espèce d'affaissement moral, qui est la maladie de la génération nouvelle.* » Quelles réflexions fait naître en vous cette remarque ?

AUGUSTIN THIERRY (1795-1856)

Grand historien qui a été le promoteur des études historiques en France, vers le milieu du XIXe siècle. Il a usé sa vue dans les bibliothèques, au cours de longues années de lecture des textes et des documents qui lui ont servi à écrire ses ouvrages d'histoire de France, notamment les *Récits des Temps mérovingiens*. Devenu complètement aveugle à moins de quarante ans, il a continué ses travaux d'historien pendant encore un quart de siècle, donnant ainsi un bel exemple de courage et de dévouement à la science.

La science et l'humanité, par L.-E. Fournier.

(Pasteur dans son laboratoire)

UN SAVANT : PASTEUR

Louis Pasteur (1822-1895) est né à Dôle (Jura). Vous avez certainement étudié les grandes découvertes scientifiques qui l'ont fait surnommer le Bienfaiteur de l'humanité. Ce qui lui a permis de réaliser ces découvertes, c'est la puissance et la rigueur de sa méthode expérimentale.

* *
*

Avant Pasteur, les savants croyaient à la « génération spontanée » des êtres infiniment petits. En 1864, Pasteur, dans une conférence à la Sorbonne, démontre que les êtres microscopiques ne naissent pas spontanément, que s'ils apparaissent et se développent dans un liquide, c'est qu'ils y ont été apportés par les poussières qui flottent dans l'air (voir page 10).

« Voici, disait-il, une infusion de matière organique d'une limpidité parfaite, limpide comme de l'eau distillée, et qui est extrêmement altérable. Elle a été préparée aujourd'hui. Demain déjà, elle contiendra des animalcules, de petits infusoires ou des flocons de moisissures.

Je place une portion de cette infusion de matière organique dans un vase à long col, tel que celui-ci. Je suppose que je fasse bouillir le liquide et qu'ensuite je laisse refroidir. Au bout de quelques jours, il y aura des moisissures ou des animalcules infusoires développés dans le liquide. En faisant bouillir, j'ai détruit les germes qui pouvaient exister dans le liquide et à la surface des parois du vase. Mais, comme cette infusion se trouve remise au contact de l'air, elle s'altère comme toutes les infusions.

Maintenant je suppose que je répète cette expérience, mais qu'avant de faire bouillir le liquide, j'étire le col du ballon, de manière à l'effiler, en laissant toutefois son extrémité ouverte. Cela fait, je porte le liquide du ballon à l'ébullition, puis je le laisse refroidir. Or, le liquide de ce deuxième ballon restera complètement inaltéré, non pas deux jours, non pas trois, quatre, non pas un mois, une année, mais trois et quatre années, car l'expérience dont je vous parle a déjà cette durée. Le liquide reste parfaitement limpide, limpide comme de l'eau distillée.

Quelle différence y a-t-il donc entre ces deux vases? Ils renferment le même liquide, ils renferment tous deux de l'air, tous les deux sont ouverts. Pourquoi donc celui-ci s'altère-t-il tandis que celui-là ne s'altère pas? La seule différence qui existe entre les deux vases, la voici. Dans celui-ci, les poussières qui sont en suspension dans l'air et leurs germes peuvent tomber par le goulot du vase et arriver au contact du liquide où ils trouvent un aliment approprié et se développent. De là, les êtres microscopiques. Ici, au contraire, il n'est pas possible, ou du moins il est très difficile, à moins que l'air ne soit vivement agité, que les poussières en suspension dans l'air puissent entrer dans ce vase. Où vont-elles? Elles tombent sur le col recourbé. Quand l'air rentre dans le vase par les lois de la diffusion et les variations de température, celles-ci n'étant jamais brusques, il rentre lentement et assez lentement pour que ses poussières et toutes les particules solides qu'il charrie tombent à l'ouverture du col, ou s'arrêtent dans les premières parties de la courbure.

Cette expérience est pleine d'enseignements. Car remarquez bien que tout ce qu'il y a dans l'air, tout, hormis ses poussières, peut entrer très facilement dans l'intérieur du vase et arriver au contact du liquide. Imaginez ce que vous voudrez dans l'air, électricité, magnétisme, ozone, et même ce que nous n'y connaissons pas encore, tout peut entrer et venir au contact de l'infusion. Il n'y a qu'une chose qui ne puisse pas

252

rentrer facilement, ce sont les poussières en suspension dans l'air, et la preuve que c'est bien cela, c'est que si j'agite vivement le vase deux ou trois fois, dans deux ou trois jours il renferme des animalcules et des moisissures. Pourquoi? Parce que la rentrée de l'air a eu lieu brusquement et qu'il a entraîné avec lui des poussières.

Et par conséquent, messieurs, moi aussi pourrais-je dire en vous montrant ce liquide : j'ai pris dans l'immensité de la création ma goutte d'eau, et je l'ai prise toute pleine de la gelée féconde, c'est-à-dire, pour parler le langage de la science, toute pleine des éléments appropriés au développement des êtres inférieurs. Et j'attends et j'observe, et je l'interroge, et je lui demande de vouloir bien recommencer pour moi la primitive création; ce serait un si beau spectacle! Mais elle est muette! Elle est muette depuis plusieurs années que ces expériences sont commencées. Ah! c'est que j'ai éloigné d'elle, et que j'éloigne encore en ce moment, la seule chose qu'il n'ait pas été donné à l'homme de produire, j'ai éloigné d'elle les germes qui flottent dans l'air, j'ai éloigné d'elle la vie. Jamais la doctrine de la génération spontanée ne se relèvera du coup mortel que cette simple expérience lui porte. »

René VALLERY-RADOT,
La vie de Pasteur.

──────────── *COMPRENEZ BIEN LE TEXTE* ────────────

LE SENS ET LA VIE DES MOTS

LES MOTS ET LES EXPRESSIONS

Infusion de matière organique : Liquide renfermant des germes d'êtres vivants, animaux ou végétaux microscopiques. Ces germes se développant dans leur milieu liquide deviennent les infusoires ou animalcules microscopiques.

Altérable : radical latin *alter*, autre. Altérer un corps, c'est le rendre autre, le changer en mal : l'infusion qui est aujourd'hui limpide deviendra troublée demain.

Lois de la diffusion : Lois de physique suivant lesquelles les gaz peuvent se répandre. Ici, suivant ces lois, l'air extérieur peut pénétrer à l'intérieur du flacon par le tube effilé.

Ozone : Gaz qui se trouve dans l'air et qui est un parent de l'oxygène.

Travail personnel. — **Expliquez à l'aide du dictionnaire :**
Pasteuriser — animalcules — hormis.

LES IDÉES ET LES SENTIMENTS

Exercices de conversation :

1. Au cours de sa conférence, Pasteur fait une démonstration expérimentale. Que veut-il démontrer? (voir p. 10).

2. Qu'a-t-il déposé sur sa table de conférencier?

A. Exposé des expériences faites.

1. Que présente-t-il d'abord, et que pourra-t-on constater demain?
2. Il fait bouillir cette « infusion de matières organiques ». Dans quoi? Que fait l'ébullition?
Il la laisse refroidir à l'air libre. Que constatera-t-on dans quelques jours?

3. Il répète cette expérience, mais que fait-il au préalable? Que constatera-t-il ensuite? Et pendant combien de temps?

B. Explication.

Il y a une ressemblance entre ces deux vases. Laquelle?

Mais il y a une différence. — Que se passe-t-il dans le 1er vase? — Que se passe-t-il dans le 2e ?

C. Enseignements à tirer de cette expérience.

L'air pénètre dans le 2e vase, mais les poussières n'y peuvent pas pénétrer. Epreuve contraire : en quoi consiste-t-elle? et que se passe-t-il?

D. Conclusion.

Pasteur montre le liquide du premier vase et il résume :

a) J'ai pris ce liquide plein... de quoi?

b) Je l'observe, je l'interroge et je lui demande... quoi?

d) Pourquoi donc n'a-t-il pas donné naissance à des êtres vivants?

Quelle est l'immense portée de cette simple expérience (*aseptie*)?

UTILISEZ LE TEXTE

LANGUE ET CIVILISATION

A. Le langage de la démonstration.

Employez dans des phrases, sur un thème à votre choix, les expressions suivantes tirées du texte :

1. Il n'est pas possible ou, du moins, il est très difficile, à moins que..., que (5e §).

2. Il n'y a qu'une chose qui ne puisse pas..., c'est... Et la preuve que c'est bien cela, c'est que si... (6e §).

B. Pasteur vient de détruire, par le raisonnement et l'expérimentation, la théorie de la *génération spontanée* des êtres vivants. Par quelles théories la remplace-t-il? et quelle révolution ont apportée ces théories dans l'art de guérir : *a)* en médecine; *b)* en chirurgie?

GRAMMAIRE ET STYLISTIQUE

Le mode subjonctif après l'idée de supposition. — *Je suppose que je fasse bouillir le liquide...* Quand l'idée de supposition n'est pas exprimée par SI (*si je fais bouillir le liquide*), mais par le verbe SUPPOSER, et si ce verbe signifie effectivement *émettre une hypothèse*, on peut employer le mode subjonctif dans la proposition subordonnée.

Remarque : Souvent en français le verbe *supposer* a le même sens que le verbe *penser*, et dans ce cas le verbe de la proposition subordonnée est au mode indicatif, comme dans ces phrases :

Je suppose que vous êtes contents.
Je suppose que vous prendrez des vacances.

Exercice : Faites deux phrases en employant le verbe *supposer :* a) suivi du mode subjonctif; *b)* suivi du mode indicatif.

Le mode subjonctif dans la subordonnée relative. — *Il n'y a qu'une chose qui ne puisse pas rentrer facilement, ce sont les poussières.*

J'ai éloigné d'elle... la seule chose qu'il n'ait pas été donné à l'homme de produire...

Les expressions *il n'y a qu'une chose* et *la seule chose* sont assimilées à une idée superlative. Pour cette raison on emploie le subjonctif dans la subordonnée relative qui suit.

CONSEILS POUR LA LECTURE

Comme il s'agit d'une démonstration d'un intérêt capital, lisez lentement, sur un ton grave. Bien détacher les différentes parties de l'argumentation. Bien mettre en valeur la conclusion.

RENÉ VALLERY-RADOT
(1853-1933)

Gendre de Pasteur et écrivain de talent. Son fils Pasteur Vallery-Radot, est un éminent physiologiste, membre de l'Académie française.

L'EFFORT D'INVENTION

L'inventeur qui veut construire une certaine machine se représente le travail à obtenir. La forme abstraite de ce travail évoque successivement dans son esprit, à force de tâtonnements et d'expériences, la forme concrète des divers mouvements composants qui réaliseraient le mouvement total, puis celle des pièces et des combinaisons de pièces capables de donner ces mouvements partiels. A ce moment précis l'invention a pris corps : la représentation schématique est devenue une représentation imagée. L'écrivain qui fait un roman, l'auteur dramatique qui crée des personnages et des situations, le musicien qui compose une symphonie et le poète qui compose une ode, tous ont d'abord dans l'esprit quelque chose de simple et d'abstrait, je veux dire d'incorporel. C'est, pour le musicien et le poète, une impression neuve qu'il s'agit de dérouler en sons ou en images. C'est, pour le romancier ou le dramaturge, une thèse à développer en événements, un sentiment individuel ou social à matérialiser en personnages vivants. On travaille sur un schéma du tout, et le résultat est obtenu quand on arrive à une image distincte des éléments. (...)

Il s'en faut d'ailleurs que le schéma reste immuable à travers l'opération. Il est modifié par les images mêmes dont il cherche à se remplir. Parfois il ne reste plus rien du schéma primitif dans l'image définitive. A mesure que l'inventeur réalise les détails de sa machine, il renonce à une partie de ce qu'il voulait obtenir, ou il en obtient autre chose. Et, de même, les personnages créés par le romancier et le poète réagissent sur l'idée ou le sentiment qu'ils sont destinés à exprimer. Là surtout est la part de l'imprévu; elle est, pourrait-on dire, dans le mouvement par lequel l'image se retourne vers le schéma pour le modifier ou le faire disparaître. Mais l'effort proprement dit est sur le trajet du schéma, invariable ou changeant, aux images qui doivent le remplir.

Il s'en faut aussi que le schéma précède toujours l'image explicitement. M. Ribot a montré qu'il fallait distinguer deux formes de l'imagination créatrice, l'une intuitive, l'autre réfléchie. « La première va de l'unité aux détails..., la seconde marche des détails à l'unité vaguement entrevue. Elle débute par un fragment qui sert d'amorce et se complète peu à peu... Képler a consacré une partie de sa vie à essayer des hypothèses bizarres jusqu'au jour où, ayant découvert l'orbite elliptique de Mars, tout son travail antérieur prit corps et s'organisa en système. » En d'autres termes, au lieu d'un schéma unique, aux formes immobiles et raides, dont on se donne tout de suite la conception distincte, il peut y avoir un schéma élastique ou mouvant dont l'esprit se refuse à arrêter les contours, parce qu'il attend sa décision des images mêmes que le schéma doit attirer pour se donner un corps. Mais, que le schéma soit fixe ou mobile, c'est pendant son développement en images que surgit le sentiment d'effort intellectuel.

Henri BERGSON,

L'effort intellectuel, dans *L'Énergie spirituelle*.
Presses Universitaires de France, éditeur.

─────────── *COMPRENEZ ET UTILISEZ LE TEXTE* ───────────

LA VIE ET LE SENS DES MOTS
LES MOTS ET LES EXPRESSIONS

Un inventeur : nom formé sur le verbe latin *invenire*, action de venir sur, de tomber sur. Celui qui trouve, *qui imagine* quelque chose de nouveau.

Des tâtonnements : nom masculin formé sur le verbe *tâtonner*, qui signifie proprement *tâter* dans l'obscurité, d'où le sens figuré d'essayer de divers moyens dont on n'est pas sûr. Le verbe *tâter* est lui-même un doublet de *toucher*.

Incorporel : qui n'a pas de corps, de substance matérielle.

Le schéma : d'un mot grec signifiant manière d'être, d'où figure, réelle ou imaginée, réduite au minimum, où seuls existent les éléments essentiels.

Intuitif : qualifie une connaissance directe et immédiate, à laquelle on parvient sans avoir recours au raisonnement.

Expliquez à l'aide du dictionnaire :
Une symphonie — une ode — distinct — explicitement — une amorce.

La forme abstraite, la forme concrète : par ces deux expressions contraires, le philosophe décrit le passage de l'imagination à la réalité, l'effort par lequel une idée peut devenir réalisable.

Le schéma reste immuable : le schéma ne change pas du tout, demeure exactement tel qu'il est. Bergson nie cette idée.

Une orbite elliptique : la courbe décrite autour du soleil par la planète Mars a la forme d'une ellipse; avant Képler, on croyait que cette orbite était un cercle (voir page 235).

Un schéma élastique ou mouvant : un schéma élastique reprend sa forme primitive après l'essai d'une hypothèse; un schéma mouvant a évolué sans retour. C'est sur l'un comme sur l'autre que s'organise le travail intellectuel; dans le premier cas il s'agit d'une hypothèse rejetée (par exemple *les hypothèses bizarres* de Képler); dans le second l'hypothèse est acceptée (par exemple *l'orbite elliptique*).

LES IDÉES

Exercices de conversation :

1. Bergson voit-il une différence fondamentale entre l'invention dans le domaine de la technique et l'invention dans le domaine des arts? Justifiez votre réponse.

2. Relevez les détails montrant que le philosophe a essayé de peindre *un mouvement* intellectuel.

3. Quel rôle est attribué aux idées préconçues? A la réalité du monde extérieur? Quels détails nous montrent que ces deux rôles sont complémentaires?

4. L'auteur répète deux fois une idée importante au sujet de l'effort intellectuel. Comparez les deux phrases exprimant cette idée et cherchez les nuances de l'expression.

Pour quelles raisons croyez-vous que cette idée soit importante?

5. En quels sens peut-on dire que l'imagination soit créatrice? intuitive? réfléchie?

6. La raison a-t-elle une place dans le texte cité de Bergson? Si oui, pourquoi l'auteur n'en parle-t-il pas directement?

LANGUE ET CIVILISATION

1. *Inventeur, auteur* sont des noms se terminant par le même suffixe. Trouvez deux autres noms ayant ce suffixe et définissez-les.

2. Dans la quatrième phrase, l'auteur emploie trois verbes synonymes. Cherchez-les et expliquez les nuances de leur emploi.

3. Dans la première partie le philosophe expose sa thèse, dans les deux parties suivantes il réfute des erreurs communes, ce qui lui permet de préciser sa pensée. Quelle est cette thèse? Quelles sont ces deux erreurs? Quelles sont ces précisions? Que pensez-vous de cette manière de présenter une théorie?

Ribot (1839-1916) : philosophe français dont les travaux de psychologie expérimentale ouvrirent de nouveaux horizons; il a écrit un traité sur *Les maladies de la mémoire* (1881) et un essai sur *L'imagination créatrice* (1900).

Képler (1572-1630) : mathématicien allemand qui fut un des fondateurs de l'astronomie moderne. Dans son ouvrage sur *la nouvelle astronomie* (1609), il formule les trois lois qui portent son nom et qui complètent le système de Copernic, préparant celui de Newton.

GRAMMAIRE

Une expression impersonnelle.

Il s'en faut que... + le subjonctif.

Il s'en faut d'ailleurs que le schéma reste immuable.

Dans cette expression, *Il s'en faut* garde la signification de son doublet *faillir* (manquer, échouer). Le sens de la phrase est : *le schéma est loin de rester immuable* ou

encore : *le schéma ne reste pas immuable du tout, il change.*

Exercices : 1. Cherchez dans le texte une autre phrase où l'auteur emploie l'expression *il s'en faut que...*
Expliquez-en la signification.

2. Expliquez la valeur de la préposition *de* dans l'expression *quelque chose de simple et d'abstrait.*

HENRI BERGSON (1859-1941)

Grand penseur français, qui fut membre de l'Académie française et professeur au Collège de France. Sa philosophie repose sur la distinction entre la connaissance rationnelle et l'intuition, qui seule permet de saisir, de l'intérieur, la réalité profonde des choses. Son influence a été considérable, de *l'Essai sur les données immédiates de la conscience* (1889) à *La Pensée et le mouvant* (1934).

C'est le maître de la pensée anti-intellectualiste et anti-rationaliste. Il marqua le début du XXᵉ siècle, et son influence fut grande, notamment sur Péguy (p. 289) et sur Proust (p. 20).

Cliché Viollet.

SCIENCE PURE ET PROGRÈS TECHNIQUE

Le Savant répond à un discours :

Vous avez voulu rappeler que les recherches de la science pure sont les sources fécondes dont découlent toujours rapidement les applications pratiques et que toute conception ayant pour résultat de faire négliger les recherches désintéressées pour se consacrer uniquement à celles dont l'intérêt technique immédiat est évident, ne tarderaient pas, si elle prédominait, à avoir une influence néfaste et stérilisante sur la vie industrielle du pays. Je crois donc ne pouvoir mieux répondre à l'intention qui vous a guidé (...) qu'en montrant par quelques exemples à quel point ont toujours été étroitement liés, dans l'histoire de la civilisation, les progrès parallèles de la science et de l'industrie.

Pour faire cette démonstration, on pourrait remonter très loin dans le passé et rappeler que l'effort des hommes pour connaître mieux les lois de la nature a toujours été orienté dans deux directions différentes, mais inséparables. D'une part, l'homme a soif de connaître et de comprendre ; son intelligence qui est comme le couronnement des activités de la vie à la surface de notre planète, éprouve une satisfaction intense à résoudre les problèmes que lui pose le spectacle des phénomènes physiques et à parvenir à en pénétrer l'harmonie et la signification profonde : cette tendance est l'une des plus hautes qui soient dans l'homme et les conquêtes effectuées dans ce domaine sont véritablement des victoires de l'esprit. D'autre part, l'homme est pressé par les nécessités de la vie qui ne lui permettent pas de se consacrer uniquement à des recherches spéculatives : il doit lutter pour améliorer son existence et la défendre contre les dangers qui ne cessent de la menacer. Aussi est-il amené à utiliser ses connaissances sur les lois de la nature et sur les phénomènes physiques de façon à pouvoir les employer à son profit et c'est là le point de vue de la science appliquée, de l'industrie et des techniques. Mais on ne peut utiliser ses connaissances qu'après les avoir acquises et c'est ce qui donne aux recherches de la science pure une sorte d'antériorité sur les recherches à but pratique puisqu'en définitive et bien que ces deux genres de recherches soient souvent indissolublement liées, ce sont les premières qui seules peuvent fournir aux secondes les éléments dont elles ont besoin.

Dans la suite du discours, le savant donne les exemples suivants :

L'œuvre d'Archimède unit les deux aspects, science pure et science appliquée.

Les théoriciens de la thermodynamique, notamment Sadi Carnot, ont édifié : « Un admirable corps de doctrine qui sert constamment de guide aux ingénieurs de vieille machine à vapeur jusqu'aux formes les plus modernes des moteurs à explosion, à combustion ou à réaction. »

Les recherches désintéressées des Galvani, des Œrsted, des Ampère, des Faraday ont été à la base des progrès de l'industrie et de la technique de l'électricité. Les recherches de l'atomistique et de la mécanique ondulatoire permettent les développements actuels.

Louis de BROGLIE,

Savants et découvertes, Albin Michel, éditeur.

─────────── *COMPRENEZ BIEN LE TEXTE* ───────────

LA VIE ET LE SENS DES MOTS

LES MOTS ET LES EXPRESSIONS

Stérilisant : qui rend *stérile*, c'est-à-dire, qui n'apporte aucun résultat.

Intense : adjectif dérivé du verbe *tendre* et signifiant proprement *tendu vers...* Dans le texte, le mot a le sens de très important, considérable.

Désintéressé : qualifie ce que l'on fait sans intérêt matériel ou pratique.

Actuel : mot de la famille d'*agir*. Cet adjectif a eu, jusqu'au XVIIe siècle, le sens du français moderne *actif* (qui agit). Ce sens a évolué pour signifier *qui agit maintenant*, par opposition à *qui a cessé d'agir*, sens qui s'est encore spécialisé en *qui appartient au présent*.

L'homme a soif de connaître : ce gallicisme signifie que nous avons tous une envie permanente de nous renseigner sur le monde qui nous entoure. L'expression *avoir soif de* est imagée et très forte.

Être pressé par : être soumis à des pressions, à des influences extérieures très fortes... A ne pas confondre avec *être pressé*, sans complément d'agent, qui signifie ne pas avoir le temps.

Des recherches spéculatives : des recherches abstraites et théoriques. Le verbe spéculer a le sens de voir en esprit de méditer attentivement

Travail personnel. — Expliquez :

Négliger — les progrès parallèles — orienter — la signification profonde — acquérir.

LES IDÉES ET LES SENTIMENTS

Exercices de conversation :

1. Pour quelle raison l'auteur commence-t-il son discours par la proposition *Vous avez voulu rappeler?*

2. En vous servant des paroles mêmes du savant, définissez la science pure et la science appliquée.

3. L'auteur affirme que si tous les savants ne poursuivaient que des buts pratiques, le progrès industriel s'arrêterait. En quoi cela est-il paradoxal? Par quels moyens le savant prouve-t-il que ce paradoxe, qui semble si surprenant, est l'expression de la réalité des choses?

4. Quelle idée se fait le savant au sujet de l'homme et de ses aspirations?

5. Quelle est — selon ce discours — la supériorité de la science pure sur la science appliquée?

LANGUE ET CIVILISATION

1. *Négliger, néfaste :* Décomposez ces deux mots et expliquez-les. Trouvez deux autres mots commençant par le préfixe négatif et expliquez-les.

2. Cet auteur aime renforcer son expression en juxtaposant des mots de sens voisins ou complémentaires. Vous expliquerez la valeur expressive et stylistique des formes suivantes : *néfaste et stérilisante, connaître et comprendre, l'harmonie et la signification profonde, améliorer et défendre.*

3. Atomistique (fém.) : science qui étudie la structure de l'atome.

4. Mécanique ondulatoire : théorie qui relie les phénomènes des ondes électromagnétiques et l'atomistique.

Archimède (287-212 avant J.-C.) : célèbre savant de Syracuse qui fit d'importantes découvertes en géométrie (notamment le calcul du volume et de la surface de la sphère), en physique (le principe d'Archimède) et fut à l'origine de progrès techniques importants (il inventa notamment la poulie, la roue dentée et la vis sans fin).

Sadi Carnot (1796-1832) : fils du révolutionnaire Lazare Carnot, il abandonna l'armée, où il était capitaine, pour se consacrer à la recherche scientifique. Il étudia les lois de la chaleur, les dilatations comparatives des gaz et l'application mécanique de la vapeur et il formula une des deux lois fondamentales de la thermodynamique : *il n'existe pas de transformation de chaleur en travail sans l'emploi de deux sources à des températures différentes* (loi de Carnot). Un Allemand, **Robert von Mayer,** découvrit en 1842 la seconde loi, celle de *l'équivalence du travail et de la chaleur,* que l'Anglais **James Joule** (1818-1889) formula mathématiquement dans le cas du passage du courant électrique dans un conducteur.

Luigi Galvani (1737-1798) : physicien italien né à Bologne qui découvrit et étudia notamment les effets du courant électrique sur les muscles et les nerfs.

Christian Œrsted (1777-1851) : physicien danois qui découvrit et étudia les phénomènes fondamentaux de l'électromagnétisme.

André-Marie Ampère (1775-1836) : physicien français qui découvrit l'action des courants électriques sur les aimants et des courants entre eux, créant ainsi l'électrodynamique.

Michael Faraday (1791-1867) : physicien et chimiste anglais qui découvrit les lois de l'induction, puis celles de l'électrolyse (qui portent son nom) ainsi que l'action d'un champ magnétique sur la lumière. En chimie, il avait réussi dès 1825 à liquéfier tous les gaz connus alors, sauf six.

CONSEILS POUR LA LECTURE

Ce texte est plutôt une communication scientifique qu'un discours, il faut donc le lire sur un ton posé. Ce serait une erreur que de faire des effets oratoires.

DISSERTATION

1. Présentez un grand inventeur de votre pays.

2. Expliquez et commentez l'affirmation : « La science n'a pas de patrie. »

LOUIS DE BROGLIE (1892)

Grand physicien français né à Dieppe, qui créa notamment la mécanique ondulatoire et reçut le prix Nobel de Physique en 1928. Il est membre de l'Académie française et de l'Académie des Sciences. Son frère Maurice (1875-1960) appartenait aussi à ces deux Académies et fit faire de grands progrès à l'étude des rayons X.

RÉFLEXIONS DEVANT LA DOULEUR ET LA MORT

Combattre la douleur et combattre la mort : combats quotidiens du chirurgien, combats de toute sa vie.

Contre la douleur, on vient lui demander secours quand tout remède est impuissant. Mais aussi, elle naît de ses doigts et de ses instruments, inévitable rançon de tout acte opératoire. De la mort il défend, au mépris de leur sang, des vivants menacés, sinon condamnés.

N'y a-t-il pas lieu de méditer sur les émouvantes conditions de ce destin singulier?

La signification métaphysique de la douleur corporelle, thème de prédilection des religions et des philosophies, ne relève pas de notre compétence. Et, chirurgiens, s'il nous arrive parfois, sous l'effet de notre impuissance révoltée, de poser au ciel quelque interrogation, nous devons bientôt reporter nos regards sur nos attributions.

Pour juger la douleur, il faut non seulement la connaître soi-même — c'est le lot de tous — mais aussi l'avoir observée chez autrui et, comme l'a fait un des nôtres, le professeur Leriche, y avoir ensuite longuement réfléchi. Les chirurgiens ne sauraient trop s'y attarder. C'est un de leurs principaux problèmes.

Sans doute serait-ce beaucoup leur demander que de se prêter bénévolement à l'épreuve d'une intervention chirurgicale, quoiqu'on puisse énoncer d'excellentes raisons dans ce sens.

Tout au moins auraient-ils tort, quand les circonstances les y contraignent, de ne pas considérer l'événement comme l'heureuse possibilité de se rapprocher des patients par une plus juste compréhension de leurs doléances et par une plus chaude sympathie pour leur état d'âme.

C'est qu'en effet le côtoiement incessant de la douleur humaine tend à émousser et, en vérité, émousse dans une certaine mesure la compassion. Dès l'âge le plus tendre, le jeune étudiant qui vit dans l'ambiance des pavillons opératoires entend des gémissements, assiste à des scènes pénibles — parfois plus que pénibles — qui semblent d'abord s'inscrire, indélébiles, dans sa mémoire. Mais la répétition même de ces navrants spectacles donne assez vite l'impression du déjà vu.

Cependant, le tempérament de chacun entre en jeu. La légèreté, l'égoïsme, l'insensibilité native favorisent une certaine dureté de cœur ; mais, chez d'autres, une conscience réfléchie, le sens de l'humain remplacent heureusement l'ébranlement nerveux émotionnel du début ; d'autres, encore, ne s'accoutument pas. De là vient que ceux-ci compatissant à l'excès ont peine à se détourner du lit d'un malheureux en proie à son mal, alors que les premiers n'entendent dans ses plaintes que l'extériorisation objective d'une lésion. Bien entendu, le devoir est le même pour tous ; mais le goût et le besoin de venir en aide sont à la mesure de la pitié qu'on éprouve.

Le chirurgien qui tendrait à l'indifférence remplirait mal sa mission ; devenant rude, voire brutal, il mériterait alors le blâme le plus sévère. Mais celui qui participe trop aux tourments de son patient risque de perdre son libre jugement aux dépens de salutaires décisions. S'il est interdit de laisser souffrir inutilement, règle d'airain que doivent s'imposer les hommes et les femmes ayant reçu la vocation d'assister la misère corporelle de leurs semblables, on ne saurait perdre de vue que l'intérêt vrai du malade — le recouvrement de la santé — prime tout, dût celui-ci le payer passagèrement dans sa chair...

D'ailleurs, si la chirurgie, par essence, blesse et meurtrit, c'est à tort que l'imagination des malades la leur représente encore dans le triste et redoutable appareil d'autrefois. De grands changements ont eu lieu, que les progrès scientifiques ont permis.

Il est cependant de graves circonstances, assez rares heureusement, où le chirurgien — et c'est un des arides sommets réservés à sa conscience — doit, après avoir imposé par ruse ou par autorité l'acceptation, savoir ou vouloir oublier qu'il va déchaîner la souffrance : c'est quand la vie ne peut être sauvée qu'à ce prix.

La mort est bien à nos côtés à chaque instant de notre action. Elle guette nos décisions, nos moindres gestes. Le métier nous arme d'une cuirasse et nous met, grâce à nos règles techniques, à l'abri de la plupart des coups. Mais que survienne une défaillance de l'esprit, de la main, elle ne tarde pas à frapper.

L'usage en cette matière démontre qu'une faute, une simple erreur, est toujours sanctionnée plus ou moins gravement. Les complications, au cours d'une intervention, surgissent parfois malgré nous. Certes, nous ne sommes pas tout-puissants. Mais il est non moins vrai que la moindre bévue de notre part se paie d'une complication. Tant la victoire se conquiert ! Il faut se garder à droite et se garder à gauche.

Si le chirurgien mesure l'étendue de telles responsabilités — et ce ne saurait être autrement — comment peut-il vivre en repos? Parce que sang-froid, maîtrise de soi, s'opposent à l'extériorisation des âpres débats qui l'absorbent, peu de gens soupçonnent la tension nerveuse qu'exigent une présence d'esprit sans relâche dans la conduite des soins, un masque d'impassibilité à garder et, au fond de soi, un cœur à maintenir impavide sous les pires surprises. Triple objet d'incessants efforts...

Dans les centres ou les services hospitaliers où — comme cela devrait être prescrit partout — sont comptabilisés chaque année les résultats de l'activité chirurgicale, les pourcentages de mortalité post-opératoire s'échelonnent de 3 à 6 %, en incluant les urgences (bien plus meurtrières). Guérir 95 % du « tout-venant », qui ne saurait y applaudir? Et cependant les découvertes, les progrès de tous ordres, les efforts mieux coordonnés tendent sans cesse à améliorer les chiffres, avec d'autant plus de difficultés, il est vrai, qu'on s'approche davantage du zéro.

Ainsi le veut l'ordre des choses. Nous existons pour faire reculer la mort dont l'ombre funeste se projette sans cesse autour de nous sur les visages douloureux ou angoissés des hommes. *Dolori et morti sacrum...*

Dr Robert SOUPAULT,
Réalités, mars 1960.

—————— COMPRENEZ BIEN LE TEXTE ——————

LA VIE ET LE SENS DES MOTS

LES MOTS ET LES EXPRESSIONS

La rançon : doublet de la *rédemption*, ces deux mots indiquent une idée de rachat. La rançon est la somme d'argent que l'on donne pour délivrer un captif; au sens figuré, une contrepartie pénible par laquelle on achète un bien. Dans l'opération chirurgicale le malade rachète la santé par sa douleur.

Bénévolement : adverbe formé sur l'adjectif *bénévole* (de *bien* et de *vouloir*, formation latine par opposition à la formation française *bienveillant*). Faire quelque chose par bonne volonté, sans prétendre à une récompense matérielle. Ici, se faire opérer sans être malade, simplement pour mieux comprendre la psychologie et les réactions de l'opéré.

Un patient : nom de la famille du verbe *pâtir*, dont le premier sens est souffrir. Celui qui souffre.

Une doléance : nom de la famille de *douleur* (fém.) et de *deuil* (masc.). Autrefois, ce nom avait le sens technique de représentation adressée au Roi, consignée dans les cahiers des États généraux, par laquelle les sujets exposaient leur douleur, ce qui les faisait souffrir dans l'administration. Par analogie, exposé de ce qui fait souffrir, plainte (le mot est très souvent au pluriel).

Émousser : rendre moins coupant le fil d'un instrument tranchant (couteau, hache, lame, etc...), d'où le sens figuré de rendre moins vif, moins aigu, affaiblir l'acuité d'une sensation ou d'un sentiment.

Une bévue : proprement, action de *voir double* et l'erreur qui en résulte.

Expliquez à l'aide du dictionnaire :

*Singulier — la compassion — indé-
lébile — navrant — compatir — la
lésion — la cuirasse — sanctionner —
impavide.*

Un thème de prédilection est un sujet
duquel on aime beaucoup parler et dont
on parle souvent.

L'âge tendre : l'âge où l'on est tendre,
c'est-à-dire très sensible, la jeunesse.

Une règle d'airain : style noble et
imagé. C'est une règle, une loi à laquelle
on est obligé de se conformer, à laquelle
on ne saurait désobéir, si pénible que
cela soit.

Une extériorisation objective : expression technique de la philosophie. La
lésion, le mal se montre à l'*extérieur* par
la douleur et les plaintes, que certains
chirurgiens considèrent comme un *objet*,
un indice *jeté devant* eux pour qu'ils
l'observent avec détachement.

**Un des arides sommets réservés à sa
conscience :** expression imagée évoquant
un problème moral pénible que le chirurgien doit résoudre seul, « en son âme
et conscience » : infliger une grande souffrance supplémentaire dans l'espoir —
pas toujours réalisé — de sauver la vie
du malade.

Le tout-venant : ce qui vient sans
qu'on ait l'occasion de choisir; ici les
malades et les blessés de toutes sortes
qui sont transportés à l'hôpital pour des
opérations d'urgence.

Dolori et morti sacrum : la mort et la
douleur sont sacrées. Cette citation n'est
pas sans ressemblance avec celle qui est
mise en exergue à l'œuvre de Maurice Barrès (1862-1923) : *Amori et dolori
sacrum.*

Travail personnel. — Expliquez :

*Un pavillon opératoire — le déjà vu —
à la mesure de la pitié — déchaîner la
souffrance.*

LES IDÉES ET LES SENTIMENTS

Exercices de conversation :

1. Expliquez en quoi la situation de
la chirurgie est en quelque sorte para-
doxale.

2. Pourquoi la douleur corporelle a-
t-elle une signification métaphysique?

3. Pourquoi le chirurgien se trouve-
t-il parfois dans une situation d'*impuissance révoltée?*

4. Pensez-vous, comme l'auteur, que
le chirurgien aurait intérêt à subir
lui-même une opération? Justifiez votre
réponse. (Vous relirez à ce sujet ce que
dit M. Smith du Dr MacKensie, page 185.)

5. Faites les portraits des deux sortes
de praticiens que le Dr Soupault
condamne.

6. Êtes-vous d'accord sur le fait que
recouvrer la santé prime tout? Exposez
vos raisons.

7. Pour quelles raisons les difficultés
s'accroissent-elles lorsque le pourcen-
tage des malades morts pendant ou
immédiatement après une opération
s'approche de zéro?

─────────── *UTILISEZ LE TEXTE* ───────────

LITTÉRATURE ET CIVILISATION

1. Relevez toutes les images par
lesquelles le chirurgien se compare à
un combattant. Par quels moyens
souligne-t-il la grandeur de ce combat?

2. Donnez un titre à chacun des grands
paragraphes de ce texte.

3. Comparez le dernier paragraphe
au premier. Cette introduction et cette
conclusion sont-elles bien choisies pour
un article par lequel un spécialiste
s'adresse au grand public? Justifiez votre
réponse.

4. En imitant le quatrième paragraphe, montrez comment le tempérament influe sur la manière dont deux
hommes peuvent faire leur métier (de
professeur, d'avocat, d'homme politique,
d'historien, etc.).

5. René Le Riche (1879-1954) : Grand
chirurgien français qui, après avoir été
professeur à l'Université de Strasbourg,
devint professeur au Collège de France
et membre de l'Académie des Sciences.

Il fut l'initiateur de la chirurgie phy-
siologique.

264

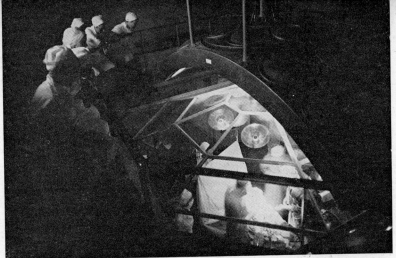

Photo Assistance Publique (Paris)

Un bloc opératoire

GRAMMAIRE ET STYLISTIQUE

Deux expressions avec le verbe SAVOIR.

Les chirurgiens ne sauraient trop s'y attarder.

Le verbe SAVOIR au mode conditionnel a souvent le sens du verbe *pouvoir*. Ici, le sens est même plus proche du verbe *devoir*, c'est un conseil fermement donné.

Les chirurgiens pourraient et devraient longuement s'attarder sur ce problème ou ils ne doivent pas craindre de s'y attarder trop longuement.

De même dans la phrase suivante :

On ne saurait perdre de vue que l'intérêt du malade prime tout.

Le sens est :

On ne peut et on ne doit oublier que l'intérêt du malade est plus important que tout.

Remarque : Dans ces deux phrases, la forme négative du verbe savoir est seulement marquée par l'adverbe *ne*, il s'agit d'un emploi littéraire.

Une forme littéraire de l'idée d'opposition liée à celle d'éventualité.

Dût celui-ci (le malade) le payer passagèrement dans sa chair.

Cet emploi du verbe *devoir* à l'imparfait du subjonctif (*dût*) et de l'inversion du sujet (celui-ci) est littéraire; dans la langue de tous les jours on dirait plus simplement :

Même si celui-ci devait souffrir temporairement.

Exercices: 1. Indiquez, dans la proposition suivante, quel est le sujet grammatical et quel est le sujet réel : *il est cependant de graves circonstances où le chirurgien...*

2. Expliquez l'inversion du sujet dans la proposition : *Aussi est-il amené à utiliser ses connaissances de façon à pouvoir les employer à son profit* (p. 258).

3. Expliquez l'emploi du mode subjonctif dans la proposition relative de la phrase : *Cette tendance est l'une des plus hautes qui soient dans l'homme* (p. 258).

4. Cherchez dans le texte, p. 258 (*a*) deux pronoms relatifs *dont*, (*b*) deux pronoms relatifs *qui*, (*c*) un pronom relatif *que* et faites-en l'analyse grammaticale.

CONSEILS POUR LA LECTURE

On doit souligner les aspects opposés de ce texte. Il est abstrait mais comporte des aspects concrets; il est froid et objectif mais parfois une chaude émotion humaine transparaît.

ROBERT SOUPAULT (1892)

Grand chirurgien français qui fut longtemps chef de service dans un hôpital parisien, il est membre de l'Académie de Chirurgie.

PERSONNE N'EST INUTILE DANS L'HUMANITÉ

C'est une pensée d'une effroyable tristesse que le peu de traces que laissent après eux les hommes, ceux-là mêmes qui semblent jouer un rôle principal. Et quand on pense que des millions de millions d'êtres sont nés et sont morts de la sorte, sans qu'il en reste un souvenir, on éprouve le même effroi qu'en présence du néant et de l'infini. Songez donc à ces misérables existences à peine caractérisées qui, chez les sauvages, apparaissent et disparaissent comme les vagues images d'un rêve. Songez aux innombrables générations qui se sont entassées dans les cimetières de nos campagnes. Mortes, mortes à jamais?... Non, elles vivent dans l'humanité; elles ont servi à bâtir la grande Babel qui monte vers le ciel, et où chaque assise est un peuple...

Un jour, ma mère et moi, en faisant un petit voyage à travers ces sentiers pierreux des côtes de Bretagne qui laissent à tous ceux qui les ont foulés de si doux souvenirs, nous arrivâmes à une église de hameau, entourée, selon l'usage, du cimetière, et nous nous y reposâmes. Les murs de l'église, en granit à peine équarri et couvert de mousses, les maisons d'alentour construites de blocs primitifs, les tombes serrées, les croix renversées et effacées, les têtes nombreuses rangées sur les étages de la maisonnette qui sert d'ossuaire, attestaient que, depuis les plus anciens jours où les saints de Bretagne avaient paru sur ces flots, on avait enterré en ce lieu. Ce jour-là, j'éprouvai le sentiment de l'immensité de l'oubli et du vaste silence où s'engloutit la vie humaine, avec un effroi que je ressens encore, et qui est resté un des éléments de ma vie morale. Parmi tous ces simples qui sont là, à l'ombre de ces vieux arbres, pas un, pas un seul ne vivra dans l'avenir. Pas un seul n'a inséré son action dans le grand mouvement des choses; pas un seul ne comptera dans la statistique définitive de ceux qui ont poussé à l'éternelle roue.

Depuis, j'ai transporté ma tente, et je m'explique autrement cette grande nuit. Ils ne sont pas morts, ces obscurs enfants du hameau; car la Bretagne vit encore, et ils ont contribué à faire la Bretagne; ils n'ont pas eu de rôle dans le grand drame, mais ils ont fait partie de ce vaste chœur sans lequel le drame serait froid et dépourvu d'acteurs sympathiques. Et quand la Bretagne ne sera plus, la France sera; et quand la

France ne sera plus l'humanité sera encore, et éternellement l'on dira :
« Autrefois, il y eut un noble pays, sympathique à toutes les belles
choses, dont la destinée fut de souffrir pour l'humanité et de combattre
pour elle. » Ce jour-là, le plus humble paysan qui n'a eu que deux pas
à faire de sa cabane au tombeau vivra comme nous dans ce grand nom
immortel; il aura fourni sa petite part à cette grande résultante...

Personne n'est donc inutile dans l'humanité.

Ernest RENAN,

L'Avenir de la Science. — Calmann-Lévy, éditeur.

─────────── COMPRENEZ BIEN LE TEXTE ───────────

LE SENS ET LA VIE DES MOTS

LES MOTS ET LES EXPRESSIONS

Babel : Renan fait allusion à la *tour de Babel* que les fils de Noé, d'après la Bible, voulaient élever pour atteindre le ciel. Il compare à la tour de Babel la civilisation humaine que les peuples, bien que parlant toutes les langues, veulent élever toujours plus haut en une ferme collaboration et un incessant effort de progrès.

Assise : Il continue sa comparaison. Au sens propre, dans une construction, une assise est un rang de pierres solidement liées les unes aux autres.

Les saints de Bretagne... sur ces flots : allusion à de vieilles légendes bretonnes.

Un des éléments de ma vie morale : une des sources de mes méditations sur la destinée humaine.

L'éternelle roue : on symbolise souvent le Progrès de l'humanité par un char que les hommes font avancer péniblement sur un chemin malaisé, en poussant à la roue.

J'ai transporté ma tente : allusion au voyageur ou au soldat qui se déplace et plante sa tente à chaque halte. Par cette image, Renan nous dit qu'il a bien avancé sur le chemin de la vie et que ses pensées ont changé sous l'effet de la réflexion et de l'expérience.

Cette grande nuit : la nuit de l'oubli où s'engloutit le souvenir des hommes après la mort.

Le grand drame : Renan compare la vie de l'humanité à un drame qui se joue sur la terre; — un drame, c'est-à-dire une pièce de théâtre où se mêlent le comique et le tragique, les joies et les peines, les rires et les larmes.

LES IDÉES ET LES SENTIMENTS

Exercices de conversation :

1. Donnez un titre à chaque paragraphe.

2. Quelle est, pour Renan, « *cette pensée d'une effroyable tristesse* »?

3. Devant cette pensée, éprouve-t-il « le même effroi qu'en présence du néant »?

4. A quoi songe-t-il devant les cimetières de nos campagnes ?

5. Quel souvenir de jeunesse rappelle-t-il?

6. Qui lui rappelle « que depuis les plus anciens jours on a enterré en ces lieux »? Et quel sentiment éprouve-t-il avec effroi?

7, De tous ces morts, « pas un seul ne survivra dans l'avenir ». Pourquoi?

8. Plus tard, Renan est convaincu « *qu'ils ne sont pas morts complètement, ces obscurs enfants du hameau* ». Pourquoi?

267

Souvenirs des hommes préhistoriques : **les alignements de Carnac** *en Bretagne.*

A quoi les compare-t-il? — Quel est le rôle de la France dans l'humanité? — Et si la France disparaît un jour, quels souvenirs gardera d'elle l'humanité future?

STYLISTIQUE

L'emploi du pronom démonstratif simple. — *... laissent à tous ceux qui les ont foulées de si doux souvenirs.*

Ici, comme il est habituel, on emploie le pronom démonstratif simple CEUX parce qu'il est déterminé par une proposition relative.

Exercices : 1. Cherchez dans le texte une phrase semblable où le pronom *ceux* est employé de la même façon.

2. Faites quatre phrases en employant les pronoms démonstratifs *celui, celle, ceux, celles* suivis d'un pronom relatif.

L'emploi du pronom démonstratif composé. — *... les hommes, ceux-là mêmes qui semblent jouer un rôle principal...*

Ici, cas d'exception : pour souligner l'expression, pour donner au pronom démonstratif une valeur très forte, la forme composée du pronom démonstratif *ceux-là* est employée avec l'adjectif *mêmes* devant le pronom relatif *qui;* c'est une forme d'insistance à caractère oratoire.

Exercice : Faites deux phrases dans lesquelles vous emploierez les expressions *ceux-là mêmes* et *celles-là mêmes* suivies d'un pronom relatif.

Ex. : *Cette jeune femme, c'est celle-là même dont notre ami nous a tant parlé.*

DISSERTATION

Exposez le rôle de votre pays dans l'histoire de la civilisation humaine.

ERNEST RENAN (1823-1892)

Voir notice page 52.

268

LAMENDIN, *calme, optimiste.* — ... Et puis des cartes ? *(Il s'en approche.)* Ça, c'est l'Amérique du Sud. Ah, mais ça aussi ! Vous vous occupez de géographie, Monsieur ?

LE TROUHADEC. — Vous n'en aviez aucun soupçon, Monsieur ? *(Amer.)* Décidément, vous me connaissez bien.

LAMENDIN. — Pardon ! Je savais que c'était dans ce genre-là : géologie, géométrie, géographie. Mais je suis enchanté de ce que vous me dites. La géographie, la vraie géographie a toujours eu pour moi un attrait irrésistible et même inexplicable. Tenez, Monsieur, j'ai débuté autrefois dans l'architecture. Devinez pourquoi j'ai lâché le métier ? Parce qu'un jour, me promenant dans les Alpes, et contemplant le massif de Belledonne, j'ai compris que je ne pourrais jamais en faire autant. Car j'ai toujours eu conscience de mes limites. Oui, ce jour-là, je me suis senti terrassé par la géographie.

LE TROUHADEC. — L'avez-vous étudiée ?

LAMENDIN. — Non. Par timidité. Le géographe est resté pour moi, depuis, quelqu'un d'un peu surhumain, comme le musicien ou le sculpteur de génie... *(Il épie Le Trouhadec et craint que l'éloge n'ait pas été suffisant)* au moins ! au moins !... Je veux dire avec toute l'énormité en plus qu'on est bien forcé d'accorder à une chaîne de montagnes, si l'on met à côté même un groupe de Michel-Ange. Oui, en un mot, ce qui vient pour moi au niveau du grand sculpteur, ce n'est pas le grand géographe, non, non, c'est... disons le petit géographe.

LE TROUHADEC, *laisse voir que ce discours ne lui déplaît pas, puis :* Dommage !

LAMENDIN, *empressé.* — Dommage ?...

LE TROUHADEC. — ... qu'avec de tels sentiments, qui font honneur à votre esprit, vous ayez une teinture géographique aussi faible.

LAMENDIN. — Ai-je dit cela ? Alors, j'ai eu tort. Je ne manque pas de notions. Je sais les parties du monde, les colonies françaises, les capitales de l'Europe, nos grands fleuves, un nombre important de sous-préfectures...

LE TROUHADEC, *coupant.* — Bref, seriez-vous capable d'écrire des articles de polémique dans une revue spéciale de géographie ?

Il s'est levé.

LAMENDIN. — Des articles de polémique? Mon Dieu... bien guidé...

LE TROUHADEC. — Les connaissances qu'il faut ne s'improvisent pas.

LAMENDIN. — Écoutez, Monsieur, je suppose que, là comme ailleurs, la polémique c'est beaucoup d'affirmations injurieuses appuyées sur deux ou trois faits précis. Vous me fournirez les deux ou trois faits précis.

LE TROUHADEC. — Il y a aussi le style, le vocabulaire technique...

LAMENDIN. — J'attraperai ça très bien. D'abord, quand j'ai à me servir de mots que je ne comprends pas, je m'arrange pour en faire une phrase que personne ne comprend pas non plus. Donc, jamais d'ennuis. Du moment que les injures sont claires, le reste passe dans le mouvement.

LE TROUHADEC, *devenu grave.* — Tout à l'heure, Monsieur, vous m'avez demandé si j'avais une ambition. Oui, j'en ai une, une seule : être élu membre de l'Institut à l'élection de l'hiver prochain. *(Lamendin s'incline.)* Quand je vous aurai dit mon nom, vous trouverez, je crois, cette ambition toute naturelle. Je suis Yves Le Trouhadec, le professeur de géographie du Collège de France.

LAMENDIN, *jouant un étonnement flatteur.* — Comment, vous n'êtes pas de l'Institut? J'aurais juré que si.

LE TROUHADEC. — Vous me connaissez de réputation?

LAMENDIN. — Parbleu!

LE TROUHADEC. — Mes rivaux, hélas! font bonne garde. *(Il cherche dans ses papiers, tend à Lamendin une coupure de presse.)* Voyez ce qu'on imprime. Lisez!

LAMENDIN, *il lit tout haut.* — Sous la Coupole... Monsieur Le... Le Trouhadec... — pardon, que je suis bête! — Le Trouhadec se porte candidat à la succession du regretté... Van Schoonert. Il aurait quelque chance d'être élu, vu son âge, si les académiciens ne se rappelaient la ridicule histoire de... Donogoo-Tonka. *(Lamendin lève la tête vers Le Trouhadec, qui baisse la sienne.)* Dans sa volumineuse *Géographie de l'Amérique du Sud,* parue il y a dix ans et qui est son ouvrage capital, M. Le Trouhadec donne d'abondants renseignements sur la ville de Donogoo-Tonka, ainsi que sur la région aurifère dont elle forme le centre. Le seul malheur est que la ville de Donogoo-Tonka n'a jamais existé. M. Le Trouhadec a été la dupe de quelque récit fantaisiste d'aventurier ou d'une invention d'humoriste. La jobardise n'est pas encore un titre pour l'Institut. —Signé : Trois étoiles.

(Lamendin regarde Le Trouhadec d'un air qui veut dire : « Eh bien? » Le Trouhadec s'approche d'une des cartes de l'Amérique du Sud et la

tapote rageusement dans la région du Tapajoz. Puis il va à une bibliothèque, saisit le tome III de son ouvrage et le fourre sous le nez de Lamendin.)

Lamendin, *désignant l'ouvrage.* — C'est là qu'est décrite la ville en question?

Le Trouhadec, *sombre.* — Oui.

Lamendin, *parcourt le texte, puis poliment.* — Ça a l'air très bien... *(Il continue à parcourir.)* Oui... Climat salubre... type de construction assez élégant... Et puis les sables aurifères tout près... *(pris par ce qu'il vient de lire)* Qu'est-ce qu'ils lui reprochent à cette ville?

Le Trouhadec. — De ne pas exister.

Lamendin. — Ah! oui, c'est vrai. *(Il médite.)* Oui, oui. *(Il regarde Le Trouhadec, hésite.)* Et vous avez l'impression que... oui... il vous semble que... enfin...

Le Trouhadec. — Comment voulez-vous qu'un savant aille vérifier par lui-même tous les faits qu'il relate dans un ouvrage de cette dimension?

Lamendin, *gardant en main le tome III.* — C'est évident.

Le Trouhadec. — Toute science, Monsieur, et d'abord celle-ci, est à base de confiance.

Lamendin. — Hé oui! comme tout le reste... comme la rente ou la monnaie.

Le Trouhadec, *tristement.* — Allez le faire entendre à des adversaires de mauvaise foi.

Lamendin, *considérant tour à tour la carte d'Amérique et le tome III.* — Oui, oui. Ça ne rend pas notre polémique des plus faciles.

Le Trouhadec, *amer.* — Vous voyez bien!

Lamendin. — Quoi donc?

Le Trouhadec. — Je n'ai qu'une ambition, rien qu'une. Et vous, Monsieur, qui prétendez — Dieu sait d'ailleurs pourquoi — vous dévouer à moi corps et âme, voilà que vous renoncez déjà à lutter pour elle.

Lamendin. — Permettez! Permettez! Je réfléchis. Je cherche. *(Il pose le tome III, va considérer la carte. A mi-voix.)* Alors, cette bougresse de ville n'existe pas? *(Se retournant vers Le Trouhadec.)* Dites, Monsieur, si elle existait, où serait-elle?

Le Trouhadec, *un peu piqué.* — Mais là où je l'ai placée, Monsieur, exactement. *(Il s'approche de la carte.)* Tenez, ici.

Lamendin, *hochant la tête, et du ton le plus approbateur.* — Parfaitement *(il médite encore)*. Dans combien de temps l'élection?

LE TROUHADEC. — Dans six mois, à peu près.

LAMENDIN. — J'ai bien une idée...

LE TROUHADEC. — Parlez.

LAMENDIN. — Six mois, c'est un peu court. Mais d'ici là, je pourrais quand même essayer de fonder cette sacrée ville de... comment vous dites? ... de Donogoo-Tonka, hein?

LE TROUHADEC. — La fonder? Réellement?

LAMENDIN. — Si je la fonde, il vaut mieux, cette fois-ci, que ce soit réel.

Jules ROMAINS,

Donogoo, tableau IV. — Gallimard, éditeur.

——————— COMPRENEZ BIEN LE TEXTE ———————

LA VIE ET LE SENS DES MOTS

LES MOTS ET LES EXPRESSIONS

Une teinture : un liquide utilisé pour donner une teinte, une couleur à quelque chose. Au sens figuré, signifie un ensemble de connaissances superficielles, non assimilées.

Un rival : proprement, qui est voisin de rive, qui partage la rivière... d'où le sens actuel de celui qui vise le même but, qui prétend au même bien ou au même avantage qu'un autre.

La jobardise : la crédulité, la niaiserie de celui que l'on trompe en le tournant en ridicule.

Aurifère : qui porte de l'or (en latin *aurum*).

Sacré : l'emploi de cet adjectif devant le nom est argotique en français moderne, il a la valeur d'un juron destiné à renforcer le sens du mot *ville*.

Être admis sous la coupole : être élu membre de l'Institut de France. Le principal amphithéâtre, où ont lieu les cérémonies de réception des nouveaux membres, est dominé par une coupole.

Trois étoiles : lorsqu'un auteur ne veut pas signer un article, ni utiliser un pseudonyme qui pourrait le faire reconnaître, on met souvent à la place de son nom le signe typographique suivant ***.

Travail personnel. — Expliquez :

Improviser — salubre — tapoter — Dieu sait d'ailleurs pourquoi — renoncer.

LES IDÉES ET LES SENTIMENTS

Exercices de conversation :

1. Expliquez l'amertume du professeur Le Trouhadec dans la deuxième réplique.

2. Comment Lamendin s'excuse-t-il de ne pas avoir poursuivi ses études d'architecture ? Dites pourquoi la raison qu'il donne de cet abandon est comique.

3. *Tout flatteur vit aux dépens de celui qui l'écoute.* Ce vers, tiré de la fable de La Fontaine « Le corbeau et le renard », est devenu un proverbe. S'applique-t-il à Lamendin?

4. Que pensez-vous des connaissances de géographie de Lamendin ?

5. Que pensez-vous de sa conception de la polémique? (voir page 9).

6. En quoi la réplique « *De ne pas exister* » est-elle comique?

7. La défense du professeur vous semble-t-elle valable? Justifiez votre opinion.

8. Quelles réflexions vous inspire l'emploi, par M. Le Trouhadec, de l'adverbe *exactement*?

9. Dans quelle région aurait dû se trouver la ville imaginaire?

10. Que pensez-vous de l'idée du jeune Lamendin?

11. Analysez l'humour de la dernière réplique citée.

12. Lequel des deux personnages vous semble le plus intéressant? Dites les raisons de votre choix.

LANGUE ET CIVILISATION

1. Un préfixe : *Géologie, géométrie, géographie* sont formés sur le préfixe *géo* (grec) signifiant *terre*. Expliquez le sens de chacun de ces mots.

2. Doublets : Expliquez les différences de sens entre les doublets suivants : soupçonner et suspecter — épier et espionner.

3. Parbleu est une exclamation formée sur le juron *par Dieu*. Connaissez-vous d'autres mots où une altération semblable permet d'éviter le blasphème?

4. L'Institut de France : on appelle ainsi la réunion des cinq Académies qui sont l'*Académie française*, fondée en 1634 par le cardinal de Richelieu (voir page 375) — l'*Académie des Inscriptions et des Belles Lettres* (1663) et l'*Académie des Sciences* (1666), toutes deux fondées par Colbert, ministre de Louis XIV — l'*Académie des Sciences morales et politiques*, fondée en 1795 par la première République — l'*Académie des Beaux-Arts*, fondée en 1816 sous le roi Louis XVIII.

L'Académie des Sciences comprend soixante-six membres, les quatre autres quarante membres chacune. Le professeur Le Trouhadec, géographe, a l'ambition d'être élu à l'Académie des Sciences.

Les cinq Académies occupent, sur le bord de la Seine, l'ancien bâtiment du Collège des Quatre-Nations, fondé par le successeur de Richelieu, le cardinal de Mazarin (1602-1661).

L'Académie de Médecine, fondée en 1820 sous le roi Louis XVIII, comporte cent membres et ne fait pas partie de l'Institut de France.

5. Le Collège de France (voir page 244) compte aujourd'hui cinquante professeurs qui sont désignés par le Ministre de l'Éducation Nationale après avoir été recommandés par cooptation. Leur enseignement est libre et ne prépare pas à un système d'examens.

6. Tapajoz existe vraiment, c'est au Brésil un affluent de l'Amazone. — Analysez le comique dans l'expression *tapoter la région de Tapajoz.*

STYLE ET COMPOSITION

1. Comparez le style du jeune Lamendin à celui du vieux professeur Le Trouhadec. Analysez le comique qui se dégage du contraste entre ces deux styles.

2. Comparez le caractère de Le Trouhadec à celui de Lamendin.

3. Dans ce dialogue extrait du début de la pièce, Jules Romains vise à un triple but :

— nous renseigner au sujet du passé;
— nous montrer le présent;
— nous révéler le problème qui va déterminer le développement futur de la comédie.

Faites trois phrases résumant ces aspects de la scène.

4. Composez un dialogue amusant entre deux personnages, l'un jeune et l'autre vieux, l'un révolutionnaire et l'autre conservateur, sur un des sujets suivants : la télévision; — la vitesse; — la musique moderne; — l'étude du latin et du grec.

CONSEILS POUR LA LECTURE

Lisez ce texte en le jouant. Le Trouhadec parle d'une façon à la fois pompeuse et hésitante; il est aussi un peu inquiet parce qu'il ne voit pas où son interlocuteur veut en venir. Lamendin commence par tâter le terrain, puis il prend de l'assurance et assume bientôt avec audace la direction du dialogue. Cette impression doit s'amplifier jusqu'au point où l'idée énorme de fonder en six mois une ville au Brésil ne paraisse plus impossible et fantaisiste.

JULES ROMAINS (1885)

Voir la notice page 92.

273

Le palais du gouvernement.

A Brasilia, *une nouvelle ville d'Amérique du Sud qui existe* **réellement :**

Une église moderne.

II. A TRAVERS LA LÉGENDE
ET L'HISTOIRE

*L'histoire est du **vrai** qui devient **faux** à la longue (et de bouche en bouche)
alors que la légende est du **faux** qui, à la longue, devient **véritable**.*

Jean COCTEAU

L'apothéose d'Homère, par Ingres.

*Homère reçoit l'hommage des écrivains et des artistes qui, au cours des siècles, se sont inspirés
de son œuvre. On reconnaît, en bas et à droite, Racine et Molière.*

275

LA CONSCIENCE

Lorsque avec ses enfants vêtus de peaux de bêtes,
Échevelé, livide au milieu des tempêtes,
Caïn se fut enfui de devant Jéhovah,
Comme le soir tombait, l'homme sombre arriva
Au bas d'une montagne en une grande plaine.
Sa femme fatiguée et ses fils hors d'haleine
Lui dirent : — Couchons-nous sur la terre et dormons. »
Caïn, ne dormant pas, songeait au pied des monts.
Ayant levé la tête, au fond des cieux funèbres
Il vit un œil, tout grand ouvert dans les ténèbres,
Et qui le regardait dans l'ombre fixement.
— Je suis trop près, dit-il, avec un tremblement. »
Il réveilla ses fils dormant, sa femme lasse,
Et se remit à fuir, sinistre, dans l'espace.

Il marcha trente jours, il marcha trente nuits.
Il allait, muet, pâle et frémissant aux bruits,
Furtif, sans regarder derrière lui, sans trêve,
Sans repos, sans sommeil. Il atteignit la grève
Des mers dans le pays qui fut depuis Assur.
— Arrêtons-nous, dit-il, car cet asile est sûr.
Restons-y. Nous avons du monde atteint les bornes. »
Et, comme il s'asseyait, il vit dans les cieux mornes
L'œil à la même place au fond de l'horizon.
Alors il tressaillit en proie au noir frisson.
— Cachez-moi ! » cria-t-il ; et le doigt sur la bouche,
Tous ses fils regardaient trembler l'aïeul farouche.
Caïn dit à Jabel, père de ceux qui vont
Sous des tentes de poil dans le désert profond :
— Étends de ce côté la toile de la tente. »
Et l'on développa la muraille flottante ;
Et quand on l'eut fixée avec des poids de plomb :
— Vous ne voyez plus rien ? » dit Tsilla, l'enfant blond,
La fille de ses fils, douce comme l'aurore ;

Et Caïn répondit : — Je vois cet œil encore ! »
Jubal, père de ceux qui passent dans les bourgs,
Soufflant dans des clairons et frappant des tambours,
Cria : — Je saurai bien construire une barrière. »
Il fit un mur de bronze et mit Caïn derrière.
Et Caïn dit : — Cet œil me regarde toujours ! »
Hénoch dit : — Il faut faire une enceinte de tours
Si terrible que rien ne puisse approcher d'elle.
Bâtissons une ville avec sa citadelle.
Bâtissons une ville et nous la fermerons. »
Alors Tubalcaïn, père des forgerons,
Construisit une ville énorme et surhumaine.
Pendant qu'il travaillait, ses frères, dans la plaine,
Chassaient les fils d'Enos et les enfants de Seth ;
Et l'on crevait les yeux à quiconque passait ;
Et, le soir, on lançait des flèches aux étoiles.
Le granit remplaça la tente aux murs de toiles ;
On lia chaque bloc avec des nœuds de fer,
Et la ville semblait une ville d'enfer ;
L'ombre des tours faisait la nuit dans les campagnes.
Ils donnèrent aux murs l'épaisseur des montagnes ;
Sur la porte on grava : « Défense à Dieu d'entrer. »
Quands ils eurent fini de clore et de murer,
On mit l'aïeul au centre en une tour de pierre.
Et lui restait lugubre et hagard. — O mon père !
L'œil a-t-il disparu ? » dit en tremblant Tsilla.
Et Caïn répondit : — Non, il est toujours là. »
Alors il dit : — Je veux habiter sous la terre
Comme, dans son sépulcre, un homme solitaire ;
Rien ne me verra plus, je ne verrai plus rien. »
On fit donc une fosse, et Caïn dit : — C'est bien ! »
Puis il descendit seul sous cette voûte sombre.
Quand il se fut assis sur sa chaise, dans l'ombre,
Et qu'on eut sur son front fermé le souterrain,
L'œil était dans la tombe et regardait Caïn.

Victor HUGO,
La Légende des Siècles.

Victor Hugo a pris ce sujet dans la légende biblique. Caïn, fils aîné d'Adam et Ève, jaloux de son frère Abel, le tua. L'assassin, torturé par le remords, fuit éperdument avec sa famille, pour échapper à sa conscience que Victor Hugo représente par un œil farouche et implacable.

LE SENS ET LA VIE DES MOTS

La muraille flottante : périphrase pour désigner la tente.

Ville surhumaine : ville qui n'est plus à la mesure de l'homme. Victor Hugo l'appelle d'ailleurs plus loin : « ville d'enfer ».

Travail personnel.

1. Expliquez à l'aide du dictionnaire :
Livide — funèbres — furtif — lugubre — hagard.

2. Relevez les noms propres des personnages cités par Victor Hugo en indiquant, d'après le texte, ce qu'était chacun d'eux.

LES IDÉES ET LES SENTIMENTS

Exercices de conversation :

1. Pourquoi Caïn s'enfuit-il, avec les siens, de devant Jéhovah?

A. Les différentes étapes de sa fuite.

1. Où Caïn arriva-t-il le premier soir? Et pourquoi s'arrêta-t-il ?— Que fit-il cette nuit-là? et que vit-il?

2. Pendant combien de temps marcha-t-il au cours de la deuxième étape?

Comment? — Où décida-t-il de s'arrêter? Pourquoi? — Il s'assit. Que vit-il? Qu'éprouva-t-il?

B. Il ne peut plus fuir, « ayant du monde atteint les bornes ». Il demanda alors à ses fils de le cacher. Il s'adressa successivement à chacun d'eux.

1. Pourquoi s'adressa-t-il d'abord à Jabel? Que lui ordonna-t-il? — Que fit-on sous la direction de Jabel?

2. Sa petite fille Tsilla s'approcha de lui. Comment était-elle? Que lui demanda-t-elle? Que répondit-il?

3. Pour remplacer la toile de tente, que proposa Jubal? Et que fit-il? — Que dit alors Caïn?

4. Puisque le mur de bronze ne suffit pas à isoler l'aïeul, que proposa Henoch? Qui réalisa son projet? Que construisit-on? — Que faisait-on pendant les travaux? Pourquoi? (tours, mur, porte). Où mit-on l'aïeul? Que lui demanda encore, en tremblant, Tsilla? Que lui répondit Caïn?

5. Ne pouvant échapper à l'œil de sa conscience, sur terre, que voulut Caïn? — Il descendit au fond du souterrain. Il se croyait seul. Mais...

ANALYSE DU POÈME

Le rythme, la cadence des vers.

Les vers se distinguent de la prose non seulement par le nombre régulier des syllabes et le retour des rimes, mais encore par la manière dont ils sont rythmés, scandés, c'est-à-dire par la place des *syllabes accentuées.* La voix, après avoir appuyé plus fortement sur ces syllabes, se repose : il y a ainsi, dans le vers, une ou plusieurs « coupures ».

Dans l'alexandrin classique, le vers est coupé souvent en deux : cette coupure s'appelle une césure. La voix se repose à l'hémistiche et accentue la dernière syllabe sonore de chaque partie.

Lors-que a-vec-ses-en-fants ‖ *vê-tus-de-peaux-de-bêtes*
　1　　2　3　4　5　6　　　1　2　3　4　5　6
Ca-ïn-se-fut-en-fui ‖ *de-de-vant-Je-ho-vah.*
　1　2　3　4　5　6　　　1　2　3　4　5　6

278

Dans les alexandrins romantiques et modernes, les accents et les pauses sont plus fréquents.

Il marcha trente jours ‖ il marcha trente nuits.
 1   2 3   1 2   3   1   2 3   1 2   3
Il allait muet, pâle et et frémissant aux bruits.
 1   2 3 1 2 1   1 2 3 4   1   2
Furtif, sans regarder derrière lui, sans trève,
 1 2   1   2 3 4   5 6 7   8   1   2
Sans repos, sans sommeil. ‖
 1   2 3   1   2 3

Application à la lecture : 1° Lisez ces vers à haute voix, en accentuant nettement les syllabes en caractères gras. En vous aidant des chiffres portés au-dessous de chaque mesure, comparez la coupe régulière du premier vers à la coupe haletante des vers suivants. Cette façon de rythmer les vers permet au poète de mieux évoquer les actions et les sentiments du criminel traqué.

2° Étudiez de la même façon le rythme des huit vers suivants.

3° Relevez tous les vers renfermant le mot œil. Montrez comment ce mot important est mis en évidence par le rythme des vers.

Apprendre par cœur ce poème. Le réciter en scandant les vers suivant leurs coupes et leurs syllabes accentuées. D'autre part, bien rendre le sentiment d'épouvante de Caïn devant cet œil qui le regarde toujours.

CIVILISATION

La conscience humaine.

1. Dans quelles circonstances Victor Hugo nous fait-il assister à l'éveil de la conscience chez les premiers hommes?

2. Il fait, de la conscience, un justicier implacable qui poursuit le criminel. Sous quelle forme?

3. Ce justicier n'est plus extérieur à nous. Il est au-dedans de nous-mêmes. Sous quelle forme se manifeste-t-il? Et quel supplice inflige-t-il?

4. Shakespeare a montré, dans une scène célèbre de son drame intitulé *Macbeth*, comment le remords torture Lady Macbeth qui avait poussé son mari à tuer son souverain, le roi d'Écosse, pour prendre sa place. Résumez la scène v de l'acte I de *Macbeth*.

GRAMMAIRE ET STYLISTIQUE

Le mot COMME, conjonction de temps.

La conjonction *comme* peut marquer une idée de temps :

Comme le soir tombait, l'homme sombre arriva.

Ici, la conjonction *comme* signifie : *au moment où* ; dans ce cas le verbe qui suit est souvent à l'imparfait de l'indicatif, puisque cette conjonction de temps présente une action en train de se faire tandis qu'une autre action au passé simple *arriva* se produit. Cette conjonction peut marquer aussi la cause ou la comparaison.

Exercices : 1. Faites trois phrases sur ce modèle : *comme nous nous mettions à table, il sonna à la porte.*

2. Cherchez dans le poème un autre exemple du même type de phrase.

Le passé antérieur de l'indicatif. — *Quand ils eurent fini de clore et de murer, on mit l'aïeul au centre...*

On emploie le plus souvent le passé antérieur (*eurent fini*) dans une proposition subordonnée de temps pour exprimer une action déjà terminée qui est antérieure à une autre action, exprimée dans la proposition principale au temps passé simple du mode indicatif. On trouve un autre exemple de ce type de phrase dans ce poème :

Et quand on l'eut fixé (passé antérieur) *avec des poids de plomb : « Vous ne voyez plus rien? »* dit (passé simple) *Tsilla, l'enfant blond.*

Mais dans les deux dernières phrases du poème : *Quand il fut assis* (passé antérieur) *sur sa chaise dans l'ombre, et qu'on eut sur son front fermé* (passé antérieur) *le souterrain; l'œil était dans la tombe et regardait Caïn*, les verbes des deux propositions subordonnées de temps sont au passé antérieur, mais les verbes des deux propositions principales (*était, regardait*) sont à l'imparfait.

L'emploi de l'imparfait donne toute sa valeur à la fin du poème en soulignant la durée de l'action exprimée par ces deux verbes : *en dépit de tout, l'œil continuait d'être là et de regarder de façon durable.*

VICTOR HUGO (1802-1885)
Voir notice page 443.

Le silex, par Cormon (détail).

LA GUERRE DU FEU

LA MORT DU FEU

Les Oulahmr fuyaient dans la nuit épouvantable. Fous de souffrance et de fatigue, tout leur semblait vain devant la calamité suprême : le feu était mort.

Ils l'élevaient dans trois cages, depuis l'origine de la horde; quatre femmes et deux guerriers le nourrissaient nuit et jour.

Dans les temps les plus noirs, il recevait la substance qui le fait vivre, à l'abri de la pluie, des tempêtes, de l'inondation; il avait franchi les fleuves et les marécages sans cesser de bleuir au matin et de s'ensanglanter le soir. Sa face puissante éloignait le Lion noir et le Lion jaune, l'Ours des Cavernes et l'Ours Gris, le Mammouth, le Tigre et le Léopard; ses dents rouges protégeaient l'homme contre le vaste monde. Toute joie habitait près de lui. Il tirait des viandes une odeur savoureuse, durcissait la pointe des épieux, faisait éclater la pierre dure; les membres lui soutiraient une douceur pleine de force; il rassurait la horde dans les forêts tremblantes, sur la savane interminable, au fond des cavernes. C'était le Père, le Gardien, le Sauveur, plus farouche cependant, plus terrible que les Mammouths, lorsqu'il fuyait de la cage et dévorait les arbres.

Il était mort. L'ennemi avait détruit deux cages; dans la troisième, pendant la fuite, on l'avait vu défaillir, pâlir et décroître. Si faible, il ne pouvait mordre aux herbes du marécage; il palpitait comme une bête malade. A la fin, ce fut un insecte rougeâtre que le vent meurtrissait à chaque souffle... Il s'était évanoui...

Et les Oulahmr fuyaient, dépouillés, dans la nuit d'automne....

280

QUI RESSAISIRA LE FEU?

Vers l'aube, ils approchèrent de la savane.

Le chef de la tribu, le vieux Faouhm, leva les bras vers le soleil avec un long hurlement : « Que feront les Oulahmr sans le Feu? Comment vivront-ils sur la savane et dans la forêt? Qui les défendra contre les ténèbres et les vents d'hiver? Ils devront manger la chair crue et la viande amère; ils ne réchaufferont plus leurs membres; la pointe de l'épieu demeurera molle. Le Lion, la bête aux dents déchirantes, l'Ours, le Tigre, la grande Hyène les dévoreront vivants, dans la nuit! Qui ressaisira le Feu?... »

Alors Naoh, fils du Léopard, se leva et dit : « Qu'on me donne deux guerriers aux jambes rapides et j'irai prendre le Feu chez les Fils du Mammouth ou chez les Dévoreurs d'Hommes qui chassent au bord du Double-Fleuve. »

LE FEU RETROUVÉ

Chaque jour, au déclin, les Oulahmr attendaient avec angoisse le départ du soleil. Quand les étoiles, seules, demeuraient au firmament ou que la lune s'ensevelissait dans les nuages, ils se sentaient étrangement débiles et misérables. Tassés dans l'ombre d'une caverne ou sous le surplomb d'un roc, devant le froid des ténèbres, ils songeaient au Feu qui les nourrissait de sa chaleur et chassait les bêtes redoutables. Les veilleurs ne cessaient de tenir leurs armes prêtes; l'attention et la crainte harassaient leurs têtes et leurs membres : ils savaient qu'ils pouvaient être tués à l'improviste, avant d'avoir frappé.

Or un soir approcha qui s'annonçait redoutable. Le vent avait chassé les nuages. Il passait sur les arbres flétris et sur les arbres noirs, avec un long hurlement. Un soleil rouge, aussi large que la colline dressée au couchant, éclairait encore le site. Et, dans le crépuscule qui allait se perdre au fond des temps innombrables, la horde s'assemblait avec un grand frisson. Elle était faible, elle était morne. Quand reviendraient les jours où la flamme grondait en mangeant les bûches? Alors une odeur de chair rôtie montait dans le crépuscule, une joie chaude entrait dans les torses, les loups rôdaient lamentables, l'ours, le lion et le léopard s'éloignaient de cette vie étincelante.

Le soleil sombra; sur l'occident nu, la lumière mourut sans éclat. Et les bêtes qui vivent de l'ombre commençaient à rôder sur la terre...

Goûn montrait les silhouettes furtives qui se multipliaient avec la chute des ténèbres. Les hurlements se faisaient plus longs et plus menaçants; la nuit versait continuellement ses bêtes faméliques. Seules, les dernières lueurs crépusculaires les tenaient encore éloignées. Les veilleurs, inquiets, marchaient dans l'air dur, sous les étoiles froides.

Brusquement l'un d'eux s'arrêta et tendit la tête. Deux autres l'imitèrent, puis le premier déclara : « Il y a des hommes dans la plaine. » ... Faouhm, bondissant, clama : « Ceux qui viennent sont des Oulahmr. » Une émotion terrible perça les cœurs. « Le Feu... Naoh apporte le Feu! »

Ce fut un vaste saisissement. Plusieurs s'arrêtèrent comme frappés d'un coup de hache. D'autres bondirent avec un rauquement frénétique.

Le Feu était là! Le Fils du Léopard le tendait dans sa cage de pierre. C'était une petite lueur rouge, une vie humble et qu'un enfant aurait écrasée d'un coup de silex. Mais tous savaient la force immense qui allait jaillir de cette faiblesse. Haletants, muets, avec la peur de le voir s'évanouir, ils remplissaient leurs prunelles de son image.

Puis ce fut une rumeur si haute que les loups et les chiens s'épouvantèrent. Toute la horde se pressait autour de Naoh, avec des gestes d'humilité, d'adoration et de joie convulsive.

« Ne tuez pas le Feu! » cria le vieux Goûn lorsque la clameur s'apaisa.

Tous s'écartèrent. Naoh, Faouhm, Gammla, Nam, Gaw, le vieux Goûn formèrent un noyau dans la foule et marchèrent vers le rocher. La horde accumulait les herbes sèches, les rameaux, les branches. Quand le bûcher fut prêt, le Fils du Léopard en approcha la lueur frêle. Elle s'empara d'abord de quelques brindilles; avec un sifflement, elle se mit à mordre aux rameaux, puis, grondante, elle commença de dévorer les branches, tandis que, au bord des ténèbres refoulées, les loups et les chiens reculaient, saisis d'une crainte mystérieuse.

J.-H. Rosny,
La Guerre du Feu. — P. Laffitte, éditeur.

─────────── *COMPRENEZ BIEN LE TEXTE* ───────────

LE SENS ET LA VIE DES MOTS

LES MOTS ET LES EXPRESSIONS

Les Oulahmr : l'auteur imagine le nom d'une peuplade errante, horde ou tribu de l'époque préhistorique.

Défaillir : au sens propre, faire défaut, manquer. Les *Oulahmr* voient le feu défaillir, c'est-à-dire s'affaiblir, puis disparaître.

Furtives : du latin *fur*, voleur, qu'on retrouve dans furet, fureter. Les silhouettes furtives sont celles des animaux qui rôdent, le soir venu, en cherchant à se cacher.

La calamité suprême : le plus grand malheur qui puisse arriver à la horde.

La nuit versait ses bêtes faméliques : les bêtes tourmentées par la faim, affamées, sortaient de leur repaire, en grand nombre, à la tombée de la nuit, pour chercher leur proie.

Des gestes d'humilité, d'adoration : les Oulahmr prennent des attitudes humbles et respectueuses devant le feu qu'ils adorent comme un dieu.

Une joie convulsive : joie qui se traduit par des mouvements, des gestes violents, désordonnés.

Travail personnel. — Expliquez :
Savane — débiles — à l'improviste.

LES IDÉES ET LES SENTIMENTS

Exercices de conversation :

A. La mort du feu.

1. Quel est le drame décrit par l'auteur? Où se passe-t-il? A quelle époque?

2. Quelles sont, dans ce drame, d'après le texte, les tribus rivales?

3. Pourquoi les Oulahmr fuyaient-ils dans la nuit épouvantable? Quels sentiments éprouvaient-ils?

4. Qu'était le feu, pour la horde?

5. Comment les Oulahmr entretenaient-ils ce puissant protecteur?

6. A son tour, le Feu protège la tribu. Contre qui? Comment? Il lui procure de grandes joies. Lesquelles? Il lui permet de fabriquer des armes. Comment?

7. Comment est mort le Feu?

B. Il faut reconquérir le feu.

1. A l'aube, la tribu s'arrête. Que lui dit son chef?

2. Qui répond à son appel? Que promet-il?

C. Le feu retrouvé.

1. Sans le Feu, quels sentiments les Oulahmr éprouvaient-ils chaque soir au départ du soleil? Pourquoi?

2. Un soir, la horde s'assemble avec un grand frisson. De quoi avait-elle peur?

3. Que vit brusquement l'un des veilleurs? Que déclara le vieux Faouhm? Quel effet produisit cette nouvelle?

4. Le Feu était-là. Comment apparaissait-il à tous? Quels sentiments éprouva d'abord la horde et que fit-elle ensuite?

5. La horde va immédiatement faire jaillir de la faiblesse du Feu sa force immense. Comment? Au cours de quelle cérémonie?

6. Et comment cette force rend-elle la sécurité à la horde?

UTILISEZ LE TEXTE

LANGUE ET CIVILISATION

A. Faites entrer dans une phrase chacune des expressions suivantes : *c'est une calamité — à l'improviste.*

B. Le Feu et l'Humanité.

I. Le feu « moléculaire » fut l'une des grandes conquêtes de l'humanité primitive.

1. Dites brièvement :

a) Comment les premiers hommes ont pu l'obtenir.

b) Comment, au cours des âges, on le conservait.

c) Par quels procédés successifs les hommes sont parvenus à l'allumer.

d) Comment il était l'objet d'un culte religieux chez les Grecs et les Romains.

2. Dites, dans chacun des cas suivants, ce que le feu a permis de faire, et les conséquences qui en sont résultées pour la vie des hommes et le progrès de la civilisation.

a) **Le feu et le fer :** fusion (voir lecture p. 93); chauffe du métal : forge, laminage (voir lecture p. 96).

b) **Le feu et le mélange** sable-potasse. (La fabrication du verre.)

c) **Le feu et la poudre :** armes à feu, construction de voies de communication (voir lecture p. 85).

d) **Le feu et l'eau :** la vapeur, force motrice (voir page 159).

e) **Le feu et les carburants liquides** : les moteurs, à explosion (essence), les moteurs Diesel, à combustion interne (huile lourde) et les réacteurs et turbo-réacteurs (pétrole ou kérosène).

f) **Le feu « atomique »** est la plus grande conquête des savants modernes. Il est des millions de fois plus puissant que le feu « moléculaire ». On l'obtient d'abord par l'explosion — ou désintégration, ou *fission* — du noyau de l'atome de certains corps, notamment l'uranium.

On l'obtient ensuite — et c'est le grand espoir de l'avenir — par la *fusion*, à une température de plusieurs millions de degrés, de noyaux d'atomes d'hydrogène : c'est ce qu'on appelle la *fusion thermo-nucléaire* (de *thermo* = chaleur). La chaleur ainsi produite est de même nature et de même intensité que celle du centre du soleil.

Dites ce que vous savez de la production de l'énergie atomique — ou énergie nucléaire — et de son utilisation.

DISSERTATION

L'humanité a fait, au cours de son histoire, d'autres découvertes importantes. Citez-en quelques-unes. Pour chacune d'elles, donnez brièvement les renseignements suivants : époque, circonstances, applications, conséquences.

GRAMMAIRE ET STYLISTIQUE

L'emploi des temps du mode indicatif.

a) **L'imparfait pathétique :**

Les Oulahmr fuyaient dans la nuit épouvantable.

Cette première phrase crée un effet dramatique, car l'action n'est pas présentée au passé simple, mais elle est présentée dans sa *durée* de façon que le lecteur puisse se l'imaginer *en train de se faire*, c'est l'imparfait dramatique, pathétique, qui est repris dans la dernière phrase... *fuyait*. Ainsi, la première partie du texte s'inscrit comme un film de fuite en train de passer devant les yeux du lecteur.

b) **L'imparfait d'habitude :**

Il y a aussi dans ce texte toute une série d'autres verbes à l'imparfait qui indiquent une autre idée : ce sont les actions habituelles, les coutumes de la tribu exprimées

dans une perspective indirecte. *Ils l'élevaient dans trois cages... le nourrissaient nuit et jour... dans les temps les plus noirs, il recevait la substance...*

Puis plus loin sont exprimés les pouvoirs habituels et passés du feu. *Sa face puissante éloignait le lion... ses dents rouges protégeaient l'homme... il tirait les viandes... durcissait, faisait éclater... etc...*

Ces imparfaits d'habitude sont aussi pathétiques car ils soulignent que ces actions habituelles ont cessé d'être, qu'elles appartiennent à un passé révolu — c'était ainsi *avant* la mort du feu. On parle ainsi à l'imparfait des habitudes chères d'un ami mort.

c) **Le plus-que-parfait :**

Le feu était mort...

Cette proposition au plus-que-parfait indique la cause de la fuite des Oulahmr. La mort du feu (*était mort*) s'est produite avant le moment où le texte commence et ainsi a causé leur désespoir.

Le plus-que-parfait exprime une action antérieure à une autre action passée, soit dans des propositions principales, soit dans des propositions subordonnées de natures différentes. Ici, *il était mort* souligne l'idée de l'irrémédiable accompli, idée renforcée par la répétition. *On l'avait vu défaillir...* c'est un moment de l'agonie du feu antérieur à sa mort.

d) **Le passé simple :**

Ce fut un insecte...

La durée pendant laquelle le feu ressembla à un insecte a été si brève qu'elle s'est produite à un instant précis, *à la fin* : le passé simple souligne le changement d'état, la brève métamorphose du feu en insecte.

Exercice : Étudiez l'emploi des temps dans la deuxième partie du texte (*Qui ressaisira ... feu*) en montrant que le ton du récit a repris un style direct.

LES FRÈRES J.-H. ROSNY

Honoré (1856-1940) et Justin (1859-1948), romanciers français nés à Bruxelles. Ils se sont particulièrement distingués dans le roman préhistorique, avec *La Guerre du feu*. Ils ont écrit en commun ou séparément un grand nombre de romans à fond moral et philosophique.

JÉRICHO

Sonnez, sonnez toujours, clairons de la pensée.

Quand Josué rêveur, la tête aux cieux dressée,
Suivi des siens, marchait, et, prophète irrité,
Sonnait de la trompette autour de la cité,
Au premier tour qu'il fit, le roi se mit à rire;
Au second tour, riant toujours, il lui fit dire :
— Crois-tu donc renverser ma ville avec du vent?
A la troisième fois l'arche allait en avant,
Puis les trompettes, puis toute l'armée en marche,
Et les petits enfants venaient cracher sur l'arche,
Et, soufflant dans leur trompe, imitaient le clairon;
Au quatrième tour, bravant les fils d'Aaron,
Entre les vieux créneaux tout brunis par la rouille,
Les femmes s'asseyaient en filant leur quenouille,
Et se moquaient, jetant des pierres aux Hébreux;
A la cinquième fois, sur ces murs ténébreux,
Aveugles et boiteux vinrent, et leurs huées
Raillaient le noir clairon sonnant sous les nuées;
A la sixième fois, sur sa tour de granit
Si haute qu'au sommet l'aigle faisait son nid,
Si dure que l'éclair l'eût en vain foudroyée,
Le roi revint, riant à gorge déployée,
Et cria : — Ces Hébreux sont bons musiciens!
Autour du roi joyeux, riaient tous les anciens
Qui le soir sont assis au temple et délibèrent.

A la septième fois, les murailles tombèrent.

Septembre 1853; île de Jersey.
Victor HUGO, *Les Châtiments.*

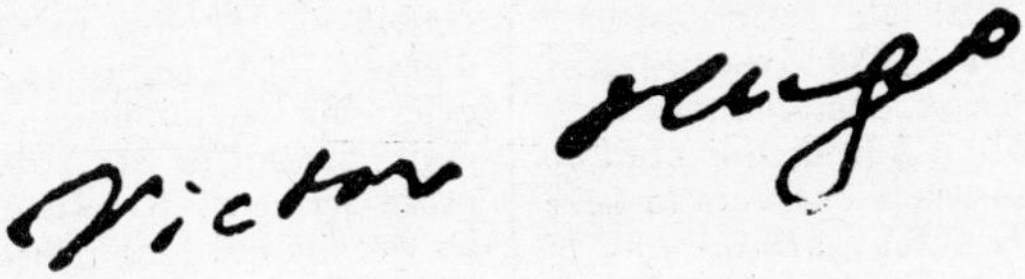

Victor Hugo a tiré son sujet de la Bible. Le livre de Josué est situé immédiatement après les cinq livres de Moïse. Josué (XIVᵉ siècle av. J.-C.) fut le successeur de Moïse dans la conduite des peuples d'Israël, ayant reçu la mission de conquérir et de partager la Palestine entre les tribus. Plusieurs miracles attestent la protection de Dieu; les plus célèbres sont la traversée du Jourdain à pied sec, l'arrêt du soleil dans sa course lors de la bataille de Gabaon et celui que le poète raconte ici, qui est le symbole de la puissance de la pensée devant l'oppression et la force militaire.

LA VIE ET LE SENS DES MOTS

A. LES MOTS

La cité : ce mot, dérivé du latin et signifiant d'abord l'ensemble des citoyens, des habitants d'une ville, a ici le sens historique de ville entourée de murs, de remparts.

Le vent : ici, le mot est employé simultanément au sens propre — de l'air se déplaçant — et au sens figuré — des mots sans importance et impuissants.

L'arche : il s'agit ici de *l'arche d'alliance*, coffre dans lequel les Israélites enfermaient les tables de la loi données par Dieu à Moïse sur le mont Sinaï. Les Hébreux portaient cette arche dans leurs expéditions militaires, comme gage de la protection divine.

Expliquez à l'aide du dictionnaire :
Railler — foudroyer — la quenouille — les nuées (fém.) — les huées (fém.).

B. LES EXPRESSIONS

Ces murs ténébreux : les remparts de Jéricho sont sombres (brunis par la rouille) mais leur couleur est aussi le symbole de l'oppression et de la tyrannie; au contraire, la liberté est symbolisée par la lumière, par la clarté; on la représente souvent par une torche.

Travail personnel. — Expliquez :
Aveugles et boiteux — rire à gorge déployée.

LES IDÉES ET LES SENTIMENTS

Exercices de conversation :

1. Que représentent ces *clairons de la pensée?* Pourquoi Victor Hugo veut-il qu'ils sonnent *toujours?*

2. Quelle raison pousse Josué à dresser la tête vers *les cieux?*

3. Relevez toutes les expressions montrant que le roi n'attache aucune importance à la marche des Hébreux autour des remparts de Jéricho.

4. Pourquoi Victor Hugo ne nomme-t-il pas ce roi?

5. Comparez le dernier vers au premier.

—————— UTILISEZ LE TEXTE ——————

LANGUE ET CIVILISATION

1. La pensée est victorieuse de la tyrannie : Étudiez en détail les moyens dont Victor Hugo se sert pour présenter cette idée, en particulier *les oppositions* et *la construction* du poème, dont la partie centrale s'articule sur chacun des tours que fait Josué suivi de ses fidèles.

2. Entre 1410 et 1350 avant Jésus-Christ, les Hébreux, commandés par Josué avec les fils d'Aaron, qui était le frère de Moïse, se rendaient vers *la terre promise* lorsqu'ils furent arrêtés par la ville de Jéricho (dans la Jordanie actuelle).

L'armée en fit le tour pendant sept jours, précédée de l'arche sainte et de sept prêtres qui sonnaient de la trompette, et la ville tomba.

3. Les Châtiments sont un recueil de poésies engagées. Victor Hugo, pour qui le poète était aussi un prophète au sens biblique, se dresse contre l'empereur Napoléon III qui avait fait un coup d'état le 2 décembre 1851 et renversé la deuxième République, de laquelle il était président et à laquelle il avait prêté serment. Retrouvez dans le texte les détails qui font penser que Josué est Victor Hugo et que le roi est Napoléon III.

4. Relevez dans le texte :
— les différents noms d'instruments à vent;
— deux homonymes.

ANALYSE DU POÈME

Le rythme, la cadence des vers.
En vous reportant à l'exemple de la page 278, vous indiquerez les accents et les pauses des sept premiers alexandrins.

Application à la lecture : Dans ce poème il faut faire sentir combien le roi est plus fort que Josué afin que le dramatique contraste du dernier vers apparaisse dans toute sa valeur.

N'oubliez pas que le premier et le dernier vers doivent être détachés du reste du poème par une longue pause.

Apprendre par cœur ce poème.

DISSERTATION

Commentez la devise des révolutionnaires de 1789 : *la liberté ou la mort.*

GRAMMAIRE

La proposition subordonnée de conséquence.

a) Avec un verbe au mode indicatif indiquant une conséquence réelle.
Le roi revint sur sa tombe de granit si haute qu'au sommet l'aigle faisait son nid...
L'aigle fait réellement son nid au sommet de la tour.

b) Avec un verbe au plus-que-parfait du subjonctif marquant une conséquence imaginaire ou hypothétique.
Si dure que l'éclair l'eût en vain foudroyée; ici, le plus-que-parfait du subjonctif a la valeur d'un conditionnel passé (*l'aurait en vain foudroyée*).
C'est une conséquence supposée : *au cas où l'éclair frapperait la tour, il serait impuissant à la foudroyer.*

VICTOR HUGO (1802-1885)

Voir notice page 443.

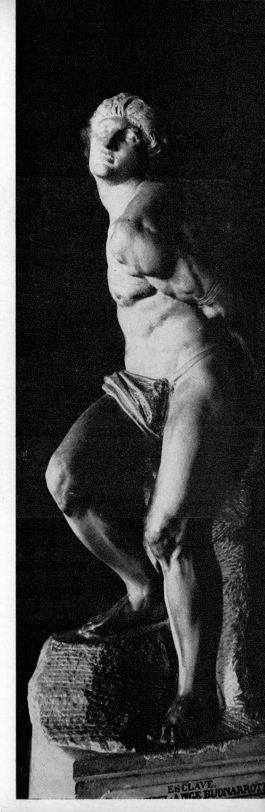

Esclave, Michel-Ange. ▶

Musée du Louvre.
Cliché Bulloz.

Nativité. — Fragment de l'ancien jubé de la cathédrale de Chartres.

« Les chefs-d'œuvre de la statuaire mystique du Moyen Age sont ici, à Chartres. »
J. K. Huysmans. — (*Voir p. 293.*)

« Sous le regard de l'âne et le regard du bœuf,
Cet enfant reposait dans la pure lumière. »

(*Voir ci-contre.*)

LA CRÈCHE DE BETHLÉEM

Les solives du toit faisaient comme un arceau.
Les rayons du soleil baignaient la terre blonde.
Tout était pur alors, et le maître du monde
Était un jeune enfant dans un pauvre berceau.

Le soleil qui passait par les énormes brèches
Éclairait un enfant gardé par du bétail.
Le soleil qui passait par un pauvre portail
Éclairait une crèche entre les autres crèches.

Sous le regard de l'âne et le regard du bœuf
Cet enfant reposait dans la pure lumière,
Et, dans le jour doré de la vieille chaumière
S'éclairait son regard incroyablement neuf....

Mais le vent qui soufflait par les énormes brèches
Eût glacé cet enfant qui s'était découvert.
Et le vent qui soufflait par le portail ouvert
Eût glacé dans sa crèche entre les autres crèches

Cet enfant qui dormait en fermant les deux poings,
Si ces deux chambellans et ces museaux velus
Et ces gardes du corps et ces deux gros témoins
Pour le garer du froid n'eussent soufflé dessus.

Ainsi l'enfant dormait sous ce double museau,
Comme un prince du sang gardé par des nourrices.
Et ses amusements et ses jeunes caprices
Reposaient dans le creux de ce pauvre berceau.

L'âne ne savait pas par quel chemin de palmes
Un jour il porterait jusqu'en Jérusalem
Dans la foule à genoux et dans les matins calmes
L'enfant alors éclos aux murs de Bethléem.

Charles PÉGUY,
Ève. — Gallimard, éditeur.

LE SENS ET LA VIE DES MOTS

LES MOTS ET LES EXPRESSIONS

I. Le cadre.

La solive : pièce de charpente. Ce mot est pris ici avec le sens de chevron. En réalité, les chevrons font partie de la charpente de la toiture, les solives formant la charpente du plafond.

Arceau : voûte cintrée; petite arche. Les « solives » du toit forment, au-dessus de la crèche, comme l'arceau du berceau. Il n'y a donc pas de plafond dans cette pauvre étable.

Une brèche : ouverture dans un mur.

Portail : entrée principale d'un monument. Ici, entrée de la modeste étable.

II. L'enfant.

Regard neuf : Le regard de l'enfant ne s'est encore pas posé sur les choses. Il paraît neuf.

Chambellans (masc.) : valets de chambre d'un prince.

Un garde du corps : soldat dévoué qui accompagne en permanence un prince ou un roi, ou un grand personnage, pour le garder et le défendre au besoin.

Chemin de palmes : chemin recouvert de palmes, c'est-à-dire de branches de palmiers. — L'événement rappelé par Péguy, dans la dernière strophe, est commémoré chaque année, dans la chrétienté, par la fête des Rameaux. Les palmes sont remplacées, en France, par des rameaux de buis.

LES IDÉES ET LES SENTIMENTS

Exercices de conversation :

A. Le cadre du tableau décrit par Péguy.

L'auteur, dans ces quelques strophes de son long poème de 145 strophes sur la Crèche, nous décrit un tableau souvent représenté par les artistes.

1. Quel est le cadre de ce tableau?

2. Quels sont tous les éléments de ce tableau qui montrent qu'il s'agit d'une pauvre chaumière?

3. Pourtant, le tableau de cette pauvre chaumière est plein de lumière. Relevez les expressions qui le montrent.

B. Dans ce cadre, un personnage principal.

1. Quel est ce personnage? Où est-il? Que fait-il?

2. Péguy compare « ce pauvre enfant » à un « prince du sang ». — Où reposerait un fils de roi? Et par qui serait-il gardé? Mais où repose l'enfant? Et par qui est-il gardé?

3. A quoi est-il exposé? Qui le protège? Comment?

4. Bien que reposant dans une étable, il donne l'impression de dormir en sécurité, comme un prince. Relevez les deux vers qui l'expriment.

5. A quel événement Péguy fait-il allusion dans la dernière strophe?

UTILISEZ LE TEXTE

LANGUE ET CIVILISATION

1. Péguy chante, dans ce poème, une des plus vieilles traditions populaires chrétiennes en reprenant la forme des complaintes du Moyen Age.
Relevez les strophes renfermant des chants répétés en ce qui concerne : le soleil, le vent. Soulignez les répétitions. — Sur le modèle de la strophe se rapportant au soleil, construisez un paragraphe sur « la neige qui tombe ».

2. Comme vous venez de le voir, Péguy reprend plusieurs fois la même idée sous diverses formes. Relevez toutes les propositions renfermant l'idée : l'enfant dort.

Le symbole de la crèche de Bethléem.

1. Le tableau décrit par Péguy symbolise la naissance du christianisme, la naissance de la civilisation chrétienne qui va s'établir sur les ruines des civilisations

antiques. C'est du jour de la « Nativité »
que date l'ère chrétienne.

2. Il est le symbole aussi de la renaissance du soleil et de la vie, dans le froid
de l'hiver. Jusque vers le 21 décembre,
en Europe, le soleil baisse, les jours dimi-
nuent. La terre s'ensevelira-t-elle dans le
froid de la nuit? — Non. Le soleil s'arrête
de descendre : c'est le solstice d'hiver.
Il va remonter ; il paraît renaître. Les
jours peu à peu s'accroîtront. Et les
hommes fêtent cette renaissance.

STYLISTIQUE

**Une phrase conditionnelle littéraire
pour exprimer l'irréel du passé.** — *Mais
le vent... eût glacé cet enfant... si ces deux
chambellans n'eussent soufflé dessus.*

Voici, simplifié, l'essentiel de la phrase
qui constitue les quatrième et cinquième
strophes du poème. Nous retrouvons ici
une forme littéraire imitée du latin et qui
exprime une supposition irréelle : *le vent
aurait glacé cet enfant si ces deux chambellans n'avaient soufflé dessus.* Remar-
quons aussi que, dans cette phrase, la proposition subordonnée introduite par SI est
placée après la principale et que la forme
négative du verbe est exprimée par l'adverbe NE employé seul. Cette forme de
phrase appartient à l'usage littéraire.

Il convient de souligner ici le contraste
entre cette forme grammaticale très
littéraire, plutôt recherchée, et la simplicité, voire la naïveté voulue du vocabulaire. Ce contraste correspond à celui qui
existe entre la pauvreté matérielle entou-
rant cet événement et la grandeur de sa
signification.

CONSEILS POUR LA LECTURE

Soutenir le ton grave de la complainte,
en tenant compte :

a) du rythme berceur que donne à
l'ensemble le retour de certaines idées
et formes d'expression;

b) du rythme large des alexandrins
coupés à l'hémistiche dans un balancement bien équilibré;

c) des accents bien marqués. Exemples :

Les soli | ves du **toit** ‖ fais**aient** | comme un arc**eau.**
1   2 3   1 2 3   1 2 3   1   2   3 4

Les ra**yons** | du sol**eil** ‖ baign**aient** | la terre **blonde.**
1   2   3   1 2   3   1   2   3   1   2 3 4

COMPOSITION FRANÇAISE

Commentez cette affirmation de Paul
Eluard (voir page 348) : « *Le poète est celui
qui inspire, bien plus que celui qui est
inspiré.* »

CHARLES PÉGUY (1873-1914)

Grand poète né à Orléans. Son père,
ouvrier menuisier, meurt jeune, des suites
de maladies contractées comme combattant pendant la guerre de 1870. Sa mère se
fait rempailleuse de chaises pour élever
sa famille. Charles Péguy, boursier,
s'éleva jusqu'au concours de l'École Normale
Supérieure (voir p. 485) où il fut admis.
Mais il abandonna ses études pour se
consacrer à la littérature. Son style est
original, comme vous venez de le voir,
et ses écrits *(Jeanne d'Arc, les Mystères,
les Tapisseries)* sont marqués d'une profonde passion religieuse, mystique et aussi
patriotique. — Officier de réserve, il
fut tué à la bataille de la Marne, en
septembre 1914.

Péguy, par J.-L. Laurens.

Cl. Bulloz.

Vitrail de Chartres : quelques épisodes de la vie de Roland.

(Légendaire neveu de Charlemagne, tué à Roncevaux, dans les Pyrénées, en 778. — La première grande épopée française est **La Chanson de Roland,** *écrite au début du XIIe siècle.)*

292

LA CONSTRUCTION DE LA CATHÉDRALE DE CHARTRES

*Sous le nom de Durtal, personnage principal du livre, l'auteur exprime
son admiration pour l'incomparable cathédrale gothique de Chartres dont
il évoque la construction, sur l'emplacement de l'ancienne église romane
incendiée par la foudre, au temps de Philippe Auguste (1165-1223).*

Les chefs-d'œuvre de l'architecture et de la statuaire mystiques
sont ici, à Chartres; l'art le plus surhumain, le plus exalté qui fût jamais
a fleuri dans ce pays plat de la Beauce.

Et maintenant qu'il avait contemplé l'ensemble de cette façade
il se rapprochait encore pour la scruter dans ses infimes accessoires,
dans ses menus détails, pour examiner de plus près la parure des Souveraines, et il vérifiait ceci : aucune draperie n'était pareille; les unes
tombaient sans cassures brusques, semblables à un friselis ondulant
d'eau, les autres descendaient en lignes parallèles, en fronces serrées, un
peu en relief, telles que les côtes des bâtons d'angélique; et la dure
matière se pliait aux exigences des habilleurs, s'assouplissait pour les
crêpes historiés, pour les futaines et fils de pur lin, s'alourdissait pour
les brocarts et les orfrois; tout était spécifié; les colliers étaient ciselés,
grains à grains; les nœuds des ceintures auraient pu se dénouer, tant
les cordelettes étaient naturellement enlacées; les bracelets, les cou-
ronnes étaient forés, martelés, sertis de gemmes montées dans leurs
chatons, comme par des gens du métier, par des orfèvres.

Et souvent le socle, sa statue, le dais avaient été taillés d'une seule
pierre, dans un même bloc! Quels étaient les gens qui avaient sculpté
de telles œuvres? Nul ne le sait. Humblement, anonymement, ils tra-
vaillèrent.

Et quelles âmes ils avaient, ces artistes!

L'on aimait alors en France la madone, comme l'on aime sa véritable
mère. A cette nouvelle qu'Elle erre, chassée par l'incendie, à la recherche
d'un gîte, tous bouleversés s'éplorent; et non seulement dans le pays
chartrain, mais encore dans l'Orléanais, dans la Normandie, dans la
Bretagne, dans l'Ile-de-France, dans le Nord, les populations inter-
rompent leurs travaux, quittent leurs logis pour courir à son secours,
les riches apportant leur argent et leurs bijoux, tirant avec les pauvres
des charrettes, convoyant du blé, de l'huile, du vin, du bois, de la chaux,
ce qui peut servir à la nourriture des ouvriers et à la bâtisse d'une église.

Ce fut une migration ininterrompue, un exode spontané du peuple.

Rien, ni les fondrières, ni les marécages, ni les forêts sans chemins ni les rivières sans gué ne purent empêcher l'impulsion de ces foules en marche, et un matin, par tous les points de l'horizon, elles débouchèrent en vue de Chartres....

Les gens valides dressèrent les tentes; le camp s'étendit à des lieues à la ronde; l'on alluma sur des chariots des cierges et ce fut, chaque soir, un champ d'étoiles dans la Beauce.

Ce qui demeure invraisemblable et ce qui est pourtant certifié par tous les documents de l'époque, c'est que ces hordes de vieillards et d'enfants, de femmes et d'hommes, se disciplinèrent en un clin d'œil; et pourtant ils appartenaient à toutes les classes de la société, car il y avait parmi eux des chevaliers et de grandes dames; mais l'amour divin fut si fort qu'il supprima les distances et abolit les castes; les seigneurs s'attelèrent avec les roturiers dans les brancards, accomplirent pieusement leur tâche de bêtes de somme; les patriciennes aidèrent les paysannes à préparer le mortier et cuisinèrent avec elles; tous vécurent dans un abandon de préjugés unique; tous consentirent à n'être que des manœuvres, que des machines, que des reins et des bras, à s'employer sans murmurer, sous les ordres des architectes sortis de leurs couvents pour mener l'œuvre.

Jamais il n'y eut organisation plus savante et plus simple; les celleriers des cloîtres devenus, en quelque sorte, les intendants de cette armée, veillèrent à la distribution des vivres, assurèrent l'hygiène des bivacs, la santé du camp. Hommes, femmes n'étaient plus que de dociles instruments entre les mains des chefs qu'ils avaient eux-mêmes élus et qui obéissaient à des équipes de moines, subordonnés, à leur tour, à l'être prodigieux, à l'inconnu de génie qui, après avoir conçu le plan de la cathédrale, dirigeait les travaux d'ensemble.

Pour en obtenir un tel résultat, il fallut vraiment que l'âme de ces multitudes fût admirable, car ce labeur si pénible, si humble de gâcheur de plâtre, fut considéré par chacun, noble ou vilain, ainsi qu'un acte d'abnégation, et aussi comme un honneur...

Dès l'aube, chaque jour, la besogne indiquée par le contremaître s'opère. Les uns creusent les fondations, déblaient les ruines, dispersent les décombres; les autres se portent en masse aux carrières de Berchère-l'Évêque, à huit kilomètres de Chartres, et là, ils descellent des blocs énormes de pierre, si lourds que parfois un millier d'ouvriers ne suffisait

294

Photo Viollet.

Sculpteur en train de reproduire un chapiteau du moyen âge.

pas pour les extraire de leurs lits et les hisser jusqu'au sommet de la colline sur laquelle devait planer la future église.

Et quand, éreintés, moulus, ces troupeaux silencieux s'arrêtent, alors on entend monter les prières et le chant des psaumes.

J.-K. HUYSMANS,
La Cathédrale. — Plon, éditeur.

LE SENS ET LA VIE DES MOTS

LES MOTS ET LES EXPRESSIONS

Des Souveraines : des statues de la Vierge.

Dais : sorte de petite voûte avançant au-dessus de la statue pour la protéger des intempéries.

Madone : *ma donna*, en italien; nom donné en Italie aux statues de la Vierge, puis à la Vierge elle-même.

S'éplore : se désole (famille de *pleurer*).

Convoyant : transportant en convoi.

La bâtisse d'une église : la construction d'une église. Le mot bâtisse désigne ordinairement la partie d'un bâtiment construite en maçonnerie.

Migration : déplacement de population.

Patriciennes : femmes de familles nobles.

Celleriers : dans les couvents, les celleriers étaient les moines chargés du service des provisions qu'ils conservaient dans les celliers. Ils jouaient le rôle d'économes, d'intendants.

Statuaire mystique : art de faire des statues allégoriques représentant des personnages ou des sujets religieux. — Exemples p. 288 et ci-contre. (L'extérieur de la cathédrale de Chartres est orné de près de 1 800 statues.)

Serties de gemmes : dans un bracelet, sertir c'est, pour un orfèvre, enchâsser des pierres précieuses ou gemmes dans les trous ou chatons forés (ou creusés) dans le métal de ce bracelet. Ici, tout ce travail est fait dans la pierre par les sculpteurs.

Exode spontané : le peuple se déplaçait volontairement, de son plein gré.

Se disciplinèrent en un clin d'œil : se soumirent rapidement à la règle commune.

Expliquez à l'aide du dictionnaire :

Orfèvres — fondrières — gués — roturiers — intendants — bivacs (ou *bivouacs*) *— à des lieues à la ronde.*

LES IDÉES ET LES SENTIMENTS

Exercices de conversation :

1. Que trouve Durtal à Chartres? Qu'examine-t-il de près? Et que constate-t-il?

2. Quels étaient les artistes qui avaient exécuté de telles œuvres?

3. Dans quels pays se propagea la nouvelle de l'incendie de l'ancienne cathédrale?

4. A cette nouvelle, que firent les populations? Dans quel but? — Qu'emportent les riches? les pauvres?

5. Les foules arrivent devant Chartres. Comment s'installent-elles pour vivre? A quoi ressemble la Beauce, chaque soir?

6. Quels furent les intendants de cette armée de travailleurs? Que firent-ils pour assurer son bien-être matériel?

7. Un tel rassemblement de population a besoin d'une organisation, d'une discipline. A qui obéissaient docilement hommes et femmes? et leurs chefs? et les équipes de moines?

8. A quoi « tous consentirent-ils »?

9. Comment fut considéré par chacun ce labeur si pénible?

10. Une longue et rude journée de travail. Quand commence-t-elle? Qui indique la besogne à faire? Quels travaux exécutent sur place certaines équipes? Où vont les autres? Et que font-elles?

11. Et quand la fatigue les arrête, le soir, comment ces anonymes bâtisseurs de la cathédrale expriment-ils le sentiment qui les anime?

12. Citez d'autres grands édifices construits au moyen âge et qu'on admire encore aujourd'hui.

296

LANGUE ET CIVILISATION

A. Expliquez par une phrase le sens de : *exode — migration — convoi*.

B. **Le sentiment religieux des foules en France au Moyen Age**, pousse le peuple à bâtir les cathédrales, comme il l'avait poussé à faire les Croisades. En ce qui concerne la cathédrale de Chartres :

1. Ce sentiment est général. Il naît et grandit dans toutes les couches de la population. Relevez le passage l'indiquant.

2. Il est si fort qu'il met spontanément les foules en marche vers Chartres. Montrez-le, d'après le texte.

3. Il est irrésistible comme une grande force de la nature. Relevez le passage où l'auteur montre que rien ne peut arrêter cette marche des foules vers le lieu où elles doivent construire la nouvelle cathédrale.

4. Il est si puissant qu'il met toutes les classes sur pied d'égalité. Il abolit les castes. Montrez-le en ce qui concerne : *a)* les hommes; *b)* les femmes.

5. Il est si constructif qu'il tire de chacun tout ce qu'il peut personnellement donner pour réaliser la magnifique œuvre d'art. Montrez-le d'après le texte.

GRAMMAIRE ET STYLISTIQUE

L'accord de l'adjectif qualificatif se rapportant à plusieurs noms.
Les chefs-d'œuvre de l'architecture et de la statuaire mystiques.
L'adjectif *mystiques* est au pluriel parce qu'il qualifie le nom *architecture* et le nom *statuaire*, bien que chacun de ces noms soit au singulier. Le genre de l'adjectif est ici féminin parce que chacun des deux noms est féminin; dans le cas contraire, c'est le masculin qui l'emporte, exemple : *un collier et une ceinture dorés*.

Un accord du verbe avec son sujet. —
*Rien, ni les fondrières, ni les marécages, ni les forêts sans chemins, ni les rivières sans gué, ne **purent** empêcher l'impulsion de ces foules en marche.*
On attendrait normalement l'accord du verbe avec son sujet *Rien... ne put empêcher*; mais l'accumulation des pluriels négatifs l'a emporté, pour la sensibilité de l'auteur, et le verbe s'accorde avec tous les noms mis en apposition à *rien*.

La concordance des temps dans la subordonnée au mode subjonctif. —
... il fallut vraiment que l'âme de ces multitudes fût admirable.
Le verbe subordonné est au mode subjonctif après le verbe impersonnel principal *falloir*; il est à l'imparfait parce que le verbe principal est lui-même à un temps du passé, ici le passé simple *il fallut*. Si le verbe principal était au présent ou au futur, la phrase serait : *Il faut (faudra) que l'âme de ces multitudes soit admirable.*
Exercice : Faites quatre phrases sur ce modèle en employant le verbe falloir : *a)* au présent ou au futur; *b)* à un temps du passé — passé simple, passé composé ou imparfait.

J. K. HUYSMANS (1848-1907)

Romancier français, d'abord naturaliste, mais qui a cherché ensuite à échapper au désespoir par la foi. Après avoir décrit la réalité la plus sordide (*Les sœurs Vatard*) il peint son évolution dans *A Rebours*, puis il a su observer et décrire avec minutie une merveilleuse œuvre d'art collective, dans *La Cathédrale*.

Du haut des tours de N.-D. de Paris.

(Photo Duméril.)

Cliché Giraudon.
Illustration du XVIIᵉ siècle.

RENARD ET TIERCELIN

Dans une plaine, entre deux collines, au-delà d'un ruisseau, Renard vit un pré où un hêtre était planté. C'était un très joli endroit. Renard franchit le ruisseau et vint gambader sous le hêtre. Puis il se coucha dans l'herbe fraîche. La place aurait été excellente pour se reposer, et il n'en aurait pas cherché d'autre s'il avait eu de quoi manger.

Près de là, Tiercelin le Corbeau, poussé par la faim, était sorti du bois et, cherchant aventure, était venu voler au-dessus d'un plessis. Dans ce plessis il vit des fromages que l'on faisait sécher au soleil. Il y en avait bien un millier, et la vieille femme qui devait les garder était rentrée dans la maison. C'était le bon moment ! Tiercelin fondit sur les fromages, en prit un et l'emporta.

La vieille femme, à cet instant, sortit de la maison, vit Tiercelin emporter le fromage, et lui lançant pierres et cailloux lui cria : « Vassal ! Veux-tu laisser ce fromage ! »

Elle était comme folle de rage. Tiercelin lui répondit : « Vieille, si on te demande où il est, tu diras que je l'ai emporté. Mauvaise garde nourrit le loup ! Surveille mieux ceux qui te restent. Celui-là, tu ne le reverras plus ; j'en graisserai joyeusement mes moustaches. Je l'ai choisi parce qu'il était bien gras, bien jaune ; il sera bon et tendre. Adieu, la vieille ! »

Il s'envola et s'en vint droit au hêtre sous lequel Renard était couché. Et les voilà tous deux, — Renard, Corbeau — l'un en haut, l'autre en bas, mais ce n'était pas la même chose : l'un avait à manger, l'autre mourait de faim.

A coups de bec, Tiercelin entama son fromage et se mit à grignoter le jaune le plus tendre. Son bec frappait comme une pioche, et un petit morceau de ce jaune tomba devant Renard.

Renard vit tout de suite qu'il s'agissait de fromage. Il secoua la tête et leva les yeux pour voir d'où tombait ce fromage. Il aperçut Maître Corbeau assis là-haut, le beau fromage dans ses pattes.

« Hé! Tiercelin! Par tous les Saints, est-ce toi que je vois là? Dieu te garde mon compère, et qu'il ait l'âme de ton père Rouard qui chantait si bien! J'ai souvent entendu dire qu'il n'avait pas son pareil en France. Toi-même, dans ton enfance, tu as travaillé la musique. Chantes-tu encore? Chante-moi quelque chose. »

Tiercelin ouvrit un large bec et poussa un croassement. « C'est bien! dit Renard, tu as fait des progrès. Essaie de monter d'un ton. »

Tiercelin qui se piquait d'être bon chanteur se remit à croasser.

« Dieu! dit Renard, comme ta voix est claire et pure maintenant! Si tu ne mangeais pas de noix, tu aurais la plus belle voix du monde! Chante encore un peu. »

De toutes ses forces, Tiercelin croassa. Il y mit tant de cœur que sa patte se desserra, et le fromage tomba droit devant le nez de Renard.

Le Roman de Renard.

Version moderne de Léopold Chauveau. Payot, éditeur.

───────────── **COMPRENEZ BIEN LE TEXTE** ─────────────

LE SENS ET LA VIE DES MOTS

LES MOTS ET LES EXPRESSIONS

Plessis : terrain clos par une haie épaisse, en Normandie.

Fondit : se précipita, s'abattit rapidement.

Vassal : ici, terme de mépris. Un vassal n'était pas libre : il était sous la dépendance de son suzerain.

Se piquait d'être : avait la prétention d'être.

LES IDÉES ET LES SENTIMENTS

Exercices de conversation :

1. Où se passe la scène? Quels en sont les personnages?

2. Présentez ces personnages en utilisant chacun des trois premiers paragraphes.

3. Le corbeau donne une leçon à la vieille femme. Laquelle? Et en quels termes?

4. Où s'en va-t-il pour manger le produit de son larcin?

5. Comment s'effectue son repas?

6. Dans quelles circonstances le renard s'en aperçoit-il? Et quelle ruse va-t-il employer pour s'emparer du fromage?

7. Quels compliments adresse-t-il au corbeau? — Et comment l'encourage-t-il à chanter encore? Dans quel but?

8. Relevez les expressions indiquant ce que fait par trois fois le corbeau « pour montrer sa belle voix ».

9. Comment se termine la scène?

LANGUE ET CIVILISATION

A. 1. Employez dans une phrase qui en fera bien comprendre le sens :

Fondre : *a*) sens du texte ; *b*) autre sens.

Se fondre : *a*) sens propre; *b*) sens figuré.

2. Énumérez, d'après le texte : *a*) les actions successives du renard; *b*) les actions successives du corbeau.

3. Exercice de grammaire : Cherchez dans le texte :

a) une phrase conditionnelle qui exprime des faits contraires à la réalité passée.

Si + plus-que-parfait + conditionnel passé.

b) une phrase conditionnelle qui exprime des faits contraires à la réalité présente.

Si + imparfait + conditionnel présent.

B. Le passage que vous venez de lire est une traduction en prose, et en français moderne, d'un texte en vers écrit en ancien français.

Il vous permet de voir que le *Roman de Renart* est un roman ou récit très amusant, qui renferme des descriptions précises, bien observées, et des aventures comiques.

1. Relevez les descriptions précises.

2. Renard, le rusé, essaie de tromper tout le monde. Qui trompe-t-il?

3. Le Corbeau représente le vaniteux. Comment montre-t-il sa vanité?

4. Vous avez souri à la lecture de certains passages. Relevez les passages comiques se rapportant : *a*) à la vieille femme; *b*) au corbeau; *c*) au renard.

5. Relevez les expressions ironiques et moqueuses : *a*) du corbeau à l'égard de la vieille femme; *b*) du renard à l'égard du corbeau.

6. Lisez *Le Corbeau et le Renard*, fable de La Fontaine, et comparez-la à ce récit dont l'auteur s'est inspiré.

CONSEILS GÉNÉRAUX POUR LA LECTURE ET LA RÉCITATION

A. Le mécanisme de la lecture. — Nous vous rappelons, une fois pour toutes, les conseils déjà donnés. Vous en tiendrez compte pour la lecture de chaque morceau de prose ou de poésie.

1. Lire à haute et intelligible voix, sans crier ni chanter, lentement, sans précipitation, avec souplesse.

2. Lire distinctement; bien articuler.

3. Tenir compte des signes de ponctuation et de leur valeur respective pour les pauses dans le débit, la respiration et l'intonation.

4. Considérer les groupes de mots comme des groupes de souffle et les lire d'une seule émission de voix. Les reconnaître au cours d'une préparation silencieuse de la lecture.

5. Bien saisir et bien rendre le rythme des phrases, le rythme des vers et le rythme des strophes dans un poème.

B. La lecture expressive. — Chacun la fait suivant son tempérament, suivant sa personnalité, suivant les impressions qu'il ressent et qu'il s'efforce de bien rendre par les nuances de l'intonation. Il faut donc bien comprendre le texte : idées et sentiments. On ne lit avec expression qu'un texte que l'on comprend et que l'on sent vivement.

Des conseils pour la lecture expressive vous seront donnés après l'explication de chaque texte.

LE ROMAN DE RENARD
(XIIᵉ et XIIIᵉ siècle)

C'est une série de vingt-sept contes en vers très amusants, de fables, où entrent en scène des animaux et qu'aimait beaucoup le peuple parce qu'on s'y moquait du monde des seigneurs. Les auteurs en demeurent inconnus. La ruse finit toujours par y vaincre la force. Le plus rusé des personnages est Goupil, le renard, qui joue de bons tours à Ysengrin, le loup.

La Fontaine a puisé dans le « Roman de Renard » le sujet et la matière de nombreuses fables.

LE PRINTEMPS

Le temps a laissé son manteau
De vent, de froidure et de pluie,
Et s'est vêtu de broderie,
De soleil riant, clair et beau....

Il n'y a bête ni oiseau
Qu'en son jargon ne chante ou crie.
Le temps a laissé son manteau
De vent, de froidure et de pluie.

Rivière, fontaine et ruisseau
Portent en livrée jolie
Gouttes d'argent d'orfèvrerie;
Chacun s'habille de nouveau.
Le temps a laissé son manteau.

Charles D'ORLÉANS.

─────────── *COMPRENEZ BIEN LE TEXTE* ───────────

LE SENS ET LA VIE DES MOTS

LES MOTS ET LES EXPRESSIONS

Le temps : même sens que dans « beau temps », « un temps froid ». Le poète fait du temps un personnage, il le personnifie.

La froidure : le froid de l'air, de l'atmosphère.

Riant : dardant ses rais, ses rayons; rayonnant.

Le jargon : un langage inintelligible.

Argent d'orfèvrerie : un argent travaillé par un orfèvre pour en faire des objets d'art ou de parure.

LES IDÉES ET LES SENTIMENTS

Exercices de conversation :

1. Quel tableau nous présente l'auteur, dans ce court poème ?

2. Élevé dans un palais, à quoi Charles d'Orléans compare-t-il le temps qui quitte la saison d'hiver pour entrer dans la belle saison ?

3. Donc, comme un grand seigneur, le temps abandonne son manteau de voyage. De quoi est fait ce manteau ?

4. Il revêt de beaux habits. Lesquels ?

5. Par qui et comment est-il accueilli ?

6. Les laquais, pour le recevoir, ont changé de livrée. Qu'ont-ils revêtu ?

7. Dans le palais du temps, dans la nature, « chacun s'habille de nouveau ». Citez quelques-uns de ces personnages. Et quels nouveaux habits revêtent-ils, d'après vous ?

UTILISEZ LE TEXTE

LANGUE ET COMPOSITION

1. Faites entrer dans une phrase qui en montrera bien le sens chacun des mots suivants : *froidure — froidement* (au sens propre, puis au sens figuré).

2. Relevez les deux images ou personnifications qui concernent : *le temps; l'eau courante.*

3. Le printemps. A quels signes reconnaissez-vous l'arrivée du printemps dans votre milieu géographique ?
(Plan. — Vers quelle date ? Ce que l'on voit; ce que l'on entend; ce que l'on sent; faire des descriptions précises.)

STYLISTIQUE

Il n'y a bête ni oiseau
Qu'en son jargon ne chante ou crie.
Ce texte est archaïque. On dirait en français moderne : *il n'y a ni bête ni oiseau qui, en son jargon, ne chante ou ne crie.*

ANALYSE DU POÈME

Ce poème est un rondel.

Le rondel se compose toujours du même nombre de vers. Combien de vers ? Combien de strophes ? Quel est le nombre de vers de chaque strophe ? Tous les vers du rondel sont construits sur deux rimes. Quelles sont ces deux rimes ?

Relevez à la suite l'un de l'autre tous les mots porteurs de la rime masculine, puis tous les mots portant la rime féminine.

La même idée revient trois fois, comme le refrain d'une ronde. Relevez les deux vers ainsi reproduits. En tenir compte en récitation.

CHARLES D'ORLÉANS (1391-1465)

Petit-fils du roi Charles V, père de Louis XII. Il fut pris par les Anglais à la bataille d'Azincourt, pendant la guerre de Cent Ans (voir page 307). Emmené en Angleterre, il y resta prisonnier pendant vingt-cinq ans. Poète délicat, il écrivit, durant cette longue captivité, de nombreux poèmes avec les souvenirs de sa jeunesse au « doux pays de France ». Il passa le reste de sa vie au château de Blois et mourut au château de Chambord.

VOCABULAIRE D'INITIATION

Termes du jugement affectif :

— NOMS :

un amour	une indifférence
des amours	le lyrisme
(féminin)	la mélancolie
le charme	la passion
la douleur	la sensibilité
une émotion	le sentiment
	la violence

— ADJECTIFS :

amoureux	mélancolique
charmant	passionné
douloureux	pathétique
dramatique	saisissant
émouvant	sensible
indifférent	sentimental
lyrique	vif
	violent

LES SIX BOURGEOIS DE CALAIS

En 1347, Édouard III, roi d'Angleterre, a pris la ville de Calais qu'il assiégeait depuis un an et que la famine avait réduite à capituler. Il consent à épargner les habitants si les six plus notables et riches bourgeois viennent en chemise, pieds nus et la corde au cou, lui apporter les clefs de la ville et se mettre « à sa discrétion ».

A l'appel de Jean de Vienne, gouverneur et défenseur de Calais, Eustache de Saint-Pierre se lève et parle ainsi devant la foule : « Seigneur, ce serait une grande pitié et grand malheur de laisser mourir tout ce peuple qu'il y a ici, par famine ou autrement, quand on peut trouver le moyen de l'empêcher... Je me mettrai volontiers à la merci du roi d'Angleterre. » Alors, cinq autres notables se levèrent et se joignirent à lui, volontairement : Jean d'Aire, Jacques de Wissant, son frère Pierre de Wissant, Jean de Fiennes et André d'Ardres.

Quand ils se furent préparés, messire Jean de Vienne, monté sur une petite haquenée, car il pouvait à peine marcher, se mit devant et prit le chemin de la porte de la ville. A voir ces hommes, leurs femmes et leurs enfants pleurer et se tordre les mains et crier à haute voix très amèrement, il n'y eut cœur si dur au monde qui n'en eût pitié. Ainsi ils arrivèrent jusqu'à la porte, accompagnés par des lamentations, des cris et des pleurs. Messire Jean de Vienne fit ouvrir la porte, et il vint vers Monseigneur Gautier de Mauny, l'envoyé du roi Édouard III, qui l'attendait là, et lui dit : « Messire Gautier, je vous livre, comme capitaine de Calais, par le consentement du pauvre peuple de cette ville, ces six bourgeois. Et je vous jure que ce sont les plus honorables et notables de corps, de fortune et d'ancienneté de la ville de Calais. Ils portent avec eux toutes les clefs de ladite ville et du château. Je vous prie, gentil sire, de vouloir bien prier pour eux le roi d'Angleterre, afin que ces braves gens ne soient pas mis à mort. — Je ne sais, répondit le sire de Mauny, ce que Messire le Roi en voudra faire, mais je vous promets que je ferai mon devoir. »

Alors la barrière fut ouverte. Les six bourgeois s'en allèrent, avec

Les bourgeois de Calais, par Rodin.

Monseigneur Gautier qui les mena tout droit vers le palais du roi, et
Messire Jean de Vienne rentra en la ville de Calais.

Le roi était à cette heure-là dans sa chambre, en grande compagnie de
comtes, barons et chevaliers. Il apprit que ceux de Calais arrivaient
en l'équipage qu'il avait prescrit et ordonné. Alors il sortit, et tous les
seigneurs après lui, et même la reine avait suivi son seigneur. Voici
venir Monseigneur Gautier, et à côté de lui les six bourgeois. Il descendit
sur la place et s'en vint vers le roi et lui dit : « Monseigneur, voici les
représentants de la ville de Calais, selon votre ordonnance. » Le roi
resta silencieux et immobile et les regarda avec fureur, car il haïssait

beaucoup les habitants de Calais pour les grands dommages que jadis ils lui avaient fait sur mer.

Les six bourgeois alors se mirent à genoux devant le roi et les mains jointes lui dirent : « Gentil sire et gentil roi, vous voyez en nous six bourgeois de Calais, de naissance ancienne et riches marchands. Nous vous apportons les clefs de la ville et du château, et nous vous les rendons à discrétion, et nous nous mettons tels que vous nous voyez à votre entière discrétion pour sauver le peuple de Calais. Veuillez avoir de nous pitié et miséricorde par votre très haute noblesse. » Le roi les regarda avec grande colère, car il avait le cœur si dur et si plein de courroux qu'il ne pouvait parler ; et quand il parla, il commanda qu'on leur coupât la tête aussitôt. Tous les barons et chevaliers pleuraient, et, aussi instamment qu'ils le pouvaient, priaient le roi d'en avoir pitié et miséricorde ; mais il ne voulait rien entendre.

Alors Messire Gautier de Mauny parla et dit : « Ah! gentil sire, veuillez refréner votre courroux. Vous avez renommée de souveraine gentillesse et noblesse. Ne veuillez donc rien faire qui la puisse amoindrir, ni qui fasse mal parler de vous. Si vous n'avez pitié de ces gens, tout le monde dira que c'est grande cruauté si vous faites mourir ces honnêtes bourgeois qui, de leur propre volonté, se sont mis à votre merci pour sauver les autres. » Là-dessus, le roi se fâcha et dit : « Messire Gautier, taisez-vous! il n'en sera pas autrement. Qu'on fasse venir le coupe-têtes. Ceux de Calais ont fait mourir tant de mes hommes qu'il faut que ceux-là meurent aussi. »

Alors la reine fit grand acte d'humilité. Elle pleurait si tendrement de pitié qu'on ne le pouvait soutenir. Elle se jeta à genoux devant le roi, son seigneur, et lui dit : « Ah! gentil sire, depuis que j'ai passé la mer en grand péril, comme vous savez, je ne vous ai rien demandé. Or, je vous prie humblement et vous requiers en propre don que, pour le fils de Sainte Marie et pour l'amour de moi, vous veuilliez avoir de ces six hommes merci. »

Le roi attendit un peu pour parler et regarda la bonne dame, sa femme, qui pleurait devant lui, à genoux, si tendrement. Son cœur s'amollit, car il l'aurait courroucée à regret, et il lui dit : « Ah! dame, j'aimerais bien mieux que vous fussiez autre part qu'ici. Vous me priez de telle sorte que je n'ose vous refuser ; et, bien que je le fasse à regret, je vous les donne ; faites-en selon votre plaisir. » La bonne dame dit : « Monseigneur, très grand merci. »

Alors la reine se releva et fit se relever les six bourgeois, et leur fit ôter les chenêtres d'autour du cou, et les amena avec elle dans sa chambre, et les fit revêtir, et donner à dîner tout à leur aise; puis elle donna à chacun six nobles et les fit conduire, hors de l'ost, en sûreté.

D'après FROISSART, *Chroniques.*

COMPRENEZ BIEN LE TEXTE

LE SENS ET LA VIE DES MOTS

A. LES MOTS

Bourgeois (masc.) : ce nom fut d'abord donné, au Moyen Age, aux habitants des bourgs ou villes affranchies. Dans le texte, ils désigne les personnalités les plus marquantes de la ville de Calais.

Haquenée : vieux mot français désignant une jument calme.

Notables : personnalités importantes qui jouissent, dans leur ville, d'une grande considération en raison de leurs fonctions : notables de corps (de corporations) — de leur situation : notables de fortune, — de l'ancienneté de leur famille dans la ville : « une vieille famille ».

Corps : corporations; on dit : un corps de métier.

Sire : seigneur.

Messire : monseigneur.

En l'équipage : en la tenue.

La miséricorde : c'est la vertu qui pousse à pardonner ce qu'on serait en droit de punir, le cœur (*cor*) étant sensible à la détresse (*miseria*).

Un noble : monnaie d'or frappée par Edouard III, roi d'Angleterre : une barque était représentée sur l'une des faces.

Gentil : noble. On le retrouve dans gentilhomme : homme de famille noble. Le sens s'est affaibli pour devenir synonyme de gracieux, agréable. Ex. : un gentil garçonnet.

Chenêtres : vieux mot pour cordes (féminin).

Ost : le camp de l'armée.

B. LES EXPRESSIONS

Chronique : radical *chron*, du grec *Kronos* : temps. Une chronique est une histoire où les faits et les événements sont rapportés dans l'ordre du temps où ils se produisent. Ex. : *Les Chroniques* de Froissart.

Nous rendons les clefs à discrétion : sans conditions.

Vous nous voyez à votre entière discrétion : à votre totale disposition.

Veuillez avoir de nous pitié et miséricorde : veuillez avoir pitié de nous et être assez généreux pour nous pardonner.

LES IDÉES ET LES SENTIMENTS

Exercices de conversation :

1. Où se passe cette scène historique? Quand? A la suite de quelles circonstances?

A. Les six otages sont prêts.

2. Où se rendent-ils d'abord ? Et qui les conduit ? Que font leurs femmes et leurs enfants ?
3. Jean de Vienne fait ouvrir les portes de la ville. A qui remet-il les otages et que lui dit-il ?
4. La barrière franchie, où sont conduits les six bourgeois?

B. Le roi les attend.

5. Où se trouve-t-il? Avec qui? — Il sort. Par qui est-il accompagné?
6. Messire Gautier lui présente les six bourgeois. En quels termes?
7. Pourquoi le roi les hait-il? Et comment leur manifeste-t-il sa haine?

C. Les otages et le roi, face à face.

8. Les otages se présentent eux-mêmes au roi. En quels termes?

9. Ils lui rappellent le but de leur mission. Que lui disent-ils?

10. Puis, sans une plainte et sans peur, avec noblesse, ils font appel à sa miséricorde. Rapportez leurs paroles.

11. Quels sentiments éprouve le roi? Et quelle décision prend-il?

12. Quels sentiments éprouvent les témoins de la scène?

13. Les personnages les plus importants essayent de fléchir le roi. Que lui disent successivement : les barons et les chevaliers? messire Gautier? — Quelle est la réponse implacable du roi?

D. L'intervention de la reine, Philippine de Hainaut.

14. Quels sentiments éprouve la reine à l'égard des six bourgeois? Que fait-elle? Quelle prière adresse-t-elle au roi?

E. Enfin le roi cède.

16. Quels sentiments avez-vous éprouvés à la lecture de ce récit?

UTILISEZ LE TEXTE

LANGUE ET CIVILISATION

Un **corps de métier** est l'ensemble des gens exerçant un même métier. Exemple : le corps enseignant. — Faites entrer le mot *corps* avec un adjectif dans une expression concernant les médecins. Rédigez ensuite une phrase où cette expression figurera.

Mots de la famille de chronique. Qu'est-ce qu'un chroniqueur? Citez deux grands chroniqueurs du Moyen Age.

Qu'est-ce qu'un chronomètre? la chronique sportive d'un journal?

Les notables de Calais. — A quelle condition le roi d'Angleterre décide-t-il d'épargner les habitants de Calais? Comment sont désignés les six bourgeois? De quel esprit font-ils preuve en offrant leur vie pour sauver la population de la ville? — Pourquoi leur acte est-il devenu légendaire?

Le vieux français. — Le premier texte français (nettement différent du bas-latin) est le *Serment de Strasbourg* (842). La langue évolue alors jusqu'au français moderne, qui commence au XVIe siècle.

Ce passage des *Chroniques* de Froissart a été traduit, voici le texte original du dernier paragraphe :

Lors se leva la royne et fist lever les six bourgois, et leur fist oster les cheves d'entour les colz, et les amena avecques lui en sa cambre, et les fist revestir et donner à disner tout aise ; et puis donna à çascun six nobles, et les fist conduire hors de l'ost a sauveté.

La guerre de Cent Ans (1346-1453) qui opposa l'Angleterre et la France, commença par une longue série de victoires anglaises, de Crécy (1346) à Azincourt (1415). C'est Jeanne d'Arc (1412-1431) qui infligera aux Anglais leurs premières défaites et, à la paix de 1453, seule la ville de Calais restera aux mains du roi d'Angleterre pendant cent ans.

COMPOSITION FRANÇAISE

L'ordre du temps est l'ordre chronologique.

Racontez, dans leur ordre chronologique, les faits qui se sont déroulés dans une journée importante.

GRAMMAIRE

Exercice : Cherchez dans le texte une proposition subordonnée de temps avec le verbe au passé antérieur et dont le verbe de la proposition principale soit au passé simple.

FROISSART (1333-1400)

Un des premiers historiens français. Il a raconté, dans ses *Chroniques*, les principaux faits historiques de son siècle, dont il a été le plus souvent le témoin curieux et enthousiaste. On a dit de lui qu'il a été « le grand peintre du XIVe siècle ».

LES ADIEUX DE JEANNE D'ARC A SON PAYS NATAL

I. — SES ADIEUX A LA MEUSE

Adieu, Meuse endormeuse et douce à mon enfance,
Qui demeures aux prés où tu coules tout bas.
Meuse, adieu : j'ai déjà commencé ma partance
En des pays nouveaux où tu ne coules pas.

Voici que je m'en vais vers des pays nouveaux :
Je ferai la bataille et passerai les fleuves;
Je m'en vais m'essayer à de nouveaux travaux;
Je m'en vais commencer là-bas les tâches neuves.

Et, pendant ce temps-là, Meuse ignorante et douce,
Tu couleras toujours, passante accoutumée,
Dans la vallée heureuse où l'herbe vive pousse,
O Meuse inépuisable et que j'avais aimée!

Tu couleras toujours dans l'heureuse vallée.
Où tu coulais hier, tu couleras demain.
Tu ne sauras jamais la bergère en allée
Qui s'amusait, enfant, à creuser de sa main
Des canaux dans la terre, à jamais écroulés.

La bergère s'en va, délaissant ses moutons;
La fileuse s'en va, délaissant ses fuseaux.
Voici que je m'en vais loin de tes bonnes eaux.
Voici que je m'en vais bien loin de nos maisons.

Quand reviendrai-je ici, filer encor la laine?
Quand verrai-je tes flots qui passent par chez nous?
Quand nous reverrons-nous? Et nous reverrons-nous?
Meuse que j'aime encore, ô ma Meuse que j'aime...

II. — SES ADIEUX A LA MAISON DE SON PÈRE

O maison de mon père où j'ai filé la laine,
Où, les longs soirs d'hiver, assise au coin du feu,
J'écoutais les chansons de la vieille Lorraine,
Le temps est arrivé que je vous dise adieu.

Photo Giraudon.

Maison natale de Jeanne d'Arc à Domremy (Lorraine).

Tous les soirs, passagère en des maisons nouvelles,
J'entendrai des chansons que je ne saurai pas;
Tous les soirs, au sortir des batailles nouvelles,
J'irai dans des maisons que je ne saurai pas.

Maison de pierre forte où bientôt ceux que j'aime
Vont désespérément, éplorés de moi-même,
Autour du foyer mort prier à deux genoux,
Quand pourrai-je le soir filer encor la laine,
Assise au coin du feu pour les vieilles chansons?

Charles PÉGUY,

Jeanne d'Arc. — Gallimard, éditeur.

LE SENS ET LA VIE DES MOTS

A. LES MOTS

Endormeuse : la Meuse coule avec calme, et le chant doux et monotone de ses eaux a bercé l'enfance de Jeanne d'Arc.

Éplorés : sens propre : en pleurs; sens dérivé : désolés. Éplorés de moi-même signifie désolés, affligés par mon départ.

B. UNE EXPRESSION

Passante accoutumée. Péguy compare la Meuse à une passante qui a l'habitude de suivre toujours le même chemin dans la vallée.

LES IDÉES ET LES SENTIMENTS

Exercices de conversation :

I. Présentation.

Ce morceau est extrait d'une pièce de théâtre en vers : *Jeanne d'Arc*, que Péguy a composée vers 1900.

II. Le sujet.

Jeanne d'Arc, avant de quitter Domremy et de partir pour Chinon, adresse des adieux touchants à la Meuse de son enfance et à la maison de son père.

III. Les adieux de Jeanne d'Arc à la Meuse.

Tantôt elle s'adresse au fleuve; tantôt elle parle d'elle-même, rappelant ses souvenirs et exprimant ses réflexions.

A. Elle s'adresse à la Meuse.

Elle lui donne successivement quatre qualificatifs :

a) Meuse **endormeuse**; *b)* Meuse **douce** à mon enfance; *c)* Meuse **ignorante**; *d)* Meuse **inépuisable**.

Justifiez le choix de chacun de ces qualificatifs, à l'aide d'expressions ou de phrases du texte.

B. Elle parle d'elle-même.

a) Elle a déjà « commencé sa partance ». Où va-t-elle? Et que fera-t-elle?

b) Quels souvenirs d'enfance évoque-t-elle? Que délaisse-t-elle?

c) Elle pense au retour possible. Que dit-elle? — Mais elle doute de ce retour. En quels termes?

IV. Les adieux de Jeanne d'Arc à sa maison.

a) Elle se penche sur son passé. — Quels souvenirs d'enfance évoque-t-elle?

b) Elle regarde l'avenir qui l'attend. — Quelles maisons verra-t-elle désormais et quelles chansons entendra-t-elle?

c) Elle revient à sa maison. — Que se passera-t-il au foyer familial, quand elle sera partie?

d) Enfin, quel espoir mêlé de doute exprime-t-elle?

HISTOIRE

Jeanne d'Arc est une sainte et une héroïne nationale française, née en 1412 à Domremy, en Lorraine. La France était en grande partie occupée par les Anglais lorsque la jeune fille se sentit appelée par des voix du ciel pour sauver le royaume. Elle se rendit alors à Chinon auprès du roi Charles VII et, à la tête de l'armée, délivra Orléans assiégé. Ainsi, à dix-sept ans, Jeanne d'Arc remporta la première victoire française depuis quatre-vingts ans de guerre! La même année, elle fit sacrer le roi à Reims. Ensuite elle fut faite pri-sonnière et brûlée vive comme hérétique à l'âge de dix-neuf ans. Mais cela créa un sursaut du sentiment national et la France fut libérée dès 1453. En 1920, Jeanne d'Arc fut canonisée.

STYLISTIQUE

Les emplois de SAVOIR dans ce poème.

A plusieurs reprises Péguy emploie le verbe savoir de façon inhabituelle en lui donnant l'emploi de connaître. Dans la deuxième partie :

J'irai dans des maisons que je ne saurai pas... signifie : *dans des maisons que je ne connaîtrai pas.*

Ici le poète a recherché la répétition du même terme pour accentuer la nostalgie du dépaysement et pour donner une impression de gaucherie naïve.

Dans la première partie, la forme est plus complexe. *Tu ne sauras jamais la bergère en allée...*

Apparemment, ici le verbe *savoir* a pour objet direct le nom *bergère*, mais en fait la forme grammaticale complète devrait être :

Tu ne sauras jamais que la bergère s'en est allée.

Péguy préfère la forme *s'en aller*, plus familière, au verbe *partir*, et il la répète huit fois. De même, le nom *partance* est préféré à *départ*, bien qu'il ne s'emploie plus guère en français moderne que dans l'expression *un navire en partance*, c'est-à-dire sur le point de partir. Ce mot, dont la sonorité est belle, évoque l'imminence du départ.

DISSERTATION

Racontez la vie d'un héros (ou d'une héroïne) de votre pays.

CONSEILS POUR LA LECTURE

1. Suivre les conseils donnés page 291 en ce qui concerne le balancement des vers et le rythme *berceur* que donnent au poème les répétitions bien amenées.

2. Bien rendre les sentiments qu'éprouve la jeune fille à l'évocation de ses souvenirs d'enfance, du paysage tranquille et de la vie familiale heureuse qu'elle quitte pour la violence des « tâches neuves », l'horreur des batailles et l'inconnu de son destin.

CHARLES PÉGUY (1873-1914)

Voir notice page 291.

VOCABULAIRE D'INITIATION

Vocabulaire se rapportant aux vers :

— NOMS :

un	alexandrin	la	poésie
une	assonance	le	quatrain
la	ballade	le	refrain
la	cadence	le	rejet
la	césure	les	rimes
la	chanson		— féminines
la	chanson		— masculines
	de geste		— pauvres
le	chant		— riches
la	coupe du vers		— plates
le	couplet		— croisées
le	décasyllabe		— embrassées
un	hémistiche	le	rythme
la	mesure du vers	le	sonnet
la	musique	la	stance
un	octosyllabe	la	strophe
une	ode	la	syllabe
le	pied	le	tercet
le	poème		

ADJECTIFS :

accentué	pair
assonancé	régulier
cadencé	rimé
impair	rythmé
libre	syllabique
(« vers libre »)	

Les époques dans l'ordre chronologique :

— NOMS :	— ADJECTIFS :
Antiquité	antique
Moyen Age	médiéval
Renaissance	
Temps modernes	
(du XVIIe siècle au	moderne
XIXe siècle)	
Époque contemporaine	contemporain

DISTRACTIONS DE GRANDS SEIGNEURS

Quelques grands seigneurs, dont le cardinal de Retz, Turenne, etc., se réunissaient parfois, le soir, dans le salon d'une amie des Lettres pour discuter de quelques questions philosophiques ou littéraires. Après l'une de ces « conférences », ils décident d'aller entendre une pièce de Corneille, au château de l'archevêque de Paris, François de Gondi, à Saint-Cloud.

Nous allâmes donc à Saint-Cloud, chez M. l'Archevêque. Les comédiens qui jouaient ce soir-là à Rueil, chez M. le Cardinal, n'arrivèrent qu'extrêmement tard... Enfin l'on s'amusa tant que la petite pointe du jour (c'était dans les plus grands jours de l'été) commençait à paraître quand, sur le chemin du retour, l'on fut au bas de la descente des Bons-Hommes.

Justement au pied, le carrosse arrêta tout court. Comme j'étais à l'une des portières avec Mlle de Vendôme, je demandai au cocher pourquoi il arrêtait, et il me répondit avec une voix fort étonnée : « Voulez-vous que je passe par-dessus tous les diables qui sont là devant moi? » Je mis la tête hors de la portière, et comme j'ai toujours eu la vue fort basse, je ne vis rien. Mme de Choisy, qui était à l'autre portière avec M. de Turenne, fut la première qui aperçut, du carrosse, la cause de la frayeur du cocher; je dis du carrosse, car cinq ou six laquais qui étaient derrière criaient : « Jésus Maria! » et tremblaient déjà de peur.

M. de Turenne se jeta hors du carrosse au cri de Mme de Choisy. Je crus que c'étaient des voleurs; je sautai aussi hors du carrosse; je pris l'épée d'un laquais, je la tirai, et j'allai joindre de l'autre côté M. de Turenne, que je trouvai regardant fixement quelque chose que je ne voyais point. Je lui demandai ce qu'il regardait, et il me répondit, en me poussant du bras et assez bas : « Je vous le dirai; mais il ne faut pas épouvanter ces femmes », qui, dans la vérité, hurlaient plutôt qu'elles ne criaient. Voiture commença un Oremus; vous connaissez peut-être les cris aigus de Mme de Choisy; Mlle de Vendôme disait son chapelet; Mme de Vendôme se voulait confesser à Monsieur de Lisieux, qui lui disait : « Ma fille, n'ayez point de peur, vous êtes en la main de Dieu! » et le comte de Brion avait entonné, bien dévotement, à genoux, avec tous nos laquais, les litanies de la Vierge. Tout cela se passa, comme vous pouvez imaginer, en même temps et en moins de rien.

M. de Turenne, qui avait une petite épée à son côté, l'avait aussi tirée, et après avoir un peu regardé, comme je vous l'ai déjà dit, il se tourna vers moi de l'air dont il eût demandé son dîner et de l'air dont il eût donné une bataille, avec ces paroles : « Allons voir ces gens-là. — Quelles gens? » lui repartis-je; et dans le vrai je croyais que tout le monde eût perdu le sens. Il me répondit : « Effectivement, je crois que ce pourrait bien être des diables. » Comme nous avions déjà fait cinq ou six pas du côté de la Savonnerie, et que nous étions, par conséquent, plus proches du spectacle, je commençai à entrevoir quelque chose, et ce qui m'en parut fut une longue procession de fantômes noirs, qui me donna d'abord plus d'émotion qu'elle n'en avait donné à M. de Turenne, mais qui, par la réflexion que je fis, que j'avais longtemps cherché des esprits et qu'apparemment j'en trouvais en ce lieu, me fit faire un mouvement plus vif que ses manières ne lui permettaient de faire. Je fis deux ou trois sauts vers la procession. Les gens du carrosse, qui croyaient que nous étions aux mains avec tous les diables, firent un grand cri, et ce ne furent pourtant pas eux qui eurent le plus de frayeur. Les pauvres Augustins réformés et déchaussés, que l'on appelle les Capucins noirs, qui étaient nos diables d'imagination, voyant venir à eux deux hommes qui avaient l'épée à la main, l'eurent très grande; et l'un d'eux, se détachant de la troupe, nous cria : « Messieurs, nous sommes de pauvres religieux qui ne faisons mal à personne, et qui venons de nous rafraîchir un peu dans la rivière pour notre santé. »

Nous retournâmes au carrosse, M. de Turenne et moi, avec les éclats de rire que vous pouvez imaginer.

Cardinal de Retz,
Mémoires. — N.R.F., éditeur.

──────────── *COMPRENEZ BIEN LE TEXTE* ────────────

LE SENS ET LA VIE DES MOTS

LES MOTS ET LES EXPRESSIONS

Justement : précisément, exactement. On dirait aujourd'hui : juste au pied de la côte.

Monsieur de Lisieux : l'évêque de Lisieux.

Laquais : valet de pied portant la livrée de la maison où il sert. Il se tenait debout à l'arrière du carrosse.

Augustins (masc.) : moines de la confrérie religieuse des Augustins, marchant déchaussés, nu-pieds.

Tout court : brusquement, sur place.

Une voix fort étonnée. Etonnée est employé ici au sens étymologique : ébranlée comme par un coup de tonnerre. La peur a, en effet, donné une violente émotion au cocher. Le sens du mot étonné s'est atténué depuis le XVIIe siècle.

LES IDÉES ET LES SENTIMENTS

Exercices de conversation :

1. Quand se passe la scène décrite par l'auteur? Où?

2. Quels sont les personnages qui y jouent un rôle?

3. A quel moment a lieu le retour en carrosse?

4. Brusquement le carrosse s'arrêta. Où? Pourquoi, aux dires du cocher?

5. Qui aperçut, la première, du carrosse, la cause de la frayeur du cocher? Que faisaient les laquais qui accompagnaient le carrosse?

6. Que fit Turenne? Et le cardinal de Retz?

7. Une conversation rapide s'engage entre les deux personnages. Rapportez-la.

8. Que faisaient, pendant ce temps, les autres occupants du carrosse? (dans l'ordre du texte). Que pensez-vous de leur attitude?

9. Turenne garde son sang-froid. Il tire son épée et prend une décision qu'il communique à Retz. Que dit-il?

10. Que font alors Turenne et Retz? Qu'entrevit enfin Retz? Qu'éprouva-t-il? Et que fit-il?

11. Qui étaient ces « diables d'imagination »? Qu'éprouvèrent-ils à la vue des hommes armés? Que leur cria celui qui se détacha de la troupe?

12. A ce moment précis que firent les gens du carrosse? Pourquoi?

13. Comment s'acheva l'histoire?

14. Que pensez-vous de la conduite dans cette aventure, et du caractère, de Turenne? et de Retz?

UTILISEZ LE TEXTE

LANGUE ET CIVILISATION

A. Faites entrer dans une phrase, avec le sens qu'elle a dans le texte, chacune des expressions suivantes : *arrêta tout court — en moins de rien — lui repartis-je — être aux mains avec.*

B. **Les grands seigneurs de la cour de Louis XIV cités dans le texte étaient très cultivés et s'intéressaient vivement aux lettres et aux arts qu'ils encourageaient et guidaient.**

1. Il y a, dans ce carrosse, des gentilshommes (lesquels?), des grandes dames (lesquelles?), de hauts dignitaires de l'Eglise (lesquels?), un écrivain — un « bel esprit » — (lequel?). — Que pensez-vous de cette société?

2. Ils avaient assisté, ce soir-là, à une « conférence » et à une représentation théâtrale. — Où avait eu lieu la représentation théâtrale? Et qu'avaient-ils vu jouer?

3. Les tragédies de Corneille étaient très recherchées.
Combien de fois la même pièce de Corneille avait-elle été jouée ce soir-là? Et chez qui?

4. Pour donner satisfaction à ce public de choix, les grands auteurs de tragédies (Corneille et Racine) et de comédies (Molière) produisirent des chefs-d'œuvre. Citez quelques-uns de ces chefs-d'œuvre.
Les auteurs de ces chefs-d'œuvre qui peuvent servir de modèles, et qui sont dignes d'être étudiés dans les classes, sont appelés des « classiques ». (Nous étudierons plus loin quelques auteurs classiques.)

COMPOSITION FRANÇAISE

Un jour, vous avez éprouvé une grande peur. Dans quelles circonstances? Mais vous en avez découvert la cause. Et vous avez bien ri. Racontez.

LE CARDINAL DE RETZ (1613-1679)

Paul de Gondi était le neveu de François de Gondi, archevêque de Paris. Il avait été le chef de la résistance à Mazarin, pendant la Fronde. Il a écrit des Mémoires extrêmement vivants sur les événements auxquels il a été mêlé.

VOCABULAIRE D'INITIATION

Les genres littéraires :

— NOMS :

la biographie	une épître	la nouvelle	la polémique
la chanson de geste	une épopée	une oraison funèbre	le portrait
la chronique	un essai	la parodie	la prose
la comédie	la fable	la philosophie	le récit
— de caractère	le fabliau	la poésie	le roman
— d'intrigue	la farce	— didactique	la satire
— de mœurs	la fiction	— épique	le sermon
— larmoyante	une histoire	— lyrique	la tragédie
le conte	le journal		le vaudeville
la correspondance	(« notes personnelles »)	— ADJECTIFS :	
(« lettres »)	la légende		mélodramatique
la critique	le mélodrame	comique	narratif
le discours	les mémoires	dramatique	oratoire
le drame	(*masc. pluriel*)	épique	polémique
un épigramme	la narration	épistolaire	romanesque
		historique	satirique
		lyrique	tragi-comique

Famille de paysans dans un intérieur, par Louis Le Nain (1593-1648).

LA JOURNÉE DE LOUIS XIV

A huit heures, le premier valet de chambre qui avait couché seul dans la chambre du roi et qui s'était habillé l'éveillait. Le premier médecin, le premier chirurgien et sa nourrice, tant qu'elle a vécu, entraient en même temps. Elle allait l'embrasser; les autres le frottaient et souvent lui changeaient de chemise, parce qu'il était sujet à suer. Au quart, on appelait le grand chambellan, en son absence le premier gentilhomme de la chambre d'année, avec eux les grandes entrées. L'un de ces deux ouvrait le rideau qui était refermé, et présentait l'eau bénite du bénitier du chevet du lit. Ces messieurs étaient là un moment, et c'en était un de parler au roi s'ils avaient quelque chose à lui dire ou à lui demander, et alors les autres s'éloignaient...

Puis le roi s'habillait. Il était toujours vêtu de couleur plus ou moins brune avec une légère broderie, jamais sur les tailles, quelquefois rien qu'un bouton d'or, quelquefois du velours noir. Toujours une veste de drap ou de satin rouge, ou bleue, ou verte, fort brodée. Jamais de bague, et jamais de pierreries qu'à ses boucles de souliers, de jarretières et de chapeau toujours bordé de point d'Espagne avec un plumet blanc. Toujours le cordon bleu dessous, excepté des noces ou autres fêtes pareilles qu'il le portait par-dessus, fort long avec huit ou dix millions de pierreries...

Dès qu'il était habillé, il allait prier Dieu à la ruelle de son lit, où tout ce qu'il y avait de clergé se mettait à genoux; tous les laïques demeuraient debout, et le capitaine des gardes venait au balustre pendant la prière, d'où le roi passait dans son cabinet.

Il y trouvait ou était suivi de tout ce qui avait cette entrée... Il y donnait l'ordre à chacun pour la journée; ainsi on savait, à un demi-quart d'heure près, tout ce que le roi devait faire. Tout ce monde sortait ensuite...

Le roi allait à la messe où sa musique chantait toujours un motet... Allant et revenant de la messe, chacun lui parlait, qui voulait, après l'avoir dit au capitaine des gardes... Pendant la messe les ministres étaient avertis et s'assemblaient dans la chambre du roi, où les gens distingués pouvaient aller leur parler ou causer avec eux. Le roi s'amusait peu au retour de la messe et demandait presque aussitôt le conseil. Alors la matinée était finie.

Le dimanche il y avait conseil d'État, et souvent les lundis. Les mardis, conseil de finance; les mercredis, conseil d'État; les samedis, conseil de finance. Il était rare qu'il y en eût deux par jour, et qu'il s'en tînt les jeudis, ni les vendredis. Une ou deux fois le mois, il y avait, un lundi matin, conseil des dépêches; mais les ordres que les secrétaires d'État prenaient tous les matins, entre le lever et la messe, abrégeaient et diminuaient fort ces sortes d'affaires.

Le jeudi matin était presque toujours vide. C'était le temps des audiences que le roi voulait donner, et le plus souvent des audiences inconnues. C'était aussi le grand jour des bâtiments, des valets intérieurs...

L'heure ordinaire du dîner était une heure. Le dîner était toujours au petit couvert, c'est-à-dire seul dans sa chambre, sur une table carrée vis-à-vis la fenêtre du milieu. Il était plus ou moins abondant; car il ordonnait le matin petit couvert ou très petit couvert. Mais ce dernier était toujours de beaucoup de plats, et de trois services sans le fruit...

J'ai vu, mais fort rarement, Monseigneur et Messeigneurs ses fils au petit couvert, debout, sans que jamais le roi leur ait proposé un siège... J'y ai vu assez souvent Monsieur, ou venant de Saint-Cloud voir le roi, ou sortant du conseil des dépêches, le seul où il entrait. Il donnait la serviette et demeurait debout. Un peu après, le roi, voyant qu'il ne s'en allait point, lui demandait s'il ne voulait point s'asseoir; il faisait la révérence et le roi ordonnait qu'on lui apportât un siège. On mettait un tabouret derrière lui. Quelques moments après, le roi lui disait : « Mon frère, asseyez-vous donc. » Il faisait la révérence et s'asseyait jusqu'à la fin du dîner...

Le roi, d'ordinaire, parlait peu à son dîner, quoique par-ci par-là quelques mots, à moins qu'il n'y eût de ces seigneurs familiers avec qui il causait un peu plus, ainsi qu'à son lever.

Le roi aimait extrêmement l'air, et quand il en était privé, sa santé en souffrait par des maux de tête et par des vapeurs que lui avait causés un grand usage des parfums autrefois, tellement qu'il y avait bien des années que, excepté l'odeur de la fleur d'orange, il n'en pouvait souffrir aucune, et qu'il fallait être fort en garde de n'en avoir point, pour peu qu'on eût à l'approcher...

A son souper, toujours au grand couvert, avec la maison royale, c'est-à-dire uniquement les fils et filles de France et les petits-fils et petites-filles de France, étaient toujours grand nombre de courtisans, et dames tant assises que debout...

Après souper, le roi se tenait quelques moments debout, le dos au balustre du pied de son lit, environné de toute la cour; puis, avec des révérences aux dames, passait dans son cabinet où, en arrivant, il donnait l'ordre. Il y passait un peu moins d'une heure avec sa famille.

Le roi, voulant se retirer, allait donner à manger à ses chiens, puis donnait le bonsoir, passait dans sa chambre à la ruelle de son lit, où il faisait sa prière comme le matin; puis se déshabillait. Il donnait le bonsoir d'une inclination de tête et, tandis qu'on sortait, il se tenait debout au coin de la cheminée, où il donnait l'ordre au colonel des gardes seul; puis commençait le petit coucher, où restaient les secondes et grandes entrées ou brevets d'affaires. Cela était court. Ils ne sortaient que lorsqu'il se mettait au lit. Ce moment en était un de lui parler pour ces privilégiés. Alors tous sortaient quand ils en voyaient un attaquer le roi, qui demeurait seul avec lui.

SAINT-SIMON,
Mémoires sur le Siècle de Louis XIV et la Régence.

─────── COMPRENEZ BIEN LE TEXTE ───────

LE SENS ET LA VIE DES MOTS

A. LES MOTS

Le grand chambellan : le chef des chambellans, c'est-à-dire des officiers chargés du service intérieur de la chambre du roi (voir page 290).

Les grandes entrées : les entrées (grandes ou petites) étaient les groupes de privilégiés admis à entrer dans l'appartement du roi, à l'exclusion des autres courtisans.

Le cordon bleu : large ruban d'une décoration que le roi portait en sautoir sous sa veste.

La ruelle : partie de la chambre à coucher, de chaque côté du lit, où le roi recevait certaines personnes de haut rang.

Les laïques : les personnages autres que les membres du clergé.

Le balustre : mis pour la balustrade : barrière formée de balustres ou de petits piliers réunis à leur partie supérieure par une tablette.

Un motet : morceau de musique religieuse chantée.

Le conseil du roi : il comprenait quatre groupes de conseillers : 1. *le Conseil d'État* qui s'occupait des affaires politiques; 2. *le Conseil des Dépêches* qui s'occupait de l'administration intérieure; 3. *le Conseil des Finances*; 4. *le Conseil privé* qui s'occupait des questions judiciaires.

Audience : ce mot renferme le radical *audi* (de *audire*, entendre), radical que l'on retrouve dans auditeur : celui qui écoute. Le roi recevait en audience ceux qui avaient quelque chose à lui exposer ou à lui demander.

Monseigneur : titre que l'on donnait à un prince. Il s'agit ici du Dauphin, fils aîné du roi. Pluriel : Messeigneurs. — On donne encore ce titre aux prélats.

Monsieur : titre du frère cadet du roi. Aujourd'hui, titre que l'on donne à tous les hommes.

La maison royale : la famille royale (voir sa composition dans le texte).

Les brevets d'affaires : ceux à qui le roi avait conféré, par son brevet, le privilège d'être admis dans son intimité.

Travail personnel. — Expliquez à l'aide du dictionnaire :

Tailles — fleur d'orange (ou d'oranger).

B. LES EXPRESSIONS

C'en était un : c'était un moment de parler au roi.

Excepté des noces... qu'il le portait : à l'exception des noces... où il le portait.

Attaquer le roi : entamer une conversation avec lui pour lui arracher quelque faveur.

LES IDÉES ET LES SENTIMENTS

Exercices de conversation :

1. Le roi est réveillé. A quelle heure? Par qui? Quels étaient ses premiers visiteurs? Qui recevait-il « au quart »?

2. Le roi s'habille. Quels vêtements porte-t-il? Quels bijoux? Quel chapeau? Quelle décoration? Comment la porte-t-il, cette décoration : les jours ordinaires? les jours de grandes cérémonies?

3. Le roi passe dans son cabinet de travail. Avec quels personnages s'y trouve-t-il? Et qu'indique-t-il à chacun?

4. Après la messe, le roi revient dans sa chambre pour travailler. Quels personnages y trouve-t-il? et qui demande-t-il aussitôt? Jusqu'à quelle heure travaille-t-il avec son Conseil?

5. Le roi prend ses repas. Le roi dîne seul. A quelle heure? Où? A quel couvert? Quels personnages pouvaient assister à son repas et dans quelle attitude? Avec qui parlait-il parfois?

Le roi soupe en famille. A quel couvert? Avec qui? En présence de qui?

Que fait-il après le souper : *a)* dans sa chambre? *b)* dans son cabinet de travail?

6. Le coucher du roi. Qui y assistait? Quel en était le cérémonial?

—————— UTILISEZ LE TEXTE ——————

LANGUE ET CIVILISATION

A. Les séances d'un tribunal s'appellent des audiences. Pourquoi? — Le mot audience a donc deux sens que l'on retrouve dans les expressions suivantes : *a)* demander une audience; *b)* être convoqué à une audience. Employez chacune de ces expressions dans une phrase à un mode personnel.

B. « Le métier de roi » comporte deux parties bien distinctes : le côté représentatif; le règlement des affaires de l'État.

1. Le côté représentatif. L'apparat est réglé suivant une minutieuse *étiquette* à laquelle Louis XIV doit se soumettre et qui lui impose de lourdes contraintes :

a) Il n'est pas libre de sa vie privée. Il est obligé de tenir toujours son rôle de roi, de sauvegarder toujours la majesté royale dans tous les actes de sa vie personnelle journalière : à son lever, pendant chacun de ses repas, à son coucher. Montrez-le dans chaque cas.

b) Il ne peut même consacrer, chaque jour, qu'un court moment à sa famille. Relevez la phrase qui l'indique.

2. Le règlement des affaires de l'État. Le roi travaille avec ordre et méthode. Il a un strict emploi du temps de travail.

a) Emploi du temps journalier. Il le fixe lui-même chaque jour ainsi que celui de ses collaborateurs. Relevez la phrase qui l'indique.

b) Emploi du temps hebdomadaire. Il règle chaque semaine les affaires de l'État avec ses Conseils et ses ministres

à jour fixe. Quel conseil tient-il chaque jour — sauf le jeudi et le vendredi — et quelles affaires y sont traitées? A quoi est consacré le jeudi?

GRAMMAIRE

Les mots qu'on peut élider. — Certains mots français, dont le nombre est précisément limité, perdent leur voyelle finale, qui est alors remplacée par une apostrophe, quand le mot suivant commence par une voyelle. Ce sont :

a) les pronoms personnels *je, me, te, se, le* et *la ;*

b) les articles définis *le* et *la ;*

c) le mot *que ;*

d) les locutions conjonctives formées avec *que, sans que, pour que, avant que,* etc ;

e) les conjonctions *quoique, lorsque, puisque,* etc ;

f) les prépositions *de* et *jusque ;*

g) le pronom démonstratif *ce,* mais seulement quand il est placé devant le verbe *être* ou le pronom *en* (ex. : *c'en est un, c'est-à-dire*) ;

h) le mot *si,* conjonction ou adverbe interrogatif, mais seulement lorsqu'il est placé devant les pronoms *il* ou *ils* (*s'il* ou *s'ils,* mais on dit *si elle... si on...*).

320

Exercices :

1. Cherchez les mots élidés du texte et classez-les par catégorie.

2. Analysez le mot EN dans les phrases suivantes : *Le roi aimait extrêmement l'air, et quand il en était privé, sa santé en souffrait...*
Alors tous sortaient quand ils en voyaient un attaquer le roi...

◀ **LE DUC DE SAINT-SIMON**
(1675-1755)

Il a su dans ses *Mémoires,* décrire avec exactitude la cour de Louis XIV et faire revivre avec vivacité les faits et les personnages qu'il a pu observer avec acuité.

La page que vous venez de lire est d'une étonnante qualité : richesse, précision, foisonnement des détails bien choisis, mouvement et grande puissance d'évocation.

LOUIS XIV (1638-1715)

Appelé aussi Louis le Grand ou Roi-Soleil, Louis XIV régna effectivement pendant cinquante-quatre ans, à partir de la mort du Cardinal de Mazarin (1661). Dirigeant personnellement le gouvernement, il porta la monarchie absolue à son apogée.

Son règne se caractérise par une méfiance extrême de la noblesse : il confie le pouvoir à des bourgeois (Colbert, Louvois...), ce que Saint-Simon lui reproche amèrement. Il consacre des sommes énormes aux Arts et notamment à la construction du Château de Versailles, où il réunit autour de lui la cour la plus magnifique d'Europe. Mais il engage la France dans quatre grandes guerres qui durèrent ensemble près de trente ans et il persécuta les protestants.

Ainsi le *siècle de Louis XIV,* commencé avec éclat, se termina sur de graves crises économiques et un terrible appauvrissement du pays.

LETTRE DE FÉNELON A LOUIS XIV

Vous êtes né, Sire, avec un cœur droit et équitable; mais ceux qui vous ont élevé ne vous ont donné pour science de gouverner que la défiance, la jalousie, la crainte de tout mérite éclatant, le goût des hommes souples et rampants, la hauteur et l'attention à votre seul intérêt.

Depuis environ trente ans, vos principaux ministres ont ébranlé et renversé toutes les anciennes maximes de l'État pour faire monter jusqu'au comble votre autorité, qui était devenue la leur, parce qu'elle était dans leurs mains.

On n'a plus parlé de l'État ni des règles, on n'a parlé que du Roi et de son bon plaisir. On a poussé vos revenus et vos dépenses à l'infini. On vous a élevé jusqu'au ciel pour avoir effacé, disait-on, la grandeur de vos prédécesseurs ensemble, c'est-à-dire pour avoir appauvri la France entière, afin d'introduire à la cour un luxe monstrueux et incurable...

Cependant vos peuples, que vous devriez aimer comme vos enfants, et qui ont été jusqu'ici si passionnés pour vous, meurent de faim. La culture des terres est presque abandonnée; les villes et les campagnes se dépeuplent; tous les métiers languissent et ne nourrissent plus les ouvriers. Tout commerce est anéanti. Par conséquent, vous avez détruit la moitié des forces réelles du dedans de votre État, pour faire et pour défendre de vaines conquêtes au dehors. Au lieu de tirer de l'argent de ce pauvre peuple, il faudrait lui faire l'aumône et le nourrir.

La France entière n'est plus qu'un grand hôpital désolé et sans provision. Les magistrats sont avilis et épuisés. La noblesse, dont tout le bien est en décret, ne vit que de lettres d'État. Vous êtes importuné de la foule des gens qui demandent et qui murmurent. C'est vous-même, Sire, qui vous êtes attiré tous ces embarras; car tout le royaume ayant été ruiné, vous avez tout entre vos mains, et personne ne peut plus vivre que de vos dons.

... Le peuple même (il faut tout dire) qui vous a tant aimé, qui a eu tant de confiance en vous, commence à perdre l'amitié, la confiance et même le respect. Vos victoires et vos conquêtes ne le réjouissent plus; il est plein d'aigreur et de désespoir. La sédition s'allume peu à peu de toutes parts. Ils croient que vous n'avez aucune pitié de leurs maux, que vous n'aimez que votre autorité et votre gloire. « Si le Roi, dit-on, avait un cœur de père pour son peuple, ne mettrait-il pas plutôt sa gloire à leur donner du pain et à les faire respirer, après tant de maux, qu'à garder quelques places de la frontière, qui causent la guerre? » Quelle réponse à cela, Sire?

... Mais pendant que les peuples manquent de pain, vous manquez vous-même d'argent, et vous ne voulez pas voir l'extrémité où vous êtes réduit. Parce que vous avez toujours été heureux, vous ne pouvez vous imaginer que vous cessiez jamais de l'être. Vous craignez d'ouvrir les yeux; vous craignez qu'on ne vous les ouvre; vous craignez d'être réduit à rabattre quelque chose de votre gloire. Cette gloire, qui endurcit votre cœur, vous est plus chère que la justice, que votre propre repos, que la conservation de vos peuples qui périssent tous les jours des maladies causées par la famine.

Voilà, Sire, l'état où vous êtes.

FÉNELON.

─────────── COMPRENEZ BIEN LE TEXTE ───────────

LE SENS ET LA VIE DES MOTS

A. LES MOTS

La défiance : on se *défie* de quelqu'un quand on a peur d'être trompé par lui; on se *méfie* de quelqu'un quand on suppose qu'il est capable de faire du mal. Le contraire de défiance est *confiance*.

La hauteur : un orgueil hautain.

Avilis : au sens propre : diminués de valeur, de prix. On retrouve ce sens dans l'expression : *à vil prix*. Dans le texte, le mot est employé au sens figuré : les magistrats ont perdu de leur considération, ils sont diminués dans leur autorité.

Expliquez à l'aide du dictionnaire : *Incurable.*

B. LES EXPRESSIONS

Vous avez un cœur équitable : vous avez par nature le souci de la justice, le souci de l'*équité* qui consiste à donner à chacun ce qui lui est dû.

Hommes souples et rampants : hommes dociles, empressés à servir et toujours prêts à s'abaisser devant les puissants.

Les anciennes maximes de l'État : les anciennes règles de gouvernement sur lesquelles on s'appuyait pour gouverner l'État.

Le bien est en décret... lettres d'État : le bien des nobles criblés de dettes est en décret, c'est-à-dire menacé de saisie par leurs créanciers. Le roi protège ces biens, empêche leur vente, leur saisie, par une lettre d'État. La noblesse ainsi protégée continue à vivre des revenus de ses terres ou des pensions accordées par le roi.

La sédition s'allume : la révolte contre vous s'élève partout.

L'extrémité où vous êtes réduit : la situation désespérée dans laquelle vous vous trouvez.

LES IDÉES ET LES SENTIMENTS

Exercices de conversation :

A. Les véritables responsables.

1. Fénelon commence sa lettre par un compliment. Relevez-le.

Louis XIV, par Rigaud.

2. Puis il rejette la responsabilité des faits qu'il va reprocher à Louis XIV :

a) Sur ceux qui devaient le préparer à son métier de roi. Que leur reproche-t-il?
b) Sur ses principaux ministres. Que leur reproche-t-il?
c) Sur tous ses courtisans et ses flatteurs. Que leur reproche-t-il?

B. Tableau de la situation de la France.

1. Fénelon présente au roi, en regard du luxe de la cour, la situation misérable du peuple et l'état lamentable de la vie économique du pays. Que dit-il : *a)* du peuple? — *b)* de l'agriculture? — *c)* de l'industrie? — *d)* du commerce?
2. Les autres classes de la société sont ruinées. Que dit-il : *a)* de la bourgeoisie? *b)* des nobles? — Et de quoi le roi est-il à présent importuné?
3. A quoi Fénelon compare-t-il la France, en conclusion?
4. Fénelon en arrive à montrer à Louis XIV qu'il est lui-même responsable de cet état de choses. Que lui dit-il?

C. Le peuple commence à réagir.

1. Quels sentiments éprouve-t-il : à l'égard du roi? à l'égard de ses victoires et de ses conquêtes?
2. Que devrait faire Louis XIV, dit-on, s'il « avait un cœur de père pour son peuple » ?

D. Conclusion.

Fénelon attire l'attention du roi :
1. Sur sa véritable situation qu'il ne veut pas voir. Quelle est cette situation? Et pourquoi ne veut-il pas la voir?
2. Sur le grand responsable de tous ces malheurs : l'amour de la gloire. En quels termes?

LANGUE ET CIVILISATION

A. Faites entrer dans une phrase qui en montrera bien le sens chacun des verbes suivants : *se défier, se méfier,* et leurs contraires : *se fier, se confier.*

B. Vers la fin du XVIIe siècle, de hauts dignitaires du royaume critiquent l'absolutisme royal.
1. Pourquoi Fénelon connaît-il bien la cour et la vie de la famille royale?

2. Louis XIV avait une haute conscience de ses devoirs de roi; mais cela ne l'a pas empêché d'être trompé par ses courtisans : comment ? et de se tromper lui-même : comment ?
3. Fénelon le lui reproche et lui fait des remontrances avec une étonnante hardiesse de langage. Pourquoi croit-il pouvoir se permettre une pareille audace?
4. Pourtant il n'a pas osé faire remettre sa lettre à Louis XIV. Que craignait-il à votre avis? Néanmoins, il fut disgracié. Quand? pourquoi?
5. Que pensez-vous de Fénelon?

GRAMMAIRE ET STYLISTIQUE

Le mot LEUR.

a) *...votre autorité était devenue la* **leur.** LA LEUR : **pronom possessif** qui remplace le nom *autorité* (leur autorité).

b) *...parce qu'elle était dans* **leurs** *mains.* LEURS est ici **adjectif possessif,** il s'accorde en nombre avec le nom *main.*

c) *... à* **leur** *donner du pain.* LEUR est ici un **pronom personnel** qui remplace le nom *peuple.* Il est complément d'attribution du verbe donner.
En général, LEUR remplace un nom pluriel de personnes; ici toutefois il remplace le nom peuple qui évoque un sens collectif, *les sujets du roi.* C'est un emploi archaïque du nom collectif, aujourd'hui on dirait : *le peuple a décidé, le gouvernement s'est réuni, la foule est immense,* etc. (Le pronom personnel LEUR, placé devant un verbe, ne prend jamais d'S.)

Exercice : Faites trois phrases en employant successivement le mot *leur : a)* comme pronom possessif; *b)* comme adjectif possessif; *c)* comme pronom personnel.

Les sens de la préposition POUR devant un infinitif.

a) **Idée de cause : parce que.**

On vous a élevé jusqu'au ciel pour avoir effacé la grandeur de vos prédécesseurs, c'est-à-dire pour avoir appauvri la France entière... Ici le sens est *parce que vous*

avez effacé... parce que vous avez appauvri...
avec un ton d'ironie critique.

b) **Idée de but : afin de.**
... vous avez détruit la moitié des forces réelles... de votre état **pour faire** *et* **pour défendre** *de vaines conquêtes...*

Exercice : Faites deux phrases en employant *pour + l'infinitif* : *a)* avec le sens de cause ; *b)* avec le sens de but.

Le mode subjonctif ou le mode infinitif après le verbe CRAINDRE.

Vous craignez d'ouvrir les yeux.
Vous craignez qu'on ne vous les ouvre.

Dans la première proposition, les verbes *craindre* et *ouvrir* ont le même sujet, *vous*, c'est pourquoi on emploie le mode infinitif pour le second verbe. Dans la seconde proposition, le sujet du verbe *craindre* est vous, celui du verbe *ouvrir* est *on*. Dans ce cas, il faut employer le mode subjonctif précédé de la conjonction *que* et du *ne* explétif.

Exercice : Faites trois phrases avec le verbe *craindre* et l'expression *avoir peur* sur le modèle suivant : *a)* j'ai peur de mourir ; *b)* je crains qu'il ne meure.

Une phrase conditionnelle exprimant l'irréel du présent.

Si + imparfait + conditionnel présent.

Si *le roi, dit-on,* **avait** *un cœur de père pour son peuple,* **ne mettrait-il** *pas plutôt sa gloire à leur donner du pain et à les faire respirer après tant de maux qu'à garder quelques places de la frontière qui causent la guerre?*
Cette phrase conditionnelle s'applique à la réalité du moment ; elle exprime des faits qu'on suppose et qui sont contraires à cette réalité présente (*le roi n'aime pas son peuple et il ne met pas sa gloire à lui donner du pain*).

Exercice : Faites trois phrases sur le modèle suivant *Si le roi avait du cœur, il ne continuerait pas cette guerre qui cause tant de souffrances.*

COMPOSITION FRANÇAISE

Imaginez un dialogue entre deux personnes ayant des idées politiques opposées au sujet d'un problème quelconque que vous exposerez en préambule.

Cl. Haufstaengl. Giraudon.

Fénelon, par J. Vivien (Munich).

FÉNELON (1651-1715)

Né au château de Fénelon, dans le Périgord. Il fut, toute sa vie, un fervent admirateur des Anciens — surtout des Grecs — et en particulier d'Homère et du poète latin Virgile. Il entra dans les ordres et devint précepteur du petit-fils de Louis XIV, en 1689 ; il écrivit, pour faire l'éducation de son élève qui devait succéder à Louis XIV, mais qui mourut en 1712, *les Aventures de Télémaque*, fils d'Ulysse, parti à la recherche de son père, donnant ainsi une suite à l'Odyssée d'Homère. Mais l'on vit, dans ce livre, une critique du gouvernement de Louis XIV. Et Fénelon, disgracié, se retira dans son archevêché de Cambrai à la tête duquel il avait été nommé en 1695, et où il resta jusqu'à sa mort. Il a composé d'autres ouvrages importants, notamment un livre sur « l'éducation des filles », et pris une part importante aux polémiques religieuses *(le quiétisme)* et à la *Querelle des Anciens et des Modernes* (voir page 247).

Le départ — ou la Marseillaise, par Rude. Bas-relief de l'Arc de Triomphe.

Le sculpteur a su rendre avec vigueur le magnifique élan qui entraîne les volontaires de 1792
à la lutte pour « l'affranchissement du monde ».

LES VOLONTAIRES DE 1792

Six cent mille volontaires inscrits veulent marcher à la frontière. Il ne manque que des fusils, des souliers, du pain. Les cadres sont tout préparés; les fédérations pacifiques de 1790 sont les bataillons frémissants de 1792, les mêmes chefs souvent y commandent; ceux qui menèrent le peuple aux fêtes vont le mener aux combats.

Ces innombrables volontaires ont gardé tous un caractère de l'époque vraiment unique, de l'époque qui les enfanta à la gloire. Et maintenant, où qu'ils soient, dans la mort ou dans la vie, morts immortels, savants illustres, vieux et glorieux soldats, ils restent tous marqués d'un signe qui les met à part dans l'histoire. Ce signe, cette formule, ce mot qui fit trembler toute la terre n'est autre que leur simple nom : Volontaires de 92.

Leurs maîtres, qui les instruisirent et disciplinèrent leur enthousiasme, qui marchèrent devant eux comme une colonne de feu, c'étaient les sous-officiers ou soldats de l'ancienne armée que la Révolution venait de jeter en avant, ses fils qui n'étaient rien sans elle, qui par elle avaient déjà gagné leur plus grande bataille, la victoire de la liberté. Génération admirable, qui vit en un même rayon la liberté et la gloire, et vola le feu du ciel.

C'était le jeune, l'héroïque, le sublime Hoche, qui devait vivre si peu, celui que personne ne put voir sans l'adorer. C'était la pureté même, cette noble figure virginale et guerrière, Marceau, pleuré de l'ennemi. C'était l'ouragan des batailles, le colérique Kléber qui, sous cet aspect terrible, eut le cœur humain et bon; qui, dans ses notes secrètes, plaint la nuit les campagnes vendéennes qu'il faut ravager le jour. C'était l'homme de sacrifice qui voulut toujours le devoir, et la gloire pour lui jamais, qui la donne souvent aux autres, et même aux dépens de sa vie, un juste, un héros, un saint, l'irréprochable Desaix.

Et puis, après ces héros, arrivent les ambitieux, les avides, les politiques, les redoutés capitaines, qui plus tard ont cherché fortune avec ou contre César. L'épée la plus acérée, l'âpre Piémontais Masséna, avec son profil de loup. Des rois ou des gens propres à l'être, des Bernadotte et des Soult. Le grand sabre de Murat.

Et puis, une glorieuse foule, où chaque homme, en d'autres pays, d'autres temps, eût illustré un empire. En France, il y a tout un peuple. Grands maîtres qui enseignaient l'exemple. Il ne faudrait pas croire néanmoins que ces rudes et vaillants soldats, comme beaucoup de ceux-ci, les Augereau, les Lefebvre, représentassent l'esprit, le grand souffle du moment sacré. Ah! ce qui le rendait sublime, c'est qu'à proprement parler ce mouvement n'était pas militaire. Il fut héroïque. Par-dessus l'élan de la guerre, sa fureur et sa violence, planait toujours la grande pensée, vraiment sainte, de la Révolution, l'affranchissement du monde...

En récompense, il fut donné à la grande âme de la France, en son moment désintéressé et sacré, de trouver un chant, un chant qui, répété de proche en proche, a gagné toute la terre. Cela est divin et rare, d'ajouter un chant éternel à la voix des nations.

Il fut trouvé à Strasbourg, à deux pas de l'ennemi. Le nom que lui donna l'auteur est le chant de l'Armée du Rhin. Trouvé en mars ou avril, au premier moment de la guerre, il ne lui fallut pas deux mois pour pénétrer toute la France. Il alla frapper au fond du Midi, comme par un violent écho, et Marseille répondit au Rhin. Sublime destinée de ce chant! Il est chanté des Marseillais à l'assaut des Tuileries, il brise le trône au 10 août. On l'appelle la Marseillaise. Il est chanté à Valmy, affermit nos lignes flottantes, effraye l'aigle noir de Prusse. Et c'est encore avec ce chant que nos jeunes soldats novices gravirent le coteau de Jemmapes, franchirent les redoutes autrichiennes, frappèrent les vieilles bandes hongroises endurcies aux guerres des Turcs. Le fer ni le feu n'y pouvaient; il fallut, pour briser leur courage, le chant de la liberté.

MICHELET, *Histoire de France.*

─────────── **COMPRENEZ BIEN LE TEXTE** ───────────

LE SENS ET LA VIE DES MOTS

LES MOTS ET UNE EXPRESSION

Les Volontaires de 1792 : craignant que l'Empereur et les émigrés n'envahissent la France pour rétablir l'ancien régime, la Législative déclara la guerre à l'Autriche, le 22 avril 1792. Un grand élan patriotique poussa les Français à s'enrôler en masse dans les bataillons de volontaires pour arrêter l'ennemi à la frontière. Ce sont les Volontaires de 1792.

Les Fédérations : au début de la Révolution, des patriotes s'étaient organisés, dans beaucoup de provinces, en associations ou fédérations pour défendre, en cas de besoin, les libertés récemment acquises. Ce sont ces fédérations qui devinrent, en 1792, les bataillons de l'armée républicaine.

Bataillons (masc.) : troupes organisées pour le combat, avec leurs cadres (officiers et sous-officiers) et leurs soldats.

César : mis pour l'Empereur Napoléon Ier.

L'aigle noir de Prusse : le drapeau prussien portait un aigle noir.

Ils ont cherché fortune : ils ont cherché les occasions qui pouvaient personnellement leur procurer des honneurs et des richesses.

Expliquez à l'aide du dictionnaire :
Les ambitieux — les avides — les politiques — les capitaines — novices.

LES IDÉES ET LES SENTIMENTS

Exercices de conversation :

L'ARMÉE DES VOLONTAIRES

I. Ses soldats.

1. Combien sont-ils? D'où viennent-ils? D'où viennent leurs cadres?

2. Quel est le « caractère qui marque » cette armée?

3. Quels étaient « leurs maîtres » (leurs chefs) et que firent-ils d'eux?

II. Ses généraux.

Michelet les classe en deux catégories.

1. Comment qualifie-t-il les généraux du premier groupe? Et quels sont ces généraux? — Quel est le caractère de chacun d'eux?

2. Comment qualifie-t-il les généraux du deuxième groupe? Et quels sont ces généraux? — Quel est le caractère de chacun d'eux?

3. Michelet écrit, au sujet des généraux de ce deuxième groupe : « Plus tard ils ont cherché fortune avec ou contre César. » Que veut-il dire par là? Qu'est devenu, en effet, chacun de ces généraux, sous l'Empire?

III. Son chant. — La Marseillaise.

1. Où, quand et par qui fut composé l'hymne national français?

2. Quel nom lui donna l'auteur? Pourquoi? — Pourquoi l'appela-t-on ensuite « la Marseillaise? » (voir page 492).

3. Où les Volontaires de 1792 la chantèrent-ils?

4. Comment Michelet qualifie-t-il la « Marseillaise »? Pourquoi dit-il aussi que c'est un chant « éternel » que toutes les nations peuvent chanter?

UTILISEZ LE TEXTE

LANGUE ET CIVILISATION

A. Les différents emplois du mot *cadre*. — Par qui sont constitués : *a)* les cadres de l'armée; *b)* les cadres d'une grande usine? *c)* les cadres d'un pays?

Faites entrer le mot *cadre* dans trois phrases qui montreront bien chacun de ces trois emplois.

B. Les volontaires de 1792 luttent pour la liberté de la France et pour la libération des peuples d'Europe.

1. Quelle est la grande pensée de la Révolution qui animait toujours ces « vaillants soldats », par-dessus la fureur et la violence » de la guerre? (texte de Michelet, § 7).

2. « Ce mouvement n'était pas militaire. » Il n'était pas guidé par l' « esprit » de conquête. Alors, dans quel but combattaient les Volontaires de 1792?

GRAMMAIRE ET STYLISTIQUE

L'expression de la concession : le pronom relatif indéfini OÙ ... QUE. — *Et maintenant, où qu'ils soient... ils restent tous marqués d'un signe qui les met à part dans l'histoire.*

Ici, le mode subjonctif signifie : **quel que soit le lieu** *où ils sont...*, en quelque lieu qu'ils soient...

Exercice : Construisez trois phrases que vous ferez varier selon le modèle suivant : *Où qu'elle aille, elle a du succès. — Quel que soit le lieu où elle va, elle a du succès. — En quelque lieu qu'elle aille, elle a du succès.*

JULES MICHELET (1798-1874)

Voir notice page 71.

ENTREVUE AVEC BONAPARTE

Après l'adoption du Concordat par le Corps Législatif en 1802, Lucien, ministre de l'Intérieur, donna une fête à son frère; j'y fus invité comme ayant rallié les forces chrétiennes et les ayant ramenées à la charge. J'étais dans la galerie, lorsque Napoléon entra : il me frappa agréablement; je ne l'avais jamais aperçu que de loin. Son sourire était caressant et beau; son œil admirable, surtout par la manière dont il était placé sous son front et encadré dans ses sourcils. Il n'avait encore aucune charlatanerie dans le regard, rien de théâtral et d'affecté. *Le Génie du Christianisme*, qui faisait en ce moment beaucoup de bruit, avait agi sur Napoléon. Une imagination prodigieuse animait ce politique si froid : il n'eût pas été ce qu'il était si la muse n'eût été là; la raison accomplissait les idées du poète. Tous ces hommes à grande vie sont toujours un composé de deux natures, car il les faut capables d'inspiration et d'action : l'une enfante le projet, l'autre l'accomplit.

Bonaparte m'aperçut et me reconnut, j'ignore à quoi. Quand il se dirigea vers ma personne, on ne savait qui il cherchait; les rangs s'ouvraient successivement; chacun espérait que le Consul s'arrêterait à lui; il avait l'air d'éprouver une certaine impatience de ces méprises. Je m'enfonçais derrière mes voisins; Bonaparte éleva tout à coup la voix et me dit : « Monsieur de Chateaubriand! »

Je restai seul alors en avant, car la foule se retira et bientôt se reforma en cercle autour des interlocuteurs. Bonaparte m'aborda avec simplicité : sans me faire de compliments, sans questions oiseuses, sans préambule, il me parla sur-le-champ de l'Égypte et des Arabes, comme si j'eusse été de son intimité et comme s'il n'eût fait que continuer une conversation déjà commencée entre nous. « J'étais toujours frappé, me dit-il, quand je voyais les cheiks tomber à genoux, au milieu du désert, se tourner vers l'Orient et toucher le sable de leur front. Qu'était-ce que cette chose inconnue qu'ils adoraient vers l'Orient? »

Bonaparte s'interrompit, et passant sans transition à une autre idée : « Le christianisme... »

Puis, incontinent, il s'éloigna...

Je remarquai qu'en circulant dans la foule, Bonaparte me jetait des regards plus profonds que ceux qu'il avait arrêtés sur moi en me parlant. Je le suivais aussi des yeux.

A la suite de cette entrevue, Bonaparte pensa à moi pour Rome : il avait jugé d'un coup d'œil où et comment je pouvais lui être utile... C'était un grand découvreur d'hommes.

L'année suivante, Chateaubriand fut en effet envoyé à Rome comme secrétaire d'Ambassade. Il y resta un an, puis « renonça à la vie publique » à la suite de l'exécution du duc d'Enghien.

CHATEAUBRIAND,
Mémoires d'Outre-Tombe (2e partie. Livre II).

────────── *COMPRENEZ BIEN LE TEXTE* ──────────

LE SENS ET LA VIE DES MOTS

A. LES MOTS

Concordat : en 1802, Bonaparte signa avec le pape un traité appelé Concordat qui régla, en France, les rapports entre l'Église et l'État, jusqu'en 1905.

Le Corps Législatif : l'une des assemblées du Consulat, chargée de faire les lois.

Lucien : il s'agit de Lucien Bonaparte, l'un des frères du Premier Consul.

Rallié : rassemblé.

Le Génie du Christianisme : titre d'un ouvrage que Chateaubriand venait de publier.

Orient : les Musulmans, pour prier, se tournent vers l'Orient, vers l'Est, qui est la direction de La Mecque où se trouve le tombeau de leur prophète Mahomet.

Incontinent : aussitôt, sur-le-champ.

Expliquez : *Les cheiks.*

B. LES EXPRESSIONS

Il me frappa agréablement : il me fit une impression agréable.

Rien de théâtral ni d'affecté : il n'avait encore pas le regard de l'acteur de théâtre qu'il devint plus tard en jouant le rôle d'empereur sur la scène du monde.

LES IDÉES ET LES SENTIMENTS

Exercices de conversation :

I. La rencontre.

1. A quelle occasion Chateaubriand rencontra-t-il Bonaparte?

2. Pourquoi avait-il été invité à cette fête?

3. Où se trouvait-il quand Bonaparte entra?

4. Chateaubriand observe Bonaparte et fait son portrait :
Portrait physique et moral. Relevez les traits caractéristiques de ce portrait choisis par l'auteur.

II. Face à face.

1. Que fit Bonaparte quand il eut aperçu et reconnu Chateaubriand?

2. Que faisaient les invités à son passage? Pourquoi?

3. Que firent-ils quand Bonaparte eut interpellé Chateaubriand?

4. Bonaparte aborda Chateaubriand. Comment? De quoi lui parla-t-il « sur-le-champ »? Pourquoi? (Quel livre de Chateaubriand avait-il lu?)

5. Bonaparte rappelle un de ses souvenirs de la campagne d'Égypte qui l'a particulièrement frappé. Lequel?

6. Pourquoi les cheiks se tournent-ils vers l'Orient pour prier?

LANGUE ET CIVILISATION

A. Employez dans une phrase chacune des expressions suivantes : *sur-le-champ — suivre des yeux — une découverte qui fait beaucoup de bruit.*

B. **La rencontre de deux grands hommes au début du XIXe siècle.**

1. Quelle œuvre importante venait de réaliser chacun d'eux :
l'homme d'État, Bonaparte, dans le domaine politique?
l'écrivain, Chateaubriand, dans le domaine littéraire?

2. Les deux hommes se jugent mutuellement.

a) Chateaubriand dit que Bonaparte est « un composé de deux natures ». C'est un poète. Pourquoi? — C'est un homme de raison et d'action. Pourquoi?

b) Bonaparte paraît avoir une haute estime pour Chateaubriand. Il semble ne voir que l'écrivain dans la foule. Quels sont les membres de phrases qui le montrent? Il ne daigne parler qu'à lui. De quoi lui parle-t-il et sur quel ton?

c) Chateaubriand et Bonaparte se quittent. Les deux hommes ont fait l'un sur l'autre une impression profonde. Comment cette impression se traduit-elle par leurs regards après leur séparation? Quelle force devait représenter Chateaubriand aux yeux de Bonaparte? Et quelle force représentait Bonaparte aux yeux de Chateaubriand?

GRAMMAIRE ET STYLISTIQUE

L'irréel du passé.

a) **dans une phrase conditionnelle avec SI :** *Il n'eût pas été* (n'aurait pas été) *ce qu'il était si la muse n'eût été là* (n'avait pas été là).

La supposition exprimée par la phrase est contraire à la réalité passée : en fait, la muse était là, Bonaparte avait effectivement du génie.

(Il faut également noter l'emploi littéraire de la négation NE au lieu de NE PAS... dans la proposition subordonnée commençant par SI.)

b) **dans la proposition subordonnée comparative avec COMME SI :** *Il m'aborda comme si j'eusse été* (j'avais été) *de son intimité et comme s'il n'eût fait* (il n'avait fait) *que continuer une conversation entre nous.*

En fait, Chateaubriand n'était pas dans l'intimité de Bonaparte et aucune conversation n'avait été commencée entre eux.

c) **dans une proposition subordonnée relative :** *...une glorieuse foule où chaque homme en d'autres pays eût illustré* (aurait illustré) *un empire.*

En fait, chacun de ces volontaires de 1792 n'a pas illustré un pays différent, mais tous se sont trouvés réunis dans l'armée de la Révolution française.

Ces formes, où l'on compare la réalité à un fait imaginé, sont très littéraires et donnent au style une grande noblesse.

Exercice : Faites trois phrases exprimant l'irréel du passé sur chacun des trois modèles précédents.

L'interrogation indirecte. — Cette forme peut être introduite par les pronoms interrogatifs QUOI et QUI et par les adverbes interrogatifs OÙ et COMMENT. Le sujet du verbe qui suit n'est pas inversé.

Bonaparte me reconnut j'ignore à **quoi** (il me reconnut).
On ne savait **qui** *il cherchait.*
Il avait jugé d'un coup d'œil **où** *et* **comment** *je pouvais lui être utile.*

Exercice : Faites quatre phrases avec chacun de ces mots interrogatifs sur le modèle des phrases ci-dessus.

CHATEAUBRIAND (1768-1848)
Voir notice page 434.

Le passage de la Bérésina.

« Hier la grande armée et maintenant troupeau. » (Victor Hugo.)

LA RETRAITE DE RUSSIE

Il neigeait. On était vaincu par sa conquête.
Pour la première fois l'aigle baissait la tête.
Sombres jours ! L'empereur revenait lentement,
Laissant derrière lui brûler Moscou fumant.
Il neigeait. L'âpre hiver fondait en avalanche.
Après la plaine blanche une autre plaine blanche.
On ne connaissait plus les chefs ni le drapeau.
Hier la grande armée et maintenant troupeau.
On ne distinguait plus les ailes ni le centre.
Il neigeait, les blessés s'abritaient dans le ventre

333

Des chevaux morts; au seuil des bivouacs désolés,
On voyait des clairons à leur poste gelés,
Restés debout, en selle et muets, blancs de givre,
Collant leur bouche en pierre aux trompettes de cuivre.
Boulets, mitraille, obus, mêlés aux flocons blancs,
Pleuvaient; les grenadiers, surpris d'être tremblants,
Marchaient pensifs, la glace à leur moustache grise.
Il neigeait, il neigeait toujours! La froide bise
Sifflait; sur le verglas, dans des lieux inconnus,
On n'avait pas de pain et l'on allait pieds nus.
Ce n'étaient plus des cœurs vivants, des gens de guerre,
C'était un rêve errant dans la brume, un mystère,
Une procession d'ombres sur le ciel noir.
La solitude vaste, épouvantable à voir,
Partout apparaissait, muette vengeresse.
Le ciel faisait sans bruit avec la neige épaisse
Pour cette immense armée un immense linceul.
Et chacun se sentant mourir, on était seul.

Victor HUGO, *Les Châtiments.*

───────────── **COMPRENEZ BIEN LE TEXTE** ─────────────

LE SENS ET LA VIE DES MOTS

LES MOTS ET LES EXPRESSIONS

Aigle : aigle est mis ici pour l'Empereur. Napoléon avait adopté l'aigle, le roi des oiseaux, comme symbole de sa puissance. Il avait fait représenter un aigle dans ses armoiries, sur l'une des faces des pièces de monnaie, au sommet de la hampe de ses drapeaux, d'où le nom d'*aigles* donné aux drapeaux de la Grande Armée.

La Grande Armée : nom donné à l'armée que Napoléon avait spécialement constituée pour son expédition en Russie et qu'il commandait lui-même.

Vengeresse : qui exerce une vengeance. L'immense plaine couverte de neige décimait sans bruit la Grande Armée et paraissait ainsi punir Napoléon Ier des guerres meurtrières qu'il avait faites.

On était vaincu par sa conquête : Napoléon avait fait la conquête de la Russie. Une conquête, d'habitude, accroît la force du vainqueur. Ici, au contraire, elle est la cause de sa défaite. Pourquoi?

L'âpre hiver fondait en avalanche : les neiges du rude hiver des plaines de Russie tombaient du ciel en masses considérables, comme une avalanche dans les montagnes.

LES IDÉES ET LES SENTIMENTS

Exercices de conversation :

I. Quand et à la suite de quelles circonstances eut lieu la retraite de Russie?

II. La retraite de la Grande Armée.

1. Dans quel paysage se déroule-t-elle? Dans quelles conditions atmosphériques? (neige, bise, verglas...) et sous quelles menaces incessantes de l'ennemi? (Utilisez les expressions du texte.)

2. Le paysage est un paysage d'épouvante. Relevez le vers qui l'indique.

3. Battant en retraite dans ce paysage : qu'est devenue la Grande Armée? que fait l'Empereur? que font les grenadiers? quel est le destin des sentinelles (les clairons) au seuil des bivouacs? quel est le sort des blessés? quelle impression éprouvait chacun des soldats?

4. A quoi Victor Hugo compare-t-il la Grande Armée? et que lui paraît-elle devenir dans la brume?

5. Quels sentiments éprouvez-vous à la lecture de ce poème? (les justifier).

UTILISEZ LE TEXTE

HISTOIRE ET CIVILISATION

I. Napoléon Ier.

La grande ambition de Napoléon Ier a été de dominer les pays d'Europe. Quels étaient ceux qu'il avait déjà soumis en 1812? Quelle fut, cette année-là, la conquête qui le perdit? Quelles furent les conséquences de cette défaite?

II. D'autres grands conquérants eurent une destinée semblable :

a) dans l'Antiquité : Annibal;

b) au moyen âge : Attila;

c) à l'époque contemporaine : Hitler.

Racontez brièvement l'histoire de chacun d'eux. (Ce qu'il était — date — son rêve de domination — ses guerres et ses conquêtes — la défaite qui causa sa perte — les conséquences de cette défaite.)

III. Les invasions ont parfois causé des progrès dans la civilisation : par exemple, les Croisés ont rapporté en Europe d'importants éléments de la civilisation arabe; les guerres d'Italie ont été une des causes de la Renaissance en France.

Donnez des précisions sur ces deux exemples et trouvez-en d'autres.

ANALYSE DU POÈME

1. **Le rejet ou enjambement.** — Dans ce poème, parfois le sens d'un vers se continue dans le vers suivant, coupant ainsi en deux un groupe de mots pour bien mettre en valeur :

soit un détail... (« dans le ventre → des chevaux morts »);

soit un verbe... (« la froide bise » → sifflait »).

Il faut rétablir l'unité du groupe de mots ou groupe de souffle, à la lecture, tout en portant l'accent sur la rime.

2. **Le rythme.** — Ce poème présente une suite d'alexandrins à la fois amples et dramatiques. Préparez-en la lecture en marquant les coupes par un trait | et en soulignant les syllabes accentuées. Vers à dire dans un mouvement lent et long.

3. Ce poème est composé comme une symphonie, avec un leitmotiv qui revient quatre fois : « *Il neigeait.* » Montrez l'élargissement progressif du développement de chacune des quatre parties qu'introduit ce leitmotiv. Le mettre en évidence dans la diction.

4. Tenir compte des enjambements ou des rejets que vous indiquerez par → à la fin des vers.

5. **Récitation.** — Apprendre par cœur le poème.

COMPOSITION FRANÇAISE

Retour de promenade sous la pluie. — Vous êtes surpris par la pluie, au cours d'une promenade. Vous rentrez sous la pluie persistante. Racontez votre retour en vous inspirant du plan du poème et en utilisant le leitmotiv : il pleuvait.

GRAMMAIRE ET STYLISTIQUE

L'imparfait de description. — Dans ce texte, la retraite de Russie est peinte comme un tableau que le poète montrerait au lecteur. Les images se succèdent, le poète ne veut pas évoquer les *actions* des hommes, il veut montrer que toute individualité s'est perdue dans l'anonymat du désastre collectif (notez la répétition du pronom ON et des impersonnels IL et CE) en insistant sur le fait que la défaite est due à l'hiver et à l'immensité russes.

Pour ces raisons, Victor Hugo choisit de décrire *l'état* des choses et des hommes plutôt que de montrer des actions.

VICTOR HUGO (1802-1885)

Voir la notice page 443.

LE DORMEUR DU VAL

C'est un trou de verdure où chante une rivière
Accrochant follement aux herbes des haillons
D'argent, où le soleil de la montagne fière
Luit : c'est un petit val qui mousse de rayons.

Un soldat, jeune bouche ouverte, tête nue,
Et la nuque baignant dans le frais cresson bleu,
Dort ; il est étendu dans l'herbe, sous la nue,
Pâle dans son lit vert où la lumière pleut ;

Les pieds dans les glaïeuls, il dort. Souriant comme
Sourirait un enfant malade, il fait un somme.
Nature ! berce-le chaudement : il a froid.

Les parfums ne font pas frissonner sa narine.
Il dort dans le soleil, la main sur la poitrine,
Tranquille. Il a deux trous rouges au côté droit.

Arthur RIMBAUD,

Œuvres complètes. — Mercure de France, éd.

────────────── *COMPRENEZ BIEN LE TEXTE* ──────────────

LE SENS ET LA VIE DES MOTS

A. LES MOTS

La nue : mot poétique pour le ciel.

Glaïeuls (masc.) : plante de la famille de l'iris, aux feuilles longues, étroites et pointues, comme des glaives, des épées.

B. UNE EXPRESSION

Des haillons d'argent : l'eau argentée par le soleil semble se déchirer, s'effi-locher aux herbes du rivage où elle laisse des lambeaux de sa parure.

LES IDÉES ET LES SENTIMENTS

Exercices de conversation :

Le dormeur du val est un jeune soldat de la guerre de 1870.

1. *Il est étendu.* — Dans quel lit? (2e strophe). Où se trouve ce lit? (1re strophe).

2. *Il repose.* — Dans quelle attitude?

3. *Il est souriant.* — A qui ressemble-t-il pendant son sommeil?

4. *Il a froid.* — De quoi aurait-il besoin?

5. *Il est insensible.* — A quoi?

6. *Il dort tranquille.* — Se réveillera-t-il? Pourquoi?

7. Quels sentiments éprouvez-vous à la lecture de ce poème? Justifiez-les.

POÉSIE ET CIVILISATION

A. *LES IMAGES ET LA POÉSIE*

1. Relevez les propositions (sujets, verbe, compléments) renfermant des images construites avec les verbes suivants :

chanter, accrocher, mousser, pleuvoir.

2. Quel est le genre de ce poème? Justifiez votre réponse.

3. Faites le tableau de la disposition des rimes M et F dans chaque strophe. Comparez avec le sonnet page 383, et relevez la disposition des rimes :

1° dans chacun des deux premiers quatrains;

2° dans les deux premiers vers du premier tercet;

3° dans les quatre derniers vers.

Ce sonnet vous paraît-il aussi *régulier* que l'autre?

4. Relevez les enjambements que renferme ce sonnet en mettant entre [ ] les groupes de mots ainsi coupés.

5. Tenez compte de ces rejets, dans la lecture, afin de lier les deux parties des groupes de mots.

B. *L'HORREUR DE LA GUERRE*

1. Toute la nature est en fête. — Montrez successivement : la fête de la rivière; la fête du soleil; la fête des parfums; la fête du val tout entier.

2. Et dans cette fête de la nature repose un jeune soldat mort. — Il a été tué. Pour quelles raisons Rimbaud ne nomme-t-il pas l'ennemi, ni la nationalité du soldat ?

3. Rimbaud n'a pas seulement pour but de peindre la réalité, dans son poème, mais de nous faire saisir ce qui se cache derrière cette réalité. Quelle grande idée se cache derrière ce tableau si simple?

GRAMMAIRE ET STYLISTIQUE

Le sens possessif de l'article défini. —

Et la nuque baignant...
Les pieds dans les glaïeuls...
... la main sur la poitrine,
Il a deux trous rouges au côté droit.

Dans ces exemples, l'article défini est employé avec le sens de l'adjectif possessif. Cet emploi est habituel en français quand il s'agit de préciser une partie du corps ou du vêtement appartenant au nom ou au pronom **sujet** de la phrase (*soldat* ou *il*).

Les parfums ne font pas frissonner sa narine. Dans cette phrase, le sujet du verbe étant *parfums*, il faut employer l'adjectif possessif devant le nom *narine*, car il s'agit de la narine du soldat mort.

Exercice : Faites trois phrases dans lesquelles vous emploierez l'article défini avec le sens de l'adjectif possessif.

ARTHUR RIMBAUD (1854-1891)

Poète de génie qui fut un des pionniers du symbolisme et un précurseur du surréalisme. Il écrivit la plupart de ses vers dans son adolescence. Il n'avait que dix-sept ans quand il composa « Le dormeur du Val ». A vingt-quatre ans, après *Les Illuminations*, il renonça à l'activité littéraire. Il mourut à l'hôpital de Marseille, au retour d'une de ses longues randonnées commerciales à travers le monde.

Rimbaud, par Fantin-Latour.
(Musée du Louvre.)

Cl. Bulloz.

LE COURAGE

Surtout, qu'on ne nous accuse pas d'abaisser et d'énerver les courages. L'humanité est maudite si, pour faire preuve de courage, elle est condamnée à tuer éternellement. Le courage aujourd'hui, ce n'est pas de maintenir sur le monde la sombre nuée de la guerre, nuée terrible, mais dormante, dont on peut toujours se flatter qu'elle éclatera sur d'autres. Le courage, ce n'est pas de laisser aux mains de la force la solution des conflits que la raison peut résoudre; car le courage est l'exaltation de l'homme, et ceci en est l'abdication. Le courage pour vous tous, courage de toutes les heures, c'est de supporter sans fléchir les épreuves de tous ordres, physiques et morales, que prodigue la vie. Le courage, c'est de ne pas livrer sa volonté au hasard des impressions et des forces, c'est de garder dans les lassitudes inévitables l'habitude du travail et de l'action. Le courage, dans le désordre infini de la vie qui nous sollicite de toutes parts, c'est de choisir un métier et de le bien faire, quel qu'il soit; c'est de ne pas se rebuter du travail minutieux ou monotone; c'est de devenir autant que l'on peut un technicien accompli; c'est d'accepter et de comprendre cette loi de la spécialisation du travail qui est la condition de l'action utile, et cependant de ménager à son regard, à son esprit quelques échappées vers le vaste monde et des perspectives plus étendues. Le courage, c'est d'être tout ensemble et quel que soit le métier, un praticien et un philosophe. Le courage, c'est de comprendre sa propre vie, de la préciser, de l'approfondir, de l'établir et de la coordonner cependant à la vie générale. Le courage, c'est de surveiller exactement sa machine à filer ou à tisser, pour qu'aucun fil ne se casse, et de préparer cependant un ordre social plus vaste et plus fraternel où la machine sera la servante commune des travailleurs libérés. Le courage, c'est d'accepter les conditions nouvelles que la vie fait à la science et à l'art, d'accueillir, d'explorer la complexité presque infinie des faits et des détails, et cependant d'éclairer cette réalité énorme et confuse par des idées générales, de l'organiser et de la soulever par la beauté sacrée des formes et des rythmes. Le courage, c'est de dominer ses propres fautes, d'en souffrir, mais de ne pas en être accablé et de continuer son chemin. Le courage, c'est d'aimer la vie et de regarder la mort d'un regard tranquille; c'est d'aller à l'idéal et de comprendre le réel; c'est d'agir et de se donner aux grandes causes sans savoir quelle récompense réserve à notre effort l'univers profond ni s'il lui réserve une récompense. Le courage, c'est de chercher la vérité et de la dire; c'est de ne pas subir la loi du mensonge triomphant qui passe et de ne pas faire écho, de notre âme, de notre bouche et de nos mains, aux applaudissements imbéciles et aux huées fanatiques.

Jean JAURÈS,
Discours à la jeunesse (1903),
Librairie des Municipalités, éditeur.

─────────── COMPRENEZ BIEN LE TEXTE ───────────

LA VIE ET LE SENS DES MOTS

A. LES MOTS

Maudit : qui est l'objet d'une malédiction (mal et dire), c'est-à-dire d'une condamnation des dieux empêchant de jamais trouver le bonheur.

Prodiguer : proprement, dépenser sans compter. La vie apporte aux hommes de nombreuses épreuves, de nombreuses occasions de souffrir.

Se rebuter : proprement, être poussé en arrière et renoncer à ce que l'on voulait faire à cause d'un échec ou d'une difficulté initiale.

Fanatique : à l'origine, qualifie celui qui est inspiré des dieux; aujourd'hui, celui qui suit aveuglément une doctrine ou une cause, et qui est intolérant.

Expliquez à l'aide du dictionnaire :
Une échappée — un praticien.

B. LES EXPRESSIONS

Énerver les courages signifie les amoindrir, les diminuer en leur proposant de petites tâches, des buts médiocres.

Applaudissements imbéciles : raccourci frappant pour les applaudissements des imbéciles, l'approbation des gens qui ne comprennent rien.

Travail personnel. — Expliquez :
L'exaltation de l'homme — la loi du mensonge triomphant.

LES IDÉES ET LES SENTIMENTS

Exercices de conversation :

1. Quels sentiments et quelles réflexions éveille en vous l'expression *condamnée à tuer?*

2. Jean Jaurès approuve-t-il ceux qui se flattent que la guerre éclatera dans d'autres pays, épargnant le leur? Justifiez votre réponse.

3. Montrez en quoi l'idée exprimée par le mot *exaltation* s'oppose à celle de l'*abdication*.

4. Quelles relations l'auteur établit-il entre le courage et la volonté ?

5. Comment l'orateur, tout en acceptant l'introduction de la machine dans l'industrie, veut-il maintenir la dignité personnelle de l'ouvrier?

6. Êtes-vous d'accord avec Jean Jaurès au sujet de la *récompense?* Croyez-vous qu'il soit sage de demander aux hommes de faire des choses difficiles ou pénibles sans leur promettre au moins l'espoir d'une récompense ?

7. Montrez comment la dernière phrase résume tout ce que l'orateur a dit, mais en renforce beaucoup le sens, mettant les auditeurs de son côté.

8. Quel est le lien entre cette dernière phrase et la première du discours?

LANGUE ET CIVILISATION

1. Relevez tous les détails montrant que Jaurès s'adresse à la jeunesse.

2. Établissez le plan de ce texte et montrez comment l'orateur passe d'une partie à la suivante.

3. Montrez et expliquez comment l'orateur donne au courage la valeur d'un lien qui unit tous les aspects de la vie. Cela vous semble-t-il exagéré ?

4. Imaginez la réponse que pourrait faire un partisan du courage militaire, de la gloire et des actions d'éclat.

5. Montrez, d'après le texte :
a) ce qui, dans les relations internationales modernes, n'est pas du courage ;
b) ce qu'est, pour les jeunes gens dans leur vie individuelle, le courage de toutes les heures ;
c) ce qu'est le courage dans la vie professionnelle ; devant « les conditions nouvelles » que la vie fait à la science et à l'art ; devant la destinée ; devant la vie.

GRAMMAIRE ET STYLISTIQUE

Une expression de l'impératif.

Qu'on ne nous accuse pas d'abaisser

Cl. Viollet.

et d'énerver les courages... l'auteur aurait pu dire : *ne nous accusez pas de...*

L'impératif s'exprime ici à la troisième personne au moyen de la conjonction QUE et du verbe *accuser* au subjonctif présent.

L'infinitif attribut du sujet.

L'orateur, dans ce discours, emploie une construction de phrase qu'il répète plusieurs fois pour donner une définition du courage : *le courage, c'est de ne pas livrer sa volonté au hasard... le courage, c'est d'aimer la vie* ; dans toutes ces phrases l'infinitif attribut (*ne pas livrer, aimer*) est construit de façon indirecte par le moyen de la préposition *de* qui est répétée devant chacun des infinitifs.

QUEL... QUE attribut du sujet.

Quel... que + verbe être au subjonctif

c'est de bien faire son métier, quel qu'il soit. Dans cette phrase, l'expression *quel... que* s'écrit en deux mots, elle exprime une idée de concession. *Quel* est ici l'attribut du sujet, il s'accorde avec ce sujet.

Exercices : 1. Quel est le nombre des infinitifs attributs dans le texte de Jaurès ?

2. Faites trois phrases sur le modèle : *Étudiez parfaitement vos leçons, quelles qu'elles soient.*

CONSEILS POUR LA LECTURE

Attention ! il s'agit d'un discours fait par un homme politique. Il faut s'exprimer avec passion et avec clarté, en soulignant les effets oratoires ; en particulier le discours rebondit chaque fois que l'orateur emploie le mot *courage*.

◄ JEAN JAURÈS (1859-1914)

Ce tribun fut professeur de philosophie avant de se consacrer à la politique. Il fonda et unifia le parti socialiste français, lança les syndicats dans la lutte pour les progrès sociaux et fut assassiné par un fanatique en 1914 au moment de la déclaration de la première guerre mondiale.

DANS LA NUIT
DES SOLDATS CREUSENT UNE TRANCHÉE AVANCÉE

Il est 2 heures du matin : dans quatre heures il fera trop clair pour qu'on puisse rester ici. Il n'y a pas une minute à perdre...

On attaque la première couche de la ligne nouvelle : des mottes de terre filandreuses d'herbes. La facilité et la rapidité avec lesquelles s'entame le travail donnent l'illusion qu'il sera vite terminé, qu'on pourra dormir dans son trou, et cela ravive une certaine ardeur.

Mais soit à cause du bruit des pelles, soit parce que quelques-uns, malgré les objurgations, bavardent presque haut, notre agitation éveille une fusée, qui grimpe verticalement sur notre droite avec sa ligne enflammée.

— Couchez-vous !

Tout le monde s'abat, et la fusée se balance et promène son immense pâleur sur une sorte de champ de morts. Lorsqu'elle est éteinte, on entend, çà et là, puis partout, les hommes se relever et se remettre au travail avec plus de sagesse.

Bientôt une autre fusée lance sa longue tige dorée... Puis une autre, puis une autre. Des balles déchirent l'air autour de nous. On entend crier : « Un blessé ! ». Il passe, soutenu par des camarades...

L'endroit devient mauvais. On se baisse, on s'accroupit. Quelques-uns grattent la terre à genoux. D'autres travaillent allongés, peinent et se tournent et retournent, comme ceux qui ont des cauchemars. La terre, dont la première couche nous fut facile à enlever, devient glaiseuse et collante, est dure à manier et adhère à l'outil comme du mastic. Il faut, à chaque pelletée, racler le fer de la bêche...

On transpire quand on travaille; dès qu'on s'arrête, on est transpercé de froid. Aussi est-on obligé de vaincre la douleur de la fatigue et de reprendre la tâche. Non, on n'aura pas fini... La terre devient de plus en plus lourde... Les fusées nous harcèlent, nous font la chasse, ne nous laissent pas remuer longtemps... C'est avec une lenteur désespérante, à coup de souffrances, que le trou descend vers les profondeurs.

Le sol s'amollit, chaque pelletée s'égoutte et coule, et se répand de la pelle avec un bruit flasque. Quelqu'un enfin crie : « Y a d'la flotte ! Rien à faire ! » Ce cri se répercute et court le long de la rangée de terrassiers. « Y a d'la flotte ! Rien à faire ! »

Tranchée française pendant la guerre de 1914-18.

Les fantassins, munis de leur masque à gaz, attendent, crispés, le signal qui les jettera dans l'enfer de l'attaque.

On s'arrête, dans le désarroi. On entend, au sein de la nuit, le bruit des pelles et des pioches qu'on jette comme des armes vides. Les sous-officiers cherchent à tâtons l'officier pour réclamer des instructions...

C'est à peu près à ce moment — autant qu'il m'en souvient — que

342

le bombardement a commencé. Le premier obus est arrivé dans un craquement terrible de l'air, qui a paru se déchirer en deux, et d'autres sifflements convergeaient déjà sur nous lorsque son explosion souleva le sol... Sans doute, à force de fusées, ils nous avaient vus et avaient réglé leur tir sur nous...

Les hommes se précipitèrent, se roulèrent vers le petit fossé inondé qu'ils avaient creusé. On s'y inséra, on s'y baigna, on s'y enfonça, en disposant les fers des pelles au-dessus des têtes. A droite, à gauche, en avant, en arrière, des obus éclatèrent, si proches que chacun nous bousculait et nous secouait dans notre couche de terre glaise...

Il ne s'est pas passé de seconde que tous n'aient pensé ce que quelques-uns balbutiaient la face par terre : « On est foutus, ce coup-ci. »

Henri BARBUSSE,

Le Feu. — Flammarion, éditeur.

COMPRENEZ BIEN LE TEXTE

LE SENS ET LA VIE DES MOTS

A. LES MOTS

Les objurgations : les remontrances et les reproches.

Fusée : il s'agit d'une fusée éclairante.

Glaiseuse : grasse et compacte comme l'argile ou la glaise.

Expliquez à l'aide du dictionnaire : *Désarroi — convergeaient — inséra.*

B. LES EXPRESSIONS

Filandreuses d'herbes : une viande filandreuse est une viande pleine de filandres ou fibres. Par comparaison, on dit que les mottes de terre sont filandreuses d'herbes parce qu'elles présentent un enchevêtrement de racines et d'herbes.

Y a d'la flotte : Il y a de l'eau (argot).

On est foutus : nous sommes perdus, nous allons mourir (argot).

LES IDÉES ET LES SENTIMENTS

Exercices de conversation :

1. Cette scène se passe pendant la guerre des tranchées de 1914-1918, quelque part sur le front français. — Quels en sont les acteurs? Que creusent-ils? Quand et pourquoi?

2. Quelques hommes bavardent et font du bruit. — Quelle est la réaction des chefs? Pour quelles raisons?

3. Soudain, une fusée monte dans la nuit. — D'où vient-elle? Que fait-elle? Quelle est la réaction des hommes?

4. Puis une autre. — De quoi est-elle suivie? Comment réagissent les hommes?

5. Le travail devient pénible. — Pourquoi?

6. Pourquoi les hommes trouvent-ils que « le trou descend avec une lenteur désespérante »?

7. Soudain, on rencontre l'eau. — Que font les hommes? Que font les sous-officiers?

8. Le bombardement de la position. Comment arrive le premier obus? Que font les hommes? A quoi pensent-ils dans leur situation dramatique?

9. Quels sentiments éprouvez-vous à la lecture de cette scène? (Justifiez chacun d'eux.)

CIVILISATION

L'héroïsme obscur des soldats des tranchées dans des tâches sans gloire.

C'est une nuit calme au front. Le communiqué français dira le lendemain, à propos de cette nuit : « Rien à signaler », et le communiqué allemand : « A l'ouest rien de nouveau. »

Pourtant, tout le long du front, des soldats veillent :

a) Ils travaillent, comme ceux de notre récit, à consolider leur système défensif. Comment?

b) Ils souffrent. De quelles souffrances?

c) Ils sont en perpétuel danger de mort. Montrez-le.

d) Et cependant ils restent. Ils exécutent l'ordre reçu et s'accrochent au terrain, malgré le bombardement. Relevez les phrases qui l'indiquent. — Qu'attendent-ils pour se replier?

e) A certains moments, ils pensent qu'ils sont perdus. Relevez la phrase qui l'indique.

Et quelques-uns meurent... pendant qu'à l'arrière du front, on peut dormir en paix.

f) Par leurs souffrances, ils ressemblent encore aux soldats de toutes les armées qui ont marqué leur passage dans l'histoire. Citez-en quelques-unes.

COMPOSITION FRANÇAISE

Écrivez à un ami étranger une lettre où vous lui dites votre horreur de la guerre.

GRAMMAIRE

De la préposition à la conjonction : la cause. — *Mais, soit à cause du bruit des balles, soit parce que quelques-uns, malgré les objurgations, bavardent presque haut, notre agitation éveille une fusée...*

L'idée de cause est exprimée dans cette phrase par la préposition A CAUSE DE suivie d'un nom (*bruit*) et par la conjonction PARCE QUE suivie d'une proposition subordonnée de cause (*quelques-uns bavardent presque haut*).

Exercice : Faites deux phrases dans lesquelles vous exprimerez la relation de cause : *a*) avec la préposition *à cause de*; *b*) avec la conjonction *parce que*.

L'expression de la double négation. — *Il ne s'est pas passé de seconde, que tous n'aient pensé* **(subjonctif)**...

Cette phrase signifie : *A chacune des secondes, sans exception, tous ont pensé...*, en effet, chacune des propositions étant négative, la double négation se détruit pour exprimer une affirmation renforcée. La première négation, dans la proposition principale, s'exprime normalement par NE... PAS, mais dans la proposition subordonnée elle s'exprime par le seul NE négatif suivi d'un verbe au mode subjonctif.

Exercice : Faites trois phrases avec la double négation sur le modèle suivant : *Il n'y a personne ici qui n'ait eu peur.* — *Il n'y eut personne ici qui n'eût peur.*

Une forme littéraire : *il m'en souvient.* — Il s'agit d'une forme dans laquelle le IL impersonnel est substitué au pronom personnel JE (*je m'en souviens*).

Parfois cette forme impersonnelle, précédée de AUTANT QUE, est suivie du mode subjonctif : *autant qu'il m'en souvienne.*

Exercice : Cherchez les mots indéfinis du texte. Pourquoi sont-ils aussi nombreux? Cherchez les formes impersonnelles des verbes. Sont-elles également nombreuses? Est-ce pour la même raison? Comparez avec le poème de Victor Hugo *La retraite de Russie* (page 333).

HENRI BARBUSSE (1873-1934)

Cet auteur s'est rendu célèbre par son roman de guerre : *Le Feu*, dans lequel il proteste contre l'absurdité de ces combats fratricides. Il est naturaliste et internationaliste militant. Sa doctrine est : « Ce serait un crime de montrer les beaux côtés de la guerre, même s'il y en avait. »

CHANT DE L'HONNEUR

Et combien j'en ai vu qui morts dans la tranchée
Étaient restés debout et la tête penchée
S'appuyant simplement contre le parapet

J'en vis quatre une fois qu'un même obus frappait
Ils restèrent longtemps ainsi morts et très crânes
Avec l'aspect penché de quatre tours pisanes

Depuis six jours au fond d'un couloir trop étroit
Dans les éboulements et la boue et le froid
Parmi la chair qui souffre et dans la pourriture
Anxieux nous gardons la route de Tahure

J'ai plus que les trois cœurs des poulpes pour souffrir
Vos cœurs sont tous en moi je sens chaque blessure
O mes soldats souffrants ô blessés à mourir

Cette nuit est si belle où la balle roucoule
Tout un fleuve d'obus sur nos têtes s'écoule
Parfois une fusée illumine la nuit
C'est une fleur qui s'ouvre et puis s'évanouit
La terre se lamente et comme une marée
Monte le flot chantant dans mon abri de craie
Séjour de l'insomnie incertaine maison
De l'Alerte la Mort et la Démangeaison.

O poètes des temps à venir ô chanteurs
Je chante la beauté de toutes nos douleurs
J'en ai saisi des traits mais vous saurez bien mieux
Donner un sens sublime aux gestes glorieux
Et fixer la grandeur de ces trépas pieux

L'un qui détend son corps en jetant des grenades
L'autre ardent à tirer nourrit les fusillades
L'autre les bras ballants porte des seaux de vin
Et le prêtre-soldat dit le secret divin

J'interprète pour tous la douceur des trois notes
Que lance un loriot canon quand tu sanglotes

Qui donc saura jamais que de fois j'ai pleuré
Ma génération sur ton trépas sacré

Prends mes vers ô ma France Avenir Multitude
Chantez ce que je chante un chant pour le prélude
Des chants sacrés que la beauté de notre temps
Saura vous inspirer plus purs plus éclatants
Que ceux que je m'efforce à moduler ce soir
En l'honneur de l'Honneur la beauté du Devoir.

Guillaume APOLLINAIRE.

------------ COMPRENEZ BIEN LE TEXTE ------------

LE SENS ET LA VIE DES MOTS

A. LES MOTS

Anxieux : pleins d'inquiétude.

Tahure : un point du front de Champagne où eurent lieu, en 1915, des combats particulièrement durs et sanglants.

L'alerte : les soldats, dans leurs abris, sont toujours prêts à répondre immédiatement à un signal de leurs chefs, pour l'attaque ou la défense.

Ballants : qui pendent et oscillent nonchalamment.

Un prélude est une sorte d'introduction à un chant, à une œuvre musicale ou poétique.

Travail personnel. — Expliquez à l'aide du dictionnaire :

Crânes — poulpes — insomnies — grenades.

B. LES EXPRESSIONS

Tours pisanes : allusion à la célèbre tour penchée de Pise, en Italie.

La balle roucoule : pour l'auteur, cette nuit-là, le bruit de la balle ressemble à un roucoulement de pigeon.

Incertaine maison : abri précaire qui peut être à tout instant détruit par les obus.

Maison de la démangeaison : dans les abris grouillait la vermine, en particulier les poux.

Moduler un chant, c'est l'exprimer avec toutes ses nuances.

LES IDÉES ET LES SENTIMENTS

Exercices de conversation :

1. Où se trouve l'auteur, la nuit où il écrit ce poème?

2. Quelle est sa mission et celle de ses frères d'armes?

3. Il songe. Il revoit quelques-uns de ses camarades de combat morts dans la tranchée. Dans quelles attitudes? (strophes 1 et 2).

4. Il en revoit d'autres en pleine action. Que font-ils? (strophe 7).

5. Cette nuit est si belle... — A quoi compare-t-il le bruit de la balle? les obus qui passent? la fusée? les bruits de la terre?

6. Comment considère-t-il son abri de craie?

7. Son cœur sensible de poète le fait souffrir de toutes les blessures de ses camarades de combat comme s'il les avait reçues lui-même. — Relevez les vers qui l'expriment (strophes 4 et 9).

8. Comparez ce poème au récit d'Henri Barbusse. Quelles remarques faites-vous? — Lequel de ces deux textes préférez-vous? (justifiez votre réponse.)

UTILISEZ LE TEXTE

POÉSIE ET CIVILISATION

A. Apollinaire n'a pas ponctué, volontairement, sa poésie, pour laisser au lecteur plus de liberté dans l'interprétation et la diction. — Mettez, dans le texte, les signes de ponctuation qui vous paraissent nécessaires.

B. 1. Que chante Apollinaire dans ce poème? (strophe 6).

2. A qui s'adresse-t-il? (strophe 6).

3. Que sauront faire mieux que lui les poètes futurs qu'il invoque? (strophe 6).

4. A qui offre-t-il les vers de ce poème? (dernière strophe).

5. Il considère son modeste chant comme un prélude. — Le prélude de quoi? (dernière strophe).

6. Le poète attendu par Guillaume Apollinaire pour chanter l'épopée qu'il vit se révélera peut-être un jour. — Dans quels poèmes et par qui ont été chantées les grandes épopées que vous connaissez?

GRAMMAIRE

L'emploi du pronom EN avec un chiffre ou une expression de quantité.

Et combien j'en ai vu... J'en vis quatre...

Dans ces deux phrases EN est complément d'objet du verbe voir, il remplace le nom sous-entendu (soldats ou camarades).

Exercice : Analysez les autres mots EN du texte, pronom ou préposition.

Photo Giraudon.

Portrait de Guillaume Apollinaire blessé
par Picasso.

GUILLAUME APOLLINAIRE
(1880-1918)

D'origine polonaise — son vrai nom est Wilhelm de Kostrowitzki — Apollinaire est un des plus grands poètes français. Il a renouvelé l'expression poétique et a revêtu des thèmes romantiques d'une forme pleine de merveilleuses trouvailles. Il est mort à Paris, après avoir été grièvement blessé à la guerre sur le front français. Ses recueils de poésies ont pour titre *Alcool* et *Calligrammes*; ils exercèrent une grande influence sur la poésie moderne.

LIBERTÉ

Sur mes cahiers d'écolier
Sur mon pupitre sur les arbres
Sur le sable et sur la neige
J'écris ton nom

Sur toutes les pages lues
Sur toutes les pages blanches
Pierre sang papier ou cendre
J'écris ton nom

Sur les images dorées
Sur les armes des guerriers
Sur la couronne des rois
J'écris ton nom

Sur la jungle et le désert
Sur les nids sur les genêts
Sur l'écho de mon enfance
J'écris ton nom

Sur les merveilles des nuits
Sur le pain blanc des journées
Sur les saisons fiancées
J'écris ton nom

Sur tous mes chiffons d'azur
Sur l'étang soleil moisi
Sur le lac lune vivante
J'écris ton nom

Sur les champs sur l'horizon
Sur les ailes des oiseaux
Sur le moulin des ombres
J'écris ton nom

Sur chaque bouffée d'aurore
Sur la mer sur les bateaux
Sur la montagne démente
J'écris ton nom

Sur la mousse des nuages
Sur les sueurs de l'orage
Sur la pluie épaisse et fade
J'écris ton nom

Sur les formes scintillantes
Sur les cloches des couleurs
Sur la vérité physique
J'écris ton nom

Sur les sentiers éveillés
Sur les routes déployées
Sur les places qui débordent
J'écris ton nom

Sur la lampe qui s'allume
Sur la lampe qui s'éteint
Sur mes maisons réunies
J'écris ton nom

Sur le fruit coupé en deux
Du miroir et de ma chambre
Sur mon lit coquille vide
J'écris ton nom

Sur mon chien gourmand et tendre
Sur ses oreilles dressées
Sur sa patte maladroite
J'écris ton nom

V. NOTRE PASSÉ A TRAVERS L'HISTOIRE

Vue aérienne des arènes de Nîmes

Sur le tremplin de ma porte
Sur les objets familiers
Sur le flot du feu béni
J'écris ton nom

Sur toute chair accordée
Sur le front de mes amis
Sur chaque main qui se tend
J'écris ton nom

Sur la vitre des surprises
Sur les lèvres attentives
Bien au-dessus du silence
J'écris ton nom

Sur mes refuges détruits
Sur mes phares écroulés

Sur le mur de mon ennui
J'écris ton nom

Sur l'absence sans désir
Sur la solitude nue
Sur les marches de la mort
J'écris ton nom

Sur la santé revenue
Sur le risque disparu
Sur l'espoir sans souvenir
J'écris ton nom

Et par le pouvoir d'un mot
Je recommence ma vie
Je suis né pour te connaître
Pour te nommer

Liberté.

Paul ELUARD,
Poésie et Vérité. — Gallimard, éditeur.

──────── COMPRENEZ ET EXPLIQUEZ LE TEXTE ────────

LA VIE ET LE SENS DES MOTS

LES MOTS ET LES EXPRESSIONS

La merveille : mot populaire dont le doublet savant est *miracle* (masc.), du verbe *mirer*, dont le sens primitif est regarder en s'étonnant. Une merveille, comme un miracle, est ce que l'on regarde avec admiration.

Dément : étymologiquement, qui est privé de *mémoire;* comme insensé, qui est privé de son bon sens; qui est fou. Le mot est ici employé au sens figuré pour une montagne très escarpée, dont les formes sont un défi à la raison.

Fade : étymologiquement, éventé, qui a perdu sa vapeur, donc son goût et son odeur. La pluie est fade parce qu'elle est dénuée d'intérêt et, en excès, elle détruit les parfums.

Un phare : sur l'île de Pharos, proche d'Alexandrie, se dressait, au IIIe siècle avant Jésus-Christ, une tour sur laquelle on allumait un feu pour guider les vaisseaux. Ici, le mot phare a le sens de lumière qui guide, de point de repère : dans le malheur de son pays, le poète a perdu tout sens de direction.

Les sueurs de l'orage : l'orage fait couler l'eau de la terre comme sa chaleur fait couler la sueur sur le front des hommes.

Sur le tremplin de ma porte : du seuil de sa porte, le poète s'élance dans le monde comme on s'élance d'un tremplin, planche de laquelle on saute pour plonger.

Expliquez à l'aide du dictionnaire :

Un genêt — moisi — scintillant — déployé.

LES IDÉES ET LES SENTIMENTS

Exercices de conversation :

1. Chacune des strophes rappelle un moment de la vie du poète. Pouvez-vous retrouver celles qui se rapportent à son enfance, à son éducation, à sa connaissance du monde, à ses amours, à son âge mûr, à la guerre, à l'espoir de la paix ?

2. Pourquoi les saisons sont-elles fiancées ?

3. Cherchez toutes les expressions révélant un amour de la nature.

4. Le poète recommence-t-il vraiment sa vie?

ANALYSE DU POÈME

1. Comment Paul Eluard réussit-il à nous montrer que l'idée de la liberté l'obsède? (Pour répondre à cette question, étudiez plus particulièrement les verbes et les répétitions.)

2. Le plan du poème est particulièrement original. Il se divise en deux parties, mais la seconde partie est constituée par un seul mot, *Liberté*. Quelles réflexions vous inspire ce déséquilibre?

3. Quelle est la longueur des vers de ce poème? Il n'y a pas de rimes proprement dites, mais des rappels de sonorité ou assonances.

Cette technique était déjà employée dans les chansons de geste du Moyen âge. Cherchez les assonances des cinq premières strophes.

COMPOSITION FRANÇAISE

Discutez cette affirmation de Malherbe :
Le poète n'est pas plus utile à l'état qu'un joueur de quilles,
en l'opposant à ce jugement de Duhamel :
Ne t'imagine pas que les œuvres des poètes soient destinées uniquement à distraire tes loisirs. Elles ont une mission moins évidente, plus belle, celle de te mettre en possession de ton bien.

CONSEILS POUR LA LECTURE

1. Il faut lire ce poème d'une manière très simple, mais en soulignant les répétitions pour mettre en valeur l'aspect obsessionnel, incantatoire.

Il ne faut pas omettre de donner au dernier mot toute son importance, il est la justification de l'ensemble.

2. Apprenez par cœur les six dernières strophes.

PAUL ÉLUARD (1895-1952)

Un des plus grands poètes français de sa génération qui, après avoir chanté l'amour dans une période surréaliste, s'engagea dans une poésie populaire et militante. Sa langue est faite de mots purs, simples, aux contours exacts; elle est parfois un peu précieuse, mais toujours elle traduit une magnifique vision poétique.

Parmi ses recueils, nous citerons *Capitale de la douleur* (1926) et *Poésie ininterrompue* (1952).

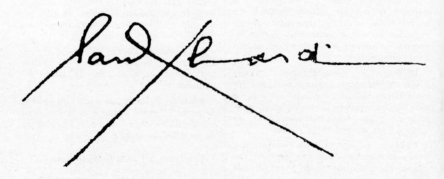

III. CRITIQUE ET LITTÉRATURE

*Tout vers, toute phrase qui a besoin d'explication
ne mérite pas qu'on l'explique.*

VOLTAIRE.

Un étalage de libraire parisien.

L'ART POÉTIQUE

Enfin Malherbe vint, et, le premier en France,
Fit sentir dans les vers une juste cadence,
D'un mot mis en sa place enseigna le pouvoir,
Et réduisit la muse aux règles du devoir.
Par ce sage écrivain la langue réparée
N'offrit plus rien de rude à l'oreille épurée.
Les stances avec grâce apprirent à tomber,
Et le vers sur le vers n'osa plus enjamber.

. . . .

Si le sens de vos vers tarde à se faire entendre,
Mon esprit aussitôt commence à se détendre;
Et, de vos vains discours prompt à se détacher,
Ne suit point un auteur qu'il faut toujours chercher.
   Il est certains esprits dont les sombres pensées
Sont d'un nuage épais toujours embarrassées;
Le jour de la raison ne le saurait percer.
Avant donc que d'écrire apprenez à penser.
Selon que notre idée est plus ou moins obscure,
L'expression la suit, ou moins nette, ou plus pure.
Ce que l'on conçoit bien s'énonce clairement,
Et les mots pour le dire arrivent aisément.
   Surtout qu'en vos écrits la langue révérée
Dans vos plus grands excès vous soit toujours sacrée.
En vain vous me frappez d'un son mélodieux,
Si le terme est impropre ou le tour vicieux :
Mon esprit n'admet point un pompeux barbarisme,
Ni d'un vers ampoulé l'orgueilleux solécisme.
Sans la langue, en un mot, l'auteur le plus divin
Est toujours, quoi qu'il fasse, un méchant écrivain.

. . . .

Hâtez-vous lentement, et, sans perdre courage,
Vingt fois sur le métier remettez votre ouvrage :
Polissez-le sans cesse et le repolissez;
Ajoutez quelquefois, et souvent effacez.

C'est peu qu'en un ouvrage où les fautes fourmillent
Des traits d'esprit semés de temps en temps pétillent.
Il faut que chaque chose y soit mise en son lieu;
Que le début, la fin répondent au milieu;
Que d'un art délicat les pièces assorties
N'y forment qu'un seul tout de diverses parties;
Que jamais du sujet le discours s'écartant
N'aille chercher trop loin quelque mot éclatant.

BOILEAU.
Chant Premier. — 1674.

────────── COMPRENEZ ET UTILISEZ LE TEXTE ──────────

LA VIE ET LE SENS DES MOTS

LES MOTS ET LES EXPRESSIONS

La cadence : mot de la famille de *chute;* proprement, la terminaison de chaque période qui doit correspondre au sens.

Entendre : étymologiquement, le mot signifie donner son *attention,* d'où le sens, qu'il avait au XVIIᵉ siècle, de comprendre — sens perdu aujourd'hui où entendre a remplacé le verbe *ouïr,* pour signifier recevoir des sons.

Un solécisme : une faute de syntaxe.

Méchant : mot de la famille de *chute;* au sens propre, qui choit mauvaisement, qui tombe mal. Au XVIIᵉ siècle, le mot a donc le sens de mauvais, sens perdu aujourd'hui, où méchant signifie qui fait le mal.

... n'osa plus enjamber : les classiques s'interdisent l'*enjambement,* qui consiste à rejeter sur le vers suivant un ou plusieurs mots complétant le sens d'un vers. Mais on trouve cependant des enjambements au XVIIᵉ siècle, par exemple :

> *Du palais d'un jeune lapin,*
> *Dame Belette, un beau matin,*
> *S'empara.*
>
> La Fontaine.

Travail personnel. — Expliquez :

Vain — concevoir — révérer — un pompeux barbarisme — ampoulé — Hâtez-vous lentement.

LES IDÉES ET LES SENTIMENTS

Exercices de conversation :

1. Quel est ce *pouvoir* d'un mot mis exactement à sa place?

2. Peut-on vraiment *réparer* une langue? Justifiez votre réponse.

3. Donneriez-vous de la *clarté* une définition analogue à celle de Boileau? L'auteur a-t-il raison d'en faire la qualité première? Pourquoi à votre avis?

5. Est-ce vrai qu'on ne lit pas les œuvres qui manquent de clarté?

6. Croyez-vous, comme Boileau, qu'il faille savoir penser pour pouvoir bien écrire? Justifiez votre réponse, en citant des exemples si possible.

7. Quelles sont les expressions qui montrent que Boileau défend en même temps la langue et la simplicité?

8. Pour quelles raisons Boileau conseille-t-il aux auteurs d'ajouter rarement et d'effacer souvent? Ces raisons vous semblent-elles toujours valables?

9. Quelles qualités l'auteur attribue-t-il à un bon plan?

10. Donnez un titre à chacune des parties de ce poème et montrez comment l'auteur passe d'une partie à la suivante.

HISTOIRE LITTÉRAIRE

Un art poétique : on appelle ainsi une œuvre critique tendant à définir les buts et les formes de la poésie en particulier, et de la littérature en général.

On cite le plus souvent *La Poétique* d'Aristote (384-322 avant J.-C.) et, dans la littérature française, la *Défense et illustration de la langue française* (1549) de Joachim du Bellay; après l'*Art poétique* de Boileau, l'*Art*, poème du recueil *Émaux et Camées* où Théophile Gautier résume sa théorie de l'Art pour l'art (1857) et enfin l'*Art poétique* de Paul Verlaine, tiré du recueil *Jadis et naguère* (1874), où sont esquissés les principes du symbolisme.

François de Malherbe (1555-1628) : n'écrivit pas d'*art poétique*, mais on a publié les remarques qu'il avait notées en marge des œuvres du poète Desportes (1546-1606) et les souvenirs de son disciple Racan (1589-1670). Malherbe voulait « purifier » la langue en éliminant les archaïsmes, les latinismes, les termes techniques, les mots « sales et bas », etc. C'est à cause de son influence sur la langue que les classiques français apprirent à tirer tout le parti possible d'un vocabulaire restreint (Racine utilise moins de 2.000 mots).

Le classicisme : certains historiens de la littérature distinguent deux générations dans le classicisme français, l'une centrée sur l'inspiration et la législation de Malherbe, l'autre ayant Boileau pour législateur. Cette division est purement historique; il y a bien d'un côté ceux qui se sont illustrés sous les rois Henri IV et Louis XIII, et, de l'autre, ceux qui atteignirent la notoriété sous Louis XIV (1661-1715), mais Malherbe, comme Boileau et comme tous les autres théoriciens, ne firent que tirer les leçons de chefs-d'œuvre et ne parvinrent pas à contraindre les génies, qui tous insistent sur la nécessité de *plaire au public*.

On a reproché à Boileau les deux premiers vers de ce texte. Il y eut en France de très grands poètes avant Malherbe, Villon et Ronsard par exemple, et on pourrait en citer bien d'autres. Boileau fut accusé d'être la cause de la désaffection de ses contemporains pour la littérature

française de la Renaissance et du Moyen Age, mais le critique ne faisait que prendre acte d'un état de fait. Néanmoins, les romantiques parodièrent cette remarque ainsi : *Enfin Malherbe vint, il aurait mieux fait de ne pas venir.*

GRAMMAIRE ET STYLISTIQUE

L'expression de la négation par l'adverbe NE employé seul.
Le jour de la raison ne le saurait percer.
Les verbes *savoir, pouvoir, cesser* et *oser* peuvent se mettre à la forme négative par le seul emploi de NE sans qu'on exprime la seconde partie de la négation (*pas, point, nul,* etc.). Cela se fait dans un style recherché (voir aussi page 191).

Un sens du verbe SAVOIR.
Au futur de l'indicatif et au conditionnel, *savoir* a parfois le sens de *pouvoir* quand il est suivi d'un infinitif.
Ne le saurait percer signifie *ne pourrait pas le percer.*

Une construction avec DE explétif.
Rien de rude.
Certains pronoms indéfinis, *rien, personne, quelqu'un, quelque chose* se construisent avec la préposition *de* explétive quand ils sont qualifiés par un adjectif.

Exercices : 1. En vous reportant à la page 236, expliquez ce vers : *Travaillez à loisir quelque ordre qui vous presse.*

2. Faites quatre phrases sur le modèle de : *J'ai rencontré quelqu'un de triste,* en employant successivement chacun des quatre pronoms indéfinis construits avec *de* explétif.

NICOLAS BOILEAU (1636-1711)

Cet auteur, protégé par Louis XIV et ami de Molière, de la Fontaine et surtout de Racine, fut un partisan acharné des Anciens contre les Modernes (*Réflexions sur Longin*, 1694). Son œuvre comporte : *Les satires* (1660-1711) dans lesquelles il se moque durement des travers de son temps. *Le lutrin* (1669-1695), épopée burlesque, et sa critique, la première de l'époque classique, notamment *les Épîtres* (1669-1695) et l'*Art poétique*, qui joua un rôle capital dans la formulation des principes de l'art classique, si bien qu'on appela l'auteur « le législateur du Parnasse ».

CRITIQUE LITTÉRAIRE

J'ai souvent entendu reprocher à la critique moderne, à la mienne en particulier, de n'avoir point de théorie, d'être tout historique, tout individuelle. Ceux qui me traitent avec le plus de faveur ont bien voulu dire que j'étais un assez bon juge, mais qui n'avait point de code. J'ai une méthode pourtant, et, quoiqu'elle n'ait point préexisté et ne se soit point produite d'abord à l'état de théorie, elle s'est formée chez moi de la pratique même; et une longue suite d'applications n'a fait que la confirmer à mes yeux...

La littérature, la production littéraire n'est point pour moi distincte ou du moins séparable du reste de l'homme et de l'organisation; je puis goûter une œuvre, mais il m'est difficile de la juger indépendamment de la connaissance de l'homme même; et je dirai volontiers : « tel arbre, tel fruit ». L'étude littéraire me mène ainsi tout naturellement à l'étude morale...

L'observation morale des caractères en est encore au détail, aux éléments, à la description des individus et tout au plus de quelques espèces : Théophraste et La Bruyère ne vont pas au delà. Un jour viendra, que je crois avoir entrevu dans le cours de mes observations, un jour où la science sera constituée, où les grandes familles d'esprits et leurs principales divisions seront déterminées et connues.

...Mais même quand la science des esprits serait organisée comme on peut de loin le concevoir, elle serait toujours si délicate et si mobile qu'elle n'existerait que pour ceux qui ont une vocation naturelle et un talent d'observer : ce serait toujours un *art* qui demanderait un artiste habile, comme la médecine exige le tact médical dans celui qui l'exerce, comme la philosophie devrait exiger le tact philosophique chez ceux qui se prétendent philosophes, comme la poésie ne veut être touchée que par un poète...

Chaque ouvrage d'un auteur vu, examiné de la sorte, à son point, après qu'on l'a replacé dans son cadre et entouré de toutes les circonstances qui l'ont vu naître, acquiert tout son sens — son sens historique, son sens littéraire, — reprend son degré juste d'originalité, de nouveauté ou d'imitation, et l'on ne court pas risque, en le jugeant, d'inventer des beautés à faux et d'admirer à côté, comme cela est inévitable quand on s'en tient à la pure rhétorique.

SAINTE-BEUVE, *Les Nouveaux Lundis*, tome III (1863-1870).

LA VIE ET LE SENS DES MOTS

A. LES MOTS

Un code : un *codex* était, dans la Rome impériale, un registre où étaient consignées les règles et les lois. L'auteur a été accusé de juger sans se référer à un ensemble de lois sur l'art d'écrire.

Goûter : ici, le mot a le sens d'apprécier les qualités d'une œuvre littéraire.

Moral : ici, cet adjectif a son sens étymologique de relatif aux *mœurs*, donc à l'âme. Le mot a évolué vers le sens de relatif aux bonnes mœurs, à la vertu, plus fréquent aujourd'hui.

Rhétorique : proprement, l'art du discours, l'art de la forme que Sainte-Beuve oppose ici au fond.

Expliquez à l'aide du dictionnaire :

Préexister — une organisation — entre-voir.

B. LES EXPRESSIONS

N'avoir point de théorie : c'est, dans ce cas, juger chaque œuvre en elle-même, sans se rapporter à une définition préétablie du genre ou de ses règles. Boileau, au contraire, avait une théorie (formulée dans l'art poétique) à laquelle il rapportait les œuvres dont il faisait la critique.

Inventer des beautés à faux : c'est voir des beautés qui n'existent pas en réalité.

Travail personnel. — Expliquez :

La production littéraire — tel arbre, tel fruit (proverbe) — *le tact médical — admirer à côté.*

LES IDÉES ET LES SENTIMENTS

Exercices de conversation :

1. Par quel artifice Sainte-Beuve indique-t-il qu'il est le porte-drapeau de la « critique moderne »?

2. Croyez-vous possible d'être un bon juge sans avoir de code? Justifiez votre réponse.

3. L'auteur oppose *le code à la méthode, la théorie à la pratique.* Cette comparaison est-elle à son avantage? pourquoi?

4. Faites-vous une distinction entre *la littérature* et *la production littéraire*?

5. Les développements actuels de la psychologie et ceux de la sociologie permettent-ils de confirmer la prophétie de Sainte-Beuve *(Un jour viendra,* etc. *)*?

6. Quel est le sentiment de Sainte-Beuve envers les philosophes?

7. Est-ce vraiment possible de *replacer un ouvrage dans son cadre?* de l'entourer *de* **toutes** *les circonstances qui l'ont vu naître?*

8. Est-il possible de juger la valeur artistique d'une œuvre littéraire par rapport à son *degré d'originalité, de nouveauté ou d'imitation?*

9. Que pensez-vous du *risque d'inventer des beautés à faux?* Est-il vraiment *inévitable?* Justifiez vos réponses.

───── UTILISEZ LE TEXTE ─────

LANGUE ET CIVILISATION

Les proverbes représentent, dit-on, la sagesse des nations. On pourrait rapprocher de celui que cite Sainte-Beuve un autre proverbe français : *Tel père, tel fils.* Mais, souvent, la sagesse des proverbes s'exprime sous formes contradictoires; on trouve par exemple le proverbe : *A père avare, fils prodigue.*

Les philosophes, conscients de ce fait, évitent d'étayer leurs arguments sur des proverbes, car ceux-ci ne sont jamais des preuves.

Voici quelques exemples de proverbes contradictoires : *L'intention vaut l'action. L'enfer est pavé de bonnes intentions — Après la pluie, le beau temps. Un malheur ne vient jamais seul — Un bon tiens vaut mieux que deux tu l'auras.*

Qui ne risque rien n'a rien — Qui n'entend qu'une cloche n'entend qu'un son. Les conseillers ne sont pas les payeurs, etc.

Théophraste (371-287 avant J.-C.), philosophe grec né à Eresos, disciple d'Aristote auquel il succéda dans la tradition du Lycée. Il écrivit notamment les *Caractères*, œuvre imitée par La Bruyère.

La Bruyère (1645-1696) : voir plus loin, page 417.

ANALYSE DU TEXTE

1. Il y a, dans ce texte, un plaidoyer et une théorie. Faites la liste des arguments par lesquels Sainte-Beuve se défend (le plaidoyer), puis celle de ses idées sur la critique (la théorie).

2. Ce texte prouve que Sainte-Beuve était attaqué par ses contemporains, sans doute parce que son influence était grande. Il a été aussi violemment attaqué par ses successeurs, notamment par Marcel Proust (voir page 362 : *Contre Sainte-Beuve*), surtout parce que sa méthode, telle qu'elle est ici définie, a inspiré durant fort longtemps la critique littéraire française, notamment celle des universitaires. Nous n'entrerons pas dans ce débat, le texte de Valéry (voir plus loin, p. 361) nous semblant suffisant, mais nous remarquerons que, si Boileau ne s'est pratiquement pas trompé sur ses contemporains, Sainte-Beuve n'a pas su voir notamment la grandeur de Balzac, de Stendhal ni celle de Victor Hugo.

GRAMMAIRE ET STYLISTIQUE

Une expression de l'idée conditionnelle liée à l'idée d'opposition avec la conjonction QUAND.

quand + conditionnel + conditionnel

Mais même **quand** *la science* **serait** *organisée..., elle* **serait** *toujours si délicate et si mobile...* Dans cette phrase, *même quand* a une valeur semblable à celle de *même si*, car elle n'exprime pas une réalité mais une possibilité éventuelle. Toutefois la construction grammaticale avec *même si* entraîne l'emploi de l'imparfait de l'indicatif : *même si la science des esprits* **était** *organisée, elle* **serait** *toujours si délicate que...*

DISSERTATION FRANÇAISE

1. Choisissez deux proverbes contradictoires, expliquez-les et discutez-les.

2. Expliquez et discutez cette affirmation d'Albert Camus : *L'idée que tout écrivain écrit forcément sur lui-même et se peint dans ses livres est une des puérilités que le romantisme nous a léguées.*

(Discours de Suède.)

CONSEILS POUR LA LECTURE

Faites une différence entre les arguments qui ressortissent au plaidoyer (ton légèrement sarcastique) et ceux qui composent la théorie (ton supérieur de l'expert). En lisant l'ensemble, ne pas oublier qu'il s'agit d'une chronique hebdomadaire dans un journal.

SAINTE-BEUVE (1804-1869)

Cet auteur commença sa carrière littéraire en écrivant des articles pour le journal *le Globe*, se mêlant aux romantiques et tentant sa chance dans la littérature par deux romans (*Joseph Delorme*, 1829, et *Volupté*, 1834) et deux incursions dans la poésie. Ne parvenant pas au premier rang, il renonce à la création littéraire et se tourne vers la critique. On lui doit deux études capitales sur *Port-Royal* (1840-1859) et sur *Chateaubriand et son groupe littéraire* (1861), faites d'après ses cours professés en Suisse et en Belgique. Ses séries de Portraits : *Portraits littéraires* (1836-1839), *Portraits de femmes* (1844) et *Portraits contemporains* (1846); ses articles de journaux recueillis sous le titre de *Causeries du Lundi* (1851-62) et *Nouveaux Lundis* (1863-70) ont beaucoup vieilli, et le titre de *prince des critiques* que lui donnèrent ses admirateurs est aussi contestable que celui de *législateur du Parnasse* conféré à Boileau. Par contre, son immense correspondance, actuellement en cours de publication, est une mine de renseignements intéressants sur le siècle.

CE QUI CRÉE LA LITTÉRATURE

Trois sources différentes contribuent à produire l'état moral élémentaire d'une nation : la *race*, le *milieu* et le *moment*. Ce que l'on appelle la *race*, ce sont ces dispositions innées et héréditaires que l'homme apporte avec lui à la lumière, et qui ordinairement sont jointes à des différences marquées dans le tempérament et dans la structure du corps... L'homme, forcé de se mettre en équilibre avec les circonstances, contracte un tempérament et un caractère qui leur correspond, et son caractère comme son tempérament sont des acquisitions d'autant plus stables que l'impression extérieure s'est enfoncée en lui par des répétitions plus nombreuses et s'est transmise à sa progéniture par une plus ancienne hérédité. En sorte qu'à chaque moment on peut considérer le caractère d'un peuple comme le résumé de toutes ses actions et de toutes ses sensations précédentes... Telle est la première et la plus riche source de ces facultés maîtresses d'où dérivent les événements historiques; et l'on voit d'abord que si elle est puissante, c'est qu'elle n'est pas une simple source, mais une sorte de lac et comme un réservoir profond où les autres sources, pendant une multitude de siècles, sont venues entasser leurs propres eaux.

Lorsqu'on a ainsi constaté la structure intérieure d'une *race*, il faut considérer le *milieu* dans lequel elle vit. Car l'homme n'est pas seul dans le monde; sa nature l'enveloppe et les autres hommes l'entourent; sur le pli primitif et permanent viennent s'étaler les plis accidentels et secondaires, et les circonstances physiques ou sociales dérangent ou complètent le naturel qui leur est livré... Ce sont là les plus efficaces entre les causes observables qui modèlent l'homme primitif; elles sont aux nations ce que l'éducation, la profession, la condition, le séjour sont aux individus, et elles semblent tout comprendre, puisqu'elles comprennent toutes les puissances extérieures qui façonnent la matière humaine, et par lesquelles le dehors agit sur le dedans.

Il y a pourtant un troisième ordre de causes; car, avec les forces du dedans et du dehors, il y a l'œuvre qu'elles ont déjà faite ensemble, et cette œuvre elle-même contribue à produire ce qui suit. Outre l'impulsion permanente et le milieu donné, il y a la vitesse acquise. Quand le caractère national et les circonstances environnantes opèrent, ils n'opèrent point sur une table rase, mais sur une table où les empreintes sont déjà marquées. Selon qu'on prend la table à un *moment* ou à un autre, l'empreinte est différente; et cela suffit pour que l'effet total soit différent... Nous pouvons affirmer avec certitude que les créations inconnues vers lesquelles le courant des siècles nous entraîne, seront suscitées et réglées tout entières par trois forces primordiales; que si ces forces pouvaient être mesurées et chiffrées, on en déduirait comme d'une formule les propriétés de la civilisation future, et que si, malgré la grossièreté visible de nos notations et l'inexactitude foncière de nos mesures, nous voulons aujourd'hui nous former quelques idées de nos destinées générales, c'est sur l'examen de ces forces qu'il faut fonder nos prévisions. Car nous parcourons en les énumérant le cercle complet des puissances agissantes, et lorsque nous avons considéré *la race, le milieu, le moment,* c'est-à-dire le ressort du dedans, la pression du dehors et l'impulsion déjà acquise, nous avons épuisé non seulement toutes les causes réelles, mais encore toutes les causes possibles du mouvement.

H. TAINE,
Histoire de la littérature anglaise, Introduction, 1863.

─────────── *COMPRENEZ ET UTILISEZ LE TEXTE* ───────────

LA VIE ET LE SENS DES MOTS

LES MOTS ET LES EXPRESSIONS

Les circonstances : ce nom féminin est ici employé au sens étymologique de ce qui est, ce qui se tient autour; tout ce qui est autour de l'homme, donc l'idée de circonférence. Le même concept, mais fondé sur le centre, a donné l'idée voisine de *milieu,* lieu au centre duquel vit un être. La nuance est la suivante : les circonstances changent, mais le milieu, essentiellement déterminé par la géographie physique, tend à être stable.

La structure : les grandes lignes sur lesquelles le corps humain est construit.

Contracter : du verbe traire, signifiant tirer. C'est proprement tirer à soi, amasser. L'idée exprimée ici est que le tempérament, le caractère, nous vient de l'extérieur, comme une maladie contagieuse que l'on contracterait.

Une impulsion : ce nom est le doublet savant du nom populaire *une poussée;* c'est ce qui pousse, au sens scientifique. Ici, il s'agit d'une poussée, génératrice du mouvement passé, qui continue dans le présent.

Affirmer avec certitude : affirmer signifiant dire avec fermeté, le complément vient pour renforcer le sens du verbe, sans crainte de se tromper.

Une inexactitude foncière : nos mesures manquent d'exactitude dans leur fond, dans leur principe même; elles ne sauraient être exactes.

Les causes réelles, les causes possibles : ici l'auteur oppose les causes qui existent vraiment à celles que l'on peut concevoir, mais qui n'existent pas encore.

Travail personnel. — Expliquez :
La progéniture — inné et héréditaire.

LES IDÉES ET LES SENTIMENTS

Exercices de conversation :

1. Recherchez, dans le texte intitulé *Qu'est-ce qu'une nation?* (page 49) le passage au sujet de la race et comparez-le à ce que dit Taine. Concluez.

2. Croyez-vous qu'un père puisse,

par le processus de l'hérédité, transmettre son caractère et son tempérament à ses enfants? Justifiez votre réponse.

3. Est-il possible de connaître « toutes les actions et toutes les sensations précédentes d'un peuple »? Cette définition du « caractère d'un peuple » vous semble-t-elle avoir un intérêt pratique?

4. Taine et Le Corbusier (voir page 41) vous semblent-ils avoir la même définition du *milieu*? Comparez leur attitude envers la géographie physique.

5. Vous paraît-il légitime de faire une enquête sur le *milieu* dans lequel vit ou vivait un auteur avant d'expliquer son œuvre? Justifiez votre réponse.

6. Quel est l'intérêt d'analyser ces *trois forces primordiales* si elles nous entraînent tout de même vers des *créations inconnues?*

7. Commentez l'emploi de ce conditionnel : *on en déduirait.*

8. L'expression *cercle complet* vous semble-t-elle justifiée? Quelles preuves nous offre l'auteur?

9. Commentez les trois raccourcis par lesquels Taine conclut sa démonstration : *le ressort du dedans, la pression du dehors, l'impulsion déjà acquise.*

10. L'originalité est-elle possible dans cet univers mécaniste décrit par le philosophe? Justifiez votre réponse.

LANGUE ET CIVILISATION

1. Trouvez quatre mots de la famille de *moral* et expliquez-les.

2. Taine, influencé par le *positivisme* et la religion de la science, cherche à faire entrer la critique littéraire dans une théorie d'ensemble; comme par exemple Newton fit entrer l'ensemble des connaissances astronomiques dans quelques lois fort simples, celles de la gravitation universelle.
Cherchez dans le texte toutes les expressions qui montrent que le philosophe veut, dans le domaine de la critique littéraire, introduire l'investigation et la causalité scientifiques.

4. Aux trois lois développées dans le texte cité, Taine ajoute celle de *la faculté maîtresse* qui prétend expliquer

le reste. Ainsi chaque génie reçoit une fiche signalétique qui le classe définitivement, expliquant tout. Exemple :

Jean de LA FONTAINE.
Race : gaulois.
Milieu : champenois (né en Champagne)
Moment : courtisan de Louis XIV.
Faculté maîtresse : imagination poétique.

5. Cherchez, selon ce modèle, à établir le signalement de trois auteurs, français ou étrangers, que vous connaissez.

6. En vous servant du cas de *La Fontaine* et de vos trois exemples, montrez les avantages, les insuffisances et les dangers d'une telle classification.

GRAMMAIRE ET STYLISTIQUE

La conjonction QUE a parfois le sens de **PARCE QUE.** — *Si elle est puissante c'est qu'elle n'est pas une simple source, mais une sorte de lac.*

Dans cette phrase, *c'est que* signifie *c'est parce que.*

Exercice : faites trois phrases sur le même modèle. Ex. : *Si vous avez froid, c'est que votre robe est trop légère.*

HIPPOLYTE TAINE (1828-1893)

Brillant étudiant, entré le premier à l'École normale supérieure (voir p. 485), Taine se spécialisa d'abord dans la psychologie et, émule de Spinoza, il veut montrer sur des exemples précis de vies d'écrivain que *les mouvements de l'automate spirituel qu'est notre être sont aussi réglés que ceux du monde matériel.*
Rejeté par l'Université, très traditionaliste, il continue son œuvre qui vise rien moins qu'à une explication totale de l'œuvre littéraire *(La Fontaine et ses Fables, Histoire de la littérature anglaise)*, de l'œuvre d'art *(la philosophie de l'art)*, de l'histoire *(les origines de la France contemporaine)*, et même de la psychologie *(de l'Intelligence).*
Sa volonté de déterminisme apparaît aujourd'hui très dogmatique et un peu naïve, mais il fut un des maîtres à penser de sa génération.

L'HISTOIRE NON LITTÉRAIRE

L'histoire littéraire est tissée, comme l'autre, de légendes diversement dorées. Les plus fallacieuses sont nécessairement dues aux témoins les plus fidèles. Quoi de plus trompeur que ces hommes véridiques qui se réduisent à nous dire ce qu'ils ont vu, comme nous l'eussions vu nous-mêmes ? Mais que me fait ce qui se voit ? Un des plus sérieux hommes que j'ai connus, et du plus de suite dans les pensées, ne paraissait ordinairement que la légèreté même : une seconde nature le revêtait de balivernes. Il en est de notre esprit comme de notre chair : ce qu'ils sentent de plus important, ils l'enveloppent de mystère, ils se le cachent à eux-mêmes ; ils le désignent et le défendent par cette profondeur où ils le placent. Tout ce qui compte est bien voilé ; les témoins et les documents l'obscurcissent ; les actes et les œuvres sont faits expressément pour le travestir.

Racine savait-il lui-même où il prenait cette voix inimitable, ce dessein délicat de l'inflexion, ce mode transparent de discourir, qui le font Racine, et sans lesquels il se réduit à ce personnage peu considérable duquel les biographies nous apprennent un assez grand nombre de choses qu'il avait de communes avec dix mille autres Français ? Les prétendus enseignements de l'histoire littéraire ne touchent donc presque pas à l'arcane de la génération des poèmes. Tout se passe dans l'intime de l'artiste comme si les événements observables de son existence n'avaient sur ses ouvrages qu'une influence superficielle. Ce qu'il y a de plus important, — l'acte même des Muses, — est indépendant des aventures, du genre de vie, des incidents, et de tout ce qui peut figurer dans une biographie. Tout ce que l'histoire peut observer est insignifiant.

Paul VALÉRY,

Préface à Adonis. — Gallimard, éditeur.

─────── *COMPRENEZ ET UTILISEZ LE TEXTE* ───────

LA VIE ET LE SENS DES MOTS

Une légende : ce qui est fait pour être lu, et, à l'origine, les contes populaires et les vies des saints. Peu à peu le mot a pris le sens de ce qui n'est pas vrai (p. 275).

Fallacieux : qui ne dit pas la vérité.

Attention, ce mot n'est pas de la famille de *faux*, mais de celle de *faillir* : qui faillit, qui manque à la vérité.

L'arcane : à l'origine, les remèdes mystérieux des alchimistes et, par extension, la partie la plus secrète, la plus cachée d'une opération mystérieuse.

361

Expliquez les mots et les expressions : *Véridique — une baliverne — une biographie — une influence superficielle — l'acte des Muses.*

STYLISTIQUE ET CIVILISATION

Le paradoxe consiste à choquer les idées reçues en exprimant des idées à première vue contradictoires. Par exemple la deuxième phrase indique que ce sont les témoins les plus honnêtes, les plus attachés à décrire la vérité qui nous trompent le plus. Le lecteur sursaute, et son attention est éveillée : l'auteur démontre alors qu'il avait raison.

1. Cherchez deux autres paradoxes dans ce texte, et déterminez les moyens par lesquels le philosophe nous convainc de ce qu'il a raison.

2. Recherchez les expressions montrant que l'auteur attaque les historiens.

3. Quel est le plus grave reproche adressé par l'auteur aux historiens de la littérature?

4. Y a-t-il un compromis possible entre les disciples de Sainte-Beuve (voir page 355), ceux de Taine et ceux de Paul Valéry? Dans l'affirmative, esquissez les grandes lignes de ce compromis.

LES IDÉES ET LES SENTIMENTS

1. Quelle est cette « autre » histoire dont parle Paul Valéry? La respecte-t-il?

2. Que pense l'auteur de *ce qui se voit?*

3. Nos organes vitaux, appelés les viscères, sont cachés au plus profond de notre corps. Le philosophe se sert d'une analogie pour montrer que les pensées les plus importantes sont aussi cachées au plus profond de nous-mêmes. Que pensez-vous de cette analogie?

4. Partagez-vous l'opinion de Paul Valéry sur le manque d'intérêt littéraire des biographies? Justifiez votre réponse.

5. Pour quelles raisons le critique parle-t-il des « prétendus enseignements de l'histoire littéraire »? Approuvez-vous ces raisons? Justifiez.

5. Analysez la phrase suivante de Marcel Proust et montrez en quoi elle annonce le jugement de Valéry : « *Cette méthode* (de Sainte-Beuve) *qui consiste* à ne pas séparer l'homme et l'œuvre, à considérer qu'il n'est pas indifférent, pour juger l'auteur d'un livre, d'avoir d'abord répondu aux questions qui paraissent les plus étrangères à son œuvre (comment se comportait-il, etc.), à s'entourer de tous les renseignements possibles sur un écrivain, à collationner ses correspondances, à interroger les hommes qui l'ont connu, en causant avec eux s'ils vivent encore, en lisant ce qu'ils ont pu écrire sur lui s'ils sont morts, cette méthode méconnaît ce qu'une fréquentation un peu profonde avec nous-mêmes nous apprend : qu'un livre est le produit d'un autre moi que celui que nous manifestons dans nos habitudes, dans notre vie, dans nos vices. »*

COMPOSITION FRANÇAISE

Ce qui se conçoit bien s'énonce clairement — Et les mots, pour le dire, arrivent aisément. (Boileau)

J'ai cherché la justesse dans les pensées, afin que, clairement engendrées par la considération des choses, elles se changent, comme d'elles-mêmes, dans les actes de mon art. (Valéry)

Comparez et discutez ces pensées.

GRAMMAIRE

La forme tonique de la négation.
Si la négation, dans une phrase, ne porte pas sur le verbe mais sur un mot seulement, on emploie la forme tonique NON. Exemples : *L'histoire **non** littéraire — l'art **non** figuratif — C'est toi qui l'as fait et **non** lui.*

Un emploi du pronom interrogatif QUOI. — *Quoi de plus trompeur ?*
Le pronom interrogatif QUOI est parfois qualifié par un adjectif introduit par la préposition *de* à valeur explétive.

Exercices : 1. Faites deux phrases où vous emploierez la forme tonique de la négation, puis deux autres phrases sur le modèle : *Quoi de nouveau ?*

2. Expliquez le sens de la forme verbale employée dans la proposition suivante : *... comme nous l'eussions vu nous-mêmes.*

PAUL VALÉRY (1871-1945)
Voir notice page 155.

ROMAN ET GENRES LITTÉRAIRES

Moi. — ... seules les œuvres s'adressant à un auditoire, un groupe d'hommes, réunis pour un temps déterminé, sont susceptibles de constituer un genre. Ce qui fait que le roman échappe à toutes les règles d'un genre, je me demande si cela ne vient pas surtout de ce qu'il s'adresse à des particuliers isolés, comme fait aussi le poème. Il s'agit encore pour lui de séduire ou d'imposer, de retenir l'attention charmée, mais l'attention d'un lecteur qui prend son temps, qui se prête et se reprête au jeu quand il lui plaît; et c'est cela, me semble-t-il, qui fait que ce jeu ne connaît ni règles ni astreintes. Avant cette commodité du livre, au temps des rapsodes, des trouvères et des récitations publiques, oui, la poésie épique a pu être un genre et les « chansons de geste » aussi. Mais le roman que je lis, assis dans mon fauteuil, à tels moments choisis par moi solitaire, n'a que faire de se soumettre de lui-même à des lois dont je le tiens quitte. Pour qu'il n'en aille plus de même il suffit déjà que je le lise en famille, à haute voix, ainsi qu'il m'est arrivé bien souvent au temps de ma jeunesse. Dès lors les divagations du génie, les lenteurs, les embardées sublimes, ne sont plus de mise, l'auteur choisi devant répondre à l'attente, aux *desiderata* de plusieurs. A l'aide et à la faveur de ces lectures devant un groupe de personnes d'âge et de sexe différents, mais également attentives et d'intelligence éveillée, je discernais fort bien quelles pouvaient et devaient être les règles du genre roman... Ce qui ne m'empêchait nullement, retiré dans ma chambre ensuite et solitaire, de goûter pleinement et admirer tel pseudo-roman de génie en rupture de ces règles, que ce fût *Tristram Shandy*, *Pantagruel*, *Les Ames Mortes*, le *Grüne Heinrich*, *the Epicurean* ou *la Recherche du temps perdu*.

Lui. — Le « genre » s'adresse à un groupe; le roman s'adresse à des individus. C'est bien cela, n'est-ce pas?

Moi. — Oui; et après ce que nous venons d'en dire il est intéressant de remarquer que la question du roman est liée à celle de l'individualisme. Les peuples grands producteurs de romans sont ceux où l'individu se distingue le plus, et le plus volontiers, de la masse...

Lui. — Les patries du roman sont à la fois celles de l'individualisme, dites-vous; pourtant le roman russe...

Moi. — Il semble, à première vue, qu'il y ait eu maldonne. Pourtant, réfléchissant un peu, je me dis que, du temps des tsars, les rassemblements populaires n'étaient guère possibles, pour lesquels Dostoïewsky eût écrit ces drames dont il parle dans ses premières lettres à son frère. Il y a renoncé, sachant bien qu'il ne pouvait atteindre qu'isolément chacun de ses lecteurs.

Lui. — Du reste, sous l'inspiration, ou plutôt : sous la contrainte des bouleversements sociaux, le roman russe évolue et, pour ainsi dire, se désindividualise. Il brigue l'adhésion de communautés. Robinson, chez eux, n'est jamais seul; c'est un groupe de pionniers.

André GIDE,
Interviews imaginaires. — Gallimard, éditeur.

———————— COMPRENEZ BIEN LE TEXTE ————————

LE SENS ET LA VIE DES MOTS

A. LES MOTS

Une astreinte : nom de la famille des adjectifs *étroit* (mot populaire) et son doublet *strict* (mot savant), désignant une règle qui oblige, qui restreint, qui limite la liberté.

Une divagation : nom formé sur le verbe divaguer qui signifie, au sens propre, errer çà et là, sans but. Le mot est employé ici avec ce sens pour les idées qu'un auteur communique sans avoir de but précis, des idées non liées au développement du récit. Le mot a pris aujourd'hui le sens plus fréquent de propos incohérents d'un fou.

Désindividualiser : est un néologisme, c'est-à-dire un mot inventé par l'auteur sur le modèle d'autres verbes (*désavouer, désintégrer, désintoxiquer*, etc.) et signifiant faire perdre l'*individualité*, les caractéristiques qui vous *divisent*, qui vous séparent des autres. C'est une façon négative d'exprimer l'idée de rendre semblable, d'uniformiser.

Expliquez à l'aide du dictionnaire :
Discerner — volontiers — spécifiquement — un tsar — briguer — un pionnier.

B. LES EXPRESSIONS

Une attention charmée : une attention retenue par un charme, une sorte de pouvoir magique.

Travail personnel. — **Expliquez** les deux expressions suivantes, empruntées au vocabulaire de jeu : *je le tiens quitte — il y a eu maldonne.*

LES IDÉES ET LES SENTIMENTS

1. Est-ce que le roman constitue un genre selon André Gide? Justifiez votre réponse.

2. A l'aide du texte, définissez brièvement les deux catégories que l'auteur veut établir dans les romans?

3. D'après la liste établie, Gide connaît-il plusieurs langues? lesquelles?

4. Pour quelles raisons Dostoïewsky n'aurait-il pas écrit de drame?

5. Ce texte vous semble-t-il être un vrai dialogue? Justifiez votre réponse. (N'oubliez pas de regarder le titre du livre duquel est tiré ce texte.)

6. Lequel des deux interlocuteurs vous semble-t-il le plus important? Jouent-ils tous les deux le même rôle? Sinon, délimitez le rôle de chacun.

LANGUE ET CIVILISATION

1. Dans ce dialogue, Gide nous donne lui-même les définitions de certains mots comme *auditoire*. Pour quelles raisons, à votre avis, Gide juge-t-il utile de nous les donner?

2. Donnez un titre à chacune des deux parties de ce texte.

3. **Socrate** (470-399 avant Jésus-Christ) avait pour méthode *la maïeutique* (mot grec signifiant *art d'accoucher*) qui consistait à faire découvrir la vérité à ses élèves en les interrogeant habilement. Socrate prétendait ne pas savoir; mais par ses questions, il obligeait ses disciples à préciser leurs idées et cela mettait en évidence leurs erreurs ou leurs contradictions. Ce dialogue de Gide a-t-il quelque part avec la méthode socratique?

4. **Tristram Shandy** : un des romans les plus importants de Laurence Sterne (né à Dublin, 1713, mort à Londres, 1768).

Pantagruel : roman capital de François Rabelais (voir plus loin page 376).

Les âmes mortes : un des romans les plus étranges et les plus prenants de l'auteur russe Nicolas Gogol (1809-1852).

Grüne Heinrich, traduit sous le titre *Henri le vert*, roman autobiographique de l'auteur suisse de langue allemande Gottfield Keller (1819-1890).

The Epicurean : roman de Thomas Moore (né à Dublin en 1779, mort près de Londres en 1852).

A la recherche du temps perdu : voir page 20.

Tous ces romans sont en marge des « règles du genre » dans le sens qu'ils ne se bornent pas à raconter une histoire, mais s'ouvrent à toutes « les divagations » de leurs auteurs.

Dostoïevsky (1821-1881), un des plus grands romanciers russes, qui fut persécuté par les tsars pour son libéralisme. Des œuvres comme *Crime et Châtiment*, *l'Idiot* et *les Frères Karamazov* ont exercé une influence profonde sur la littérature française contemporaine.

Robinson Crusoé, célèbre roman de Daniel Defoë (1660-1731), aventurier anglais à la vie obscure. Le héros est celui « qui fit tout, tout seul ».

DISSERTATION

Quelles sont, à votre avis, les causes de l'immense succès du roman dans le monde moderne?

GRAMMAIRE ET STYLISTIQUE

QUE pronom interrogatif dans l'expression N'AVOIR QUE FAIRE.

Mais le roman... n'à que faire de se soumettre à des lois ; le sens de cette phrase est : *le roman n'a pas besoin de se soumettre à des lois.*

Dans l'interrogation indirecte, QUE s'emploie après *avoir, savoir, pouvoir* pris négativement et suivis d'un infinitif Exemples : *Je n'ai que faire de vos conseils*
Il ne sait que répondre.

Un gallicisme à forme impersonnelle.

Il en va de même signifie *cela est semblable, pareil,* c'est une forme littéraire.
Pour qu'il n'en aille plus de même pourrait être remplacé par : *pour que cela soit différent, pour que cela change.*

Exercice : expliquez le sens de la phrase suivante : *les rassemblements populaires n'étaient plus possibles pour lesquels Dostoïewski eût écrit ces drames dont il parle dans ses premières lettres à son frère.* (Souvenez-vous du fait que cet auteur n'a pas écrit de drame, qu'il a écrit seulement des romans.)

CONSEILS POUR LA LECTURE

Lire ce texte à une voix, mais en changeant de ton; MOI est réel, c'est Gide; LUI est l'interlocuteur imaginaire, le double du romancier, qui vient là pour l'aider à penser et à juger.

ANDRÉ GIDE (1859-1951)

Voir notice page 13.

LA POÉSIE

Une créature capable d'observer notre monde et qui en habiterait un autre pourrait rire de la science et des machines que nous croyons prodigieuses. Elle saurait, cette créature, que la science marche d'erreurs en erreurs, que la machine paralyse les mains et l'âme. Mais elle ne pourrait pas rire de la poésie, car la poésie échappe à l'analyse et si j'ai la certitude qu'elle est indispensable, je me demande toujours à quoi.

C'est ce rôle d'énigme qui lui vaut sa primauté dans le monde et, même si les prêtres de cette religion sans espoir exercent mal leur sacerdoce, je les respecte et je les place hiérarchiquement au-dessus des prêtres du chiffre. Car le poète transcende les chiffres. Il les métamorphose en nombres. La poésie est une science exacte. Ceux qui s'imaginent que c'est un désordre, une certaine manière d'employer la langue, se trompent. Ils ne parviendront qu'à vêtir la prose en robe du soir.

La poésie est un organisme et tous les vrais poètes du monde se comprennent, même, disait Rilke, si les idiomes qu'ils emploient diffèrent. Car la poésie est une langue à part, commune à n'importe quel poète. Elle est aussi une sorte d'exhibitionnisme suprême, lequel, par chance, s'exerce chez les aveugles.

Jean COCTEAU,
Extrait d'une Lettre-Préface,
Les meilleurs Poèmes anglais et américains d'aujourd'hui,
anthologie bilingue. — S.E.D.E.S. éditeur.

───────────── *COMPRENEZ BIEN LE TEXTE* ─────────────

LA VIE ET LE SENS DES MOTS

Une analyse : mot de la famille de l'adjectif *soluble* et du verbe *résoudre*, et qui signifie diviser une chose en ses éléments pour en étudier les constituants.

Transcender : qui passe au-delà (*trans*) d'un ordre de réalité (le domaine des signes) pour parvenir à un ordre supérieur (le domaine des nombres).

Un exhibitionnisme : d'*exhiber*, action de montrer totalement ; le mot est péjoratif. Ici l'auteur change le sens grâce à l'adjectif *suprême*, signifiant situé au-dessus de tout.

Expliquez à l'aide du dictionnaire :

Paralyser — une certitude — une énigme — un idiome.

LES IDÉES ET LES SENTIMENTS

1. Jean Cocteau reproche trois choses à la machine. Quelles sont-elles ?

2. D'après ce texte, est-ce que les hommes aiment le mystère ?

3. Comme Valéry (voir plus haut page 362), Jean Cocteau aime le paradoxe. Trouvez-en un dans ce texte et expliquez-le.

4. Discutez la division du monde en trois parties que présente l'auteur : la science, la religion, la poésie. Quel est le lien entre ces trois parties ?

5. Croyez-vous que l'homme moyen acceptera la hiérarchie de Cocteau ? Justifiez votre opinion.

*
* *

LA HAUTE PLAINE

Pauvres hommes pressés, savez-vous que vous n'êtes
Rien. Des dupes ! Et que tout vous condamne exprès
A ce rythme trompeur qui berce la planète
A prendre pour du *loin*, un mensonge du *près*.
Tout est près. Rien n'est loin. Rien n'est lourd, rien ne pèse.
Rien ne va vite. Rien n'a tort. Rien n'a raison.
Et l'âme assise sur un fantôme de chaise
Rempaille le soleil au seuil de sa maison.

Jean COCTEAU,
Le chiffre Sept. — Pierre Seghers, éditeur.

─────────── *COMPRENEZ BIEN LE POÈME* ───────────

LA VIE ET LE SENS DES MOTS

Une dupe : probablement par analogie avec la huppe, oiseau d'apparence stupide. Personne qu'il est facile de tromper.

Un rythme : doublet de rime, d'un mot grec qui signifie proprement mouvement cadencé comme celui des flots, donc qui revient régulièrement.

LES IDÉES ET LES SENTIMENTS

1. Quel rapport y a-t-il entre les deux adjectifs qui encadrent le mot *hommes* ?

2. Pourquoi sommes-nous des *dupes* ?

3. Cherchez toutes les expressions qui semblent se contredire en elles-mêmes et efforcez-vous de les expliquer.

LANGUE ET CIVILISATION

1. Donnez un titre à chacun des trois paragraphes du premier texte.

2. Montrez comment la dernière phrase de la première partie annonce le thème de la seconde et comment la dernière phrase de cette seconde partie annonce le thème de la troisième.

3. L'homme du milieu du XX⁰ siècle, fier de sa civilisation technique, tend à mépriser, ou du moins à négliger, la poésie. Comment Jean Cocteau réagit-il? Fait-il la moindre concession? Que pensez-vous de cette attitude?

4. Rainer Maria Rilke (1875-1922) : grand poète autrichien, né à Prague, qui exerça une influence profonde sur Jean Cocteau, notamment avec ses *Sonnets à Orphée*.

5. La poésie a un *rôle d'énigme*. Cherchez dans *La haute plaine* toutes les expressions énigmatiques.

6. Revoyez la définition de l'enjambement page 353. Cherchez un enjambement dans le poème et analysez l'effet qu'il produit.

7. Pour Victor Hugo, le poète est un prophète. Croyez-vous que la conception de Jean Cocteau soit analogue? Justifiez votre réponse.

CONSEILS POUR LA LECTURE

La poésie : ce texte doit être lu posément, mais sur un ton faisant ressortir la supériorité du poète sur « les aveugles ».

La haute plaine : bien détacher la grandiose affirmation du début; puis, après *dupes*, faire sentir le rythme *trompeur* jusqu'à *raison*; finalement, lire simplement l'énigme posée par les deux derniers vers.

COMPOSITION FRANÇAISE

Commentez cette affirmation du poète André Chénier (1762-1794) :

L'art ne fait que des vers, le cœur seul est poète.

JEAN COCTEAU (1889)

Un des plus grands poètes contemporains, membre de l'Académie française. Bien qu'il ait été influencé par le surréalisme, Jean Cocteau est toujours resté indépendant. Son œuvre traduit, dans les domaines les plus variés, une vision poétique de l'univers. A côté de recueils de poésies (*Poèmes*, 1916-1955), il a écrit plusieurs romans (*Le Potomak, le Grand Écart*, etc.) très originaux, une œuvre théâtrale qui compte parmi les plus importantes de son époque (*la Machine infernale, l'Aigle à deux têtes*, etc.), de nombreux ouvrages de *poésie critique*, une dizaine de films marquant dans l'histoire du cinéma (*Le sang d'un poète, l'Éternel retour, Orphée*, etc.). Jean Cocteau est aussi un dessinateur et un peintre remarquable; il se décrit ainsi :

« *Je suis un mensonge qui dit toujours la vérité.* »

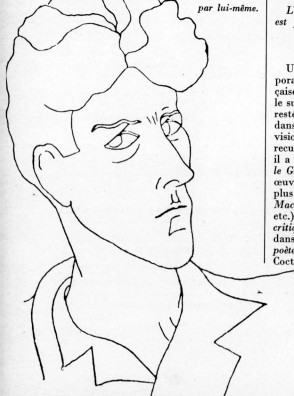

Jean Cocteau
par lui-même.

d'avance — in advance, ahead of time

le destin est au-dessus des dieux.

DRAME ET TRAGÉDIE

LE CHŒUR. — Et voilà. Maintenant le ressort est bandé. Cela n'a wound
plus qu'à se dérouler tout seul. C'est cela qui est commode dans la
tragédie, on donne un petit coup de pouce pour que cela démarre,
rien, un regard pendant une seconde à une fille qui passe et lève les
bras dans la rue, une envie d'honneur un beau matin, au réveil, comme
de quelque chose qui se mange, une question de trop qu'on pose un
soir... C'est tout. Après, on n'a plus qu'à laisser faire. On est tranquille.
Cela roule tout seul. C'est minutieux, bien huilé de toujours. La mort,
la trahison, le désespoir sont là, tout prêts, et les éclats, et les orages,
et les silences; tous les silences : le silence quand le bras du bourreau
se lève à la fin; le silence au commencement, [...] quand les cris de la
foule éclatent tout autour du vainqueur — et on dirait un film dont
le son s'est enrayé, toutes ces bouches ouvertes dont il ne sort rien,
toute cette clameur qui n'est qu'une image, et le vainqueur, déjà vaincu,
seul au milieu de son silence...

C'est propre, la tragédie. C'est reposant, c'est sûr... Dans le drame,
avec ces traîtres, avec ces méchants acharnés, cette innocence persécutée, ces vengeurs, ces terre-neuve, ces lueurs d'espoir, cela devient
épouvantable de mourir, comme un accident. On aurait peut-être pu
se sauver, le bon jeune homme aurait peut-être pu arriver à temps
avec les gendarmes. Dans la tragédie, on est tranquille! D'abord on
est entre soi. On est tous innocents en somme! Ce n'est pas parce qu'il
y en a un qui tue et l'autre qui est tué. C'est une question de distribution. Et puis, surtout, c'est reposant, la tragédie, parce qu'on sait
qu'il n'y a plus d'espoir, le sale espoir; qu'on est pris, qu'on est enfin
pris comme un rat, avec tout le ciel sur son dos, et qu'on n'a plus qu'à
crier, — pas à gémir, non, pas à se plaindre, — à gueuler à pleine voix
ce qu'on avait à dire, qu'on n'avait jamais dit et qu'on ne savait peut-
être pas encore. Et pour rien : pour se le dire, à soi, pour l'apprendre,
soi. Dans le drame, on se débat parce qu'on espère en sortir. C'est
ignoble, c'est utilitaire. Là, c'est gratuit. C'est pour les rois. Et il n'y
a plus rien à tenter, enfin!

369

Antigone est entrée, poussée par les gardes.

Alors, voilà, cela commence. La petite Antigone est prise. La petite Antigone va pouvoir être elle-même pour la première fois.

Le chœur disparaît, tandis que les gardes poussent Antigone en scène.

LE GARDE. — Allez, allez, pas d'histoires! Vous vous expliquerez devant le chef. Moi, je ne connais que la consigne. Ce que vous aviez à faire là, je ne veux pas le savoir. Tout le monde a des excuses, tout le monde a quelque chose à objecter. S'il fallait écouter les gens, s'il fallait essayer de comprendre, on serait propres. Allez, allez! Tenez-la, vous autres, et pas d'histoires! Moi, ce qu'elle a à dire, je ne veux pas le savoir!

Jean ANOUILH, Antigone. — La Table Ronde, éditeur.

──────────── *COMPRENEZ BIEN LE TEXTE* ────────────

LA VIE ET LE SENS DES MOTS

A. LES MOTS

Démarrer : verbe formé sur un mot hollandais (*marren*) signifiant attacher. D'abord utilisé comme terme technique maritime : *amarrer* c'est attacher un navire au quai, et *démarrer* c'est d'abord détacher ce navire. Puis le verbe a pris le sens de partir, d'abord très lentement, comme un navire quitte le quai. L'idée est ici que l'action une fois partie, son mouvement sera irrésistible.

Un terre-neuve : raccourci pour une race de gros chiens provenant d'abord de Terre-Neuve, grande île située sur la côte atlantique du Canada. Ces chiens sont souvent utilisés pour retrouver les blessés, les naufragés etc., d'où le sens du mot dans le texte : celui qui sauve la vie d'une personne en danger.

La distribution : ici le mot est employé au sens technique qu'il a au théâtre. Donner à chacun des acteurs son rôle, c'est *faire la distribution* de la pièce de théâtre.

Gueuler : verbe formé sur le nom : *la gueule*, c'est-à-dire la bouche des animaux. Ce verbe, argot et péjoratif (à ne pas employer), signifie hurler, crier comme un animal, très fort.

Gratuit : comme son doublet *gratis*, ce mot désigne le plus souvent ce que l'on n'a pas à payer; mais ici il a le sens moral que l'on retrouve dans l'expression : *acte gratuit*, un acte qui n'a pas de motif et aucun but pratique ou intéressé.

La consigne : un ordre écrit par avance, d'où l'emploi fréquent du mot dans le vocabulaire militaire.

Expliquez à l'aide du dictionnaire :
Minutieux — ignoble — une excuse — objecter.

B. LES EXPRESSIONS

Le ressort est bandé : par analogie à un mouvement d'horlogerie. Lorsqu'on remonte une montre, par exemple, on tend, on bande le ressort, qui ensuite va se dérouler lentement pour faire fonctionner le mécanisme.

C'est bien huilé : par analogie avec une machine qui fonctionne mieux et plus silencieusement si elle est bien lubrifiée, l'huile aidant les rouages à bien s'engrener.

Le son s'est enrayé : dans les films de cinéma parlant, il y a sur le côté une bande sonore. Si l'appareil traduisant cette bande s'enraye, c'est-à-dire se bloque, cesse de fonctionner, le film se déroule comme s'il était muet.

Travail personnel. Expliquez les deux expressions contraires : *ces méchants acharnés, cette innocence persécutée.*

LES IDÉES ET LES SENTIMENTS

Exercices de conversation :

1. Que désigne le pronom *cela* ?

2. Que signifie en réalité le mot *rien* dans la troisième phrase? A quel besoin répond cette figure de style de Jean Anouilh?

3. Quelles actions caractérisent la tragédie?

4. Êtes-vous d'accord sur ce rôle capital que le dramaturge attribue au silence?

5. Dans la tragédie, *la trahison*, dans le drame, *ces traîtres...* quelle valeur attribuez-vous à la distinction d'Anouilh?

6. Est-il, selon l'auteur, *épouvantable de mourir* dans une tragédie? Justifiez votre réponse. Partagez-vous le sentiment d'Anouilh?

7. Pouvez-vous citer de grandes tragédies françaises ou étrangères prouvant la définition d'Anouilh (*on est tous innocents en somme?*), d'autres tragédies contredisant cette affirmation?

8. Quelle est l'attitude du garde vis-à-vis d'Antigone et de sa tragédie? Quel est son rôle? Analysez cette contradiction entre son attitude et son rôle physique. Commentez-la.

--- UTILISEZ LE TEXTE ---

LÉGENDE ET CIVILISATION

L'Œdipodie ou légende d'Œdipe est racontée par Cinethon, qui vivait à Lacédémone (Grèce) au VIIIe siècle avant J.-C. Voici comment Jean Cocteau raconte, dans *la Machine infernale*, le début de la légende : « Il tuera son père, il épousera sa mère. » — *Pour déjouer cet oracle d'Apollon, Jocaste, reine de Thèbes, abandonne son fils, les pieds troués et liés, sur la montagne. Un berger de Corinthe trouve le nourrisson et le porte à Polybe. Polybe et Mérope, roi et reine de Corinthe, se lamentaient d'une couche stérile. L'enfant, respecté des ours et des louves, Œdipe ou pieds percés, leur tombe du ciel. Ils l'adoptent. Jeune homme, Œdipe interroge l'oracle de Delphes. Le dieu parle : « Tu assassineras ton père et tu épouseras ta mère. » Donc il faut fuir Polybe et Mérope. La crainte du parricide et de l'inceste le jette vers son destin.*

Œdipe, maudit des dieux, va tuer un vieillard inconnu — le roi Laïus, son père — puis il va deviner l'énigme et ainsi délivrer Thèbes du Sphinx. La reine ayant promis d'épouser le vainqueur du Sphinx, Œdipe épouse Jocaste.

De ce mariage horrible naissent quatre enfants : deux fils, Etéocle et Polynice et deux filles, Antigone et Ismène. Comme leur père et leur mère, ces quatre enfants seront en proie à la vengeance des dieux et ainsi la race maudite s'éteindra.

La tragédie de Jean Anouilh nous montre le destin d'Antigone, *fille de l'orgueil d'Œdipe,* qui va mourir sur l'ordre de son oncle Créon parce qu'elle a voulu enterrer un de ses frères, après qu'Etéocle et Polynice se fussent battus à mort pour le trône d'Œdipe. Elle entraîne dans sa mort son fiancé Hémon, fils de Créon, sa tante Eurydice, femme de Créon, et sa sœur Ismène.

La morale de la légende est tirée et expliquée par Pierre Corneille (voir plus loin page 386) dans son *Discours sur le Poème dramatique* (1660):

Elle (la représentation d'Œdipe) y purgera la curiosité de savoir l'avenir, et nous empêchera d'avoir recours à des prédictions, qui ne servent à l'ordinaire qu'à nous faire choir dans le malheur qu'on nous prédit par les soins mêmes que nous prenons de l'éviter...

L'ART DU THÉÂTRE

1. **D'après Anouilh,** dites quel est l'essentiel de la tragédie et l'essentiel du drame.

2. **Selon Aristote, la tragédie** est une pièce de théâtre qui excite *la terreur et la pitié.* Cette définition vous semble-t-elle compatible avec ce texte d'Anouilh?

3. **Victor Hugo** définit ainsi le **drame :** *Il tient de la tragédie par la peinture des passions, et de la comédie par la peinture des caractères. Le drame est la troisième forme de l'art, comprenant, enserrant et fécondant les deux premières.* Comparez cette définition à celle d'Anouilh.

4. **Le mélodrame** est un genre populaire articulé sur le héros (admiration du public), l'héroïne menacée (terreur du public), le traître (haine du public), et le bouffon, souvent difforme, toujours comique.

Dans le mélodrame type, l'héroïne est en proie aux machinations du traître que le bouffon aide inconsciemment par ses maladresses. Après une série de victoires qui mettent en péril l'héroïne et son défenseur, le héros, ce dernier réussit à retourner la situation, à tuer le traître puis à épouser l'héroïne, que jusque-là il avait défendue sans aimer, par simple grandeur d'âme.

Jean Anouilh semble confondre drame et mélodrame, mais il le fait à dessein : pourriez-vous retrouver ses raisons d'agir ainsi?

DISSERTATION FRANÇAISE

1. « *Il n'y a que le vraisemblable qui touche dans la tragédie* » (Jean Racine). Expliquez et commentez.

2. « *Marier ces deux forces — la pièce humaine et le grand rôle — n'est-ce pas le moyen de sauver le théâtre et de lui rendre son efficacité* » (Jean Cocteau). En étudiant deux pièces de théâtre célèbres que vous connaissez (françaises ou étrangères), vous déterminerez si ces deux caractéristiques dont parle le dramaturge dans la préface de l'*Aigle à deux têtes* sont vraiment essentielles.

GRAMMAIRE ET STYLISTIQUE

L'emploi du pronom personnel SOI.

On n'a plus qu'à crier ce qu'on avait à dire... Et pour se le dire à soi, pour l'apprendre soi.

Le pronom personnel SOI, qui est une forme tonique, ne s'emploie que pour renvoyer à un pronom indéfini, CHACUN (*chacun pour soi*) et surtout à ON. Toute cette partie du texte a effectivement pour sujet ON.

Le premier pronom A SOI répète pour le souligner le pronom réfléchi complément SE.

Exercice : Faites trois phrases dans lesquelles vous emploierez le pronom *on* (sujet) et le pronom *soi*, sur le modèle de ce vers de La Fontaine devenu un proverbe français : **On** *a souvent besoin d'un plus petit que* **soi.**

CONSEILS POUR LA LECTURE

L'étudiant qui lira les propos du *chœur* doit savoir que ce personnage mystérieux, qui s'appelle *prologue* au début de l'action, est là pour commenter ce qui se passe et en souligner l'intérêt. Il correspond au chœur de la tragédie antique, grecque notamment; il est donc surhumain par certains aspects, il juge dans la perspective de l'éternité.

Le ton doit donc être très clair, très simple, mais en même temps donner l'idée que ces phrases sont les signes de vérités qui nous dépassent.

Par contre, l'étudiant lisant le rôle du garde devra accentuer le plus possible l'incompréhension et la vulgarité du personnage.

JEAN ANOUILH (1910)

Né à Bordeaux, mais se fixant très jeune à Paris, Jean Anouilh est un des plus grands dramaturges français contemporains. Dans son univers s'affrontent les êtres vulgaires, les fantoches et les héros, ivres de pureté, qui se refusent à tout compromis; son style est à la fois pathétique et poétique. Parmi ses plus grandes pièces, nous citerons : le *Voyageur sans bagages* (1937), *Eurydice et Antigone* (1942), *Colombe* (1951), l'*Alouette* (1953), *Beckett ou l'honneur de Dieu* (1960), et la *Grotte* (1961) où l'auteur explique son art.

Photo Bernand.

Un drame : **Ruy-Blas,** *de Victor-Hugo, à la Comédie française.*

VOCABULAIRE D'INITIATION

Termes relatifs aux Écoles par ordre chronologique :

NOMS DES ÉCOLES	ADJECTIFS ET NOMS DES ÉCRIVAINS APPARTENANT A L'ÉCOLE
la Pléiade	
le Baroque	baroque
la Préciosité	précieux
le Classicisme	classique
le Romantisme	romantique
le Réalisme	réaliste
le Parnasse	parnassien
le Symbolisme	symboliste
le Naturalisme	naturaliste
le Surréalisme	surréaliste

Leurs aspects :

un adversaire	un manifeste
un disciple	un pamphlet
un groupe	un partisan
un maître	une polémique *(aussi adjectif)*

Leur évolution :

une apogée	une décadence
la chronologie	un épanouissement
chronologique *(adj.)*	s'épanouir *(verbe)*

une évolution
évoluer *(verbe)*
la floraison

fleurir *(verbe)*
florissant *(adjectif)*
la maturité

Termes relatifs au jugement esthétique :

— VERBES :
plaire

— NOMS :
une admiration
une aisance
la beauté
le charme
le chef-d'œuvre
une esthétique
le goût,
    bon goût
    mauvais goût
la grâce
une harmonie
la musique
la nuance
la simplicité

— ADJECTIFS :
achevé
admirable

aisé
authentique
banal
beau
brillant
charmant
commun
délicat
délicieux
esthétique
excellent
exquis
facile
gothique
harmonieux
idéal
merveilleux
original
parfait
pur
roman
usé

373

NEC PLVRIBVS IMPAR

A L'IMMORTALITÉ

Gravure faite au temps de Louis XIV, le Roi Soleil, à la gloire de l'Académie française (fondée par le Cardinal de Richelieu en 1634). On remarque les noms des 40 *Académiciens*.

IV. PANORAMA
DE LA LITTÉRATURE FRANÇAISE

A. DU XVIᵉ SIÈCLE A 1789

*« Si ce livre me fâche,
j'en prends un autre. »*

MONTAIGNE.

STUDIO BERNAND
PARIS

Photo Bernand.

Une tragédie : **Britannicus,** *de Racine, à la Comédie française.*

Un château Renaissance. Azay-le-Rideau. *Photo N. D. Viollet.*

LES AUTEURS DE LA RENAISSANCE

XVIᵉ SIÈCLE

Revoyez ce qu'on entend par Renaissance des lettres et des arts en France, pendant la période qui s'étend du commencement du règne de François Iᵉʳ à la mort de Henri IV.

Les écrivains de la Renaissance étudient l'antiquité grecque et latine, et remettent l'homme au premier plan, on les appelle des **humanistes***.*

Les poètes s'efforcent souvent d'imiter, dans leurs œuvres, les auteurs anciens.

Les grands poètes de la Renaissance sont : Ronsard et Du Bellay.

Les grands prosateurs : Rabelais et Montaigne.

RABELAIS

François Rabelais (1490-1553), né à Chinon, en Touraine. Il étudia le grec, puis la médecine à Montpellier. Il fut médecin à l'Hôtel-Dieu de Lyon. C'est dans cette ville qu'il publia son premier livre : « Pantagruel » (1533). En 1535, il publia « La vie du bon géant Gargantua ». — Pantagruel est le fils de Gargantua. Il rencontre à Paris, où son père l'a envoyé pour faire ses études, un autre étudiant : Panurge, qui se plaisait à faire des farces. C'est au cours d'un voyage qu'ils firent ensemble en mer, sur un navire, que se passe la scène dont vous allez lire le récit.

376

LES MOUTONS DE PANURGE

Présentation. — *Sur le navire se trouve un marchand de moutons, Din-denault, avec son troupeau. Comme Dindenault s'est moqué de Panurge en lui disant notamment : « Vrai Dieu ! Vous portez le minois non pas d'un acheteur de moutons, mais d'un coupeur de bourses ! » celui-ci se venge en lui jouant un tour à sa façon.*

— Vendez-moi un de vos moutons, dit Panurge. Combien?

— Comment, répondit le marchand Dindenaut, l'entendez-vous, notre ami, mon voisin? Ce sont moutons à la grand-laine. Jason y prit la Toison d'Or.

— Soit, dit Panurge : mais de grâce, vendez-m'en un.

— Notre voisin, mon amy, répondit le marchand, écoutez ça un peu de l'autre aureille : de la toison de ces moutons seront faits les fins draps de Roüen. De la peau seront faits les beaux marroquins, lesquels on vendra pour marroquins turquins, ou de Montelimart, ou d'Espagne pour le pire. Des boyaux on fera cordes de violons et harpes, lesquels tant chèrement on vendra.

— S'il vous plaît, dit Panurge, m'en vendrez un. Voyez-cy argent comptant. Combien?

Ce disoit montrant son esquarcelle pleine de nouveaux henricus.

— Mon amy, répondit le marchand, notre voisin, ce n'est viande que pour roys et princes. La chair en est délicate, tant savoureuse et tant friande que c'est baume.

— Mais, dit Panurge, vendez-m'en un, et je vous le payeray en roy, foy de pieton. Combien?

— C'est trop icy barguigné, dit le patron de la nauf au marchand. Vends-luy si tu veux; si tu ne veux, ne l'amuse plus.

— Je le veux, répondit le marchand, pour l'amour de vous. Mais il en payera trois livres tournois la pièce en choisissant.

— C'est beaucoup, dit Panurge. En nos païs, j'en aurois bien cinq, voire six, pour telle somme de deniers. Advisez que ne soit trop. Vous n'êtes le premier de ma cognoissance qui, trop tôt voulant riche devenir et parvenir, est à l'envers tombé en povreté; voire quelquefois s'est rompu le col.

Panurge, ayant payé le marchand, choisit de tout le troupeau un beau et grand mouton, et l'emportoit criant et bellant, oyant tous les autres, et ensemble bellans et regardans quelle part on menoit leur compagnon. Cependant le marchand disoit à ses moutonniers :

— O qu'il a bien sçû choisir, le challant !

Soudain je ne sçay comment, le cas fut subit, je n'eus loisir le considérer, Panurge, sans autre chose dire, jette en pleine mer son mouton criant et bellant. Tous les autres moutons, crians et bellans en pareille intonation, commencèrent soy jetter et sauter en mer après à la file. Le foulle étoit à qui premier y sauteroit après leur compagnon. Possible n'étoit les en garder. Comme vous sçavez être du mouton le naturel, toujours suivre le premier, quelque part qu'il aille. Le marchand, tout effrayé de ce que devant ses yeux perir voyait et noyer ses moutons, s'efforçoit les empêcher et retenir de tout son pouvoir. Mais c'étoit en vain. Tous à la file sautoient dedans la mer et perissoient. Finalement, il en prit un grand et fort par la toison sur le tillac de la nauf, cuidant ainsy le retenir, et sauver le reste aussy consequemment. Le mouton fut si puissant qu'il emporta en mer avecques soy le marchand, et fut noyé.

François RABELAIS,
Pantagruel.

─────────────── **COMPRENEZ BIEN LE TEXTE** ───────────────

LE SENS ET LA VIE DES MOTS

LES MOTS ET LES EXPRESSIONS

Moutons à la grand-laine : allusion à des monnaies d'or frappées pendant le règne de Jean le Bon et qui portaient en effigie un mouton.

Voyez-cy : rapprochez de *vois-ci* devenu *voici.*

Argent comptant : argent qui sera compté, donc versé immédiatement.

Henricus : pièce de monnaie à l'effigie de Henri III.

Livre tournois : pièce de monnaie frappée à Tours à partir du XIIe siècle. Elle valait 20 sous et le sou 12 deniers.

Quelle part : en quel lieu; en quel endroit. On retrouve *part* avec ce sens dans : quelque part; nulle part.

Le naturel : le caractère qu'il tient de sa nature même.

Cuidant : croyant (archaïque).

Expliquez à l'aide du dictionnaire :
Maroquins — turquins — esquarcelle (escarcelle) — *barguigner — nauf* (nef) — *challant* (chaland) — *en roi* (trouvez l'adverbe correspondant).

LES IDÉES ET LES SENTIMENTS

Exercices de conversation :

1. En combien de parties se divise ce texte? — Délimitez chacune d'elles et donnez-lui un titre.

2. L'entrée en matière est courte et directe. Relevez-la.

3. Dindenault vante ses moutons afin de justifier le prix élevé qu'il va demander à Panurge pour celui qu'il lui vendra. Quelles qualités leur trouve-t-il?

4. Panurge, à son tour, montre au marchand, de façon plaisante, que le prix de son mouton est ridiculement élevé. En quels termes? Puis, tout aussitôt, il lui donne une leçon de morale qui laisse deviner son projet. Quelle est cette leçon?

5. Panurge met à exécution son projet en deux phases. Que fait-il dans la première? Que fait-il dans la deuxième?

6. Le drame. — Que font les moutons et que leur arrive-t-il? Que fait Dindenault et que lui arrive-t-il?

7. Que pensez-vous de ce récit?

8. De qui dit-on aujourd'hui : *ce sont des moutons de Panurge?*

—————————— *UTILISEZ LE TEXTE* ——————————

LANGUE ET CIVILISATION

A. 1. Employez chacune des expressions suivantes dans une phrase qui en fera bien comprendre le sens : **de toutes parts — de part et d'autre — quelque part — argent comptant.**
2. Qu'est-ce qu'un magasin bien achalandé?

B. 1. Rabelais a l'imagination très vive et très gaie. Il vise constamment dans ses écrits à nous faire rire. Il a dit lui-même :
Mieux est de ris que de larmes écrire,
Pour ce que rire est le propre de l'homme.

Quels sont les passages comiques de ce récit?
2. Panurge fait la guerre à la sottise et à la méchanceté, non par la force, mais par la ruse. De quelle méchanceté de Dindenault à son égard et de quelle sottise de ce marchand veut-il se venger? Et par quelle ruse y arrive-t-il?
3. Cette scène. comme toutes les scènes décrites par Rabelais, est vivante et animée. Elle renferme pourtant une phrase où l'auteur montre, par sa connaissance de l'Antiquité grecque, qu'il est bien un « écrivain de la Renaissance ». Relevez cette phrase.
4. Ce récit est en partie traduit en français moderne; mais il renferme suffisamment de tournures anciennes et de mots ayant conservé leur ancienne orthographe pour que vous puissiez avoir une idée de la différence qui existe entre la langue française du temps de la Renaissance et le français d'aujourd'hui. Récrivez le texte totalement en français moderne, avec l'orthographe correcte de tous les mots.

CONSEILS POUR LA LECTURE

Mettre de la vie, du mouvement, dans la lecture de cette scène. Marquez le ton goguenard du marchand, le ton faussement suppliant de Panurge qui insiste pour obtenir que lui soit vendu un mouton.

Jeu dramatique. — Jouez cette scène. Personnages : ceux du récit et un « récitant » qui remplace l'auteur dans ses explications.

LINGUISTIQUE

Une forme féminine archaïque de l'adjectif GRAND. — *Ce sont les moutons à la grand-laine.*
Dans l'ancienne langue, l'adjectif *grand* avait une forme unique pour le masculin et le féminin. Cette forme archaïque s'est conservée dans un certain nombre de noms composés ou d'expressions : *la grand-mère; la grand-tante; la grand-messe; la grand-rue; grand-faim; grand-peur; à grand-peine; pas grand-chose.*

L'adverbe de quantité SI devant l'adjectif. — *La chair en est* **tant** *délicate,* **tant** *savoureuse,* **tant** *friande...* en français moderne, on n'emploie plus l'adverbe **tant** devant un adjectif, il faudrait **si** : **si** *délicate,* **si** *savoureuse,* **si** *friande.* Aujourd'hui, l'emploi de **tant** est limité; on dit *je l'aime* **tant** ou *j'ai* **tant** *d'amour pour elle,* mais on dit : *j'ai un* **si** *grand amour pour elle.*

Exercice : Faites trois phrases comme ci-dessus, où vous emploierez TANT avec un verbe, TANT DE avec un nom et SI avec un adjectif.

RONSARD

Pierre de Ronsard, né en 1524, mort en 1585. Dans sa jeunesse, il fut page à la cour du roi de France. Atteint brusquement de surdité, il se retira dans son château de la Possonnière — dont le Loir traversait l'enclos — dans le Vendômois, et se consacra exclusivement à la littérature; mais il resta l'ami des rois Henri II, Charles IX et Henri III, avec qui il avait passé une partie de sa jeunesse.

Il avait étudié le grec et le latin avec son ami du Bellay (voir page 231), avec qui il fonda un groupe de jeunes poètes : la Pléiade. Tout imprégné de la littérature de l'Antiquité grecque et latine, il pense, devant la nature, comme un homme de l'Antiquité. C'est ce que nous verrons dans l'extrait suivant de son élégie : *Contre les bûcherons de la forêt de Gastine.* Il est aussi un délicat poète : *Sonnet pour Hélène* (page 383).

CONTRE LES BÛCHERONS DE LA FORÊT DE GASTINE

(Fragments)

Écoute, bûcheron, arrête un peu le bras ;
Ce ne sont pas des bois que tu jettes à bas
Ne vois-tu pas le sang lequel dégoutte à force
Des nymphes qui vivaient dessous la rude écorce?
Sacrilège meurtrier, si on pend un voleur
Pour piller un butin de bien peu de valeur,
Combien de feux, de fers, de morts et de détresses
Mérites-tu, méchant, pour tuer nos déesses?
Forêt, haute maison des oiseaux bocagers,
Plus le cerf solitaire et les chevreuils légers
Ne paîtront sous ton ombre, et ta verte crinière
Plus du soleil d'été ne rompra la lumière.
Tout deviendra muet, Écho sera sans voix;
Tu deviendras campagne, et, en lieu de tes bois
Dont l'ombrage incertain lentement se remue,
Tu sentiras le soc, le coutre et la charrue;
Tu perdras ton silence, et haletants d'effroi
Ni Satyres ni Pans ne viendront plus chez toi.
Adieu, vieille forêt, le jouet de Zéphyre,

VI. LA FRANCE AU MOYEN-AGE
Corot. Chartres

Où premier j'accordai les langues de ma lyre,
Où premier j'entendis les flèches résonner
D'Apollon qui me vint tout le cœur étonner.

Adieu, vieille forêt, adieu têtes sacrées
De tableaux et de fleurs en tout temps révérées,
Maintenant le dédain des passants altérés,
Qui, brûlés en l'été des rayons éthérés,
Sans plus trouver le frais de tes douces verdures,
Accusent tes meurtriers et leur disent injures !
Adieu, chênes, couronne aux vaillants citoyens,
Arbres de Jupiter, germes Dodonéens,
Qui premiers aux humains donnâtes à repaître.
Peuples vraiment ingrats, qui n'ont su reconnaître
Les biens reçus de vous, peuples vraiment grossiers
De massacrer ainsi leurs pères nourriciers.

Pierre DE RONSARD, *Élégies.*

─────────── **COMPRENEZ BIEN LE TEXTE** ───────────

LE SENS ET LA VIE DES MOTS

LES MOTS ET LES EXPRESSIONS

Forêt de Gastine : elle s'étendait près du prieuré de Croix-Val-en-Vendômois où se rendait souvent Ronsard. Charles IX, ayant un grand besoin d'argent, avait fait couper et vendre les bois de cette forêt qu'affectionnait particulièrement le poète. D'où cette élégie.

Élégie : poésie plaintive et sentimentale. Ronsard exprime, dans cette élégie, les sentiments de révolte, de tristesse et de mélancolie qu'il éprouve devant l'anéantissement de la forêt qu'il aimait.

Dégoutte à force : s'écoule goutte à goutte et en grande quantité. *Exemple :* l'eau dégoutte des arbres après la pluie.

Sacrilège meurtrier : pour Ronsard, le bûcheron commet un meurtre sacrilège, puisqu'il tue des êtres sacrés : les déesses des bois.

Révérées : respectées et honorées.

Chênes, couronne aux vaillants citoyens : dans l'Antiquité grecque, on donnait une couronne de feuilles de chêne aux vainqueurs des jeux organisés en l'honneur d'Hercule. De même, à Rome, on donnait une telle couronne aux citoyens qui s'étaient distingués. En France, aujourd'hui encore, les généraux portent une couronne de feuilles de chêne brodée autour de leur képi.

Arbres de Jupiter : en Grèce, Jupiter, le maître des dieux, manifestait aux humains ses volontés par l'intermédiaire de la voix, du bruissement des chênes, que les oracles interprétaient et faisaient connaître aux hommes.

Germes dodonéens : la ville de Dodone était à proximité d'une forêt de chênes. Jupiter y avait un temple. Et c'est là qu'il rendait ses oracles.

Pères nourriciers : les glands des chênes passaient, dans l'Antiquité grecque, pour avoir été la première nourriture des hommes.

Travail personnel. — En vous servant du dictionnaire, dites ce qu'était chacun des dieux champêtres de la mythologie grecque évoqués par Ronsard dans ce poème.

LES IDÉES ET LES SENTIMENTS

Exercices de conversation :

1. Ronsard s'adresse d'abord au bûcheron.

a) Il lui demande de s'arrêter. Quels arguments lui donne-t-il? (4 premiers vers).

b) Il lui dit le châtiment qu'il mériterait pour son meurtre sacrilège. Quel est ce châtiment? (4 vers suivants).

2. Il s'adresse ensuite à la Forêt qui meurt.

a) Quel nom lui donne-t-il? Pourquoi?

b) Il évoque tout ce qu'elle perdra de ce qui faisait son charme. Que perdra-t-elle?

c) Il a la vision de ce qu'elle deviendra. Que deviendra-t-elle?

3. Il dit enfin ses adieux à la vieille forêt où il a composé ses premiers poèmes. Relevez les deux vers concernant ces adieux. — Il lui prédit la colère des passants contre ses meurtriers. Résumez les vers qui expriment cette idée. — Puis il adresse ses adieux aux chênes « en tout temps révérés ». En quels termes?

4. Par-delà les bûcherons, il fait éclater son indignation à l'adresse des peuples de son temps, plus barbares que ceux des temps les plus reculés. Que leur reproche-t-il?

UTILISEZ LE TEXTE

COMPOSITION FRANÇAISE

On vient d'abattre les arbres d'une promenade publique à l'ombre desquels vous aimiez aller vous reposer. En utilisant le plan suivi par Ronsard : 1° *Écoute bûcheron...* ; 2° *Forêt, haute maison...* ; 3° *Adieu, vieille forêt...* ; 4° *Adieu, chênes...* ; dites-nous le regret et la peine que vous en éprouvez.

Enquête. — A l'aide de documents recueillis dans les journaux et les revues, montrez, en une vingtaine de lignes, les conséquences du déboisement inconsidéré de certaines régions (ravinements, inondations. etc...) en rappelant le rôle de l'arbre et de ses racines pour retenir les eaux de pluie dans les terrains en pente.

POUR CONNAITRE L'AUTEUR

I. Le poète

A. Poète de la Renaissance, Ronsard voit la forêt comme un homme de l'Antiquité grecque.

1° Elle est peuplée de divinités. Quelles sont ces divinités?

2° Les arbres eux-mêmes sont sacrés. Quels sont ces arbres? Quels souvenirs de l'Antiquité rappellent-ils à l'auteur ?

3° Les bûcherons commettent un sacrilège. Pourquoi. — Et les peuples une sorte de parricide. Pourquoi?

B. Ronsard a aussi un vif sentiment de la nature. Il voit encore la forêt comme un homme de son temps.

Qu'aimait-il y trouver ainsi que « les passants »? Quels souvenirs de jeunesse évoque-t-il?

II. Le poème

1. Quels vers emploie Ronsard? Comment sont disposées les rimes? (exemple pris dans la première strophe).

2. Le rythme est souple. La plupart des vers sont nettement coupés en deux hémistiches D'autres vers sont coupés en trois groupes. Relevez ces derniers.

CONSEILS POUR LA LECTURE

Tenez compte de la douceur des rimes, de la variété, de la souplesse du rythme et de la cadence. pour la lecture ou la récitation de cette élégie qui demande un ton grave.

Le sacre du poète. — Gravure du début du XVIe siècle.
Ronsard *couronné du laurier de l'immortalité, par deux poètes de l'Antiquité.*

SONNET POUR HÉLÈNE

Quand vous serez bien vieille, au soir, à la chandelle,
Assise auprès du feu, dévidant et filant,
Direz, chantant mes vers, en vous émerveillant :
« Ronsard me célébrait, du temps que j'étais belle! »

Lors, vous n'aurez servante oyant telle nouvelle,
Déjà sous le labeur à demi sommeillant,
Qui, au bruit de Ronsard, ne s'aille réveillant,
Bénissant votre nom de louange immortelle.

Je serai sous la terre et, fantôme sans os,
Par les ombres myrteux je prendrai mon repos ;
Vous serez au foyer une vieille accroupie,

Regrettant mon amour et votre fier dédain.
Vivez, si m'en croyez, n'attendez à demain :
Cueillez dès aujourd'hui les roses de la vie.

383

COMPRENEZ BIEN LE TEXTE

LE SENS ET LA VIE DES MOTS

LES MOTS ET LES EXPRESSIONS

Direz : ici, vous direz.

Me célébrait : m'adressait des louanges, chantait ma beauté dans ses vers.

Lors : ici, alors.

Par : ici, parmi.

Myrteux. De myrte : arbrisseau aux fleurs odorantes qui, dans la mythologie grecque, embaumait les Champs-Élysées où se reposaient les ombres, « fantômes sans os », des morts illustres.

Vivez si m'en croyez : ici, vivez si vous m'en croyez.

N'attendez : ici, n'attendez pas.

Travail personnel à faire à l'aide du dictionnaire. — Mettez les verbes suivants à l'infinitif et donnez-en le sens :

Bénissant, dévidant, filant, voyant.

LES IDÉES ET LES SENTIMENTS

Exercices de conversation :

1. Quel tableau Ronsard décrit-il dans le premier quatrain?

2. Ronsard était, de son vivant, un poète célèbre et très populaire. Comment le rappelle-t-il dans le deuxième quatrain? Mettez ce quatrain en français moderne (v. Grammaire, p. 344).

3. Il met en opposition, dans les quatre vers suivants, sa destinée et celle de la jeune fille. Que sera-t-il un jour? et que sera Hélène?

4. Ronsard est hanté par l'idée que tout passe et qu'à la jeunesse succéderont bientôt la vieillesse et la mort. Il aime la vie. Et, puisque la vie est brève, quel conseil donne-t-il à Hélène et, en général, à la jeunesse?

UTILISEZ LE TEXTE

ANALYSE DU SONNET

1. Le sonnet. — Ce court poème de quatorze vers est un sonnet. Combien ce sonnet comprend-il de quatrains? Combien de tercets ou strophes de trois vers ?

2. La rime. — Relevez le dernier mot de chaque vers et soulignez la rime. Indiquez le genre de chaque rime : masculine (M), féminine (F). Exemple, premier quatrain : *chandelle* (F), *filant* (M), *émerveillant* (M), *belle* (F).

3. La disposition des rimes dans le sonnet.

a) Dans le premier quatrain, les rimes F, M, N, F, sont embrassées.

b) Le deuxième quatrain est construit de la même manière, sur les mêmes rimes.

c) Les deux premiers vers du premier tercet riment ensemble (*os, repos*) : rimes suivies (M, M).

d) Les quatre derniers vers sont construits sur deux nouvelles rimes (*ie, ain*). Ces rimes sont aussi embrassées. Dans d'autres sonnets, elles sont alternées ou croisées : MF MF.

Sur combien de rimes, au total, est bâti ce sonnet? — Faites le tableau de la disposition de ces rimes.

4. Tous les sonnets doivent être construits suivant ces « rigoureuses lois » (Boileau). Le sonnet est le plus beau des poèmes à forme fixe; Ronsard et son ami du Bellay ont souvent utilisé cette forme.

Décomposez les vers des deux premiers quatrains en *groupes de souffle*. Quelles remarques faites-vous?

CONSEILS POUR LA LECTURE ET LA RÉCITATION

Tenez bien compte de ces coupes des vers, variées et bien équilibrées. Tenez compte aussi de la musicalité et de la douceur des rimes.

LES CLASSIQUES

XVIIᵉ SIÈCLE

Le XVIIᵉ siècle est appelé le siècle de Louis XIV parce que le roi et sa cour ont exercé une influence considérable sur les arts et sur la littérature française. Ils ont imposé la langue correcte parlée à la cour; si bien que la langue française devint un modèle de clarté, de précision, qu'elle fut parlée dans tous les pays d'Europe par les personnes cultivées, et qu'elle fut choisie pour la rédaction des traités entre les États.

Les écrivains classiques continuent à s'inspirer, comme ceux de la Renaissance, des œuvres de l'Antiquité grecque et latine. Ils ne parlent pas d'eux-mêmes dans leurs ouvrages (« Le moi est haïssable » — Pascal). Il expriment des idées et des sentiments de l'homme en général.

On peut les ranger chronologiquement dans trois grandes périodes où rayonnent les œuvres suivantes :

*1ʳᵉ **Période :** Première moitié du XVIIᵉ siècle.*

Règne de Louis XIII et minorité de Louis XIV.

Les pièces de *Corneille* — Les Mémoires *du cardinal de Retz* — Le Discours de la méthode, *du philosophe Descartes* — Les Pensées *de Pascal.*

*2ᵉ **Période :** Deuxième moitié du XVIIᵉ siècle, jusqu'en 1785.*

Apogée du règne de Louis XIV.

Les tragédies de *Racine* — Les comédies de *Molière* — Les Fables de *La Fontaine* — Les Lettres de Mᵐᵉ de *Sévigné* — Les Sermons *du prédicateur Bossuet* — L'Art poétique de *Boileau.*

*3ᵉ **Période :** Déclin du règne de Louis XIV.*

Les Caractères *ou* Portraits *de La Bruyère* — Les Mémoires *de Saint-Simon* — Les ouvrages d'éducation de *Fénelon.*

Certains écrivains de cette période de malheurs et de misère pour la France annoncent déjà, par leurs critiques des Grands du royaume, du régime et des institutions, les philosophes du XVIIIᵉ siècle.

Portrait de Corneille, gravé par Lestudier-Lacour.

CORNEILLE

Pierre Corneille est né en 1608, à Rouen, où son père était magistrat. Il est mort à Paris, en 1684. Il fit de solides études classiques (études des auteurs grecs et latins), puis des études de droit. Il occupa, à Rouen, la charge d'avocat du roi jusqu'en 1650. La fin de sa vie fut assombrie par la mort d'un de ses fils et de son gendre, tous deux tués à la guerre, dans les armées du roi.

Corneille s'imposa, en 1636, par un chef-d'œuvre, *Le Cid*, tragi-comédie en cinq actes et en vers inspirée d'une tragédie espagnole qui reprenait la légende d'un héros de l'Espagne du XIᵉ siècle. En 1640, il fit jouer *Horace*, tragédie inspirée du récit du combat des Horaces et des Curiaces, de Tite-Live, puis *Cinna, Polyeucte,* etc...

Son théâtre est une école de grandeur d'âme. Après avoir exalté l'héroïsme et l'amour, dans le *Cid*, il exalte notamment l'héroïsme du patriotisme, dans *Horace,* la magnanimité, la générosité, dans *Cinna* et la foi religieuse dans *Polyeucte.*

386

LE CID

Présentation. — *L'action se passe au XIe siècle à Séville, en Castille. Rodrigue, fils de don Diègue, et Chimène, fille du comte don Gormas, sont fiancés. Le roi ayant choisi don Diègue pour être précepteur de son fils plutôt que son concurrent don Gormas, celui-ci entre dans une violente colère. Il soufflette don Diègue qui, trop âgé, ne peut réparer cet affront par les armes. Don Diègue charge alors Rodrigue de venger son honneur, puis le laisse seul.*

LES STANCES DE RODRIGUE

Percé jusques au fond du cœur
D'une atteinte imprévue aussi bien que mortelle,
Misérable vengeur d'une juste querelle,
Et malheureux objet d'une injuste rigueur,
Je demeure immobile, et mon âme abattue
Cède au coup qui me tue.
Si près de voir mon feu récompensé,
O Dieu, l'étrange peine !
En cet affront, mon père est l'offensé,
Et l'offenseur le père de Chimène !

Que je sens de rudes combats !
Contre mon propre honneur mon amour s'intéresse :
Il faut venger un père et perdre une maîtresse.
L'un m'anime le cœur, l'autre retient mon bras.
Réduit au triste choix ou de trahir ma flamme,
Ou de vivre en infâme,
Des deux côtés mon mal est infini.
O Dieu ! l'étrange peine !
Faut-il laisser un affront impuni ?
Faut-il punir le père de Chimène ?

Père, maîtresse, honneur, amour,
Noble et dure contrainte, aimable tyrannie,
Tous mes plaisirs sont morts, ou ma gloire ternie ;
L'un me rend malheureux, l'autre indigne du jour.
Cher et cruel espoir d'une âme généreuse,
Mais ensemble amoureuse.

Digne ennemi de mon plus grand bonheur,
        Fer qui causes ma peine,
M'es-tu donné pour venger mon honneur?
M'es-tu donné pour perdre ma Chimène?

        Il vaut mieux courir au trépas;
Je dois à ma maîtresse aussi bien qu'à mon père :
J'attire en me vengeant sa haine et sa colère;
J'attire ses mépris en ne me vengeant pas.
A mon plus doux espoir l'un me rend infidèle,
        Et l'autre indigne d'elle.
Mon mal augmente à le vouloir guérir;
        Tout redouble ma peine.
Allons, mon âme; et, puisqu'il faut mourir,
Mourons du moins sans offenser Chimène.

        Mourir sans tirer ma raison!
Rechercher un trépas si mortel à ma gloire!
Endurer que l'Espagne impute à ma mémoire
D'avoir mal soutenu l'honneur de ma maison!
Respecter un amour dont mon âme égarée
        Voit la perte assurée!
N'écoutons plus ce penser suborneur,
        Qui ne sert qu'à ma peine.
Allons, mon bras, sauvons du moins l'honneur,
Puisque après tout il faut perdre Chimène.

        Oui, mon esprit s'était déçu.
Je dois tout à mon père avant qu'à ma maîtresse.
Que je meure au combat, ou meure de tristesse,
Je rendrai mon sang pur comme je l'ai reçu.
Je m'accuse déjà de trop de négligence :
        Courons à la vengeance;
Et, tout honteux d'avoir tant balancé,
        Ne soyons plus en peine
(Puisque aujourd'hui mon père est l'offensé),
Si l'offenseur est père de Chimène.

                Pierre CORNEILLE, *Le Cid*, Acte I, scène 6.

LA VIE ET LE SENS DES MOTS

A. LES MOTS

Mon feu : dans la langue recherchée du XVIIe siècle, cette expression signifie mon amour, ma passion.

Un affront : l'action d'affronter, qui est au sens propre se mettre en face de quelqu'un pour l'empêcher de passer: d'où le sens d'insulte, de défi méprisant.

S'intéresser : ici, le mot a le sens particulier de prendre parti, proche du sens étymologique : *d'être entre*.

Infâme : adjectif employé ici au sens étymologique de perdre sa renommée (avoir de la renommée, c'est être *fameux*).

Une tyrannie : le mot est plus fort que *contrainte*, il représente tout ce que Rodrigue est obligé de faire pour son amour.

Le fer : désigne au XVIIe siècle une épée.

Expliquez à l'aide du dictionnaire :

Une atteinte — un offensé — un offenseur — suborneur — la négligence.

B. LES EXPRESSIONS

Trahir ma flamme : faire quelque chose de contraire à mon amour.

Une âme généreuse : l'esprit d'une personne bien née, d'un vrai chevalier, d'un vrai gentilhomme.

Tirer ma raison : me battre en duel pour me venger, car l'affront infligé à mon père me fait perdre l'honneur.

Travail personnel. — Expliquez :

Une injuste rigueur — une gloire ternie — imputer à ma mémoire — avoir tant balancé.

LES IDÉES ET LES SENTIMENTS

Exercices de conversation :

1. Pourquoi Rodrigue est-il frappé d'une façon *imprévue* et *mortelle*?

2. Quelle devait être la récompense de *son feu*, de son amour?

3. A quel sentiment correspond l'invocation *O Dieu*?

4. Comparez les deux questions qui terminent la deuxième stance aux deux questions qui terminent la stance suivante. Quelles réponses donne Rodrigue à ces questions? Quelles réponses leur donneriez-vous? Quels sentiments font-elles naître dans l'esprit des spectateurs?

5. Pour quelles raisons Rodrigue pense-t-il qu'il vaut mieux mourir? Que pensez-vous de ces raisons?

6. Quelle décision Rodrigue prend-il dans l'avant-dernière stance? En quoi les vers 3, 4, 5 et 6 de la stance précédente annoncent-ils cette décision, la justifiant par avance?

7. Expliquez pourquoi Rodrigue s'accuse d'avoir été déjà trop négligent.

8. Relevez, dans la dernière strophe, le vers qui annonce la suite de l'action.

9. Quel est le dernier mot de chacune des stances? Avec quel autre mot ce mot rime-t-il toujours? Concluez.

10. Donnez un titre à chacune des six stances. Si vos titres sont bien choisis, ils doivent retracer la logique de l'évolution des idées et des sentiments de Rodrigue. Vous décrirez en une phrase chacune des phases de cette évolution.

THÉÂTRE ET POÉSIE

La stance : mot emprunté à l'italien *stanza* (au sens propre, chambre, lieu où l'on s'arrête, se repose), groupe de vers ayant un sens complet et une unité rythmique après lequel on marque un repos, puis qui se répète.

La pièce **Le Cid** est écrite en vers de douze pieds ou alexandrins, sauf les stances, qui constituent ainsi un changement dans le rythme poétique.

Analyse de la structure d'une stance :

Combien de vers a-t-elle en tout? Sur ces vers, combien y a-t-il d'alexandrins? Combien de décasyllabes? Combien d'octosyllabes? Combien de vers de six syllabes? Avec quel vers rime le

L'expression d'une alternative opposée.

que + le subjonctif + le subjonctif.

Que je meure au combat ou meure de tristesse
Je rendrai mon sang pur...
signifie *dans l'un ou l'autre cas je rendrai mon sang pur...* Il serait aussi possible de dire : *que je meure au combat ou que je meure de tristesse.*

Une comparaison avec COMME, conjonction.

comme + le mode indicatif.

Je rendrai mon sang pur comme je l'ai reçu.

COMME introduit ici une proposition subordonnée de comparaison, complément de la proposition principale *je rendrai mon sang pur*; le verbe est à l'indicatif, c'est une comparaison qui porte sur un fait réel.

Exercice : Faites trois phrases sur le modèle suivant : *Il ment comme il respire.*

DISSERTATION

Expliquez et discutez cette pensée de Descartes, tirée du « Traité des Passions » :

« *Art. 50.* — *Qu'il n'y a point d'âme si faible qn'elle ne puisse, étant bien conduite, acquérir un pouvoir absolu sur les passions* » (1649).

Vous chercherez vos exemples dans la littérature. (Voir aussi p. 397.)

CONSEILS POUR LA LECTURE

Au début, Rodrigue est infiniment triste et abattu, il est immobile : lire à voix basse; peu à peu, à force de volonté, il se raffermit, le ton est plus décidé tout en restant triste; cependant, lors des deux dernières strophes, vient se superposer une véritable joie de l'action. Rodrigue voit clair, il est sorti de son dilemme; il faut insister sur *courons*. Ne pas omettre, dans tout ce monologue, de faire sentir la merveilleuse musique des vers de Corneille et l'harmonieuse structure rythmique de chaque stance.

——— VOCABULAIRE D'INITIATION ———

Vocabulaire se rapportant au théâtre :

— NOMS :

un acte
un acteur
une action
un comédien
un confident
la conversation
les coulisses (fém.)
la création
la crise
le décor
le dialogue
la diction
le divertissement

un emploi
le héros
une héroïne
une interprétation
une intrigue
un masque
une matinée
la mise en scène
le monologue
le personnage
la pièce
le plan
les planches (fém.)
(« scène du théâtre »)

la première
(« première représentation »)
la règle
la répétition
(« sens théâtral »)
la réplique
la représentation
la reprise
le rideau
le rival
le rôle
la situation
la soirée

le spectacle
le spectateur
la tirade
une unité

— VERBES :

créer (« une pièce »)
interpréter
jouer
mettre en scène
représenter
situer

Autographe de *Corneille*.

Racine à trente-six ans (Musée de Langres)

RACINE

Jean Racine (1639-1699), orphelin à quatre ans, fut élève de Port-Royal où il apprit notamment le grec. Il se brouilla avec les Jansénistes pour se consacrer au théâtre. Après le succès d'*Andromaque* (1667), il écrivit huit tragédies dont *Britannicus* (1669), *Mithridate* (1673) et *Phèdre* (1677). Il se réconcilia avec ses maîtres jansénistes et abandonna alors le théâtre pour devenir, avec Boileau, *historiographe* de Louis XIV, et ne produisit alors qu'une vraie tragédie, *Athalie* (1691).

Dans des situations « *simples, chargées de peu de matière* », Racine nous montre l'homme en proie à ses passions et, par là, à son destin, nous peignant des personnages qui « *tombent dans le malheur par quelque faute qui les fasse plaindre sans les faire détester* ».

Ce dramaturge est un des plus grands, et peut-être le plus grand poète français de son siècle (voir le jugement de Paul Valéry, p. 361).

ANDROMAQUE : L'AMOUR D'UNE MÈRE

Après la défaite de Troie, la veuve d'Hector, Andromaque, est tombée avec son fils aux mains de Pyrrhus, fils d'Achille et roi d'Epire. Celui-ci a promis à Andromaque, si elle consent à l'épouser, de sauver son fils Astyannax.

La veuve laissera-t-elle tuer son fils — poursuivi à l'instigation de sa rivale Hermione — pour rester fidèle au souvenir de son mari? Trahira-t-elle le père, ou le fils? Elle dit ses hésitations et sa peine à sa confidente Céphise.

ANDROMAQUE

Dois-je oublier Hector privé de funérailles,
Et traîné sans honneur autour de nos murailles?
Dois-je oublier son père à mes pieds renversé,
Ensanglantant l'autel qu'il tenait embrassé?
Songe, songe, Céphise, à cette nuit cruelle
Qui fut pour tout un peuple une nuit éternelle.
Figure-toi Pyrrhus, les yeux étincelants,
Entrant à la lueur de nos palais brûlants,
Sur tous mes frères morts se faisant un passage,
Et, de sang tout couvert, échauffant le carnage.
Songe aux cris des vainqueurs, songe aux cris des mourants,
Dans la flamme étouffés, sous le fer expirants.
Peins-toi dans ces horreurs Andromaque éperdue :
Voilà comme Pyrrhus vint s'offrir à ma vue;
Voilà par quels exploits il sut se couronner;
Enfin, voilà l'époux que tu me veux donner.
Non, je ne serai point complice de ses crimes;
Qu'il nous prenne s'il veut, pour dernières victimes.
Tous mes ressentiments lui seraient asservis!

CÉPHISE

Hé bien! allons donc voir expirer votre fils :
On n'attend plus que vous... Vous frémissez, madame!

ANDROMAQUE

Ah! de quel souvenir viens-tu frapper mon âme !
Quoi? Céphise, j'irais voir expirer encor

Ce fils, ma seule joie, et l'image d'Hector ;
Ce fils, que de sa flamme il me laissa pour gage !
Hélas ! je m'en souviens, le jour que son courage
Lui fit chercher Achille, ou plutôt le trépas,
Il demanda son fils et le prit dans ses bras :
« Chère épouse, dit-il en essuyant mes larmes,
J'ignore quel succès le sort garde à mes armes ;
Je te laisse mon fils pour gage de ma foi :
S'il me perd, je prétends qu'il me retrouve en toi.
Si d'un heureux hymen la mémoire t'est chère,
Montre au fils à quel point tu chérissais le père. »
Et je puis voir répandre un sang si précieux !
Et je laisse avec lui périr tous ses aïeux !
Roi barbare, faut-il que mon crime l'entraîne ?
Si je te hais, est-il coupable de ma haine ?
T'a-t-il de tous les siens reproché le trépas ?
S'est-il plaint à tes yeux des maux qu'il ne sent pas ?
Mais cependant, mon fils, tu meurs si je n'arrête
Le fer que le cruel tient levé sur ta tête.
Je l'en puis détourner, et je t'y vais offrir !...
Non, tu ne mourras point, je ne puis le souffrir.
Allons trouver Pyrrhus. Mais non, chère Céphise,
Va le trouver pour moi.

CÉPHISE

Que faut-il que je dise ?

ANDROMAQUE

Dis-lui que de mon fils l'amour est assez fort...
Crois-tu que dans son cœur il ait juré sa mort ?
L'amour peut-il si loin pousser sa barbarie ?

CÉPHISE

Madame, il va bientôt revenir en furie.

ANDROMAQUE

Eh bien ! va l'assurer...

CÉPHISE

De quoi? de votre foi?

ANDROMAQUE

Hélas! pour la promettre est-elle encore à moi?
O cendres d'un époux! ô Troyens! ô mon père!
O mon fils! que tes jours coûtent cher à ta mère!
Allons.

CÉPHISE

Où donc, madame? et que résolvez-vous?

ANDROMAQUE

Allons sur son tombeau consulter mon époux.

RACINE,

Andromaque. — Acte III, scène 8.

───────────── COMPRENEZ BIEN LE TEXTE ─────────────

LE SENS ET LA VIE DES MOTS

LES MOTS ET LES EXPRESSIONS

Son père : le vieux roi Priam.

Nuit cruelle : nuit où furent commises tant de cruautés.

Mes frères : il s'agit de ses beaux-frères, les frères d'Hector. — Les frères d'Andromaque ont été tués longtemps avant la prise de Troie par Achille.

Complice de ses crimes : en épousant Pyrrhus, je paraîtrais approuver les crimes qu'il a commis.

Hymen ou hyménée : mariage — du nom de la divinité grecque qui présidait aux mariages.

Mon crime : ma haine, mon refus de devenir son épouse.

Que résolvez-vous : que décidez-vous?

LES IDÉES ET LES SENTIMENTS

Exercices de conversation :

A. Andromaque évoque devant Céphise le passé terrifiant qu'elle ne peut oublier.

1. Quels souvenirs rappelle-t-elle en ce qui concerne : Hector — le vieux roi Priam — ses beaux-frères — son palais, au cours de cette « nuit cruelle » — Pyrrhus — elle-même, Andromaque?
2. Quels sentiments éprouve-t-elle à l'égard de Pyrrhus?
3. A quelle conclusion arrive-t-elle? — « Non... »

B. **Quelle réalité lui rappelle alors Céphise?**

C. **A ce rappel de la réalité, Andromaque évoque le souvenir de deux êtres qu'elle aime : son fils, son époux.**

1. Relevez les vers où elle exprime l'amour qu'elle a pour son fils.
2. De quelle scène d'adieux se souvient-elle?

Quels souvenirs a-t-elle gardés de cette scène? Quelles recommandations lui fit alors Hector?
3. Revenant à la pensée du péril qui menace son enfant, elle s'emporte contre Pyrrhus. Que lui dit-elle?
4. Puis elle s'adresse à son fils. Que lui dit-elle?
5. Quelle résolution prend-elle enfin? — « Non... »

LANGUE ET CIVILISATION

A. Quelques-uns des différents sens du verbe **résoudre** : *a*) transformer; *b*) trouver la solution; *c*) décider; *d*) se décider à (*voir le dictionnaire*). Faites entrer le verbe **résoudre** dans une phrase où apparaîtra clairement chacun de ces divers sens.

Quelques-uns des différents sens du mot **scène** : *a*) partie du théâtre où jouent les acteurs; *b*) par extension : lieu où se passe une action; *c*) subdivision d'un acte d'une pièce de théâtre; *d*) des scènes de la vie ordinaire (*voir dictionnaire*). Faites entrer le mot **scène** dans des phrases où chacun de ces divers sens apparaîtra clairement.

B. 1. Situez le passage étudié dans la tragédie.

2. Quels sont les principaux personnages de cette tragédie et quelle est leur situation sociale?

3. Dans quelle situation dramatique se trouve : Andromaque? — son fils? — Pyrrhus?

4. Quel est le dénouement tragique de la pièce?

Pour répondre à ces questions, vous pourrez aussi vous reporter au texte complet de la tragédie, accompagné d'explications, dans les **Classiques de Civilisation française** (Didier, éditeur).

C. 1. Racine, élevé par les Jansénistes, n'a pas les mêmes idées sur la vie que son prédécesseur Corneille, élevé par les Jésuites. — Au point de vue de la psychologie, Corneille pense comme le philosophe Descartes « *qu'il n'y a point d'âme si faible qu'elle ne puisse, étant bien conduite, acquérir un pouvoir absolu sur les passions* »; par contre, Racine pense, comme le philosophe Pascal, que « *le cœur a ses raisons que la raison ne connaît pas* ».

Andromaque est d'abord la veuve d'Hector qu'elle aime par-delà la tombe. Que lui commande cet amour?

Andromaque est une mère qui veut à tout prix sauver son fils, même au sacrifice de sa vie. Comment?

2. Le héros cornélien est maître de ses sentiments; les héros des tragédies de Racine se laissent au contraire conduire par leurs sentiments. Quels sont les sentiments qui guident tous les actes d'Andromaque? — Quel est le sentiment qui guide Pyrrhus et le fait résister aux Grecs?

3. Si Racine prend ses sujets dans les œuvres de l'Antiquité, il ne les copie pas servilement. Cherchez des exemples de l'invention de Racine.

LECTURE ET RÉCITATION

Première réplique : évocation de souvenirs cruels. — Deuxième réplique : souvenirs plus doux, mais tristes : celui de son fils menacé et celui de son dernier adieu de son époux. — Puis révolte contre Pyrrhus : « roi barbare ». Retour à l'image de son fils. Puis froide détermination.

Bien rendre ces différents états d'âme successifs d'Andromaque, par l'intonation et la diction.

Apprendre par cœur la première tirade, qui évoque les horreurs de la guerre.

LINGUISTIQUE

Le français du XVIIe siècle.

... *tu meurs si je n'arrête...* cet emploi du NE négatif employé seul dans la proposition subordonnée conditionnelle est littéraire.

... *le jour que son courage...* aujourd'hui on dit : *le jour où*, le pronom relatif *que* n'est plus employé dans ce sens.

... *je ne le puis souffrir...* aujourd'hui, le pronom personnel serait placé entre les deux verbes dans cette construction.

Portrait par
Mignard.

Photo Giraudon.

MOLIÈRE

Molière, de son vrai nom Jean-Baptiste Poquelin, est né à Paris en 1622, mort en 1673. Enfant, il habita au centre de la capitale, près des Halles, de l'Hôtel de Rambouillet et du Pont-Neuf. Il fut l'élève des Jésuites, au Collège de Clermont, à Paris, puis il fit des études de droit à Orléans. Ayant fait la connaissance d'une comédienne, Madeleine Béjart, il fonde avec elle l'*Illustre Théâtre*, qui fait faillite en un an (1643-44).

Il prend alors le pseudonyme de Molière, parcourt la France, à la tête d'une troupe de théâtre et ne rentre à Paris que treize ans plus tard, en 1658. Son premier succès devant le roi Louis XIV est *les Précieuses ridicules*, comédie de mœurs. Protégé alors par le roi, Molière, chef de troupe et comédien, écrira notamment : l'*École des maris*, l'*École des femmes*, le *Tartuffe*, *Dom Juan*, le *Misanthrope*, l'*Avare*, le *Bourgeois gentilhomme*, les *Femmes savantes* et le *Malade imaginaire*. Jouant cette farce, il fut pris d'un malaise et mourut presque aussitôt après la représentation. « Si les nations cherchaient quel est l'écrivain qui les représente le mieux, l'Angleterre nommerait son Shakespeare, l'Allemagne son Gœthe, la France n'hésiterait pas : elle proclamerait Molière » (Sainte-Beuve).

Molière

DOM JUAN

Présentation : Don Juan, « *grand seigneur méchant homme* », se dresse contre Dieu. Il est maintenant poursuivi par les frères de Dona Elvire, qu'il a enlevée d'un couvent pour l'épouser, et qu'il a abandonnée. Don Juan et son valet Sganarelle se sont déguisés pour échapper à leurs poursuivants. Comme il le fait sans cesse dans la pièce, Sganarelle essaie maladroitement de convertir son maître.

LA RELIGION DE L'ARITHMÉTIQUE

Don Juan, *en habit de campagne,* Sganarelle, *en médecin.*

Sganarelle. — Ma foi, Monsieur, avouez que j'ai eu raison, et que nous voilà l'un et l'autre déguisés à merveille. [...]

Don Juan. — Il est vrai que te voilà bien, et je ne sais où tu as été déterrer cet attirail ridicule.

Sganarelle. — Oui, c'est l'habit d'un vieux médecin, qui a été laissé en gage au lieu où je l'ai pris, et il m'en a coûté de l'argent pour l'avoir. Mais savez-vous, Monsieur, que cet habit me met déjà en considération, que je suis salué des gens que je rencontre et que l'on me vient consulter ainsi qu'un habile homme?

Don Juan. — Comment donc?

Sganarelle. — Cinq ou six paysans et paysannes, en me voyant passer, me sont venus demander mon avis sur différentes maladies.

Don Juan. — Tu leur as répondu que tu n'y entendais rien.

Sganarelle. — Moi? point du tout! j'ai voulu soutenir l'honneur de mon habit, j'ai raisonné sur le mal et leur ai fait des ordonnances à chacun.

Don Juan. — Et quels remèdes encore leur as-tu ordonnés?

Sganarelle. — Ma foi, Monsieur, j'en ai pris par où j'en ai pu attraper; j'ai fait mes ordonnances à l'aventure et ce serait une chose plaisante si les malades guérissaient et qu'on m'en vînt remercier.

399

DON JUAN. — Et pourquoi non? Par quelle raison n'aurais-tu pas les mêmes privilèges qu'ont tous les autres médecins? Ils n'ont pas plus de part que toi aux guérisons des malades, et tout leur art est pure grimace. Ils ne font rien que recevoir la gloire des heureux succès, et tu peux profiter comme eux du bonheur du malade et voir attribuer à tes remèdes tout ce qui peut venir des faveurs du hasard et des forces de la nature.

SGANARELLE. — Comment, Monsieur! vous êtes aussi impie en médecine?

DON JUAN. — C'est une des grandes erreurs qui soient parmi les hommes.

SGANARELLE. — Quoi! vous ne croyez pas au séné, ni à la casse, ni au vin émétique?

DON JUAN. — Et pourquoi veux-tu que j'y croie?

SGANARELLE. — Vous avez l'âme bien mécréante. Cependant vous voyez depuis un temps que le vin émétique fait bruire ses fuseaux. Ses miracles ont converti les plus incrédules esprits, et il n'y a pas trois semaines que j'en ai vu, moi qui vous parle, un effet merveilleux.

DON JUAN. — Et lequel?

SGANARELLE. — Il y avait un homme qui depuis six jours était à l'agonie, on ne savait plus que lui ordonner, et tous les remèdes ne faisaient rien, on s'avisa à la fin de lui donner de l'émétique.

DON JUAN. — Il réchappa, n'est-ce pas?

SGANARELLE. — Non, il mourut.

DON JUAN. — L'effet est admirable.

SGANARELLE. — Comment! il y avait six jours entiers qu'il ne pouvait mourir, et cela le fit mourir tout d'un coup. Voulez-vous rien de plus efficace?

DON JUAN. — Tu as raison.

SGANARELLE. — Mais laissons là la médecine, où vous ne croyez point, et parlons des autres choses, car cet habit me donne de l'esprit, et je me sens en humeur de disputer contre vous : vous savez bien que vous me permettez les disputes, et que vous ne me défendez que les remontrances.

DON JUAN. — Eh bien?

SGANARELLE. — Je veux savoir un peu vos pensées à fond. Est-il possible que vous ne croyiez point du tout au ciel?

DON JUAN. — Laissons cela.

SGANARELLE. — C'est-à-dire que non. Et à l'enfer?

DON JUAN. — Eh!

SGANARELLE. — Tout de même. Et au diable, s'il vous plaît?

DON JUAN. — Oui, oui.

SGANARELLE. — Aussi peu. Ne croyez-vous point l'autre vie?

DON JUAN. — Ah! ah! ah!

SGANARELLE. — Voilà un homme que j'aurai bien de la peine à convertir. Et dites-moi un peu, encore faut-il croire quelque chose dans le monde : qu'est-ce que vous croyez?

DON JUAN. — Ce que je crois!

SGANARELLE. — Oui.

DON JUAN. — Je crois que deux et deux sont quatre, Sganarelle, et que quatre et quatre sont huit.

SGANARELLE. — La belle croyance et les beaux articles de foi que voilà! Votre religion, à ce que je vois, est donc l'arithmétique? Il faut avouer qu'il se met d'étranges folies dans la tête des hommes, et que pour avoir bien étudié on est bien moins sage le plus souvent. Pour moi, Monsieur, je n'ai point étudié comme vous, Dieu merci, et personne ne saurait se vanter de m'avoir jamais rien appris; mais avec mon petit sens, mon petit jugement, je vois les choses mieux que tous les livres, et je comprends fort bien que ce monde que nous voyons n'est pas un champignon, qui soit venu tout seul en une nuit. Je voudrais bien vous demander qui a fait ces arbres-là, ces rochers, cette terre, et ce ciel que voilà là-haut, et si tout cela s'est bâti de lui-même. Vous voilà vous, par exemple, vous êtes là : est-ce que vous vous êtes fait tout seul? Pouvez-vous voir toutes les inventions dont la machine de l'homme est composée sans admirer de quelle façon cela est agencé l'un dans l'autre : ces nerfs, ces os, ces veines, ces artères, ces... ce poumon, ce cœur, ce foie, et tous ces autres ingrédients qui sont là, et qui... Oh! dame, interrompez-moi donc si vous voulez : je ne saurais disputer si l'on ne m'interrompt; vous vous taisez exprès et me laissez parler par belle malice.

DON JUAN. — J'attends que ton raisonnement soit fini.

SGANARELLE. — Mon raisonnement est qu'il y a quelque chose d'admirable dans l'homme, quoi que vous puissiez dire, que tous les savants ne sauraient expliquer. Cela n'est-il pas merveilleux que me voilà ici, et que j'aie quelque chose dans la tête qui pense cent choses différentes en un moment et fait de mon corps tout ce qu'elle veut? Je veux frapper

401

des mains, hausser le bras, lever les yeux au ciel, baisser la tête, remuer les pieds, aller à droite, à gauche, en avant, en arrière, tourner...

(Il se laisse tomber en tournant.)

DON JUAN. — Bon! voilà ton raisonnement qui a le nez cassé.

SGANARELLE. — Morbleu, je suis bien sot de m'amuser à raisonner avec vous. Croyez ce que vous voudrez : il m'importe bien que vous soyez damné!

MOLIÈRE,
Dom Juan. — Acte III, scène I.

──────── *COMPRENEZ BIEN LE TEXTE* ────────

LA VIE ET LE SENS DES MOTS

LES MOTS ET LES EXPRESSIONS

Déguiser : de l'allemand *weise*, devenu en français *guise*, manière d'être propre à quelqu'un, donc déguiser, c'est enlever cette manière d'être, cacher ce que l'on est réellement.

Le succès : le mot, au XVIIᵉ siècle, a son sens étymologique de ce qui choit, ce qui tombe ensuite, donc conséquence. Aujourd'hui, le mot a pris le sens de conséquence heureuse; ainsi, au sens moderne, *heureux succès* serait un pléonasme.

Le séné, la casse, le vin émétique : trois remèdes à la mode au temps de Molière; le séné et la casse sont des purgatifs et le vin émétique fait vomir, rendre ce que l'on a mangé.

Une dispute : ici, le mot a le sens propre de discussion académique (*disputatio* en latin); aujourd'hui, dispute a le sens de discussion violente.

Morbleu : s'employait pour éviter de jurer, mort de Dieu (voir page 273).

Un ridicule attirail : un attirail est proprement ce que l'on tire après soi, donc tout ce que l'on porte en vue d'un certain usage. Ici, l'attirail de médecin, l'habit de Sganarelle (robe noire descendant jusqu'aux talons, collerette blanche et long chapeau pointu) porte à rire.

A l'aventure : ici, au hasard. Sganarelle ordonne des médicaments sans savoir s'ils conviennent ou non à la maladie et au malade.

Fait bruire ses fuseaux : expression non employée en français moderne et signifiant dont tout le monde parle.

L'autre vie : la vie éternelle, après la mort; la **survie** de l'âme.

Il m'importe bien : par antiphrase, c'est-à-dire en affirmant le contraire de ce que l'on veut exprimer, *il m'importe pas*, je n'attache aucune importance à votre damnation.

Expliquez à l'aide du dictionnaire :

Une ordonnance — une agonie — une remontrance — un champignon — un ingrédient.

LES IDÉES ET LES SENTIMENTS

1. Don Juan respecte-t-il les médecins? Quel est son sentiment pour ceux qui consultent les médecins?

2. Sganarelle croit-il en la médecine? Justifiez votre réponse. Agit-il conformément à ses principes sur cette question?

3. Analysez le comique des remarques au sujet de l'effet de l'émétique. Qu'attendiez-vous? Que s'est-il passé?

4. Pourquoi don Juan dit-il : *Tu as raison?*

5. Quelle est la transition de la médecine à la religion? Croyez-vous que Sganarelle soit adroit ou maladroit en utilisant une telle transition? Justifiez votre opinion.

6. Croyez-vous qu'il soit vrai que plus on étudie, moins on est sage? Développez vos arguments à ce sujet.

402

7. Croyez-vous que Sganarelle ait la moindre chance de convertir don Juan par ses arguments sur la création du monde et sur la création de l'homme? Justifiez votre réponse.

8. Don Juan répond-il vraiment à ce que dit Sganarelle?

9. Quelles sont les deux parties de cette scène? Donnez un titre à chacune d'elles.

10. Qui parle le plus dans cette scène? Lequel des deux interlocuteurs est le plus intelligent? Concluez.

--- *UTILISEZ LE TEXTE* ---

LANGUE ET CIVILISATION

1. Dom Juan et don Juan. L'usage du XVIIᵉ siècle français était d'écrire **Dom Juan.** Le nôtre, au XXᵉ siècle, conformément à l'usage espagnol, est d'écrire **don Juan.** Nous écrivons donc le nom du héros **don Juan** mais nous gardons l'orthographe **Dom Juan** pour le titre de la pièce, parce que tel était le titre de Molière.

2. Molière utilise trois adjectifs synonymes : *impie, mécréant* et *damné.* Après avoir défini l'idée commune à ces trois mots, vous expliquerez en quoi chacun diffère des autres.

3. Molière, défenseur de la nature et du naturel, s'attaque toute sa vie aux *pédants,* à ceux qui prétendent savoir beaucoup plus qu'ils ne savent en réalité. (Voir notamment *Les femmes savantes,* « Classique de Civilisation française », Didier éditeur.) Ses attaques contre les médecins ne sont qu'un cas particulier de l'offensive contre les pédants, mais un cas particulier personnel, car Molière a été très longtemps malade et les médecins n'ont su ni le guérir, ni diminuer ses souffrances.

Au XVIIᵉ siècle, la médecine officielle, très conservatrice (voir page 248), s'appuie presque entièrement sur Hippocrate (466-377 avant J.-C.). Par exemple, elle repousse les conclusions du médecin anglais Harvey qui découvrit, en 1628, la circulation du sang (Molière en parle dans *le Malade imaginaire*).

4. Molière, défenseur de la liberté, s'est attaqué toute sa vie aux hypocrites et en particulier à ceux qui se servent de la religion pour satisfaire leurs ambitions et pour imposer leurs volontés aux autres. Après l'interdiction de *Tartuffe* (1664), Molière nous montre comment *Dom Juan* (1665) défie Dieu de plus en plus

gravement; le dernier, et le plus grave de ses péchés, sera de prendre le masque de l'hypocrisie. La pièce sera aussi interdite dès les premières représentations.

5. Molière et la preuve de l'existence de Dieu. Sganarelle formule, fort mal d'ailleurs, la preuve de l'existence de Dieu par l'existence du monde. Cet argument est celui des *scolastiques* (enseigné dans les Universités du Moyen Age et encore au XVIIᵉ siècle), appelé en latin *a contengentia mundi,* — « *il est évident qu'il y a quelque chose qui existe par soi-même, et cela de toute éternité* » — il ne peut être admis que par ceux qui croient déjà.

Pascal (voir page 248) fut le premier à avoir compris qu'il fallait des arguments empruntés, à ce que croient les athées, à la *religion de l'arithmétique*; c'est l'idée qu'il développe dans son célèbre *pari* trouvé dans *les Pensées* (1657-1662). « *Dieu est ou il n'est pas. Pariez qu'il est. Si vous gagnez, vous gagnez tout; si vous perdez, vous ne perdez rien.* »

HISTOIRE LITTÉRAIRE

1. Don Juan est un héros de légende dont l'original semble avoir été un seigneur espagnol, Don Juan Tenorio, qui vivait à Séville au XVIᵉ siècle.

Molière reprend le thème de la comédie de Tirso de Molina, religieux et auteur dramatique né à Madrid, qui écrivit en 1630 *el Burlador de Sevilla y el Convidado de piedra (Le trompeur de Séville et le convié de pierre).*

Don Juan, qui refuse de s'humilier devant Dieu et de reculer, prend la main de la statue du Commandeur qu'il a tué et qui l'invite à dîner, et le feu de Dieu le détruit.

L'histoire de don Juan a inspiré de nombreuses œuvres d'art, notamment : un opéra de Mozart, représenté à Prague en 1787; un poème de Lord Byron, commencé en 1818 et inachevé; un

403

Sur Molière.

Sous ce tombeau gisent Plaute et Térence,
Et cependant le seul Molière y gist.
Leurs trois talens ne formoient qu'un esprit
Dont le bel art rejouissoit la France.
Ils sont partis ! et j'ay peu d'espérance
De les revoir. Malgré tout nos efforts,
Pour un long temps, selon toute apparence,
Térence, et Plaute, et Molière sont morts.

De la Fontaine.

Épitaphe de Molière, par La Fontaine.
Musée de la Comédie Française.

tableau d'Eugène Delacroix (le naufrage de Don Juan) en 1841, aujourd'hui au Musée du Louvre; un ballet de Gluck, représenté à Vienne en 1761; une pièce d'André Obey, l'*Homme de Cendres*, jouée à la Comédie-Française en 1956.

2. Le comique de Molière opère à tous les niveaux, du bas comique de farce (cherchez deux exemples de ce comique dans le texte) au comique élevé de caractère, de situation ou de mœurs (cherchez-en des exemples dans le texte), en passant par le comique de mots (cherchez-en deux exemples dans le texte).

Cette variété de la gamme comique est la preuve du génie de Molière.

COMPOSITION FRANÇAISE

En vous appuyant sur ce texte, et sur d'autres comédies de Molière que vous connaissez, expliquez ces deux vers d'Alfred de Musset et commentez-les :
Cette mâle gaîté, si triste et si profonde,
Que lorsqu'on vient d'en rire, on devrait en pleurer.

GRAMMAIRE ET LINGUISTIQUE

La préposition EN.

La préposition EN sert parfois à caractériser la façon dont une personne est

vêtue : *Don Juan, en habit de campagne, Sganarelle, en médecin. — La dame en noir.*

Un emploi archaïque du pronom relatif OU.

Laissons là la médecine où vous ne croyez point.
On dirait aujourd'hui : à laquelle vous ne croyez point.

La place du pronom personnel complément dans la langue du XVIIe siècle.

... Et que l'on me vient consulter.
On dirait en français moderne : *et que l'on vient me consulter.*
Au XVIIe siècle quand un infinitif est complément d'un autre verbe, on place les pronoms personnels compléments d'objet avant le premier verbe.

Une proposition attribut du sujet.

Mon raisonnement est qu'il y a quelque chose d'admirable dans l'homme.
La conjonction *que* introduit une proposition subordonnée : *il y a quelque chose d'admirable dans l'homme*, attribut du sujet du verbe être, *mon raisonnement*.

Le pronom indéfini QUOI QUE.
quoi que + le subjonctif

Quoi que vous puissiez dire signifie : *Quelle que soit la chose que vous puissiez dire.*

Attention : Ne confondez pas la conjonction *quoique* et le pronom relatif indéfini *quoi... que...*

Exercice : Faites trois phrases avec le pronom relatif indéfini *quoi... que...*, sur le modèle *quoi que vous fassiez, il sera content.*

CONSEILS POUR LA LECTURE

L'étudiant qui lit le rôle de Sganarelle doit faire sentir la bêtise et la passion naïve du personnage. Au contraire, le ton de don Juan est celui d'un mépris supérieur.

404

La Fontaine, par Largillière.

LA FONTAINE

Jean de La Fontaine (1621-1695) est né à Château-Thierry, en Champagne, où son père était maître (ou inspecteur) des Eaux et Forêts.

Il étudia, comme on le faisait de son temps, l'Antiquité grecque et latine, puis fit

405

des études de droit. Il succéda à son père dans la charge qui lui permit de faire de longues promenades dans la nature et de noter de nombreuses et utiles observations. Il vécut aussi dans l'intimité de quelques Grands de la cour de Louis XIV, ce qui lui permit de connaître la haute société cultivée. Mais il aimait par-dessus tout l'indépendance et la liberté. Il lut les fables d'Esope et de Phèdre, les fables des pays d'Orient, les fabliaux du moyen âge, etc. Il s'en inspira pour écrire à son tour des fables dont l'ensemble constitue « *une ample comédie aux cent actes divers — et dont la scène est l'univers — Hommes, dieux, animaux, tout y fait quelque rôle.* » Ces fables sont toutes de véritables chefs-d'œuvre, des merveilles de psychologie et de finesse qui continuent, de génération en génération, à instruire les lecteurs tout en les amusant.

LE CHAT, LA BELETTE ET LE PETIT LAPIN

Du palais d'un jeune lapin
Dame Belette, un beau matin,
S'empara : c'est une rusée.
Le maître étant absent, ce lui fut chose aisée.
Elle porta chez lui ses pénates, un jour
Qu'il était allé faire à l'Aurore sa cour
Parmi le thym et la rosée.
Après qu'il eut brouté, trotté, fait tous ses tours,
Jeannot Lapin retourne aux souterrains séjours.
La Belette avait mis le nez à la fenêtre.
« O Dieux hospitaliers ! que vois-je ici paraître ?
Dit l'animal chassé du paternel logis.
Holà ! Madame la Belette,
Que l'on déloge sans trompette,
Ou je vais avertir tous les rats du pays. »
La dame au nez pointu répondit que la terre
Était au premier occupant.
C'était un beau sujet de guerre,
Qu'un logis où lui-même il n'entrait qu'en rampant !...
« Et quand ce serait un royaume,
Je voudrais bien savoir, dit-elle, quelle loi
En a pour toujours fait l'octroi
A Jean, fils ou neveu de Pierre ou de Guillaume,
Plutôt qu'à Paul, plutôt qu'à moi. »
Jean Lapin allégua la coutume et l'usage.
« Ce sont, dit-il, leurs lois qui m'ont de ce logis

Rendu maître et seigneur, et qui, de père en fils,
L'ont de Pierre à Simon, puis à moi Jean, transmis.
Le premier occupant, est-ce une loi plus sage?
         — Or bien, sans crier davantage,
Rapportons-nous, dit-elle, à Raminagrobis. »
C'était un chat vivant comme un dévot ermite,
         Un chat faisant la chattemite,
Un saint homme de chat, bien fourré, gros et gras,
         Arbitre expert sur tous les cas.
         Jean Lapin pour juge l'agrée.
         Les voilà tous deux arrivés
         Devant Sa Majesté fourrée.
Grippeminaud leur dit : « Mes enfants, approchez,
Approchez, je suis sourd, les ans en sont la cause. »
L'un et l'autre approcha, ne craignant nulle chose.
Aussitôt qu'à portée il vit les contestants,
         Grippeminaud, le bon apôtre,
Jetant des deux côtés la griffe en même temps,
Mit les plaideurs d'accord en croquant l'un et l'autre.

Ceci ressemble fort aux débats qu'ont parfois
Les petits souverains se rapportant aux rois.

LA FONTAINE,

Fables. — Livre VII.

─────────── **COMPRENEZ BIEN LE TEXTE** ───────────

LE SENS ET LA VIE DES MOTS

LES MOTS ET LES EXPRESSIONS

Pénates : les pénates étaient les dieux du foyer chez les Romains. Ce mot servit ensuite à désigner les statues de ces dieux. — Porter ses pénates en un lieu, c'est donc aller s'installer dans ce lieu.

Aurore : dans la mythologie romaine, déesse du matin « aux doigts de rose » chargée d'ouvrir au soleil les portes du ciel, à l'orient.

Raminagrobis : La Fontaine utilise le nom d'un personnage de Rabelais (dans *Gargantua*) que Pantagruel et Panurge prennent toujours pour arbitre.

Grippeminaud : terme emprunté encore à Rabelais. Celui-ci donne en effet le nom de Grippeminaud, dans son livre *Pantagruel*, au premier président du Parlement de Paris (voir page 376).

Faire à l'aurore sa cour : assister au lever de l'aurore comme un courtisan au lever du roi.

O Dieux hospitaliers : Jeannot Lapin invoque les dieux familiers protecteurs du foyer.

Le premier occupant : la loi du premier occupant.

En faire l'octroi : l'octroyer, l'accorder, le donner comme une faveur.

La coutume et l'usage : la coutume est, ici, l'habitude de léguer son héritage à ses enfants — habitude très ancienne, consacrée par l'usage, et qui a force de loi. On retrouve ces deux mots dans l'expression « les *us* et *coutumes* » d'un pays.

Rapportons-nous : remettons-nous-en à la décision de l'arbitre.

Sa majesté fourrée : Rabelais appelait les magistrats d'alors *Chats fourrés* parce qu'ils portaient un manteau en fourrure d'hermine.

Travail personnel. — **Expliquez** : *Allégua* — *ermite* — *la chattemitte* — *arbitre* — *expert* — *l'agrée* — *les contestants* — *débats.*

LES IDÉES ET LES SENTIMENTS

Exercices de conversation :

Cette fable est un drame. Elle est composée comme une pièce de théâtre.

1re Scène. — Présentation par le récitant : *a)* du lieu : où se passe l'action ? *b)* des personnages qui vont entrer en conflit : qui sont-ils ? et quelle est la cause de leur conflit ?

L'auteur dit, en parlant de la belette : « ce lui fut chose aisée ». Quelle est cette « chose » ? et pourquoi fut-elle aisée ?

2e Scène.

1º La rencontre des deux personnages : le voleur et le volé. — Quand le lapin retourne-t-il à son souterrain séjour ? Que voit-il en arrivant ? et quelle exclamation pousse-t-il ?

2º Le lapin veut récupérer son logis. — Il somme la belette de partir. En quels termes ? Puis il menace de recourir à la force pour l'expulser. De quelle façon ?

3º La belette ne se laisse pas impressionner par cette menace. Le lapin est si jeune ! — Elle lui répond qu'elle restera. En vertu de quel droit ? — D'ailleurs, querelle pour peu de chose ! Comment dénigre-t-elle le logis du lapin ?

4º Discussion du droit de propriété :
a) La belette veut fonder en droit son occupation. Que dit-elle ?
b) Le lapin lui répond, pour justifier son droit de propriété. Qu'allègue-t-il ? Et quelle question pose-t-il ?

5º La belette ne peut pas répondre à cette question de morale sociale. — Que propose-t-elle ? et que fait Jean Lapin ?

3e Scène. — Au tribunal.

a) Ils arrivent devant le juge. — Que leur dit Grippeminaud ? Dans quelle intention ? — Et que font les plaideurs ? Dans quel état d'esprit ?

b) Le dénouement. — Comment se termine la scène ?

Conclusion. — Quelle moralité La Fontaine tire-t-il de cette fable ?

UTILISEZ LE TEXTE

ANALYSE DE LA FABLE

A. 1. Employez dans une phrase qui en fera bien comprendre le sens :
Porter ses pénates — octroyer — avoir coutume de — rapportons-nous-en à... — agréer un arbitre.

2. Portraits. — Faites, en utilisant le texte de La Fontaine :

a) le portrait physique ;

b) le portrait moral de chacun des trois personnages : la belette, le lapin, le chat.

B. La Fontaine a trouvé la matière de cette fable dans un recueil de fables des pays d'Orient. Mais, selon son habitude, il a traité son sujet d'une manière bien personnelle et inégalable.

1. La Fontaine est sensible au charme de la nature. Il voit le lever du jour comme un homme connaissant à la fois : l'antiquité, les coutumes de la cour, les champs et les bois. — Relevez la phrase qui l'indique.

2. La Fontaine connaît bien ces animaux pour les avoir observés. — Montrez-le en relevant un trait pittoresque par lequel il désigne tour à tour la belette, le lapin, le chat.

3. Mais il connaît bien aussi les hommes. S'il met en scène des animaux, c'est pour représenter les humains avec leurs vices, leurs passions et leurs ridicules. — Quelle sorte de personnage représente : *a)* la belette; *b)* le lapin; *c)* le chat ?

4. La Fontaine montre aussi dans cette fable :

a) Qu'il a fait des études de droit. — Comment?

b) Qu'il connaît les affaires de justice et le sort réservé aux plaideurs. — Qu'arrive-t-il aux deux « contestants »?

5. Cette fable est un petit drame, avons-nous dit. Dans quelle situation *dramatique* Jeannot Lapin se trouve-t-il à son retour de promenade? — La fin des deux « contestants » est *tragique*. Montrez-le.

C. Les vers. — La versification de La Fontaine est souple. Il emploie tantôt des alexandrins, tantôt des vers de huit syllabes ou octosyllabes. Combien comptez-vous de vers de chaque sorte (depuis le début jusqu'à « rampant ») et comment sont-ils disposés?

Si la règle de l'alternance des rimes masculines et féminines est respectée, les rimes ne sont pas disposées dans un ordre rigide. — Montrez-le dans le même passage du texte. Quelle conclusion en tirez-vous?

LECTURE ET RÉCITATION

En lisant ou en récitant cette fable, vous tenez tour à tour le rôle de quatre personnages : *a)* le récitant, qui expose, décrit et commente; *b)* la belette, rusée et chicaneuse; *c)* le jeune lapin, d'abord surpris et menaçant; puis justifiant son droit de propriété; puis enfin résigné, acceptant un arbitre; *d)* le chat au ton paternel et hypocrite. Adoptez, dans chaque rôle, le ton qui convient. Tenez compte aussi de la souplesse du rythme et des qualités de la rime qu*i* est discrète.

Jeu dramatique. — **Jouez la fable** : mise en scène dans la salle de classe. Plusieurs groupes sont constitués par les étudiants eux-mêmes pour jouer successivement la pièce. — Dans chaque groupe : un récitant et les trois personnages.

Maison natale de **La Fontaine** *à Château-Thierry.*

Chacun se pénétrera bien de son rôle pour le bien rendre.

GRAMMAIRE ET STYLISTIQUE

Le présent de narration mis à la place du passé simple. — *Après qu'il eut brouté, trotté, fait tous ses tours, Jeannot Lapin retourne au souterrain séjour.*

Après le passé antérieur *eut brouté*, on attendrait un passé simple (*retourna*) dans la proposition principale. Mais ici le fabuliste emploie le présent *retourne* pour donner un ton plus réel, plus vivant au récit.

L'impératif à la 3e personne. — *Que l'on déloge sans trompette...* Pour donner un ordre à la troisième personne, on emploie QUE suivi du subjonctif présent.

Exercice : *Et quand ce serait un royaume, Je voudrais bien savoir, dit-elle, quelle loi...* Expliquez la construction de cette phrase en vous reportant à la page 92; puis remplacez *quand* par *même si*, en changeant la forme du verbe comme il convient.

DISSERTATION

Imaginez une discussion entre trois interlocuteurs dont le premier défend le droit d'héritage, le second le droit de l'occupant (par exemple la terre doit appartenir à celui qui la cultive), alors que le troisième nie totalement l'existence du droit de propriété.

LE LOUP ET LE CHIEN

Un loup n'avait que les os et la peau,
Tant les chiens faisaient bonne garde.
Ce loup rencontre un dogue aussi puissant que beau,
Gras, poli, qui s'était fourvoyé par mégarde.
L'attaquer, le mettre en quartiers,
Sire Loup l'eût fait volontiers;
Mais il fallait livrer bataille,
Et le mâtin était de taille
A se défendre hardiment.
Le loup donc l'aborde humblement,
Entre en propos et lui fait compliment
Sur son embonpoint, qu'il admire.
« Il ne tiendra qu'à vous, beau sire,
D'être aussi gras que moi, lui repartit le chien.
Quittez les bois, vous ferez bien :
Vos pareils y sont misérables,
Cancres, hères et pauvres diables,
Dont la condition est de mourir de faim.
Car, quoi! Rien d'assuré; point de franche lippée;
Tout à la pointe de l'épée.
Suivez-moi, vous aurez un bien meilleur destin. »
Le loup reprit : « Que me faudra-t-il faire?
— Presque rien, dit le chien : donner la chasse aux gens
Portant bâtons, et mendiants;
Flatter ceux du logis, à son maître complaire :
Moyennant quoi votre salaire
Sera force reliefs, de toutes les façons,
Os de poulets, os de pigeons,
Sans parler de mainte caresse. »
Le loup déjà se forge une félicité
Qui le fait pleurer de tendresse.

Chemin faisant, il vit le cou du chien pelé.

« Qu'est-ce? lui dit-il. — Rien. — Quoi! rien? — Peu de chose.

— Mais encor? — Le collier dont je suis attaché

De ce que vous voyez est peut-être la cause.

— Attaché? dit le loup, vous ne courez donc pas

Où vous voulez? — Pas toujours; mais qu'importe.

    — Il importe si bien, que de tous vos repas

      Je ne veux en aucune sorte,

Et ne voudrais pas même à ce prix un trésor. »

Cela dit, maître loup s'enfuit, et court encor.

LA FONTAINE, *Fables*. — Livre I.

─────────────── COMPRENEZ BIEN LE TEXTE ───────────────

LE SENS ET LA VIE DES MOTS

LES MOTS ET LES EXPRESSIONS

Fourvoyé : composé de fors (four), hors, et de voie, au sens de chemin.

Par mégarde : par défaut d'attention. Se fourvoyer par mégarde, c'est donc se tromper de chemin par inattention.

Entre en propos : entre en conversation.

Sire loup : Seigneur loup.

Beau sire : expression ironique du chien.
A la fin de la fable, seigneur Loup n'est plus que le vulgaire « maître loup », personnage de condition moyenne, comme « maître corbeau », « maître renard » (La Fontaine) et « maître Jacques » (Molière).

Cancres, hères et pauvres diables : pauvres êtres, misérables et malheureux.

Les reliefs (masc.) : restes des repas du maître.

Expliquez à l'aide du dictionnaire :

Mettre en quartiers (voir quartier) — *le mâtin* — *répartit* — *franche lippée* (voir lippée).

LES IDÉES ET LES SENTIMENTS

Exercices de conversation :

Cette fable est une comédie.

1. Présentation. — Quels sont les deux personnages? — Dans quelles circonstances sont-ils mis en présence l'un de l'autre?

2. Quelle est la première idée qui se présente à l'esprit du loup? Pourquoi ne la met-il pas à exécution? — Il prend une résolution. Laquelle?

3. Le loup aborde le chien. Dans quelle attitude? — Il engage la conversation : que dit-il?

4. Le chien lui répond d'un air hautain et lui donne deux conseils. Lesquels?

5. Le loup s'enquiert du travail demandé en échange de si bons soins. Le chien lui expose les conditions de travail et de salaire. Relevez-les.

6. Mais quelque chose gâte l'affaire. De quoi le loup s'aperçoit-il? Quelles questions pose-t-il et que lui répond le chien?

7. Quelle est la conclusion tirée par le loup? et quel est le dénouement de la fable?

8. Que pense La Fontaine de la liberté ?

LINGUISTIQUE

Le français du XVIIe siècle.

a) *L'expression d'une grande quantité : FORCE.*

Force reliefs... On employait le mot *force* sans article et sans préposition; en français moderne on dirait : *une grande quantité de..., beaucoup de...*

b) *L'adjectif indéfini MAINT.*

Mainte caresse... l'adjectif *maint*, avec le sens de *nombreux*, était déjà archaïque à l'époque de La Fontaine; on le trouve encore parfois en français moderne avec une nuance d'archaïsme et dans l'expression familière *maintes et maintes fois.*

c) *Un emploi vieilli de DONT au sens de AVEC LEQUEL.*

Le collier dont je suis attaché...

Il faut dire en français moderne *le collier avec lequel je suis attaché...* ou encore *le collier au moyen duquel je suis attaché...*

d) *Un gérondif archaïque : CHEMIN FAISANT.*

Certaines expressions anciennes, encore usitées aujourd'hui, présentent le gérondif non précédé de EN, par exemple, *chemin faisant, argent comptant, ce faisant.*

STYLISTIQUE

Un gallicisme avec le verbe TENIR.

Il ne tient qu'à vous d'être aussi gras que moi... Cette expression impersonnelle signifie *cela ne dépend que de vous; vous êtes le seul juge, le seul responsable de cela.*

Exercice : Faites trois phrases sur le modèle suivant : *Il ne tenait qu'à elle de faire ce voyage.*

Le mot TANT et la subordonnée de cause. — *Un loup n'avait que les os et la peau tant (parce que) les chiens faisaient bonne garde.* Dans ce sens on peut employer aussi, mais plus familièrement, le mot TELLEMENT.

Exercice : Faites trois phrases sur le modèle suivant en employant *tant* ou

tellement : Elle ne peut garder les yeux ouverts tant (tellement) elle est fatiguée.

COMPOSITION FRANÇAISE

1. Faites entrer dans une phrase qui en montrera bien le sens : *s'être fourvoyé — par mégarde — volontiers — être de taille à... — lui repartit ... — Force* (adverbe) — *à force de — à toute force — tour de force* (sens propre et sens figuré) — *cas de force majeure.*

2. Portraits. — En utilisant les expressions du texte, faites le portrait du loup, puis celui du chien.

ANALYSE DE LA FABLE

Les vers. — A part le premier vers qui a dix syllabes, quelles sortes de vers emploie La Fontaine? — Combien de vers de chaque sorte dans la fable? — Quand le poète emploie-t-il l'alexandrin? quand emploie-t-il l'octosyllabe?

La rime. — Soulignez les rimes des vingt et un premiers vers. — Comment sont disposées les rimes masculines et les rimes féminines? Indiquez par un trait vertical les coupes de ces vers.

LECTURE ET RÉCITATION

En lisant ou en récitant individuellement cette fable, vous tenez tour à tour le rôle de chacun des trois personnages suivants : le récitant, le loup et le chien qui entrent en conversation.

Dans la première partie de cette conversation : ton méprisant et supérieur du chien; ton humble du loup.

Dans la deuxième partie : ton haletant et inquiet du loup et réponses embarrassées du chien. Puis conclusion du loup sur un ton fier et dédaigneux.

Jeu dramatique. — Jouez la fable, suivant les conseils donnés page 409 pour la préparation matérielle et en tenant compte, pour la diction, des conseils ci-dessus.

VII. LE GRAND SIÈCLE
Vue aérienne de Versailles

MADAME DE SÉVIGNÉ

Mme de Sévigné (1626-1696) est le plus grand auteur de lettres (épistolier) de la langue française. Après une enfance malheureuse, elle reçut une solide éducation, puis épousa le Marquis de Sévigné qui la laissa bientôt veuve avec deux jeunes enfants qu'elle éleva seule. Sa fille, ayant épousé le comte de Grignan, alla habiter au château de Grignan quand son mari fut nommé, en 1670, « lieutenant-général », ou gouverneur, de la Provence. Cette séparation fut cruelle à Mme de Sévigné qui écrivit très souvent à sa fille, de Paris ou de Bretagne, des lettres remarquables où elle la tenait au courant de sa vie et de ses réflexions au jour le jour et lui racontait ce qui se passait chez les nobles, à Paris ou à la cour.

Outre leur valeur historique, ces lettres sont des chefs-d'œuvre littéraires.

413

LES FOINS

A M. de Coulanges.

Aux Rochers, le 22 juillet 1671.

Ce mot est pour vous donner avis, mon cher cousin, que vous aurez bientôt l'honneur de voir Picard; et comme il est frère du laquais de Mme de Coulanges, je suis bien aise de vous rendre compte de son procédé.

Vous savez que Mme la duchesse de Chaulnes est à Vitré; elle y attend le duc son mari, dans dix ou douze jours, avec les états de Bretagne : vous croyez que j'extravague; elle attend donc son mari avec tous les états, et en attendant, elle est à Vitré toute seule, mourant d'ennui. Vous ne comprenez pas que cela puisse jamais revenir à Picard. Elle meurt donc d'ennui; je suis sa seule consolation, et vous croyez bien que je l'emporte d'une grande hauteur sur Mlles de Kerbone et de Kerqueoison. Voici un grand circuit, mais pourtant nous arriverons au but. Comme je suis donc sa seule consolation, après l'avoir été voir, elle viendra ici, et je veux qu'elle trouve mon parterre net et mes allées nettes, ces grandes allées que vous aimez. Vous ne comprenez pas encore où cela peut aller; voici une autre petite proposition incidente.

Vous savez qu'on fait les foins; je n'avais point d'ouvriers; j'envoie dans cette prairie, que les poètes ont célébrée, prendre tous ceux qui travaillaient pour venir nettoyer ici; vous n'y voyez encore goutte; et, en leur place, j'envoie mes gens faner. Savez-vous ce que c'est, faner? Il faut que je vous l'explique : faner est la plus jolie chose du monde, c'est retourner du foin en batifolant dans une prairie; dès qu'on en sait tant, on sait faner.

Tous mes gens y allèrent gaiement; le seul Picard me vint dire qu'il n'irait pas, qu'il n'était pas entré à mon service pour cela, que ce n'était pas son métier, et qu'il aimait mieux s'en aller à Paris. Ma foi, la colère m'a monté à la tête; je songeai que c'était la centième sottise qu'il m'avait faite; qu'il n'avait ni cœur ni affection; en un mot, la mesure était comble. Je l'ai pris au mot, et, quoi qu'on m'ait pu dire pour lui, je suis demeurée ferme comme un rocher, et il est parti.

C'est une justice de traiter les gens selon leurs bons ou mauvais services. Si vous le revoyez, ne le recevez point, ne le protégez point, ne me blâmez point, et songez que c'est le garçon du monde qui aime le moins à faner, et qui est le plus indigne qu'on le traite bien.

Voilà l'histoire en peu de mots; pour moi, j'aime les relations où l'on ne dit que ce qui est nécessaire, où l'on ne s'écarte point ni à droite ni à gauche, où l'on ne reprend point les choses de si loin; enfin je crois que c'est ici, sans vanité, le modèle des narrations agréables.

Madame DE SÉVIGNÉ.

────────── COMPRENEZ BIEN LE TEXTE ──────────

LE SENS ET LA VIE DES MOTS

LES MOTS ET LES EXPRESSIONS

M. de Coulanges : cousin germain de Mme de Sévigné, à Paris.

Aux Rochers propriété, aux environs de Vitré (Bretagne) où Mme de Sévigné allait passer l'été.

Vous aurez l'honneur : expression ironique.

La duchesse de Chaulnes : son mari, le duc de Chaulnes, était gouverneur de la Bretagne et ambassadeur à Rome.

Les états de Bretagne : assemblée des députés des trois ordres (ou classes) qui se réunissait périodiquement à Vitré. « Les états ne doivent pas être longs, écrit Mme de Sévigné dans une de ses lettres. Il n'y a qu'à demander ce que veut le roi; on ne dit pas un mot; voilà qui est fait. Pour le Gouverneur, il y trouve, je ne sais comment, plus de quarante mille écus qui lui reviennent. »

J'extravague : je dis des choses extravagantes, qui ne paraissent pas avoir de sens (c'est un néologisme).

Mes gens : les serviteurs attachés à ma maison, par opposition aux domestiques travaillant à l'extérieur.

En batifolant : en s'amusant.

Relations : récits. On relate, on raconte un fait, un événement.

LES IDÉES ET LES SENTIMENTS

Exercices de conversation :

1. Entrée en matière. Mme de Sévigné expose l'objet de sa lettre. Quel est cet objet?

2. Pourquoi Mme de Sévigné voulait-elle que les grandes allées de son parc fussent nettes?

3. Pourquoi voulait-elle recevoir Mme de Chaulnes?

4. Pourquoi envoie-t-elle tous « ses gens » faner?

5. Que fait le laquais Picard?

6. « *La mesure était comble* », dit Mme de Sévigné en parlant de son refus. Pourquoi? Et que fit-elle en conséquence?

7. Conclusion. Mme de Sévigné justifie son acte. En quels termes? Et que demande-t-elle à son cousin?

────────── UTILISEZ LE TEXTE ──────────

ANALYSE DE LA LETTRE

1. Mme de Sévigné écrit : « Voilà un grand circuit, mais pourtant nous arrivons au but. » Quel est ce grand circuit et à quel but arrive-t-elle?

2. A la fin de sa lettre Mme de Sévigné écrit ironiquement, en faisant allusion à « ce grand circuit » : « J'aime les relations où l'on ne dit que ce qui est nécessaire. » Refaites sa lettre en ne conservant que « ce qui est nécessaire » au sujet de l'histoire de Picard.

Le château des **Rochers.**

3. Mme de Sévigné nous fait connaître, dans ses lettres, les événements de quelque importance qui se passent dans le monde des Grands. Quel événement raconte-t-elle, dans la lettre à M. de Coulanges?

4. Mme de Sévigné paraît manquer de charité à l'égard de son valet congédié. Par quelle démarche?

5. Mme de Sévigné aime la nature : la couleur des feuillages, le murmure d'une feuille qui tremble; mais en artiste, pour les sensations qu'elle en reçoit. Comment le montre-t-elle dans cette lettre en ce qui concerne son parc? Et qu'est-ce qu'une scène de fenaison pour elle?

6. Cette lettre est, dit-elle, sans vanité, « le modèle des narrations agréables ». Comparez-la en effet à la sèche narration des faits que vous venez de faire. Elle est pleine de verve, d'imagination et de gaieté : donnez-en quelques exemples.

CONSEILS POUR LA LECTURE

Lire les passages qui s'y prêtent sur un ton ironique, gai et enjoué.

GRAMMAIRE ET STYLISTIQUE

La conjonction COMME avec le sens causal. — *Et comme il est le frère du laquais de Mme de Coulanges, je suis bien aise...*

La conjonction introduit ici une proposition subordonnée de cause, Mme de Sévigné donne *la raison pour laquelle* elle va raconter une histoire.

Exercices : 1. Cherchez dans le texte une autre phrase où COMME est employé avec un sens causal. **2.** Faites deux phrases où vous emploierez COMME avec le sens causal.

Le pronom indéfini QUOI QUE. — *Quoi qu'on ait pu me dire sur lui, je suis restée ferme,* exprime ici une idée d'opposition (*malgré tout ce qu'on a pu me dire*). Le pronom QUOI a ici une fonction dans la proposition subordonnée (dites laquelle) et ainsi il se différencie de la conjonction QUOIQUE, simple mot de liaison (voir page 247).

Exercice : Faites deux phrases : *a)* avec le pronom QUOI QUE; *b)* avec la conjonction QUOIQUE.

────── VOCABULAIRE D'INITIATION ──────

Le vocabulaire de la psychologie :

VERBES :	NOMS :		ADJECTIFS :
brûler	une affection	un enthousiame	la sympathie
(*sens figuré*)	une ambition	un être	le tempérament
courtiser	une amitié	(« individu »)	la tristesse
(« faire la cour »)	un amour	la générosité	la volonté
croire	un bonheur	la grandeur	
émouvoir	le caractère	d'âme	ADJECTIFS :
s'émouvoir	le charme	une impression	ambitieux
éprouver	le cœur	une conscience	conscient
passionner,	la confidence	la jalousie	ému
se passionner	la conscience	la joie	généreux
ressentir	le cri	le lyrisme	humain
souffrir	le culte	le mépris	inconscient
souhaiter	le culte du moi	la passion	intime
se souvenir	le désir	la pudeur	noble
toucher	la douceur	la pureté	parfait
(« émouvoir »)	une émotion	la sensation	pudique
		la sensibilité	pur
		le sentiment	sincère
		la sincérité	sublime

LA BRUYÈRE

Jean de La Bruyère (1645-1696), fils de bourgeois parisien, aîné de huit enfants, fit, comme Molière, des études de droit à Orléans. Il commença par traduire les « Caractères » de Théophraste, un philosophe grec mort à Athènes en l'an 287 avant J.-C. Il acheta un office de trésorier des finances, dans la province de Caen. Pour rester à Paris, il accepta la charge de précepteur dans la maison des Condé (1684). Là, il put observer de très près tous les personnages qui lui ont servi de modèles pour ses portraits, qu'il publia modestement à la suite de sa traduction de Théophraste sous le titre *les Caractères ou les mœurs de ce siècle*, en 1687.

* *

DE LA GUERRE

Que si l'on vous disait que tous les chats d'un grand pays se sont assemblés par milliers dans une plaine, et qu'après avoir miaulé tout leur saoul, ils se sont jetés avec fureur les uns sur les autres, et ont joué ensemble de la dent et de la griffe; que, de cette mêlée, il est demeuré de part et d'autre neuf à dix mille chats sur la plaine, qui ont infecté l'air à dix lieues de là par leur puanteur, ne diriez-vous pas : « Voilà le plus abominable sabbat dont on ait jamais ouï parler »? Et si les loups en faisaient de même, quels hurlements, quelle boucherie! Et si les uns et les autres vous disaient qu'ils aiment la gloire, concluriez-vous de ce discours qu'ils la mettent à se trouver à ce beau rendez-vous, à détruire ainsi et à anéantir leur propre espèce? Ou, après l'avoir conclu, ne ririez-vous pas de tout votre cœur de l'ingénuité de ces pauvres bêtes?

Vous avez déjà, en animaux raisonnables, et pour vous distinguer de ceux qui ne se servent que de leurs dents et de leurs ongles, imaginé les lances, les piques, les dards, les sabres et les cimeterres, et à mon gré fort judicieusement : car avec vos seules mains que pouviez-vous faire les uns aux autres que vous arracher les cheveux, vous égratigner au visage, ou tout au plus vous arracher les yeux de la tête? Au lieu que vous voilà munis d'instruments commodes, qui vous servent à vous faire réciproquement de larges plaies d'où peut couler votre sang jusqu'à la dernière goutte, sans que vous puissiez craindre d'en échapper.

LA BRUYÈRE, *Les Caractères*.

Les malheurs de la guerre (Callot — XVIIᵉ siècle).

─────────── *COMPRENEZ BIEN LE TEXTE* ───────────

LE SENS ET LA VIE DES MOTS

LES MOTS ET LES EXPRESSIONS

Infecté : qui répand la maladie par de mauvaises odeurs.

Un sabbat : au Moyen Age, on croyait que les sorciers et les sorcières se réunissaient le samedi à minuit pour appeler et invoquer le diable, d'où le sens de réunion où triomphe le diable.

Ingénuité : nom féminin désignant ici une grande naïveté, une bêtise insigne.

De tout leur saoul : formule vulgaire, que la Bruyère emploie ici pour montrer son mépris, et qui signifie *à satiété*, jusqu'à en être dégoûté.

On en a ouï parler : on a entendu dire, raconter cela.

Travail personnel. — Expliquez :
Un dard — un cimeterre — à mon gré.

LES IDÉES ET LES SENTIMENTS

Exercices de conversation :

1. Faites la liste des idées et la liste des sentiments exprimés dans ce texte.

2. Que pensez-vous de la supposition du moraliste au sujet des chats et des loups?

3. Croyez-vous que ces deux sortes d'animaux soient bien choisies? Justifiez votre réponse.

4. Discutez l'usage que La Bruyère fait des trois mots comportant un jugement (*raisonnables — judicieusement — commodes*).

5. Analysez le sens de la dernière proposition du texte et montrez le mécanisme de sa terrible ironie.

6. Quelles impressions la succession de ces deux paragraphes provoque-t-elle sur vous?

LITTÉRATURE ET CIVILISATION

1. Un moraliste : ce mot a, au XVIIe siècle, un double sens, celui qui étudie *les mœurs*, le comportement de la société et celui de ses semblables, et celui qui donne des leçons de *morale* (sens demeuré aujourd'hui).

Montrez que, dans ce court tableau, La Bruyère est un *moraliste* à tous les sens du mot.

2. L'immense succès des caractères de La Bruyère, dès le XVIIe siècle (huit éditions du vivant de l'auteur) est dû au fond comme à la forme.

Le fond : La Bruyère critique sans peur les défauts de ses contemporains quels qu'ils soient, ainsi que ceux de la société. C'est un des auteurs les plus hardis de son époque. Reportez-vous à la biographie de Louis XIV (page 320) et expliquez en quoi le texte de La Bruyère sur la guerre est hardi et courageux.

La forme : La Bruyère est un des plus habiles auteurs de la langue française. Vous montrerez comment il crée une grande indignation contre les animaux, indignation qu'il retourne ensuite contre ses lecteurs eux-mêmes.

3. Comparez l'utilisation que fait des animaux La Fontaine à celle qu'en fait La Bruyère dans ce texte.

4. Un portrait de La Bruyère comporte presque toujours une *pointe finale*, concentrant l'essentiel du texte en une formule frappante qui reste dans la mémoire du lecteur.

Quelle est la *pointe finale* de ce texte? Vous paraît-elle répondre aux buts de l'auteur?

5. Étudiez l'emploi des *détails concrets* par lesquels La Bruyère illustre et prouve une idée abstraite.

6. La démonstration de La Bruyère est-elle encore valable de nos jours? Justifiez votre opinion.

GRAMMAIRE ET LINGUISTIQUE

Un emploi explétif de la conjonction QUE. — *Que si l'on vous disait...*
Cet emploi d'un *que* explétif précédant la conjonction *si* est archaïque.

Quelques autres valeurs du mot QUE dans le texte.

Que pourriez-vous vous faire les uns aux autres que vous arracher les cheveux?
Dans cette phrase, le premier *Que* est un pronom interrogatif, mais le second signifie *sinon*.

Ceux qui ne se servent que de leurs dents. Que est ici un adverbe (*ne... que...*) signifiant *seulement*.

Exercice : Cherchez les autres *que* du texte et faites-en l'analyse grammaticale.

Le mode infinitif au passé introduit par la préposition APRÈS.

Après avoir miaulé tout leur saoul...
Après une préposition, *à, de, par, pour, avant de,* la forme verbale qui suit est le mode infinitif, présent ou passé, selon les cas; mais la préposition *après* exige l'emploi du passé de l'infinitif.

Attention : La préposition *en* est suivie du participe présent pour former le gérondif (*en chantant*).

Exercice : Cherchez dans le texte des infinitifs précédés des prépositions *à, après, pour, de*.

Le verbe OUIR.
Ce verbe archaïque est peu usité en français moderne où il est remplacé par *entendre*, sauf dans le gallicisme *par ouï dire* qui signifie *on m'a parlé de cela, j'ai entendu dire cette chose*.

CONSEILS POUR LA LECTURE

Faire bien sentir l'indignation de l'auteur, son mépris et son dégoût devant ce que certains de ses contemporains considéraient être la gloire de l'homme. Ceux qui aiment la guerre sont bêtes, et La Bruyère s'efforce, dans le premier paragraphe, de provoquer leur assentiment. Ensuite, il se servira de cela pour les fustiger. Il faut bien faire sentir ces deux phases.

PHILOSOPHES DU XVIIIᵉ SIÈCLE

Sous les règnes de Louis XV et de Louis XVI, le mécontentement grandit dans toutes les classes de la société. Les écrivains traduisent ce mécontentement dans leurs œuvres. Ils se préoccupent alors des grandes questions d'ordre politique et social. Ils recherchent, dans les institutions de l'Antiquité et de l'Angleterre moderne, les modèles d'institutions démocratiques destinées à remplacer en France la monarchie absolue.

Un certain nombre d'entre eux font l'inventaire de toutes les connaissances de leur époque dans un ouvrage, « l'Encyclopédie », qui a un grand retentissement dans les esprits.

Les plus grands de ces écrivains dont nous étudierons quelques pages sont : Montesquieu, Voltaire, Diderot, Beaumarchais, Jean-Jacques Rousseau.

MONTESQUIEU

Le baron de Montesquieu (1689-1755) est né au château de la Brède, près de Bordeaux, où il demeura toute sa vie, à part de fréquents séjours à Paris. Fils de magistrat il est, à vingt-sept ans, président du Parlement de Bordeaux.

Portrait de Montesquieu.

1. Il publie, en 1721, un livre qui eut un grand succès : *Les lettres persanes*. Il imagine, dans ce roman, deux Persans venus à Paris et qui font part à leurs amis restés en Asie de leurs remarques et de leurs réflexions sur les gens et les mœurs qu'ils observent.

2. Il étudie l'histoire romaine. Il admire les républiques de l'Antiquité et il écrit un livre remarquable : *Considérations sur les causes de la grandeur et de la décadence des Romains*, pour en tirer une utile leçon en vue de fonder le gouvernement démocratique sur la vertu.

3. Il voyage pendant plusieurs années dans les différents pays d'Europe, dont il étudie sur place les lois et les institutions. Il admire la Constitution anglaise pour les libertés politiques qu'elle garantit. Et il écrit *L'esprit des Lois*, où il montre la nécessité de la séparation des trois pouvoirs : les pouvoirs législatif, exécutif et judiciaire. C'est ce principe qui fait la base des Constitutions républicaines successives de la France et celui de la Constitution des États-Unis d'Amérique.

UN PERSAN A PARIS

Les habitants de Paris sont d'une curiosité qui va jusqu'à l'extravagance. Lorsque j'arrivai, je fus regardé comme si j'avais été envoyé du ciel : vieillards, hommes, femmes, enfants, tous voulaient me voir. Si je sortais, tout le monde se mettait aux fenêtres; si j'étais aux Tuileries, je voyais aussitôt un cercle se former autour de moi; les femmes mêmes faisaient un arc-en-ciel nuancé de mille couleurs, qui m'entourait. Si j'étais au spectacle, je voyais aussitôt cent lorgnettes dressées contre ma figure; enfin, jamais homme n'a tant été vu que moi. Je souriais quelquefois d'entendre des gens qui n'étaient presque jamais sortis de leur chambre, qui disaient entre eux : « Il faut avouer qu'il a l'air bien persan. » Chose admirable! Je trouvais de mes portraits partout; je me voyais multiplié dans toutes les boutiques, sur toutes les cheminées, tant on craignait de ne m'avoir pas assez vu.

Tant d'honneurs ne laissent pas d'être à charge : je ne me croyais pas un homme si curieux et si rare; et, quoique j'aie très bonne opinion de moi, je ne me serais jamais imaginé que je dusse troubler le repos d'une grande ville où je n'étais point connu. Cela me fit résoudre à quitter l'habit persan et à en endosser un à l'européenne, pour voir s'il resterait encore dans ma physionomie quelque chose d'admirable. Cet essai me fit connaître ce que je valais réellement. Libre de tous les ornements étrangers, je me vis apprécié au plus juste. J'eus sujet de me plaindre de mon tailleur, qui m'avait fait perdre en un instant l'attention et l'estime publiques : car j'entrai tout à coup dans un néant affreux. Je demeurais quelquefois une heure dans une compagnie sans qu'on m'eût regardé et qu'on m'eût mis en occasion d'ouvrir la bouche; mais si quelqu'un par hasard apprenait à la compagnie que j'étais Persan, j'entendais aussitôt autour de moi un bourdonnement : « Ah! monsieur est Persan? C'est une chose bien extraordinaire! Comment peut-on être Persan? »

MONTESQUIEU, *Lettres persanes.*

──────────── **COMPRENEZ BIEN LE TEXTE** ────────────

LE SENS ET LA VIE DES MOTS

LES MOTS ET LES EXPRESSIONS

Jusqu'à l'extravagance : jusqu'à dépasser les limites du bon sens.

Aux Tuileries : au jardin des Tuileries, qui était le jardin du palais du Roi.

Au spectacle : au théâtre.

D'être à charge : d'être pénibles, ennuyeux.

Curieux : capables de susciter la curiosité.

Me fit résoudre à : me fit prendre la détermination de...

Compagnie : réunion de personnes dans un salon.

Expliquez à l'aide du dictionnaire : *Lorgnettes — un néant affreux.*

LES IDÉES ET LES SENTIMENTS

Exercices de conversation :

1. L'auteur de la lettre expose d'abord, dans une phrase, un trait du caractère des Parisiens qui l'a particulièrement frappé. Relevez cette phrase.

Puis il donne quelques exemples à l'appui. Relevez ces exemples.

2. Quelle réflexion le fait sourire? Et pourquoi est-elle comique?

3. Quelle réflexion fait-il à son tour, à propos des honneurs qu'il reçoit?

4. A quoi se résout-il? dans quel but?

5. Que lui apprit sur lui-même cet essai?

6. Quel en fut le résultat? Quel exemple à l'appui en donne-t-il?

7. Et que reproche-t-il ironiquement à son tailleur?

8. Quelle réflexion comique entend-il autour de lui, quand on apprend qu'il est Persan?

UTILISEZ LE TEXTE

LANGUE ET CIVILISATION

A. Faites entrer dans une phrase qui en montrera bien le sens : *curieux* (sens du texte) — *être en bonne compagnie* — *aller de compagnie* — *tenir compagnie.*

B. 1. Pourquoi Montesquieu a-t-il imaginé de faire dire par un Persan ce qu'il pensait lui-même de la curiosité des habitants de Paris?

2. Ses portraits sont amusants. — Relevez les parties amusantes de son récit.

3. Mais en montrant le ridicule de la curiosité des Parisiens de son époque, il dépeint une curiosité qui est de tous les temps et de tous les pays. Vous le montrerez en traitant le sujet de votre composition française.

4. Montesquieu n'était pas seulement curieux des mœurs de la société de son temps. Il l'était aussi des lois et des institutions des Romains. — Quel livre a-t-il composé à ce sujet? Dans quel but?

Il l'était encore des lois et des institutions de l'Angleterre qu'il admirait. Quel livre a-t-il écrit à la suite de ses études et de tous ses voyages? Et que préconise-t-il pour remplacer les gouvernements despotiques?

6. Quelle fut l'influence de ses idées sur l'établissement en France du régime démocratique?

COMPOSITION FRANÇAISE

Vous avez déjà vu un personnage qui attirait les regards des passants par l'extravagance ou l'étrangeté de son accoutrement. Décrivez-le et rapportez les réflexions que vous avez entendues.

CONSEILS POUR LA LECTURE

Style alerte, humoristique. — Bien détacher les parties amusantes. — Marquez le contraste entre la première et la deuxième partie.

GRAMMAIRE ET STYLISTIQUE

La conjonction SI au sens de TOUTES LES FOIS QUE.

SI je sortais, tout le monde se mettait aux fenêtres; nous avons vu page 158 cet emploi de SI, mais le texte était au présent; ici nous avons l'imparfait parce que les actions sont répétées au passé. La phrase signifie *Quand (ou toutes les fois que) je sortais, tout le monde se mettait aux fenêtres.*

Exercices : 1. Cherchez dans le texte trois autres phrases semblables.

2. Faites trois phrases sur le même modèle. Ex. *Si je décidais de sortir, il se mettait à pleuvoir.*

3. Quelle est la valeur de la conjonction QUE dans : *et qu'on m'eût mis en occasion d'ouvrir la bouche.*

4. Expliquez la concordance des temps dans la phrase : *je ne me serais jamais imaginé que je dusse troubler le repos d'une grande ville...*

VOLTAIRE

Voltaire, de son vrai nom François-Marie Arouet (1694-1778) est né à Paris où son père était notaire. Il fit ses études au collège (aujourd'hui lycée) Louis-le-Grand.

A. Voltaire a rempli presque tout le XVIIIᵉ siècle de ses œuvres littéraires et de son action sur les esprits du temps.

1. Il a écrit et fait jouer des tragédies : *Zaïre, Mahomet.* Il ne prend pas ses sujets dans l'Antiquité, comme les classiques, il situe ses actions au Moyen Age, en Asie, en Amérique, etc.

2. Voltaire a écrit de solides ouvrages d'histoire où il donne une grande place à l'histoire de la Civilisation : *Histoire de Charles XII, roi de Suède; Le Siècle de Louis XIV;* etc.

3. Il a écrit des contes, des nouvelles, des romans : *Zadig* (1747), *Candide* (1759) dont le fond est une idée morale et politique présentée d'une façon ironique et malicieuse.

4. Philosophe, il a participé à la rédaction de *l'Encyclopédie* dirigée par Diderot et propagé ses idées par des milliers de lettres. Journaliste, il a lutté par ses écrits pour défendre la liberté de pensée, la liberté de conscience et il a attaqué les injustices.

B. Voltaire eut une existence mouvementée. A vingt-quatre ans il fut enfermé à la prison de la Bastille, où il resta onze mois, pour un écrit qui n'était pas de lui et où étaient attaqués les ridicules de son temps.

Cl. Bulloz.

Voltaire, par Houdon.
(Foyer de la Comédie française.)

Quelques années plus tard, ayant provoqué en duel un jeune seigneur, il dut s'enfuir en Angleterre où il vécut trois ans et où il se lia d'amitié avec les grands écrivains de ce pays.

Revenu en France, il publia ses *Lettres anglaises* où il vantait les libertés de l'Angleterre. Ce livre fut condamné par le Parlement de Paris et brûlé publiquement par le bourreau. Voltaire dut alors se cacher, mais il continua d'écrire. En 1750, il fut appelé par le roi de Prusse, Frédéric II, à Berlin où il resta trois ans.

A son retour en France, il s'installa, pour être libre d'écrire, près de la frontière au château de Ferney, dans le « Pays de Gex », non loin de Genève, où il resta vingt ans, jusqu'à sa mort, et d'où il exerça une influence considérable sur l'opinion publique, tant en France qu'à l'étranger. Il était très populaire à la fin de sa vie, et reçut à Paris un accueil triomphal quelques jours avant sa mort.

QUE DOIT-ON APPRENDRE?

Le père et la mère donnèrent d'abord un gouverneur au jeune marquis : ce gouverneur, qui était un homme de bel air et qui ne savait rien, ne put rien enseigner à son pupille. Monsieur voulait que son fils apprît le latin, madame ne le voulait pas. Ils prirent pour arbitre un auteur qui était célèbre alors par ses ouvrages agréables. Il fut prié à dîner. Le maître de maison commença par lui dire :

— Monsieur, comme vous savez le latin, et que vous êtes un homme de la cour...

— Moi! Monsieur, du latin! je n'en sais pas un mot, répondit le bel esprit, et bien m'en a pris : il est clair qu'on parle beaucoup mieux sa langue quand on ne partage pas son application entre elle et les langues étrangères. Voyez toutes nos dames : elles ont l'esprit plus agréable que les hommes; leurs lettres sont écrites avec cent fois plus de grâce; elles n'ont sur nous cette supériorité que parce qu'elles ne savent pas le latin.

— Eh! n'avais-je pas raison? dit madame. Je veux que mon fils soit un homme d'esprit, qu'il réussisse dans le monde; et vous voyez bien que, s'il savait le latin, il serait perdu. Joue-t-on, s'il vous plaît, la comédie et l'opéra en latin? plaide-t-on en latin, quand on a un procès?

Monsieur, ébloui de ces raisons, passa condamnation, et il fut conclu que le jeune marquis ne perdrait point son temps à connaître Cicéron, Horace et Virgile.

— Mais qu'apprendra-t-il donc? car encore faut-il qu'il sache quelque chose; ne pourrait-on pas lui montrer un peu de géographie?

— A quoi cela lui servira-t-il? répondit le gouverneur. Quand monsieur le Marquis ira dans ses terres, les postillons ne sauront-ils pas les chemins? ils ne l'égareront certainement pas. On n'a pas besoin d'un quart de cercle pour voyager, et on va très commodément de Paris en Auvergne sans qu'il soit besoin de savoir sous quelle latitude on se trouve.

— Vous avez raison, répliqua le père; mais j'ai entendu parler d'une belle science qui s'appelle, je crois, l'astronomie.

— Quelle pitié! repartit le gouverneur; se conduit-on par les astres dans ce monde? et faudra-t-il que monsieur le Marquis se tue à calculer une éclipse, quand il la trouve à point nommé dans l'almanach, qui lui enseigne de plus les fêtes mobiles, l'âge de la lune et celui de toutes les princesses de l'Europe?

Madame fut entièrement de l'avis du gouverneur. Le petit marquis était au comble de la joie; le père était très indécis.

— Que faudra-t-il donc apprendre à mon fils? disait-il.

— A être aimable, répondit l'ami que l'on consultait; et s'il sait les moyens de plaire, il saura tout : c'est un art qu'il apprendra chez Madame sa mère sans que l'un ni l'autre se donnent la moindre peine.

Madame, à ce discours, embrassa le gracieux ignorant, et lui dit :

— On voit bien, Monsieur, que vous êtes l'homme du monde le plus savant; mon fils vous devra toute son éducation; j'imagine pourtant qu'il ne serait pas mal qu'il sût un peu d'histoire.

— Hélas! Madame, à quoi cela est-il bon? répondit-il. Il n'y a certainement d'agréable et d'utile que l'histoire du jour. Toutes les histoires anciennes, comme le disait un de nos beaux esprits, ne sont que des fables convenues; et, pour les modernes, c'est un chaos qu'on ne peut débrouiller. Qu'importe à monsieur votre fils que Charlemagne ait institué les douze pairs de France, et que son successeur ait été bègue?

— Rien n'est mieux dit! s'écria le gouverneur : on étouffe l'esprit des enfants sous un amas de connaissances inutiles; mais de toutes les sciences, la plus absurde, à mon avis, et celle qui est le plus capable d'étouffer toute espèce de génie, c'est la géométrie. Cette science ridicule a pour objet des surfaces, des lignes et des points qui n'existent pas dans la nature. On fait passer en esprit cent mille lignes courbes entre un cercle et une ligne droite qui le touche, quoique, dans la réalité, on n'y puisse passer un fétu. La géométrie, en vérité, n'est qu'une mauvaise plaisanterie.

Monsieur et madame n'entendaient pas trop ce que le gouverneur voulait dire; mais ils furent entièrement de son avis.

— Un seigneur comme monsieur le Marquis, continua-t-il, ne doit pas se dessécher le cerveau dans ces vaines études. Si un jour il a besoin d'un géomètre sublime pour lever le plan de ses terres, il les fera arpenter pour son argent. S'il veut débrouiller l'antiquité de sa noblesse, qui remonte aux temps les plus reculés, il enverra chercher un bénédictin. Il en est de même de tous les arts. Un jeune seigneur heureusement né n'est ni peintre, ni musicien, ni architecte, ni sculpteur; mais il fait fleurir tous ces arts en les encourageant par sa magnificence. Il vaut sans doute mieux les protéger que de les exercer; il suffit que monsieur le Marquis ait du goût; c'est aux artistes à travailler pour lui; et c'est en quoi on a très grande raison de dire que les gens de qualité (j'entends ceux qui sont très riches) savent tout sans avoir rien appris, parce qu'en effet ils savent, à la longue, juger de toutes les choses qu'ils commandent et qu'ils paient.

VOLTAIRE, Contes : Jeannot et Colin.

──────────── *COMPRENEZ BIEN LE TEXTE* ────────────

LA VIE ET LE SENS DES MOTS

LES MOTS ET LES EXPRESSIONS

Un gouverneur : celui qui est chargé de l'éducation d'un jeune homme de grande famille; ce jeune homme est appelé *le pupille*. Aujourd'hui, ces deux mots n'ont plus le même sens, on dirait *un précepteur* et son *élève*.

Un quart de cercle : un sextant, c'est-à-dire un appareil d'optique destiné à mesurer la distance angulaire, utilisé par les géographes et les marins.

Repartir : répliquer, répondre vivement (à ne pas confondre avec le verbe voisin *répartir*, qui signifie partager, donner une part à chacun).

Un bègue : personne qui a un défaut de prononciation, comme une chèvre qui semble hésiter pour *bêler*.

Entendre : au XVIIIe siècle, comprendre.

Expliquez à l'aide du dictionnaire :
Un postillon — un almanach — débrouiller — fleurir.

Un homme de bel air : un homme du grand monde, de la cour, qui n'a que des apparences et de belles manières.

Il fut prié à dîner : forme raccourcie de *il fut prié de venir dîner*, donc il fut invité.

Passer condamnation : consentir à ce que la partie adverse obtienne jugement à son avantage; au figuré, avouer que l'on a tort.

De fables convenues : une fable est ce que l'on raconte, mais qui ne s'est réellement pas passé; convenues signifie : au sujet desquelles tout le monde est d'accord.

Travail personnnel. — Expliquez :
Une fête mobile — à point nommé — Il en est de même de tous les arts.

LES IDÉES ET LES SENTIMENTS

Exercices de conversation :

1. Faire la liste des arguments pour le latin, et la liste des arguments contre le latin présentés dans ce texte.

2. Pourquoi « le bel esprit » est-il contre le latin?

3. Que pensez-vous de l'argument du *bel esprit* au sujet des lettres de femmes?

4. Quelle définition de la géographie nous donne le texte? Est-elle exacte?

5. Relevez les détails qui montrent le mépris de Voltaire pour *le bel esprit*. Par quels moyens l'auteur souligne-t-il la médiocrité et le goût de la flatterie du *bel esprit*?

6. Que pensez-vous de la définition de l'astronomie? et de celle de l'histoire?

7. Relevez la faiblesse du raisonnement de ce bel esprit au sujet de la géométrie.

8. Croyez-vous que Voltaire partage les sentiments *du bel esprit* sur ces sciences? Justifiez votre réponse.

9. Qu'apprendra finalement le jeune marquis? Est-ce que cela sera suffisant pour lui?

10. Voyez-vous dans cet état de choses une critique de la société du XVIIIe siècle? Si oui, laquelle?

11. Voltaire nous présente dans ce texte quatre personnages : Monsieur le

Marquis, Madame son épouse, le gouverneur et le bel esprit. Ce dernier est pris comme arbitre, mais en fait il est toujours avec Madame et le gouverneur contre Monsieur. Montrez par quels habiles moyens Voltaire indique cette coalition des esprits superficiels contre le bon sens.

──────── UTILISEZ LE TEXTE ────────

LANGUE ET CIVILISATION

1. Voltaire cite les langues anciennes, la géographie, l'astronomie, l'histoire et la géométrie. Citez cinq autres sciences et définissez l'objet de chacune d'elles.

2. Relevez les verbes employés par Voltaire dans les propositions incises pour introduire en style direct les propos des différents interlocuteurs. Exemple : « *répondit* le bel esprit ».

3. Cicéron (106-43 avant J.-C.), homme politique et écrivain latin, maître de l'éloquence judiciaire et politique.

Horace (65-8 avant J.-C.), grand poète lyrique et satirique latin, fut le protégé de Mécène.

Virgile (70-19 avant J.-C.) poète latin, ami d'Horace, protégé par Mécène puis par Auguste.

Ces trois auteurs étaient parmi les plus étudiés par les élèves apprenant la langue latine.

Un bénédictin : un moine de l'ordre de saint Benoît de Nursie, fondé au VIᵉ siècle. Durant tout le Moyen Age, ces moines conservèrent dans leurs bibliothèques des chefs-d'œuvre de l'antiquité, qu'ils étudièrent, transcrivirent et communiquèrent à leurs disciples. Ils prirent ainsi une réputation de grand savoir ; la plupart étaient experts en histoire et en généalogie, et parfois les grandes familles avaient recours à leurs services pour retrouver la trace de leurs ancêtres.

4. L'esprit de Voltaire est célèbre : il fait rire, mais il est aussi souvent caustique et amer. Retrouvez-vous ces caractéristiques dans le texte ? (donnez des exemples précis et analysez-les).

COMPOSITION FRANÇAISE

Relisez le texte de la page 258 et écrivez un dialogue entre deux personnages dont l'un, comme *le bel esprit*, ne voit que l'utilisation immédiate du savoir et dont l'autre défend la valeur de la science pure.

GRAMMAIRE

Exercices : 1. Cherchez les verbes employés au mode subjonctif dans le texte ; expliquez la raison de l'emploi du mode et du temps.

2. Expliquez la seconde forme verbale de la phrase : *il fut conclu que le jeune marquis ne perdrait point son temps.*

3. Quel est le sens de la conjonction *comme* et celui de la conjonction *que* dans la phrase : **Comme** *vous savez le latin et* **que** *vous êtes un homme de la cour...*

4. Expliquez la raison de l'inversion du sujet dans les deux propositions suivantes : *Joue-t-on (...) la comédie en latin ? repartit le gouverneur.*

CONSEILS POUR LA LECTURE

Lire ce texte d'une manière très animée, en faisant ressortir les caractères des principaux personnages, surtout des trois alliés dans la bêtise.

Le testament de Voltaire.

...je meurs en adorant Dieu, en aimant mes amis, en ne haissant pas mes ennemis, en detestant la superstition 1778.

Voltaire

JEAN-JACQUES ROUSSEAU

Jean-Jacques Rousseau (1717-1778) est né à Genève où son père, descendant de réfugiés français, était horloger. Il mena une vie d'aventures en continuant à s'instruire. Il séjourna deux ans aux Charmettes, près de Chambéry, chez Mme de Warens. Il se rendit ensuite à Paris, en 1741, où il fit la connaissance des écrivains philosophes et de grands seigneurs chez qui il trouva une place de secrétaire. Condamné par le Parlement à être arrêté pour avoir publié son livre *l'Émile*, en 1776, il s'enfuit de la capitale et recommença sa vie errante, en Suisse, en Angleterre, en France. Il mourut à Ermenonville, près de Paris, en 1778, l'année même de la mort de Voltaire.

Principaux ouvrages : *Le Contrat social* (1762) où il montre comment doit être organisée la Société pour faire disparaître les inégalités entre les hommes.

L'Émile (1762) ou l'art d'instruire et d'éduquer les enfants, en donnant une grande place aux leçons de choses et à la formation du caractère.

Photo Didier.

J.-J. Rousseau, par Latour.

Les Confessions (1766-1770), histoire de sa vie, et *Rêveries d'un promeneur solitaire*, (1777-1778) où il exprime les sentiments qu'il éprouve en face des beautés de la nature, *thème* que reprendront plus tard Chateaubriand, puis les poètes romantiques.

*
* *

LE POT DE BEURRE

A Monsieur le Comte de Lastic.

Paris, le 20 décembre 1754

Sans avoir l'honneur, Monsieur, d'être connu de vous, j'espère qu'ayant à vous offrir des excuses et de l'argent, ma lettre ne saurait être mal reçue.

J'apprends que Mlle de Cléry a envoyé de Blois un panier à une bonne vieille femme nommée Mme Le Vasseur, et si pauvre qu'elle demeure chez moi; que ce panier contenait, entre autres choses, un pot de vingt livres de beurre; que le tout est parvenu, je ne sais comment, dans votre cuisine; que la bonne vieille, l'ayant appris, a eu la simplicité de vous envoyer sa fille, avec la lettre d'avis, vous redemander son beurre, ou le prix qu'il a coûté; et, qu'après vous être moqués d'elle, selon l'usage, vous et madame votre épouse, vous avez, pour toute réponse, ordonné à vos gens de la chasser.

J'ai tâché de consoler la bonne femme affligée, en lui expliquant les règles du grand monde et de la grande éducation. Je lui ai prouvé que ce ne serait pas la peine d'avoir des gens s'ils ne servaient à chasser le pauvre, quand il vient réclamer son bien; et, en lui montrant combien justice et humanité sont des mots roturiers, je lui ai fait comprendre, à la fin, qu'elle est trop honorée qu'un comte ait mangé son beurre. Elle me charge donc, monsieur, de vous témoigner sa reconnaissance de l'honneur que vous lui avez fait, son regret de l'importunité qu'elle vous a causée, et le désir qu'elle aurait que son beurre vous eût paru bon.

Que si, par hasard, il vous en a coûté quelque chose pour le port du paquet à elle adressé, elle offre de vous le rembourser, comme il est juste. Je n'attends là-dessus que vos ordres pour exécuter ses intentions et vous supplie d'agréer les sentiments avec lesquels j'ai l'honneur d'être, etc.

Jean-Jacques ROUSSEAU.

─────────── COMPRENEZ BIEN LE TEXTE ───────────

LE SENS ET LA VIE DES MOTS

LES MOTS ET LES EXPRESSIONS

La simplicité : la naïveté, la niaiserie.

Lettre d'avis : lettre par laquelle Mme Le Vasseur était avisée, informée, de l'arrivée d'un colis de beurre.

Vos gens : vos domestiques.

Les règles du grand monde : les règles de politesse, de civilité du monde des nobles.

Des mots roturiers : des mots employés par les roturiers, c'est-à-dire par ceux qui ne font pas partie de la noblesse.

Importunité : importuner quelqu'un, c'est l'ennuyer, le fatiguer par son insistance à réclamer quelque chose.

LES IDÉES ET LES SENTIMENTS

Exercices de conversation :

1. Pourquoi Rousseau écrit-il au comte de Lastic?

2. De combien de parties ou de paragraphes se compose cette lettre?

3. Que dit Rousseau au comte, dans chacun de ces paragraphes?

4. Comment termine-t-il sa lettre?

5. Quelle leçon donne-t-il au comte?

COMPOSITION FRANÇAISE

EXERCICE ÉCRIT

Employez les expressions suivantes dans cinq phrases dont la suite formera une lettre que vous écrirez, au nom de votre père, sur un sujet de votre choix : *Sans avoir l'honneur d'être connu de vous... mon père apprend que...* — *Il me charge de vous témoigner sa reconnaissance...* — *Que si par hasard il vous en a coûté quelque chose pour... il vous offre...* — *Je vous prie d'agréer, Monsieur...*

LETTRE

1. Vous écrivez à un de vos amis qui a laissé chez vous un livre ou un vêtement, pour lui annoncer que cet objet a été détérioré par un accident. Vous lui proposez de lui en rembourser le prix, ou de le lui remplacer, et vous lui présentez vos excuses.

2. Vous écrivez une lettre de réclamation au chef de gare ou au receveur des postes, pour lui annoncer qu'un colis vous est arrivé en mauvais état, et pour lui demander le remboursement du montant du préjudice subi.

DISSERTATION

Expliquez et discutez cette affirmation : *Le vice et la vertu sont des produits, comme le vitriol et le sucre* (H. Taine, voir page 358).

POUR CONNAÎTRE L'AUTEUR

1. Au lieu de faire une réclamation bruyante, Rousseau emploie l'ironie. Il se moque du comte, de sa manière de concevoir : *a)* la politesse; *b)* le respect du bien des pauvres gens. — Relevez les expressions ou membres de phrases qui expriment le mieux cette ironie cinglante, dans chaque cas.

2. Rousseau est un maître écrivain qui sait adapter son style à chaque genre de sujet traité. Il n'emploie pas la phrase courte des écrivains du XVIIIe siècle, mais souvent la longue phrase, riche, bien ordonnée, majestueuse. Montrez-le en prenant pour exemple les deuxième et troisième phrases de sa lettre.

3. Rousseau aime la nature. — Montrez-le en deux courts paragraphes, d'après la lecture page 156.

GRAMMAIRE

Le mot TOUT employé comme nom.

*... que le **tout** est parvenu, je ne sais comment, dans votre cuisine...*
Dans cette phrase, le mot TOUT est un nom, précédé d'un article et sujet du verbe.

Le mode subjonctif après un verbe qui exprime un sentiment.

*Elle est trop honorée qu'un Comte **ait mangé** son beurre.*

Exercices : 1. Complétez les phrases suivantes : a) *Elle est triste qu'il...* b) *Il est ému que vous...* c) *Vous êtes honorés qu'ils...* d) *Elle est irritée que nous...*

2. Expliquez le sens du verbe *savoir* dans la proposition : *ma lettre ne saurait être mal reçue.*

3. Expliquez l'orthographe des participes passés suivants : a) *après vous être* **moqués** *d'elle* ; b) *vous avez* **ordonné** *à vos gens de la chasser;* c) *qu'elle est trop* **honorée;** d) *l'importunité qu'elle vous a* **causée.**

4. Expliquez la règle de concordance des temps dans la phrase : *le désir qu'elle aurait que son beurre vous eût paru bon.*

CONSEILS POUR LA LECTURE

1. Exercice pratique de lecture silencieuse et à haute voix de la longue phrase qui constitue le deuxième paragraphe.

Découpage pour les pauses. Soulignez les charnières d'articulation (conjonctions de subordination).

2. Supposez que vous êtes à la place de Rousseau lisant cette lettre à quelques amis avant de l'envoyer. (On peut d'ailleurs jouer cette scène.) — Mettre bien en valeur, par l'intonation, les passages ironiques et moqueurs destinés à frapper le comte.

BEAUMARCHAIS

Beaumarchais (1732-1799) est né à Paris où son père était horloger. Tout en écrivant drames et comédies, il exerça tour à tour de nombreux métiers : horloger, professeur de harpe des filles de Louis XV, éditeur, etc. Il fut mêlé à de nombreuses affaires commerciales et financières, ce qui lui donna une profonde connaissance de la Société de son temps.

Les deux plus célèbres de ses comédies sont : *le Barbier de Séville* [1] (1775) et *le Mariage de Figaro* (1784) dont l'action se passe en Espagne. Il y attaque les institutions de l'Ancien Régime et se moque du ridicule de la noblesse. Louis XVI, qui l'avait fait emprisonner deux fois (en 1773 et en 1775), s'était opposé pendant trois ans à la représentation, à Paris, du *Mariage de Figaro*. Cette représentation, donnée à la veille de la Révolution, obtint un immense succès.

*
* *

FIGARO SE PLAINT DE LA SOCIÉTÉ

Figaro est un barbier entré, comme valet, au service du comte Almaviva. Il est seul dans une allée du parc du château de son maître et prononce, dans son monologue, un véritable réquisitoire contre les injustices de la société.

Monsieur le Comte... Parce que vous êtes un grand seigneur, vous vous croyez un grand génie!... Noblesse, fortune, un rang, des places : tout cela rend si fier! Qu'avez-vous fait pour tant de biens? Vous vous êtes donné la peine de naître, et rien de plus; du reste, homme assez ordinaire! Tandis que moi, morbleu! perdu dans la foule obscure, il m'a fallu déployer plus de science et de calculs pour subsister seulement, qu'on n'en a mis depuis cent ans à gouverner toutes les Espagnes...

Est-il rien de plus bizarre que ma destinée! Fils de je ne sais pas qui, volé par des bandits, élevé dans leurs mœurs, je m'en dégoûte et veux courir une carrière honnête; et partout je suis repoussé! J'apprends la chimie, la pharmacie, la chirurgie, et tout le crédit d'un grand seigneur peut à peine me mettre à la main une lancette de vétérinaire!

Las d'attrister des bêtes malades, et pour faire un métier contraire, je me jette à corps perdu dans le théâtre : me fussé-je mis une pierre au cou! Je broche une comédie dans les mœurs du sérail; auteur espagnol, je crois pouvoir y fronder Mahomet sans scrupule : à l'instant, un envoyé... de je sais où, se plaint de ce que j'offense dans mes vers la Sublime-Porte, la Perse, une partie de la presqu'île de l'Inde, toute l'Égypte, les royaumes de Barca, de Tripoli, de Tunis, d'Alger et de Maroc : et voilà ma comédie flambée, pour plaire aux princes mahométans...

1. Présenté par L. Lejealle dans les *Classiques de la Civilisation française* (Didier, éditeur).

Il s'élève une question sur la nature des richesses, et, comme il n'est pas nécessaire de tenir les choses pour en raisonner, n'ayant pas un sol, j'écris sur la valeur de l'argent et sur son produit net; sitôt je vois, du fond d'un fiacre, baisser pour moi le pont d'un château fort, à l'entrée duquel je laissai l'espérance et la liberté...

Las de nourrir un obscur pensionnaire, on me met un jour dans la rue; et comme il faut dîner, quoiqu'on ne soit plus en prison, je taille encore ma plume... On me dit que, pourvu que je ne parle en mes écrits ni de l'autorité, ni du culte, ni de la politique, ni de la morale, ni des gens en place, ni des corps en crédit, ni de l'Opéra, ni des autres spectacles, ni de personne qui tienne à quelque chose, je puis tout imprimer librement, sous l'inspection de deux ou trois censeurs. Pour profiter de cette douce liberté, j'annonce un écrit périodique, et, croyant n'aller sur les brisées d'aucun autre, je le nomme *Journal inutile*... On me supprime, et me voilà derechef sans emploi!

Le désespoir m'allait saisir; on pense à moi pour une place, mais par malheur j'y étais propre : il fallait un calculateur, ce fut un danseur qui l'obtint.

... Pour le coup je quittai le monde et revins à mon premier état. Je reprends ma trousse et mon cuir anglais; puis, laissant la fumée aux sots qui s'en nourrissent, et la honte au milieu du chemin, comme trop lourde à un piéton, je vais rasant de ville en ville, et je vis enfin sans souci.

BEAUMARCHAIS,
Le Mariage de Figaro. — Acte V, scène 3.

─────────── **COMPRENEZ BIEN LE TEXTE** ───────────

LE SENS ET LA VIE DES MOTS

LES MOTS ET LES EXPRESSIONS

Un rang : une haute place dans la hiérarchie sociale.

Carrière : de l'italien *carro*, char. Champ de courses pour les chars. — Sens figuré : profession. Courir une carrière : faire son chemin dans une profession. Ne pas confondre avec *la carrière* (étymologie : carré) d'où l'on extrait les pierres.

Crédit d'un grand seigneur : son influence, son pouvoir.

A corps perdu : d'une manière impétueuse.

Je broche une comédie : j'écris rapidement, je bâcle une comédie.

Sérail : palais d'un prince ou d'un sultan musulman, mahométan.

Flambée : ici sens figuré de *perdue*.

Des corps en crédit : des grands corps de l'État, ayant la confiance du gouvernement de l'époque.

Expliquez à l'aide du dictionnaire : *Lancette — fronder — censeurs — brisées — aller sur les brisées de quelqu'un.*

432

LES IDÉES ET LES SENTIMENTS

Exercices de conversation :

Dans son monologue :

A. Figaro apostrophe le comte.
Que lui dit-il?

B. Il raconte sa vie et la succession des mésaventures qui lui sont arrivées.

1. Pourquoi dit-il qu'il n'y a rien de plus bizarre que sa destinée?

2. Il a fait des études. Lesquelles? Quel métier lui permettent-elles d'exercer?

3. Ce métier ne le satisfait pas. Pourquoi? Qu'entreprend-il alors? dans quel but?

4. Pourquoi interdit-on sa comédie? Et que trouve-t-il de ridicule dans cette interdiction?

5. Qu'écrit-il ensuite? Et que lui arrive-t-il?

6. Sorti de prison, que décide-t-il de faire pour gagner sa vie? A quelle condition l'autorise-t-on à imprimer librement ses écrits?

7. Enfin, ne pouvant se faire une place dans la société, quelle décision prend-il?

UTILISEZ LE TEXTE

LANGUE ET CIVILISATION

A. Employez chacune des expressions suivantes dans une phrase qui en montrera bien le sens : **choisir une carrière — à corps perdu — avoir des biens au soleil.**

B. 1. Pourquoi Beaumarchais a-t-il situé l'action de sa comédie et ses personnages en Espagne?

2. Malgré cette précaution, que lui est-il arrivé?

3. Quelle ressemblance y a-t-il entre les conditions d'existence de l'auteur et la vie de luttes que doit mener Figaro « seulement pour subsister » ?

4. Beaumarchais, par la bouche de Figaro, critique l'organisation sociale de son temps. Que lui reproche-t-il surtout?

5. Un fils du peuple ne peut s'élever par ses études. Quel exemple en donne-t-il?

6. Les places sont accordées suivant les recommandations et non suivant les aptitudes des candidats. Quelle est la phrase qui l'indique?

7. Un écrivain ne peut publier librement ses écrits. A quel contrôle est-il soumis?

8. Beaumarchais attaque les nobles, l'arbitraire, le favoritisme, la censure, en les ridiculisant. Son arme, c'est l'ironie, c'est le rire. Sa comédie est une comédie gaie. — Résumez les passages du texte qui vous ont le plus amusé.

CONSEILS POUR LA LECTURE

Se bien pénétrer du rôle de Figaro, seul, sur la scène, et des sentiments de révolte qu'il exprime, avec une verve et une ironie moqueuses, dans un style brillant.

GRAMMAIRE ET STYLISTIQUE

Une expression littéraire et exclamative du regret.

Me *fussé-je mis* une pierre au cou !

Cette forme, qui imite une tournure latine, est très littéraire. C'est un emploi du plus-que-parfait du subjonctif avec le sens de l'irréel du passé *(en réalité je ne me suis pas mis une pierre au cou car je me jeter à l'eau et je le regrette car j'aurais mieux fait).* Il faut également remarquer l'inversion du sujet à la première personne et l'accentuation de l'*e* muet final qui sont très littéraires. On dirait en français moderne : *Si seulement je m'étais mis une pierre au cou !*

SI + plus-que-parfait + indicatif;

avec le sens de *il aurait mieux valu pour moi être mort* (car on met une pierre au cou d'un animal pour le noyer).

Cette phrase exclamative qui exprime ici le regret est formulée de façon très excessive pour faire sourire le spectateur. Nous avons déjà vu (p. 151) l'expression d'un souhait ou d'une crainte par :

SI + imparfait !

Exercice : Faites trois phrases exclamatives de regret sur les modèles suivants:
Si seulement j'avais eu plus de sagesse!
Si seulement j'avais plus de sagesse!

433

B. DE LA RÉVOLUTION A NOS JOURS

CHATEAUBRIAND

Le vicomte François de Chateaubriand (1768-1848) est né à Saint-Malo. Il passa son enfance au château de Combourg, à trente kilomètres de cette ville. Il a beaucoup voyagé et participé à la vie politique du pays (voir page 330). Il fut le précurseur des romantiques. C'est un des plus grands écrivains français.

Chateaubriand, qui avait subi l'influence de Rousseau dont il partageait le goût de la nature solitaire et sauvage, exerça à son tour une profonde influence sur ses contemporains, sur les poètes romantiques et sur deux remarquables historiens : Augustin Thierry et Michelet ; tous sont représentés dans le livre.

Principaux ouvrages : *Atala* (1801), *le Génie du christianisme* (1802) dont le succès fut considérable, *René* (1805), *les Martyrs* (1809), et *les Mémoires d'Outre-tombe* où il raconte sa vie.

*
* *

SOUVENIRS D'AUTOMNE

Chateaubriand rappelle, dans les Mémoires d'Outre-tombe, *ses souvenirs de jours d'automne passés au château de Combourg.*

Je voyais avec un plaisir indicible le retour de la saison des tempêtes, le passage des cygnes et des ramiers, le rassemblement des corneilles dans la prairie de l'étang et leur perchée, à l'entrée de la nuit, sur les hauts chênes du grand mail. Lorsque le soir élevait une vapeur bleuâtre au carrefour des forêts, que les complaintes ou les lais du vent gémissaient dans les mousses flétries, j'entrais en pleine possession des sympathies de ma nature. Rencontrais-je quelque laboureur au bout d'un guéret, je m'arrêtais pour regarder cet homme germé à l'ombre des épis parmi lesquels il devait être moissonné, et qui, retournant la terre de sa tombe avec le soc de la charrue, mêlait ses sueurs brûlantes aux pluies glacées de l'automne ; le sillon qu'il creusait était le monument destiné à lui survivre...

Le soir, je m'embarquais sur l'étang, conduisant seul mon bateau, au milieu des joncs et des larges feuilles flottantes du nénuphar. Là se réunissaient les hirondelles prêtes à quitter nos climats. Je ne per-

Le château de Combourg.

« Bientôt, ne pouvant plus rester dans ma tour, je descendais dans les ténèbres, et j'allais errer dans les grands bois. » (Chateaubriand.)

dais pas un seul de leurs gazouillis. Elles se jouaient sur l'eau au tomber du soleil, poursuivaient les insectes, s'élançaient ensemble dans les airs, comme pour éprouver leurs ailes, se rabattaient à la surface du lac, puis se venaient suspendre aux roseaux que leur poids courbait à peine, et qu'elles remplissaient de leur ramage confus. La nuit descendait, les roseaux agitaient leurs champs de quenouilles et de glaives, parmi lesquels la caravane emplumée, poules d'eau, sarcelles, martins-pêcheurs, bécassines, se taisait ; le lac battait ses bords ; les grandes voix de l'automne sortaient des marais et des bois ; j'échouais mon bateau au rivage et je retournais au château.

Bientôt, ne pouvant plus rester dans ma tour, je descendais à travers les ténèbres, j'ouvrais furtivement la porte du perron, comme un meurtrier, et j'allais errer dans le grand bois. Après avoir marché à l'aventure agitant mes mains, embrassant les vents qui m'échappaient ainsi que

435

l'ombre, objet de ma poursuite, je m'appuyais contre le tronc d'un hêtre, je regardais les corbeaux que je faisais envoler d'un arbre pour se poser sur un autre, ou la lune se traînant sur la cime dépouillée de la futaie ; j'aurais voulu habiter ce monde mort qui réfléchissait la pâleur du sépulcre. Je ne sentais ni le froid, ni l'humidité de la nuit ; l'haleine glaciale de l'aube ne m'aurait même pas tiré du fond de mes pensées si, à cette heure, la cloche du village ne s'était fait entendre.

Plus la saison était triste, plus elle était en rapport avec moi ; le temps des frimas, en rendant les communications moins faciles, isole les habitants des campagnes ; on se sent mieux à l'abri des hommes. Un caractère moral s'attache aux scènes de l'automne ; ces feuilles qui tombent comme nos ans, ces fleurs qui se fanent comme nos heures, ces nuages qui fuient comme nos illusions, cette lumière qui s'affaiblit comme notre intelligence, ce soleil qui se refroidit comme nos amours, ces fleuves qui se glacent comme notre vie ont des rapports secrets avec nos destinées.

CHATEAUBRIAND, Mémoires d'Outre-tombe.

─────────────── **COMPRENEZ BIEN LE TEXTE** ───────────────

LE SENS ET LA VIE DES MOTS

LES MOTS ET LES EXPRESSIONS

Le grand mail : la grande allée conduisant au château.

Lais : poèmes anciens chantés sur de vieilles mélodies celtiques.

Germé : sens figuré : qui est né et a grandi.

J'échouais mon bateau : je le faisais reposer sur le bas-fond de sable de la rive.

Expliquez à l'aide du dictionnaire :

Complaintes du vent — ramier — corneille — caravane emplumée — sépulcre.

LES IDÉES ET LES SENTIMENTS

Exercices de conversation :

De combien de parties se compose ce texte ? Donnez à chacune d'elles un titre qui en exprimera l'idée générale..

1. Quand Chateaubriand éprouvait-il un plaisir indicible ?

Quand entrait-il le mieux « en sympathie » avec la nature ?

Il médite sur la brièveté de la vie. Quelle réflexion fait-il sur le laboureur ?

2. Que faisait-il le soir ?

Il se plaisait à regarder le vol léger des hirondelles et à les entendre. Relevez les phrases qui l'indiquent.

Que se passait-il autour de lui quand la nuit descendait ? et qu'entendait-il ?

3. Mais rentré dans sa tour, les grands bois l'appelaient bientôt. Que faisait-il alors ?

Que regardait-il, appuyé contre le tronc d'un hêtre ?

Montrez à quel point il était, à ce moment, pris par sa méditation sur la mort.

4. Quand sa mélancolie était-elle le plus en rapport avec la saison qu'il aime ?

Quand son amour de la solitude était-il satisfait ? pourquoi ?

Il compare l'automne de la nature à l'automne de la vie humaine. Quelles comparaisons fait-il en ce qui concerne : nos ans, nos heures, nos illusions, notre intelligence, nos amours, notre vie enfin ?

COMPOSITION FRANÇAISE

Aimez-vous l'automne? Si oui, dites pourquoi, en rappelant quelques scènes d'automne où vous avez trouvé beaucoup de plaisir.

Sinon, donnez-en les motifs en rappelant aussi quelques scènes qui vous ont laissé un mauvais souvenir.

CONSEILS POUR LA LECTURE

La phrase de Chateaubriand est elle-même une musique. Elle est harmonieuse. Tenez-en compte pour votre lecture.

GRAMMAIRE

Exercices : 1. Expliquez, en vous reportant à la page 158, la forme : *Rencontrais-je quelque laboureur au bout d'un guéret, je m'arrêtais pour regarder cet homme.*

2. Pourquoi le texte est-il à l'imparfait?

3. Expliquez le sens de la phrase : *L'haleine glaciale de l'arbre ne m'aurait pas tiré du fond de mes pensées si, à cette heure, la cloche du village ne s'était pas fait entendre.*

POUR CONNAÎTRE L'AUTEUR

Chateaubriand est un admirable artiste qui sent partout la beauté de la nature et des choses et qui sait la rendre avec art.

1. C'est un peintre de paysages. Délimitez, dans le passage étudié, deux tableaux pittoresques ayant pour centre, l'un, le laboureur; l'autre, Chateaubriand et sa barque. Attribuez-leur un titre.

2. C'est un poète qui donne de la vie aux choses :

a) En les personnifiant. Relevez les images ou métaphores par lesquelles il désigne : *le soir — la chanson du vent — le laboureur — les roseaux — les bruits de l'automne.*

b) Par le procédé de la comparaison. Vous avez relevé déjà toutes les comparaisons de la dernière phrase.

3. C'est un styliste qui sait tirer un excellent parti des contrastes et des oppositions. — Relevez les deux phrases qui renferment l'une, une opposition à « plaisir indicible », l'autre à « sueurs brûlantes ».

4. C'est un musicien. Il transforme en musique et en chant tous les bruits de la nature en automne. — Donnez-en quelques exemples.

Portrait de Chateaubriand, par Girodet.

Photo Bulloz.

Victor Hugo. — Paysage romantique : Village au clair de lune.

Victor Hugo, comme Paul Valéry, a laissé de nombreux dessins; le grand poète romantique aurait pu dans l'universalité de son génie, être aussi un très grand artiste.

LES ROMANTIQUES

PREMIÈRE MOITIÉ DU XIXᵉ SIÈCLE

Après le grand drame de la Révolution et les longues guerres de l'Empire « les âmes éprouvent le besoin de se replier sur elles-mêmes ». Les jeunes écrivains sont tout imprégnés de l'influence de Chateaubriand et de Rousseau. Comme eux, à la différence des classiques, ils vont exprimer dans leurs œuvres les sentiments personnels de joie, de tristesse ou de mélancolie qu'ils éprouvent, et qu'ils recherchent, devant la nature et devant la vie.

Les quatre grands auteurs de cette période sont : Lamartine — Victor Hugo — Alfred de Musset — Alfred de Vigny.

LAMARTINE

Alphonse de Lamartine (1790-1869) est né à Mâcon. Mais il a passé toute son enfance au village de Milly (Saône-et-Loire) où vivait sa famille. Les œuvres de Rousseau et de Chateaubriand enthousiasmèrent sa jeunesse. Il voyagea beaucoup en Italie et en Orient. Il joua un grand rôle comme homme politique, de 1836 à 1851. Il passa dans la pauvreté et dans l'oubli les dix-huit dernières années de sa vie.

Lamartine fut l'un de nos plus grands poètes romantiques. Il exprima, dans une poésie sentimentale et personnelle, souvent religieuse, lyrique et musicale, avec une grande sincérité, les sentiments qu'il éprouvait en face de la nature, en face de la vie et de la mort.

Principaux recueils de poèmes :

Premières méditations poétiques (1820), *Nouvelles méditations* (1823), *Harmonies poétiques et religieuses* (1830), *Jocelyn* (1836).

Photo Viollet.

Lamartine, par Philip.

* * *

MILLY OU LA TERRE NATALE

Présentation. — *Quand Lamartine écrivit ce long poème dont vous n'avez ci-dessous qu'un fragment, il était en Italie. Comme du Bellay (voir p. 231), il avait la nostalgie du pays natal. Il a vu de délicats paysages dans une belle et douce nature, « des cieux d'azur où la nuit est sans voiles, dorés jusqu'au matin », « des monts voilés de citrons et d'olives ». Mais son cœur n'est pas là. Il évoque en contraste l'aridité de la campagne où se dressent son village du Mâconnais, région située au nord de Lyon, et la maison de ses parents : dans ce coin de terre perdu est son cœur.*

> Il est dans ces déserts un toit rustique et sombre
> Que la montagne seule abrite de son ombre,
> Et dont les murs, battus par la pluie et les vents,

439

Portent leur âge écrit sous la mousse des ans.
Là mon cœur en tout lieu se retrouve lui-même ;
Tout s'y souvient de moi, tout m'y connaît, tout m'aime !
Mon œil trouve un ami dans tout cet horizon ;
Chaque arbre a son histoire et chaque pierre un nom.

Ces bruyères, ces champs, ces vignes, ces prairies,
Ont tous leurs souvenirs et leurs ombres chéries.
Là mes sœurs folâtraient, et le vent dans leurs jeux
Les suivait en jouant avec leurs blonds cheveux ;
Là, guidant les bergers au sommet des collines,
J'allumais des bûchers de bois mort et d'épines,
Et, les yeux suspendus aux flammes du foyer,
Passais heure après heure à les voir ondoyer.
Là, contre la fureur de l'aquilon rapide,
Le saule caverneux nous prêtait son tronc vide,
Et j'écoutais siffler dans son feuillage mort
Des brises dont mon âme a retenu l'accord.
Voilà le peuplier qui, penché sur l'abîme,
Dans la saison des nids nous berçait sur sa cime,
Le ruisseau dans les prés dont les dormantes eaux
Submergeaient lentement nos barques de roseaux,
Le chêne, le rocher, le moulin monotone,
Et le mur au soleil où, dans les jours d'automne,
Je venais sur la pierre, assis près des vieillards,
Suivre le jour qui meurt de mes derniers regards.
Tout est encor debout, tout renaît à sa place ;
De nos pas sur le sable on suit encor la trace.

La vie a dispersé, comme l'épi sur l'aire,
Loin du champ paternel les enfants et la mère,
Et ce foyer chéri ressemble aux nids déserts
D'où l'hirondelle a fui pendant de longs hivers.
Déjà l'herbe qui croît sur les dalles antiques
Efface autour des murs les sentiers domestiques,
Et le lierre, flottant comme un manteau de deuil,
Couvre à demi la porte et rampe sur le seuil.

Bientôt peut-être... Écarte, ô mon Dieu, ce présage !
Bientôt un étranger, inconnu du village,
Viendra, l'or à la main, s'emparer de ces lieux
Qu'habite encor pour nous l'ombre de nos aïeux,
Et d'où nos souvenirs des berceaux et des tombes
S'enfuiront à sa voix, comme un nid de colombes.

Alphonse DE LAMARTINE,
Harmonies poétiques et religieuses.

———————— COMPRENEZ BIEN LE TEXTE ————————

LE SENS ET LA VIE DES MOTS

LES MOTS ET LES EXPRESSIONS

Rustique vient d'un mot latin signifiant : qui appartient à la campagne. Toit rustique est mis ici pour : maison de campagne.

Bruyères : terrains incultes, landes où poussent les bruyères (fém.).

Mes sœurs : Lamartine avait cinq sœurs.

Guidant les bergers : pour guider les bergers.

L'aire : surface plane, au sol durci, où l'on bat les épis de blé, au fléau.

Sentiers domestiques : Il s'agit des sentiers qui desservent la demeure familiale et qui ne sont utilisés, en principe, que par les gens de la maison.

Accord : terme de musique signifiant sons harmonieux. On le retrouve dans l'étude de la gamme : *accord parfait.*

L'heure baisse : la vie décline; c'est la vieillesse.

Écarte, ô mon Dieu, ce présage : Et ce présage s'est réalisé. En 1861, à soixante et onze ans, Lamartine a dû vendre la maison et la terre de Milly pour payer ses créanciers. Il écrivait à ce moment-là : « Le pauvre Milly vendu, pauvre prix. Mon berceau, celui de ma sœur, le lit de ma mère, viennent d'arriver ici, dans la cour. Dieu veuille qu'ils n'en sortent pas pour l'encan. » Et il ajoutait avec amertume, en pensant à l'ingratitude dont il était victime : « Sauvez donc des patries de l'anarchie et de la guerre étrangère. Voilà la récompense : un foyer vendu et perdu, juste retour de tant de foyers défendus. J'ai l'âme navrée. »

Expliquez à l'aide du dictionnaire :

Folâtraient — aquilon — caverneux.

LES IDÉES ET LES SENTIMENTS

Exercices de conversation :

1. Lamartine revoit sa maison. Relevez les expressions par lesquelles il montre qu'elle est *simple, isolée, très ancienne.*

2. Pourquoi son cœur est-il « en tout lieu » dans « tout cet horizon »?

3. Il évoque, dans son âme attendrie, les principales images du paysage où il a vécu son enfance (3e partie). De quels éléments est constitué ce paysage?

4. Quels souvenirs d'enfance lui rappelle chacun de ces éléments?

5. Mais la vie a passé. Qu'a-t-elle fait dans la maison du poète?
La nature reprend ses droits. Que fait-elle? « Et bientôt peut-être » qui viendra remplacer la famille aimée, et dans quelles circonstances?

441

POUR CONNAÎTRE L'AUTEUR

A. Le poète.

1. Comme Chateaubriand, Lamartine aime la nature. Montrez-le.

2. Il aime aussi la chanson du vent. Relevez les vers qui l'indiquent.

3. Mais il ne décrit pas la nature avec le pittoresque de Chateaubriand. Son paysage — le paysage lamartinien — est vague et vaporeux. Au lieu de décrire, Lamartine énumère les éléments qui composent un paysage. Montrez-le.

Et il accroche des souvenirs personnels aux choses de ce paysage. Montrez-le à l'aide de quelques exemples.

4. Sa poésie est une poésie de sentiments. Quels sentiments éprouve le poète en écrivant : « Milly? »

B. Les vers.

1. Lamartine emploie le vers classique. Quel genre de vers? — Séparez par un trait vertical les groupes de souffle dans les dix premiers vers. Quelles remarques faites-vous?

2. Il emploie les rimes plates ou suivies. Montrez-le, en relevant le dernier mot de chacun des dix premiers vers.

Ses rimes sont suffisantes. Donnez-en quelques exemples.

On trouve pourtant quelques rimes riches (avec consonne d'appui). Relevez les mots qui les renferment.

3. Relevez une métaphore, ou image, vers la fin du poème.

Relevez trois comparaisons avec *comme*.

COMPOSITION FRANÇAISE

EXERCICE ÉCRIT

Employez dans une phrase : rustique et les mots de la même famille : rusticité, rustre; accord (sens du texte) et accord (convention); désaccord.

DISSERTATION

Éloigné de votre famille, vous pensez un soir, avec regret, à votre maison et à votre « terre natale ». Vous évoquez, à la manière de Lamartine, les souvenirs personnels qui sont attachés à chacun des lieux que vous revoyez en imagination.

GRAMMAIRE

Les sens de l'adjectif TOUT.

a) en TOUT lieu : l'adjectif, ici employé directement devant le nom, sans article, signifie *en n'importe quel lieu, en un lieu quelconque du pays, en chaque lieu.*

b) TOUT cet horizon : l'adjectif TOUT est ici séparé du nom par un adjectif démonstratif. Il peut aussi être séparé par un article (*tout l'horizon*) ou par un adjectif possessif (*tout mon horizon*). Dans tous ces cas il signifie *la totalité de…, l'horizon tout entier.*

Le pronom indéfini TOUS. (N'oubliez pas de prononcer l'S final.)

Ces bruyères, ces champs, ces vignes, ces prairies, ont **tous** *leurs souvenirs!*

Tous est ici un pronom qui remplace et résume les quatre noms du vers précédent; il est sujet du verbe **ont**.

Remarque : TOUS est ici masculin pluriel parce qu'en français, quand un pronom remplace plusieurs noms, il suffit d'un seul nom masculin (ici *champs*) dans l'ensemble pour que le pronom soit au masculin. La même règle de priorité du genre masculin s'applique à l'accord de l'adjectif qualifiant plusieurs noms.

CONSEILS POUR LA LECTURE

La poésie de Lamartine est une musique. Le rythme des vers est bien équilibré. Pas de rejet d'un vers à l'autre. Les voyelles et les consonnes glissent d'une façon mélodieuse.

Victor Hugo, jeune, par Deveria.

VICTOR HUGO

Victor Hugo (1802-1885) est né à Besançon. Son père, originaire de la Lorraine, était général dans l'armée de Napoléon. Victor Hugo le suivit avec sa mère dans les différentes garnisons où il était appelé, notamment en Italie et en Espagne. Sa mère s'installa ensuite à Paris, rue des Feuillantines. C'est là qu'il fut élevé avec tendresse, en compagnie de ses deux frères.

Victor Hugo est un grand poète français. Il remplit tout le XIXe siècle de sa pensée, de ses œuvres, de son action sociale et politique, comme Voltaire le XVIIIe siècle.

Proscrit après le coup d'État du 2 décembre 1851, il dut s'exiler, comme Voltaire, afin de pouvoir écrire librement et lutter par ses écrits contre Napoléon III. Après vingt ans passés à Jersey et Guernesey, il rentra en France à la chute de l'Empire.

Il mourut à quatre-vingt-trois ans. Paris lui fit d'imposantes funérailles. Il fut conduit au Panthéon, accompagné par un peuple immense.

Principales œuvres.

Recueils de poèmes : *Les feuilles d'automne*; *Les chants du crépuscule*; *Les voix intérieures*; *Les rayons et les ombres*; *Les contemplations*; *Les châtiments* (contre Napoléon III — voir Jéricho, page 285); *La Légende des siècles* (voir Caïn, page 276).

Romans : *Notre-Dame de Paris*; *Les Misérables*.

Théâtre : La *Préface de Cromwell* (théorie du théâtre romantique); *Hernani*; *Ruy Blas*.

CE SIÈCLE AVAIT DEUX ANS

Ce siècle avait deux ans! Rome remplaçait Sparte,
Déjà Napoléon perçait sous Bonaparte
Et du premier consul, déjà, par maint endroit,
Le front de l'empereur brisait le masque étroit.
Alors, dans Besançon, vieille ville espagnole,
Jeté comme la graine au gré de l'air qui vole,
Naquit, d'un sang breton et lorrain à la fois,
Un enfant sans couleur, sans regard et sans voix,
Si débile qu'il fut, ainsi qu'une chimère,
Abandonné de tous, excepté de sa mère,
Et que son cou, ployé comme un frêle roseau,
Fit faire en même temps sa bière et son berceau.
Cet enfant que la vie effaçait de son livre
Et qui n'avait pas même un lendemain à vivre,
C'est moi.

       Je vous dirai peut-être, quelque jour,
Quel lait pur, que de soins, que de vœux, que d'amour
Prodigués pour ma vie, en naissant condamnée,
M'ont fait deux fois l'enfant de ma mère obstinée,
Ange qui, sur trois fils attachés à ses pas,
Épandait son amour et ne mesurait pas!

O l'amour d'une mère! amour que nul n'oublie!
Pain merveilleux qu'un dieu partage et multiplie!
Table toujours servie au paternel foyer!
Chacun en a sa part et tous l'ont tout entier.
Je pourrai dire un jour, lorsque la nuit douteuse
Fera parler les soirs ma vieillesse conteuse,
Comment ce haut destin de gloire et de terreur
Qui remuait le monde au pas de l'empereur,
Dans son souffle orageux m'emportant sans défense,
A tous les vents de l'air fit flotter mon enfance.
Car, lorsque l'aquilon bat ses flots palpitants,
L'océan convulsif tourmente en même temps

Ph. Giraudon.

VIII. NOTRE AME A TRAVERS NOTRE LITTÉRATURE
Picasso. Pierrot

L'amour d'une mère (Renoir, 1841-1919) — Fragment d'un tableau de *Cagnes*).

Le navire à trois ponts qui tonne avec l'orage
Et la feuille échappée aux arbres du rivage!

Victor HUGO, *Les feuilles d'automne.*

445

LE SENS ET LA VIE DES MOTS

LES MOTS ET LES EXPRESSIONS

Chimère (au sens figuré dans le texte) : une création de l'imagination sans appui dans la réalité et qui s'évanouit aussitôt qu'elle est née.

Ma vie en naissant condamnée : ma vie jugée perdue dès ma naissance.

Flots palpitants : flots agités, frémissants.

L'océan convulsif : l'océan aux mouvements violents.

Tourmente : agite avec violence.

Qui tonne : qui fait, sous les secousses de l'océan démonté, un bruit semblable à celui du tonnerre.

Expliquez à l'aide du dictionnaire :
Débile — bière — prodigués — obstinée.

LES IDÉES ET LES SENTIMENTS

Exercices de conversation :

Ce poème comprend trois parties. Délimitez chacune d'elles et donnez-lui un titre.

I

1. Victor Hugo désigne la date de sa naissance par une périphrase. Relevez-la. Ecrivez cette date en chiffres.
2. Quel grand fait historique marquait cette année-là ? — Relevez l'image par laquelle le poète rappelle ce fait.
3. Quel qualificatif Victor Hugo donnet-il à sa ville natale? Pourquoi?
4. Pourquoi dit-il qu'il naquit d'un sang breton et lorrain à la fois?
5. Relevez les expressions par lesquelles il indique qu'il était, à sa naissance, dans un état de santé très fragile.

II

1. Pourquoi dit-il que sa vie était « condamnée », à sa naissance?
2. Qui accomplit le miracle de le sauver? Comment?
3. Quelles qualités avait sa mère?
4. Il définit l'amour maternel dans deux comparaisons (pain, table). Relevez-les et expliquez chacune d'elles.

III

1. Par qui et comment était « remué » le monde, durant l'enfance de Victor Hugo? A quels événements historiques le poète fait-il ainsi allusion?
2. Comment son enfance était-elle liée à ce « souffle orageux »? — A quoi la compare-t-il?

LANGUE ET CIVILISATION

A. Analyse du poème :
1. Relevez les comparaisons établies avec « comme » et « ainsi que ».
2. Relevez les deux vers souvent cités par lesquels Victor Hugo parle de l'amour maternel.
2. Résumez en quelques lignes chacune des trois parties du poème.
B. Pour la fête des mères.
1. Vous écrivez à votre mère une lettre où vous lui dites toute votre reconnaissance et tout votre amour.
2. Vous préparez une surprise agréable pour votre mère. Racontez .

POUR CONNAITRE L'AUTEUR

A. Le poète.

1. Victor Hugo fut aussi un poète de la vie de famille. Comment le montre-t-il dans cette poésie?
Si vous connaissez d'autres poèmes où apparaît avec force son amour de père et de grand-père pour ses enfants, donnez-en le titre et l'idée générale.

2. Dans ce poème, Victor Hugo laisse parler sa sensibilité et son cœur, et chante des sentiments personnels. Quels sont ces sentiments?

3. **Victor Hugo** a une puissante imagination qui lui fait faire des rapprochements entre les choses en apparence les plus éloignées.

a) **Il voit des ressemblances et les exprime par des images.** — Relevez les images par lesquelles : il personnifie la vie ; il montre le hasard de sa naissance à Besançon; les hasards de son enfance voyageuse.

b) **Il voit des contrastes,** des oppositions, des antithèses. — Relevez les vers par lesquels il oppose : Rome et Sparte; le premier consul et l'empereur; la bière et le berceau; le gros navire et la feuille morte.

4. Son imagination fait de lui un admirable poète d'épopée. Quels poèmes de *la Légende des siècles* avez-vous étudiés? Quelle histoire raconte-t-il dans la poésie : « Les pauvres gens »?

5. Victor Hugo fut un grand prosateur. — De quelles qualités fait-il preuve dans le texte que vous avez étudié, page 37 ?

B. Le style de Victor Hugo.

Vous avez pu constater la richesse de son vocabulaire, l'éclat de ses images, l'harmonieuse construction de ses vers et de ses phrases. Dans la poésie que vous venez d'étudier, les alexandrins sont bien rythmés et les rimes sont riches, sonores ou discrètes. Montrez-le par quelques exemples.

C. Le lyrisme.

Dans ce poème, Victor Hugo raconte sa vie et plus particulièrement son enfance.
Commentez ce thème en vous reportant à la page 439.

GRAMMAIRE

Une phrase complexe avec une subordonnée de conséquence.

Alors, dans Besançon... naquit un enfant..., si débile qu'il **fut... abandonné** *de tous excepté de sa mère.*

Cette dernière proposition, subordonnée de conséquence, a son verbe au mode indicatif. Elle est annoncée dans la proposition principale par l'adverbe d'intensité SI placé devant l'adjectif *débile.* La conséquence exprimée est en effet une conséquence réelle.

Question : Quel est le temps du verbe *fut abandonné*?

CONSEILS POUR LA LECTURE

Tenez compte des indications ci-dessus concernant le rythme et la rime.

Les passages en liaison avec l'histoire présentent une certaine solennité; ceux qui concernent le poète sont intimes et familiers. Tenez-en compte pour votre intonation.

Récitation. — Apprendre par cœur les vingt-quatre premiers vers.

VOCABULAIRE D'INITIATION

Termes se rapportant à la vie de l'âme :

VERBES :

méditer
rêver
croire
espérer

NOMS :

une âme
un athéisme
le déisme

le désespoir
le destin
un Dieu, les dieux
un épicurisme
un espoir
la foi
la grâce
le mal du siècle
la méditation
le merveilleux
le mystique

la mystique
le paganisme
le panthéisme
la prière
le rationalisme
le rêve
la rêverie
le stoïcisme
la volonté

ADJECTIFS :

athée

déiste
divin
épicurien
éternel
mystérieux
mystique
païen
panthéiste
religieux
spirituel
(« de l'esprit »)
stoïcien

ALFRED DE VIGNY

Alfred de Vigny (1797-1863) est né à Loches, dans la vallée de la Loire. Fils d'officier, il est officier lui-même jusqu'en 1827. Il se consacre ensuite uniquement à la littérature. C'est un grand poète et un penseur. Ses poèmes sont d'une inspiration noble et fière. Ayant lui-même beaucoup souffert, il compatit en stoïcien à la misère des hommes et propose des leçons d'une haute portée morale.

Principales œuvres.

a) **Poésies :** *Poèmes antiques et modernes* (1826) parmi lesquels *les Destinées* — où se trouve : *la Mort du loup.*

b) **Romans :** *Cinq-Mars; Servitude et grandeur militaires.*

c) **Théâtre :** *Chatterton.*

* *
*

LA MORT DU LOUP

Les nuages couraient sur la lune enflammée
Comme sur l'incendie on voit fuir la fumée,
Et les bois étaient noirs jusques à l'horizon.
Nous marchions sans parler, dans l'humide gazon,
Dans la bruyère épaisse et dans les hautes brandes,
Lorsque, sous les sapins pareils à ceux des Landes,
Nous avons aperçu les grands ongles marqués
Par les loups voyageurs que nous avions traqués.
Nous avons écouté, retenant notre haleine
Et le pas suspendu. — Ni le bois ni la plaine
Ne poussaient un soupir dans les airs; seulement
La girouette en deuil criait au firmament;
Car le vent, élevé bien au-dessus des terres,
N'effleurait de ses pieds que les tours solitaires;
Et les chênes d'en bas, contre les rocs penchés,
Sur leurs coudes semblaient endormis et couchés.
Rien ne bruissait donc, lorsque, baissant la tête,
Le plus vieux des chasseurs qui s'étaient mis en quête
A regardé le sable en s'y couchant; bientôt,
Lui que jamais ici l'on ne vit en défaut

A déclaré tout bas que ces marques récentes
Annonçaient la démarche et les griffes puissantes
De deux grands loups-cerviers et de deux louveteaux.
Nous avons tous alors préparé nos couteaux,
Et, cachant nos fusils et leurs lueurs trop blanches,
Nous allions pas à pas, en écartant les branches.
Trois s'arrêtent, et moi, cherchant ce qu'ils voyaient,
J'aperçois tout à coup deux yeux qui flamboyaient,
Et je vois au-delà quatre formes légères
Qui dansaient sous la lune au milieu des bruyères,
Comme font chaque jour, à grand bruit sous nos yeux,
Quand le maître revient, les lévriers joyeux.
Leur forme était semblable et semblable la danse;
Mais les enfants du loup se jouaient en silence,
Sachant bien qu'à deux pas, ne dormant qu'à demi,
Se cache dans ses murs l'homme, leur ennemi.
Le père était debout, et, plus loin, contre un arbre,
Sa louve reposait comme celle de marbre
Qu'adoraient les Romains, et dont les flancs velus
Couvraient les demi-dieux Rémus et Romulus.
Le loup vient et s'assied, les deux jambes dressées,
Par leurs ongles crochus dans le sable enfoncées.
Il s'est jugé perdu, puisqu'il était surpris,
Sa retraite coupée et tous ses chemins pris;
Alors il a saisi, dans sa gueule brûlante,
Du chien le plus hardi la gorge pantelante
Et n'a pas desserré ses mâchoires de fer,
Malgré nos coups de feu qui traversaient sa chair,
Et nos couteaux aigus qui, comme des tenailles,
Se croisaient en plongeant dans ses larges entrailles,
Jusqu'au dernier moment où le chien étranglé,
Mort longtemps avant lui, sous ses pieds a roulé.
Le loup le quitte alors et puis il nous regarde.
Les couteaux lui restaient au flanc jusqu'à la garde,
Le clouaient au gazon tout baigné dans son sang;
Nos fusils l'entouraient en sinistre croissant.
Il nous regarde encore, ensuite il se recouche,
Tout en léchant le sang répandu sur sa bouche,

Et, sans daigner savoir comment il a péri,
Refermant ses grands yeux, meurt sans jeter un cri.

Ah! je t'ai bien compris, sauvage voyageur,
Et ton dernier regard m'est allé jusqu'au cœur!
Il disait : « Si tu peux, fais que ton âme arrive,
A force de rester studieuse et pensive,
Jusqu'à ce haut degré de stoïque fierté
Où, naissant dans les bois, j'ai tout d'abord monté.
Gémir, pleurer, prier, est également lâche.
Fais énergiquement ta longue et lourde tâche
Dans la voie où le sort a voulu t'appeler,
Puis, après, comme moi, souffre et meurs sans parler. »

Alfred DE VIGNY, *Les Destinées.*

le loup est socratisé à la mort – il l'accepte avec stoïcisme

C'est Romantie c'est parce que beau

un réaction contre Romantisme à l'époque de Romantisme effusion

─────── **COMPRENEZ BIEN LE TEXTE** ───────

LE SENS ET LA VIE DES MOTS

LES MOTS ET LES EXPRESSIONS

Traqués : employé au sens figuré de *poursuivis.* — Au sens propre, traquer c'est fouiller un bois pour en faire sortir le gibier.

Mis en quête : quête vient d'un mot latin qui signifie *chercher.* Se mettre en quête, c'est donc chercher le gibier.

Gorge pantelante : gorge haletante, essoufflée, avec une idée de peur mortelle.

Stoïque : qui dénote une grande fermeté d'âme pour dominer la sensibilité et supporter la souffrance et le malheur.

Travail personnel. — Expliquez à l'aide du dictionnaire :

Brandes — *loups-cerviers* — *flamboyaient* (sens figuré; donnez-en aussi le sens propre) — *sinistre croissant.*

LES IDÉES ET LES SENTIMENTS

Exercices de conversation :

1. Quand commence cette chasse au loup? Comment les chasseurs sont-ils équipés et par qui sont-ils accompagnés? Comment marchent-ils?

2. Le lieu de la scène. — Quels sont les éléments de ce paysage romantique nocturne?

3. Quelle découverte fait le plus vieux des chasseurs?

4. Tous s'arrêtent. — Quelle scène s'offre à la vue de l'auteur? Quelle réflexion fait-il?

5. Que fait soudain le loup? Pourquoi?

6. Un chien hardi... Que fait alors le loup? Et que font les chasseurs?

7. Le loup lâche le chien mort. — Dans quel état se trouve-t-il?

8. Que fait-il avant de mourir? Et comment meurt-il?

9. Alfred de Vigny a été frappé par le dernier regard du loup. Comment l'exprime-t-il? Comment traduit-il ce qu'il a cru lire dans ce regard?

450

réder – stiff, become hard

LANGUE ET POÉSIE

1. Faites entrer dans une phrase : stoïque (adjectif), stoïquement; traquer, flamboyer (mode à votre choix) au sens propre, puis au sens figuré.

2. Un symbole est une chose réelle que l'on prend comme signe, comme marque, comme emblème d'une chose abstraite, d'une idée avec laquelle on la trouve en correspondance. Ainsi l'agneau est doux : il est le symbole de la douceur (p. 468).

Dites en une phrase de quoi est le symbole : le renard, le chat, le chien, la colombe portant un rameau d'olivier, la balance, le drapeau. Trouvez deux ou trois autres symboles assez souvent utilisés.

3. Relevez dans la description du paysage : 1° une comparaison avec « comme »; 2° les images ou métaphores.

4. Les vers. Quel genre de vers l'auteur emploie-t-il ? Comment sont disposées les rimes ?

Pas de recherches d'effets de construction, le vers coule comme de la prose, ce qui conduit à quelques rejets : relevez-les.

Séparez les groupes de mots des seize premiers vers. Quelles remarques faites-vous ? — Indiquez, le cas échéant, à la fin du vers, par →, le rejet ou enjambement.

POUR CONNAITRE L'AUTEUR

1. Vigny est sensible à la mélancolie romantique d'un paysage d'automne (comme Chateaubriand, voir page 434). Relevez les vers qui montrent la tristesse du soir d'automne qu'il dépeint.

2. Vigny, comme les poètes romantiques, est présent dans le paysage qu'il décrit. Montrez-le.

3. Mais il n'exprime pas ici, directement comme eux, ses idées et ses sentiments. Il utilise un symbole. Quel animal prend-il comme symbole? Pourquoi?

4. Le loup est le symbole de l'homme courageux qui lutte contre les malheurs de sa destinée. Montrez-le par quelques exemples.

5. Il est le symbole du stoïque qui accepte de souffrir et de mourir sans se plaindre. Montrez-le à l'aide du texte.

6. Quelle leçon Alfred de Vigny donne-t-il aux hommes ?

COMPOSITION FRANÇAISE

A. Enquête. La chasse dans votre pays.

a) Date d'ouverture, de fermeture; formalités à remplir pour avoir le droit de chasser.

b) Les chasseurs : leur équipement.

c) Le gibier : différentes sortes; époque et terrains dans lesquels il est le plus abondant.

d) Renseignements complémentaires.

B. Rédaction. — Racontez une partie de chasse (saison et moment de la journée — le paysage — les chasseurs — les chiens — la poursuite du gibier — le résultat — le retour — impressions personnelles).

GRAMMAIRE

Exercice d'analyse. — Analysez le mot *tout(s)* dans les passages suivants du poème : *nous avons* **tous** *alors préparé... a déclaré* **tout** *bas... et* **tous** *ces chemins...* **tout** *baigné dans son sang.*

LECTURE ET RÉCITATION

Tenir compte des indications ci-dessus pour marquer le rythme glissant des vers. Bien détacher les divers éléments du paysage, puis les attitudes des chasseurs, l'attitude du loup ainsi que ses réactions et le stoïcisme de sa fin.

Le silence *(Préault — Cimetière du Père-Lachaise à Paris).*

ALFRED DE MUSSET

Alfred de Musset (1810-1857) est né et mort à Paris. C'est un grand poète lyrique. Il a puisé dans son cœur, dans sa sensibilité très vive, une inspiration poétique délicate et gracieuse qui fait le charme de son œuvre. Il a chanté dans de beaux vers sa souffrance, sa douleur et parfois son désespoir dans les épreuves de la vie, surtout dans les quatre *Nuits*, mais il ne se laisse pas abattre :
« Rien ne nous rend si grand qu'une grande douleur », s'écrie-t-il.
Il est resté le poète de la jeunesse.

Principaux ouvrages. Il a publié des recueils de vers : *Premières poésies* (1829-1833), *Poésies nouvelles*; des romans : *Confession d'un enfant du siècle;* des recueils de *Contes et nouvelles*, de *Comédies et Proverbes*, etc. Son théâtre est aujourd'hui la partie la plus vivante de son œuvre. On joue fréquemment des pièces poétiques comme *On ne badine pas avec l'amour*, *Lorenzaccio*, *A quoi rêvent les jeunes filles*.

Photo Bulloz.

A. de Musset, par Landelle.

FANTASIO

Fantasio, jeune bourgeois de Munich, souffre du mal du siècle. A la fin de la scène que nous citons passe l'enterrement de Saint-Jean, fou du roi de Bavière. Fantasio prend la place du bouffon et va à la Cour. Il y rencontre l'infante, Elspeth, qui pleure parce qu'on va la marier au ridicule duc de Mantoue... Par mille tours facétieux et dangereux, Fantasio rompt le mariage et est emprisonné. La princesse ira le délivrer.

LE MAL DU SIÈCLE

SPARK. — Manques-tu d'argent, Henri? Veux-tu ma bourse?

FANTASIO. — Imbécile! Si je n'avais pas d'argent, je n'aurais pas de dettes. [...]

FANTASIO. — Remarques-tu une chose, Spark? c'est que nous n'avons point d'état; nous n'exerçons aucune profession.

SPARK. — C'est là ce qui t'attriste?

FANTASIO. — Il n'y a point de maître d'armes mélancolique.

SPARK. — Tu me fais l'effet d'être revenu de tout.

452

FANTASIO. — Ah! Pour être revenu de tout, mon ami, il faut être allé en bien des endroits.

SPARK. — Eh bien, donc?

FANTASIO. — Eh bien, donc? Où veux-tu que j'aille? Regarde cette vieille ville enfumée; il n'y a pas de places, de rues, de ruelles où je n'aie rôdé trente fois; il n'y a pas de pavés où je n'aie traîné ces talons usés, pas de maison où je ne sache quelle est la fille ou la vieille femme dont la tête stupide se dessine éternellement à la fenêtre; je ne saurais faire un pas sans marcher sur mes pas d'hier; eh bien, cher ami, cette ville n'est rien auprès de ma cervelle. Tous les recoins m'en sont cent fois plus connus; toutes les rues, tous les trous de mon imagination sont cent fois plus fatigués; je m'y suis promené en cent fois plus de sens, dans cette cervelle délabrée, moi son seul habitant! je m'y suis grisé dans tous les cabarets; je m'y suis roulé comme un roi absolu dans un carrosse doré; j'y ai trotté en bon bourgeois sur une mule pacifique, et je n'ose seulement pas y entrer comme un voleur, une lanterne sourde à la main!

SPARK. — Je n'y comprends rien, à ce travail perpétuel sur toi-même; moi, quand je fume, par exemple, ma pensée se fait fumée de tabac; quand je bois, elle se fait vin d'Espagne ou bière de Flandres; [...] il me faut le parfum d'une fleur pour me distraire, et de tout ce que renferme l'universelle nature, le plus chétif objet suffit pour me changer en abeille et me faire voltiger çà et là avec un plaisir toujours nouveau.

FANTASIO. — Tranchons le mot, tu es capable de pêcher à la ligne?

SPARK. — Si cela m'amuse, je suis capable de tout.

FANTASIO. — Même de prendre la lune avec tes dents?

SPARK. — Cela ne m'amuserait pas.

FANTASIO. — Ah! Ah! qu'en sais-tu? Prendre la lune avec ses dents n'est pas à dédaigner [...]

SPARK. — Pourquoi ne voyages-tu pas? Va en Italie.

FANTASIO. — J'y ai été.

SPARK. — Eh bien! Est-ce que tu ne trouves pas ce pays-là beau?

FANTASIO. — Il y a une quantité de mouches grosses comme des hannetons qui vous piquent toute la nuit.

SPARK. — Va en France.

FANTASIO. — Il n'y a pas de bon vin du Rhin à Paris.

SPARK. — Va en Angleterre.

FANTASIO. — J'y suis. Est-ce que les Anglais ont une patrie? J'aime autant les voir ici que chez eux.

SPARK. — Va donc au diable, alors!

FANTASIO. — Oh! S'il y avait un diable dans le ciel! S'il y avait un enfer, comme je me brûlerais la cervelle pour aller voir tout ça! Quelle misérable chose que l'homme! Ne pas pouvoir seulement sauter par sa fenêtre sans se casser les jambes! Être obligé de jouer du violon dix ans pour devenir un musicien passable! Apprendre pour être peintre, pour être palefrenier! Apprendre pour faire une omelette! Tiens, Spark, il me prend des envies de m'asseoir sur un parapet, de regarder couler la rivière et de me mettre à compter un, deux, trois, quatre, cinq, six, sept et ainsi de suite jusqu'au jour de ma mort.

SPARK. — Ce que tu dis là ferait rire bien des gens; moi, cela me fait frémir : c'est l'histoire du siècle entier. L'éternité est comme une grande aire d'où tous les siècles, comme de jeunes aiglons, se sont envolés tour à tour pour traverser le ciel et disparaître; le nôtre est arrivé à son tour au bord du nid; mais on lui a coupé les ailes, et il attend la mort en regardant l'espace dans lequel il ne peut s'élancer.

Alfred de MUSSET, *Fantasio* (1834).

────────── COMPRENEZ BIEN LE TEXTE ──────────

LA VIE ET LE SENS DES MOTS

LES MOTS ET LES EXPRESSIONS

Rôder : proprement aller en rond, tourner, donc aller et venir, sans but précis.

Se griser : verbe poétique qui signifie boire trop, se rendre à moitié ivre.

Un palefrenier : à l'origine, celui qui s'occupe des *palefrois*, c'est-à-dire des chevaux de parade (par opposition aux *destriers*, chevaux montés en combat); par extension, celui qui s'occupe des chevaux, quels qu'ils soient.

Un parapet : à l'origine, terme italien de fortification, mur qui monte assez haut pour protéger la poitrine *(petto)*, d'où le sens actuel : mur qui empêche de tomber; on dit aussi un *garde-fou*.

Une aire : les oiseaux de proie établissent leur nid dans un emplacement plat appelé aire.

Une lanterne sourde : une lanterne dont on peut cacher la lumière grâce à un volet, qui permet ainsi au porteur de faire l'obscurité à volonté.

Tranchons le mot : parlons net, sans atténuer, par politesse, un jugement désagréable.

Être revenu de tout : avoir tout essayé et avoir été déçu par tout ce que l'on a tenté de faire.

Travail personnel. — Expliquez :

Une cervelle délabrée — se brûler la cervelle — Va au diable.

LES IDÉES ET LES SENTIMENTS

1. Commentez la remarque : *Si je n'avais pas d'argent, je n'aurais pas de dettes.*

2. Croyez-vous que l'exercice d'un métier changerait le caractère de ces jeunes gens, et en particulier celui de Fantasio?

3. Que pensez-vous de la comparaison entre l'esprit de Fantasio et la vieille ville de Munich?

4. Que pense Fantasio de la pêche à la ligne? Pourriez-vous expliquer les raisons de cette attitude? (Pensez à l'envie qui prend Fantasio, plus tard, de regarder la rivière.)

5. Que pensez-vous de l'unique motif auquel Spark semble ramener toutes ses actions?

6. Discutez les arguments par lesquels Fantasio rejette l'idée des voyages à l'étranger.

7. Croyez-vous que le manque de foi religieuse de Fantasio soit la cause de son attitude envers la vie? Justifiez votre réponse.

8. Décrivez, en quelques phrases, le caractère de Fantasio et celui de Spark. Vous vous attacherez à montrer les points communs et les différences entre ces deux jeunes gens.

UTILISEZ LE TEXTE

LANGUE ET CIVILISATION

1. Trouvez cinq homonymes de *aire* et utilisez chacun d'eux dans une phrase qui en montrera bien le sens.

2. Pour quelles raisons, à votre avis, Alfred de Musset a-t-il situé sa pièce en Allemagne? (Pour pouvoir bien répondre à cette question, il faut relire le texte de Mme de Staël sur l'Allemagne, page 189.)

3. La dernière réplique de Spark est une définition extrêmement révélatrice du *mal du siècle*. Après les guerres de Napoléon, la jeunesse française a du mal à s'adapter à la paix et au triomphe de la bourgeoisie (voir p. 249).

Théophile Gautier (1811-1872) nous dit, dans son *Histoire du romantisme* : « *Il était de mode alors dans l'école romantique d'être pâle, livide, verdâtre, un peu cadavéreux s'il était possible. Cela donnait l'air fatal, byronien, giaour, dévoré par la passion et les remords.* »

Relevez dans les répliques de Fantasio tous les détails qui permettent de dire qu'il souffre du *mal du siècle*. Ces détails ne condamnent-ils pas l'attitude de la jeunesse romantique? Si oui, dans quelle mesure peut-on trouver des excuses, ou au moins des justifications?

3. Diriez-vous que ce « mal du siècle » est particulier à cette époque? N'y a-t-il pas un mal du siècle de nos jours? Quelles remarques de Fantasio pourraient-elles être faites par un jeune homme ayant, de nos jours, un état d'esprit analogue?

4. Alfred de Musset manifeste, dans ses dialogues, une étincelante habileté pour laquelle il est célèbre. Étudiez la manière dont les différentes répliques sont liées entre elles; montrez comment la fantaisie naît de l'absence de logique apparente. Néanmoins, l'art de Musset provient du fait qu'il y a une logique profonde (celle de l'association des idées); retrouvez-la.

DISSERTATION

Composez un dialogue entre un jeune homme dégoûté de tout et vous-même, qui essaierez de lui donner du courage et de lui montrer que la vie vaut la peine d'être vécue.

GRAMMAIRE ET STYLISTIQUE

L'expression de la double négation.

Il n'y a pas de places, de rues, de ruelles où je n'aie rôdé trente fois; cette phrase signifie : *j'ai rôdé plus de trente fois dans toutes les places, les rues et les ruelles.*

La négation s'exprime dans la proposition principale par *ne... pas...* et simplement par

ne + subjonctif

dans la proposition subordonnée relative.

Exercices : 1. Cherchez deux propositions subordonnées relatives dans le texte où s'exprime la double négation avec un sens affirmatif.

2. Faites deux phrases sur le même modèle.

CONSEILS POUR LA LECTURE

Le texte doit de préférence être lu par deux étudiants qui feront sentir toute la légèreté que l'auteur a voulu y introduire.

Fantasio doit souligner à la fois son ennui et sa fantaisie. Spark doit s'exprimer sur un ton plus raisonnable, il doit surtout, dans la dernière réplique, insister sur la vérité profonde et tragique qu'il exprime.

BALZAC

Honoré de Balzac (1799-1850) est né à Tours. Écrivain de génie, doué d'une grande puissance d'esprit et de travail — il travaillait en moyenne quatorze heures par jour — il a publié une centaine de romans sous ce titre général : « la Comédie humaine ».

Il a ainsi décrit des scènes de la vie de province : *Eugénie Grandet* (1833); des scènes de la vie parisienne : *Le Père Goriot* (1834), *Le Cousin Pons* (1847); des scènes de la vie militaire, de la vie privée, etc...

Il a observé et peint avec une âpre vérité et avec vigueur tous les milieux sociaux de son temps. Son influence fut et reste considérable.

*
* *

◀ *Une caricature contemporaine de Balzac (1838).*

Cl. Giraudon.

LES DERNIERS JOURS D'UN AVARE

Le père d'Eugénie Grandet était un tonnelier de Saumur qui avait amassé, dans les affaires, une fortune considérable évaluée à sa mort, par son notaire, à dix-sept millions de francs. Le père Grandet a fait preuve, toute sa vie, d'une avarice sordide à laquelle il sacrifie le bonheur de sa fille Eugénie. — Le père Grandet peut être comparé à l'Harpagon de Molière. Balzac disait : « Molière a fait l'Avare, moi j'ai fait l'avarice. »

Vers la fin de l'année 1827, le bonhomme fut enfin, à l'âge de quatre-vingt-deux ans, pris par une paralysie qui fit de rapides progrès. Grandet fut condamné par son médecin.

En pensant qu'elle allait bientôt se trouver seule dans le monde, Eugénie se tint, pour ainsi dire, plus près de son père, et serra plus fortement ce dernier anneau d'affection. Dans sa pensée, comme dans celle de toutes les femmes aimantes, l'amour était le monde entier. Elle fut sublime de soins et d'attentions pour son vieux père, dont les facultés commençaient à baisser, mais dont l'avarice se soutenait instinctivement. Aussi la mort de cet homme ne contrasta-t-elle point avec sa vie.

Dès le matin il se faisait rouler entre la cheminée de sa chambre et la porte de son cabinet, sans doute plein d'or. Il restait là sans mouvement, mais il regardait tour à tour avec anxiété ceux qui venaient le voir et la porte doublée de fer. Il se faisait rendre compte des moindres bruits qu'il entendait, et, au grand étonnement du notaire, il entendait le bâillement de son chien dans la cour. Il se réveillait de sa stupeur apparente au jour et à l'heure où il fallait recevoir des fermages, faire des comptes avec les closiers, ou donner des quittances. Il agitait alors son fauteuil à roulettes jusqu'à ce qu'il se trouvât en face de la porte de son cabinet. Il le faisait ouvrir par sa fille et veillait à ce qu'elle plaçât en secret elle-même les sacs d'argent les uns sur les autres, à ce qu'elle fermât la porte. Puis il revenait à sa place silencieusement, aussitôt qu'elle lui avait rendu la précieuse clef, toujours placée dans la poche de son gilet, et qu'il tâtait de temps en temps. D'ailleurs, son vieil ami le notaire redoubla de soins et d'attentions : il venait tous les jours se mettre aux ordres de Grandet, allait à son commandement à Froidfond, aux terres, aux prés, aux vignes, vendait les récoltes et transmutait tout en or et en argent qui venait se réunir secrètement aux sacs empilés dans le cabinet.

Enfin arrivèrent les jours d'agonie pendant lesquels la forte charpente du bonhomme fut aux prises avec la destruction. Il voulut rester assis au coin de son feu, devant la porte de son cabinet. Il attirait à lui et roulait les couvertures que l'on mettait sur lui, et disait à Nanon : « Serre, serre ça pour qu'on ne me vole pas. » Quand il pouvait ouvrir les yeux, où toute sa vie s'était réfugiée, il les tournait aussitôt vers la porte du cabinet où gisaient ses trésors, en disant à sa fille : « Y sont-ils ? Y sont-ils ? » d'un son de voix qui dénotait une sorte de peur panique.

— Oui, mon père.

— Veille à l'or. Mets de l'or devant moi.

Eugénie lui étendait des louis sur une table et il demeurait des heures entières les yeux attachés sur les louis, comme un enfant qui, au moment où il commence à voir, contemple stupidement le même objet, et comme à un enfant, il lui échappait un sourire pénible.

— Ça me réchauffe, disait-il quelquefois en laissant paraître sur sa figure une expression de béatitude.

Lorsque le curé de la paroisse vint l'administrer, ses yeux, morts en apparence depuis quelques heures, se ranimèrent à la vue de la croix, des chandeliers, du bénitier d'argent qu'il regarda fixement, et sa loupe remua pour la dernière fois. Lorsque le prêtre lui approcha des lèvres le crucifix en vermeil pour lui faire baiser le Christ, il fit un épouvantable geste pour le saisir. Ce dernier effort lui coûta la vie. Il appela Eugénie, qu'il ne voyait pas, quoiqu'elle fût agenouillée devant lui et qu'elle baignât de ses larmes une main déjà froide.

— Mon père, bénissez-moi.

— Aie bien soin de tout. Tu me rendras compte de ça là-bas, lui dit-il...

BALZAC, *Eugénie Grandet.*

─────────── **COMPRENEZ BIEN LE TEXTE** ───────────

LE SENS ET LA VIE DES MOTS

LES MOTS ET LES EXPRESSIONS

Les facultés : les facultés intellectuelles (intelligence, mémoire, sensibilité).

Cabinet : petite pièce servant de dépendance à sa chambre.

Avec anxiété : avec une grande inquiétude.

Une stupeur : sorte d'engourdissement des facultés intellectuelles.

La forte charpente du bonhomme : la robuste constitution du vieillard.

Froidfond : nom d'un important domaine de Grandet.

Nanon : la vieille servante de Grandet.

Étendait (des louis) : mis pour *étalait.*

Louis : pièce d'or, ainsi appelée parce qu'elle fut créée par Louis XIII, qui valait vingt francs-or. Plus tard, on l'appela aussi *Napoléon.*

Sa loupe : une excroissance de chair qu'il avait sur le nez.

Expression de béatitude : expression de grand bonheur. A rapprocher de : un air *béat,* un air calme, heureux.

Où gisaient ses trésors : c'est le verbe archaïque « gésir » qui signifiait « être couché » et s'emploie maintenant le plus souvent à propos des morts qui sont au tombeau; ici les trésors reposent, sont empilés dans le cabinet comme les cercueils dans un tombeau.

Expliquez à l'aide du dictionnaire :
Fermages — closiers — paniques — vermeil.

LES IDÉES ET LES SENTIMENTS

Exercices de conversation :

1. Balzac nous présente, dans les deux premiers paragraphes, le père Grandet et sa fille Eugénie. Comment les caractérise-t-il l'un et l'autre?
Relevez la phrase qui montre la persistance, chez Grandet, de son unique passion.

2. Les jours de paralysie. — Où le père Grandet se fait-il « rouler » dès le matin?
Il est torturé par une grande peur. Laquelle? Comment se manifeste son anxiété?
L'amour de l'argent le fait se réveiller parfois de sa stupeur. Quand? Et quelle surveillance exerce-t-il?
Tous les jours, il reçoit la visite de son notaire. Dans quel but? Et pourquoi ce dernier redouble-t-il de soins et d'attentions?

3. Les jours d'agonie. — Où les passe-t-il?

Il a peur qu'on le vole. Que fait-il et que dit-il à Nanon?

Quand il peut ouvrir les yeux, que fait-il? et que dit-il à sa fille?

Il veut encore éprouver la jouissance matérielle de l'or. Quel est son suprême bonheur? et que dit-il?

4. L'heure de la mort. — Une dernière fois l'amour de l'argent le ranime. Quand? Et que fait-il dans un dernier effort?

Il meurt. Mais il ne regrette pas sa fille, il ne lui dit pas adieu. — Quelle est sa dernière pensée? — Que représente la religion pour Grandet?

─────────── UTILISEZ LE TEXTE ───────────

ANALYSE DU PASSAGE

1. Balzac fait de Grandet un personnage mené jusqu'à la mort par une passion unique. — Quelle est cette passion? Et quels sont les sentiments humains qu'elle étouffe en lui jusqu'à son dernier souffle?

2. Balzac note avec présicion et vérité les actes que font faire à Grandet, pendant ses derniers jours de vie :

a) l'amour de l'or, le besoin d'entasser des richesses;

b) la peur de perdre son trésor.

Quels sont ces actes?

3. Employez dans des phrases qui en feront bien comprendre le sens, les mots et expressions : *redoubler de soins et d'attentions — regarder avec anxiété — être frappé de stupeur à la vue de... — panique — une pénible nouvelle.*

COMPOSITION FRANÇAISE

Vous connaissez peut-être une personne qui se laisse conduire, comme Grandet, par une passion. Faites son portrait, en lui donnant un nom que vous imaginerez. Montrez son comportement dans la vie de tous les jours, et les conséquences de son vice pour sa famille et pour elle-même.

CONSEILS POUR LA LECTURE

Ton grave et objectif pour le récit. — Rendre l'anxiété qui tenaille le père Grandet quand il parle.

STYLISTIQUE

L'adverbe AUSSI au début d'une phrase. — *Aussi la mort de cet homme ne contrasta-t-elle pas avec sa vie.*

Dans ce cas, *aussi* établit une relation de conséquence entre ce qui précède et ce qui suit, et il entraîne l'inversion du sujet du verbe de la proposition (l'inversion est ici semblable à l'inversion de la phrase interrogative).

Deux inversions littéraires du sujet. — *Enfin arrivèrent les jours d'agonie.*

On pourrait également dire : *Enfin les jours d'agonie arrivèrent*; mais l'inversion souligne combien le moment est dramatique.

... où gisaient ses trésors.

L'inversion du sujet est fréquente dans la proposition subordonnée relative, c'est une élégance de style.

Exercices : 1. Expliquez les raisons pour lesquelles chacun des verbes *trouvât, plaçât, fermât* et *baignât* est au temps imparfait du mode subjonctif.

2. Quel est le sens du mot *que* dans la proposition : *et qu'elle baignât de ses larmes une main déjà froide.*

3. Faites trois phrases avec les conjonctions QUOIQUE, JUSQU'A CE QUE et l'expression VEILLER A CE QUE, en employant l'imparfait du subjonctif dans la proposition subordonnée.

LA POÉSIE SYMBOLISTE

En réaction contre leurs prédécesseurs, les Parnassiens qui décrivent et peignent surtout le monde extérieur et n'expriment pas leurs sentiments personnels, les Symbolistes veulent d'abord, ainsi que leur nom l'indique, donner une grande place au symbole (voir page 451). Leur ambition est de suggérer les choses, par le symbole, plutôt que de les nommer et de les décrire. Mais ils veulent surtout faire, de la poésie, une musique qui exprime intensément les émotions et les sentiments de leur âme.

Baudelaire, le premier, annonce cette nouvelle inspiration poétique. Verlaine, Rimbaud, Mallarmé et Paul Valéry sont les grands noms de l'École symboliste à laquelle se rattachent aussi Verhaeren, Henri de Régnier et Paul Fort. Tous ces poètes sont représentés dans le livre.

BAUDELAIRE

Charles Baudelaire (1821-1867). Né et mort à Paris, il a, dans une forme pure et classique, introduit une nouvelle dimension dans la poésie par sa notion de *correspondances* (sensations d'ordre différent mais éveillant un même sentiment) et son usage des *symboles*. Il a exercé une grande influence sur les poètes modernes, il est le grand maître des symbolistes, bien que n'ayant publié qu'un seul volume de vers : *Les Fleurs du Mal*, mais il est aussi, par certains côtés, le dernier des romantiques. On le considère aussi comme le premier des esthéticiens (voir page 123).

*
* *

HARMONIE DU SOIR

Voici venir le temps où, vibrant sur sa tige,
Chaque fleur s'évapore ainsi qu'un encensoir ;
Les sons et les parfums tournent dans l'air du soir,
Valse mélancolique et langoureux vertige !

Chaque fleur s'évapore ainsi qu'un encensoir ;
Le violon frémit comme un cœur qu'on afflige ;
Valse mélancolique et langoureux vertige !
Le ciel est triste et beau comme un grand reposoir.

Le violon frémit comme un cœur qu'on afflige,
Un cœur tendre qui hait le néant vaste et noir !
Le ciel est triste et beau comme un grand reposoir ;
Le soleil s'est noyé dans son sang qui se fige...

Un cœur tendre qui hait le néant vaste et noir,
Du passé lumineux recueille tout vestige !
Le soleil s'est noyé dans son sang qui se fige...
Ton souvenir en moi luit comme un ostensoir !

Charles BAUDELAIRE, *Les Fleurs du Mal.*

———— COMPRENEZ BIEN LE TEXTE ————

LE SENS ET LA VIE DES MOTS

LES MOTS ET LES EXPRESSIONS

Pas de mots rares. Trois termes empruntés au vocabulaire des cérémonies religieuses : **encensoir — reposoir — ostensoir.** Expliquez-les (voir dictionnaire).

Harmonie du soir : toute la beauté poétique et musicale du soir est en accord, en harmonie, avec les émotions du cœur du poète.

Cœur qu'on afflige : cœur à qui on cause de l'affliction, c'est-à-dire de la peine, du chagrin.

Son sang qui se fige : le soleil qui va mourir à l'horizon semble avoir laissé son sang dans les vapeurs du couchant qu'il colore de rouge, et au milieu desquelles il paraît se noyer.

LES IDÉES ET LES SENTIMENTS

Exercices de conversation :

C'est un beau soir d'été que contemple le poète.

1re strophe. — Que fait chaque fleur ? Que font les sons et les parfums ? A quoi est comparée « leur ronde » ?

2e strophe. — « Un violon frémit ». A quoi l'auteur le compare-t-il ? Pourquoi ? Comment est le ciel ?

3e strophe. — Le poète apporte des éléments nouveaux pour nous faire mieux connaître son cœur : lesquels ? et pour enrichir sa peinture du ciel : lequel ?

4e strophe. — Dans cette beauté du soir et cette musique, que fait son cœur ? Il garde, comme une chose sacrée, un cher souvenir. Relevez le vers qui l'indique.

———— UTILISEZ LE TEXTE ————

ANALYSE DU POÈME

1. On trouve, dans cette poésie, en un mélange harmonieux : des parfums, des sons et de la musique, des couleurs, des mouvements de ronde et de danse, des sentiments, un souvenir.

Donnez des exemples se rapportant à chaque cas de ces correspondances.

2. Le poème est construit comme un morceau de musique. Deux vers de chaque strophe sont repris dans la strophe suivante — ce qui donne à ce poème, appelé *pantoum* (nom malais), un mouvement berceur de valse. Relevez ces deux vers dans les trois dernières strophes.

La rime. — Il y a seulement deux rimes féminines et deux rimes masculines dans tout le poème. Lesquelles ?

Comment sont disposées ces rimes dans les quatrains ?

Le rythme. — Les alexandrins sont construits d'une façon impeccable et ils sont bien cadencés. — Indiquez-en les coupes par un trait vertical.

La langue. — Expliquez le sens du pronom *où.* Remplacez *tout* par un autre adjectif indéfini.

LECTURE ET RÉCITATION

Tenir compte des indications ci-dessus en ce qui concerne le rythme des vers, la douce sonorité des rimes, le mouvement berceur accentué par la reprise, dans chaque strophe, de deux vers de la strophe précédente, pour bien faire sentir l'harmonie de ce merveilleux poème.

De gauche à droite : **le compositeur Victor Massé, le critique Sainte-Beuve, les poètes Barbey d'Aurevilly et Baudelaire,** par Stevens et Gervex.

CHANT D'AUTOMNE

I

Bientôt nous plongerons dans les froides ténèbres ;
Adieu, vive clarté de nos étés trop courts !
J'entends déjà tomber avec des chocs funèbres
Le bois retentissant sur le pavé des cours.

Tout l'hiver va entrer dans mon être : colère,
Haine, frissons, horreur, labeur dur et forcé,
Et comme le soleil dans son enfer polaire,
Mon cœur ne sera plus qu'un bloc rouge et glacé.

J'écoute en frémissant chaque bûche qui tombe ;
L'échafaud qu'on bâtit n'a pas de bruit plus sourd.
Mon esprit est pareil à la tour qui succombe
Sous les coups du bélier infatigable et lourd.

Il me semble, bercé par ce choc monotone,
Qu'on cloue en grande hâte un cercueil quelque part...
Pour qui ? — C'était hier l'été ; voici l'automne !
Ce bruit mystérieux sonne comme un départ.

Charles BAUDELAIRE, *Les Fleurs du Mal.*

─────────── *COMPRENEZ BIEN LE TEXTE* ───────────

LE SENS ET LA VIE DES MOTS

LES MOTS ET LES EXPRESSIONS

Été : symbole de la force de l'âge, comme le printemps est le symbole de l'adolescence et l'automne celui du déclin de l'homme.

Funèbre : triste, lugubre, lié à une idée de mort.

Bélier : sorte de grosse poutre terminée par une tête de bélier dont les assiégeants se servaient autrefois pour enfoncer les murailles ou les portes d'une ville fortifiée.

LES IDÉES ET LES SENTIMENTS

Exercices de conversation :

1re strophe. — A qui le poète s'adresse-t-il ? Qu'entend-il ? Que lui annoncent ces « chocs funèbres » ? Pourquoi ?

2e strophe. — Ce bruit l'accapare tout entier. Il écoute : qu'écoute-t-il ? que ressent-il ?

3e strophe. — Il frémit : à quoi compare-t-il ce bruit ? et les chocs successifs des bûches sur le pavé ?

4e strophe. — Il se laisse bercer : par quoi ? Et qu'imagine-t-il ? — Expliquez le dernier vers.

LANGUE ET POÉSIE

1. Faites entrer dans une phrase qui en montrera bien le sens : *funèbre* et les mots de la même famille : *funéraire*, *funérailles*, *funeste*.

2. Liaison des mots par le sens. Funèbre a amené, dans l'esprit du poète, deux noms qui lui sont liés par le sens : l'un dans la deuxième strophe, l'autre dans la troisième strophe. Quels sont ces noms? — Expliquez très simplement la liaison de sens de ces mots.

3. Cherchez une proposition infinitive dans la première strophe. Cherchez dans le poème un participe présent et un gérondif.

4. Au lieu de décrire l'automne, Baudelaire en écoute le chant qu'il va interpréter dans son poème. Où se trouve-t-il, croyez-vous? et quel événement se passe dans la cour?

5. Ce chant d'automne, par quoi est-il formé? Est-il triste ou gai? Justifiez votre réponse.

6. Quels sentiments successifs éveille-t-il dans l'âme du poète?

7. Ces deux poèmes sont tirés de la

Une strophe des **Sept Vieillards.**

section du recueil *Les Fleurs du Mal* intitulée **Spleen et idéal.** Cherchez dans chacun de ces poèmes les indications de mélancolie et celles d'idéal.

8. Comment sont disposées, dans chaque quatrain, les rimes féminines et les rimes masculines? Donnez-en un exemple.

9. Beaucoup de rimes sont riches (avec consonne d'appui). Relevez les mots qui les renferment.

DISSERTATIONS

1. Discutez cette affirmation de Baudelaire : « *Une foule de gens se figurent que le but de la poésie est un enseignement quelconque, qu'elle doit tantôt fortifier la conscience, tantôt perfectionner les mœurs, tantôt enfin démontrer quoi que ce soit d'utile. La poésie, pour peu qu'on veuille descendre en soi-même, interroger son âme, rappeler ses souvenirs d'enthousiasme, n'a pas d'autres buts qu'Elle-même.* » (Etude sur Théophile Gautier, 13 mars 1859.)

Vous pourrez consulter l'édition des *Fleurs du Mal* de M. Galliot (Classiques de Civilisation française, Didier, éditeur).

2. Expliquez et commentez cette pensée de Victor Hugo : « *Ce qui s'appelle aujourd'hui, selon que c'est l'un ou l'autre versant du rêve, mélancolie ou fantaisie, est nécessaire à la vie profonde de l'art.* »

LECTURE ET RÉCITATION

Les alexandrins sont construits, comme dans le précédent poème, d'une manière parfaite. Les groupes de souffle (séparez-les par un trait vertical) sont assez nombreux toutefois, ce qui donne un mouvement un peu haletant à ce beau chant d'automne.

Rendre le bercement monotone de ce poème : « J'entends... » (strophe 1); « J'écoute... » (strophe 3); « Il me semble, bercé... » (strophe 4); auquel s'oppose la violence difficilement contenue de la 2e strophe. Apprendre par cœur ces deux poèmes de Baudelaire.

Vainement
Bien en vain ma raison réclamait son empire;
La délire, en jouant, déroutait ses efforts,
Et mon âme dansait, dansait, comme un navire
Sans mâts, sur une mer noire, énorme et sans bords.

Bien en vain ma raison voulait prendre la barre
La tempête en jouant, déroutait ses efforts,
Et mon âme dansait, dansait, pauvre gabare
Sans mâts, sur une mer noire, énorme et
Sans bords

Sans y signifier vaisons. Je ferai la bonne chez vous.
Ch. Baudelaire

VERLAINE

Paul Verlaine (1844-1896). Né à Metz, mort
à Paris. Son père était officier, comme le père
de Rimbaud, d'Alfred de Vigny, de Victor Hugo, et comme le beau-père de Baudelaire.

Verlaine eut une existence tourmentée,
mais il fut un merveilleux poète lyrique. Sa
poésie est musicale et douce. « De la musique
avant toute chose », demande-t-il dans son
Art poétique. qui est un véritable code du
symbolisme.

Principaux recueils de poèmes : *La bonne
chanson, Sagesse* (1881), *Jadis et naguère.*

Verlaine, par Carrière.

*
* *

ÉCOUTEZ LA CHANSON BIEN DOUCE

Présentation. — *Dans cette « chanson bien douce », Verlaine s'adresse à
sa femme dont il était séparé.*

Écoutez la chanson bien douce
Qui ne pleure que pour vous plaire.
Elle est discrète, elle est légère :
Un frisson d'eau sur de la mousse !

La voix vous fut connue (et chère?),
Mais à présent elle est voilée
Comme une veuve désolée,
Pourtant comme elle encor fière,

Et dans les longs plis de son voile
Qui palpite aux brises d'automne,
Cache et montre au cœur qui s'étonne
La vérité comme une étoile.

Elle dit, la voix reconnue,
Que la bonté c'est notre vie,
Que de la haine et de l'envie
Rien ne reste, la mort venue.

Elle parle aussi de la gloire
D'être simple sans plus attendre,
Et de noces d'or et du tendre
Bonheur d'une paix sans victoire.

Accueillez la voix qui persiste
Dans son naïf épithalame.
Allez, rien n'est meilleur à l'âme
Que de faire une âme moins triste !

Paul VERLAINE,

Sagesse. — Messein, éditeur.

─────────── *COMPRENEZ BIEN LE TEXTE* ───────────

LE SENS ET LA VIE DES MOTS

LES MOTS ET LES EXPRESSIONS

Naïf : naturel et sincère.

Épithalame : poésie composée à l'occasion d'un mariage, pour célébrer les louanges des époux. — Le poète demande à son épouse d'accueillir ce chant de louanges sincères qu'il lui adresse de son exil.

Une paix sans victoire : une paix où les deux antagonistes se réconcilient sur un pied d'égalité.

LES IDÉES ET LES SENTIMENTS

Exercices de conversation :

1. Écoutez cette chanson. Dans quelle intention est-elle faite? Quelles sont ses qualités?

2. Que fut autrefois la voix qui la chante? Comment est-elle à présent? A quoi le poète la compare-t-il? Pourquoi?

3. Que dit cette voix?

4. De quoi parle-t-elle aussi?

5. Quelle prière adresse le poète, en conclusion?

─────────── *UTILISEZ LE TEXTE* ───────────

LANGUE ET POÉSIE

A. La langue.

1. A quoi l'auteur compare-t-il cette *chanson légère?*

2. Relevez une comparaison avec *comme.*

B. Le poète.

1. Verlaine, au lieu d'exprimer directement ses idées, ses sentiments et ses désirs, les fait traduire par une personnification de sa voix. Il considère alors sa voix comme une personne qui fait appel à la bonté de celle à qui il s'adresse.

466

Relevez les vers où retentit cet appel à la bonté.

2. Quels sentiments vous paraît éprouver Verlaine en écrivant ce poème?

C. Le poème.

1. Combien y a-t-il de syllabes dans chaque vers?

2. **Les rimes** sont toutes féminines. Toutes, sauf quatre (relevez-les) se prolongent par une syllabe muette qui adoucit la mélodie du vers.

Relevez celles de la première strophe. Verlaine ne tient donc pas compte, ici, de la règle classique de l'alternance des rimes masculines et féminines.

3. **Le rythme** : Indiquez les coupes, dans ces vers, par un trait vertical. Quelle remarque faites-vous?

LECTURE ET RÉCITATION

Tenir compte de toutes les indications ci-dessus pour rendre le rythme berceur de cette poésie et la mélodieuse harmonie des vers.

STYLISTIQUE

Un emploi poétique de FAIRE causal. — Dans le dernier vers on lit *faire une âme moins triste;* en prose on dirait *rendre une âme moins triste.*

Exercice : Remplacez, dans le dernier vers de la quatrième strophe, la proposition participe par une proposition subordonnée commençant par QUAND.

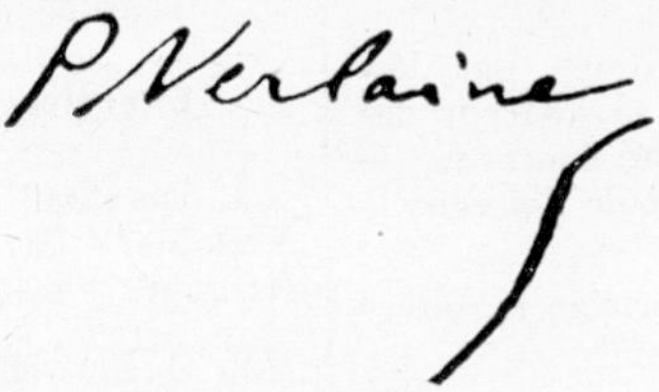

P. Verlaine

LE CIEL EST, PAR-DESSUS LE TOIT

Présentation. — *Verlaine voyageait en Belgique, en 1873, avec le poète Arthur Rimbaud. Au cours d'une altercation avec son ami, il tira sur lui deux coups de revolver, et le blessa au poignet. Il fut condamné, pour ce fait, à deux ans de prison par un tribunal belge. C'est dans sa prison de Mons qu'il écrivit ce célèbre poème.*

> Le ciel est, par-dessus le toit,
> > Si bleu, si calme.
> Un arbre, par-dessus le toit,
> > Berce sa palme.
>
> La cloche, dans le ciel qu'on voit,
> > Doucement tinte.
> Un oiseau, sur l'arbre qu'on voit,
> > Chante sa plainte.

Mon Dieu, mon Dieu, la vie est là
Simple et tranquille.
Cette paisible rumeur-là
Vient de la ville.

— Qu'as-tu fait, ô toi que voilà
Pleurant sans cesse,
Dis, qu'as-tu fait, toi que voilà,
De ta jeunesse?

Paul VERLAINE, *Sagesse.*

─────── COMPRENEZ ET UTILISEZ LE TEXTE ───────

ANALYSE DU POÈME

1. Relevez les propositions par lesquelles le poète exprime la douceur des
sons qu'il entend, en ce qui concerne : le
son de la cloche; le chant de l'oiseau; le
bruit de la ville.

2. Quels sentiments Verlaine éprouve-
t-il?

3. Le poète aime la clarté et la précision. Prouvez-le en utilisant la première strophe.

4. Il y a deux types de vers dans
chaque strophe; lesquels? Comment sont-
ils disposés?

5. La règle classique de l'alternance des
rimes féminines et masculines est-elle
respectée? Montrez-le dans la première
strophe.

Quelle remarque faites-vous en ce qui
concerne les vers à rime féminine et les
vers à rime masculine?

6. Le ciel est ici le *symbole* de la liberté
dont le poète est privé. Dans le symbole, il n'y a pas de lien direct entre le
signifiant et le signifié, ce lien existe dans
l'âme du poète, puis dans l'âme du lecteur.

Au contraire, dans l'*image* ou dans la
métaphore, il y a un lien direct, objectif,
entre le signifiant et le signifié (par
exemple dans les deux premiers vers de
La Mort du Loup, page 448).

Faites la liste des symboles des deux
poèmes de Baudelaire et des deux poèmes
de Verlaine en donnant le sens (ou les sens)
de chacun d'entre eux (voir aussi p. 451);

LES IDÉES ET LES SENTIMENTS

Exercices de conversation :

1. Du fond de sa prison, que voit
Verlaine? (strophe 1). Qu'entend-il?
(strophes 1 et 2).

2. Quelle réflexion douloureuse fait-il?
(strophe 3).

3. Quel reproche s'adresse-t-il? (strophe 4).

4. Comparez le thème de la tristesse
de l'écoulement du temps et de la brièveté de la jeunesse chez Ronsard (*Sonnet
pour Hélène* (page 383), et chez Verlaine.

LECTURE ET RÉCITATION

1. Tenir compte du rythme berceur
de cette courte poésie et du sentiment
de tristesse et de regret qui l'imprègne.

Apprenez par cœur les deux poèmes de
Verlaine.

2. Poème de Mallarmé (ci-contre) : La
musique de ce sonnet évoque avant tout
la grandeur et le mystère, avec une auréole
d'obscurité autour des images et une constante colère que le poète parvient à maî-
triser. Le premier et le dixième vers du
poème donnent une impression d'ascension dans l'infini, les autres traduisent
une atmosphère de chute.

MALLARMÉ

Stéphane Mallarmé (1842-1898). Né à Paris, il devient professeur d'anglais. Il s'enferme bientôt dans son rêve de poésie pure : disciple de Baudelaire, il essaie de réaliser l'ambition suprême du symbolisme de suggérer, par des mots, l'essence des choses et ainsi parvenir à la Beauté, cette beauté à qui Baudelaire faisait dire : *Je suis belle, ô mortels, comme un rêve de pierre.* Ses poèmes forment un seul recueil ; on cite souvent les plus longs, *Hérodiade* et l'*Après-midi d'un faune ;* et le plus original, *Un Coup de Dés,* où intervient aussi une typographie étonnante et évocatrice.

***

LE TOMBEAU D'EDGAR POE

Tel qu'en Lui-même enfin l'éternité le change,
Le Poète suscite avec un glaive nu
Son siècle épouvanté de n'avoir pas connu
Que la mort triomphait dans cette voix étrange !

Eux, comme un vil sursaut d'hydre oyant jadis l'ange
Donner un sens plus pur aux mots de la tribu
Proclamèrent très haut le sortilège bu
Dans le flot sans honneur de quelque noir mélange.

Du sol et de la nue hostiles, ô grief !
Si notre Idée avec ne sculpte un bas-relief
Dont la tombe de Poe éblouissante s'orne

Calme bloc ici-bas chu d'un désastre obscur
Que ce granit du moins montre à jamais sa borne
Aux noirs vols du Blasphème épars dans le futur.

Stéphane MALLARMÉ.
Poèmes, Gallimard, éditeur.

─────── *COMPRENEZ ET UTILISEZ LE TEXTE* ───────

LA VIE ET LE SENS DES MOTS

LES MOTS ET LES EXPRESSIONS

Susciter : de *citer,* qui signifie au sens étymologique mettre en mouvement ; mettre en mouvement vers le haut, donc élever. Le poète monte, s'élève du tombeau, tel qu'il sera pour toujours.

Épouvanter : verbe de la famille de *peur,* infliger une très grande peur, sens beaucoup plus fort que celui d'*apeurer.*

Un sortilège : de *sort,* objet destiné à prédire l'avenir, puis la prédiction elle-même, et de *lire* dont le premier sens est assembler (*lire* c'est assembler les lettres et les syllabes). Un sortilège est donc un assemblage, un choix de sorts, de procédés exerçant un pouvoir magique.

Le grief : le mot a ici le sens rare de lutte provoquant la souffrance, lié au sens fréquent de motif de plainte.

Un désastre : proprement, le fait d'être abandonné par son étoile, par la chance. Le mot est ici employé dans ce sens étymologique, mais avec une subtile complication, il évoque aussi un astre, un météorite tombé du ciel.

Quelque noir mélange : les ennemis d'Allan Edgar Poe accusaient le poète de se droguer pour parvenir à ce que l'on appelle « les paradis artificiels ». *Noir* évoque ici davantage l'idée du diable et du péché que la couleur réelle des décoctions d'opium auxquelles il est fait allusion.

Montrer sa borne : les bornes qui limitent les terrains sont souvent en granit. Mallarmé, dans ce vers, souhaite avec violence et ferveur que les calomnies dirigées contre Poe ne soient plus répétées maintenant qu'il est mort, donc que son tombeau soit la limite, la frontière de ces calomnies.

Expliquez à l'aide du dictionnaire :
Le glaive — la tribu — hostile.

LES IDÉES ET LES SENTIMENTS

1. Pour quelles raisons Mallarmé dit-il *enfin* dès le premier vers?

2. Pourquoi l'auteur emploie-t-il *suscite* et non *ressuscite*?

3. Trouvez dans le second quatrain un vers définissant la mission du poète. Exprimez l'idée de ce vers en une phrase. Discutez cette conception.

4. Pourquoi la tombe de Poe est-elle *éblouissante?* Pourquoi les vols sont-ils *noirs?* (voir aussi p. 468).

LITTÉRATURE ET POÉSIE

1. Allan Edgar Poe : poète et conteur américain, né à Boston en 1809 et mort dans la misère à Baltimore en 1849. Il fut l'inventeur du roman policier *(Le double assassinat de la rue Morgue).* Ses contes furent traduits par Baudelaire sous le titre d'*Histoires extraordinaires.* Poe n'a pas une grande place dans la littérature de langue anglaise, et T. S. Eliot remarque : « Peu importe que l'influence de Poe sur Baudelaire, Mallarmé et Valéry fût fondée sur un malentendu, ce fut un malentendu

fécond et signifiant, car l'esthétique qu'ils érigèrent sur ces fondations douteuses reste valable par rapport à la poésie française. » En 1873, un professeur de Baltimore (États-Unis) voulut réunir un volume de mélanges à la mémoire de Poe et le poème que nous citons est la contribution de Mallarmé.

2. Comme Alfred de Vigny (voir surtout son drame *Chatterton*), comme Baudelaire (voir l'*Albatros*), Mallarmé pense que le poète est, à cause de son génie même, incompris et persécuté. Relevez dans le sonnet toutes les expressions qui traduisent cette perspective.

3. Quelle est la situation du poète vis-à-vis du temps? Relevez toutes les expressions qui se rapportent à cela et commentez-les.

4. Relevez tous les mots qui comportent une majuscule inattendue et commentez-les.

5. Mallarmé n'hésite pas à faire appel aux mythes les plus reculés : celui de saint Michel qui, de son épée flamboyante, chassa Adam et Eve du Paradis terrestre et celui de l'Hydre de Lerne, ce terrible serpent à sept têtes à qui il en naissait plusieurs aussitôt qu'on en coupait une.

Quel est le but de ces évocations?

6. Reportez-vous au modèle de la page 384 et faites une analyse détaillée de la forme de sonnet.

LINGUISTIQUE

Un emploi de deux verbes archaïques, OUIR et CHOIR.

Le poète emploie le participe présent de l'ancien verbe *ouïr*, *oyant* qui signifie *entendant*. Cette forme donne une couleur archaïque au poème.

Choir est aussi archaïque, *tomber* l'a remplacé; *chû* est le participe passé et signifie *tombé*.

Un emploi de la préposition AVEC.
Si notre idée avec...

En français les prépositions servent à introduire un complément, nom, pronom ou infinitif qui les suit: ici le poète emploie la préposition *avec* sans régime, en imitation de certaines constructions verbales de la langue anglaise.

LA LITTÉRATURE CONTEMPORAINE

Le recul manque pour pouvoir la définir et la caractériser. Dans cette dernière section du livre, nous présentons quelques textes importants d'auteurs actuels que nous n'avons pas eu encore l'occasion de citer, romanciers, poètes et dramaturges.

MAURIAC

François Mauriac, né à Bordeaux en 1885, est un des plus grands écrivains d'aujourd'hui, membre de l'Académie française. Très catholique, il débute dans la littérature par un recueil de poèmes, *Les Mains jointes* (1909); puis il se tourne vers le roman. Nous citerons : *Le baiser au lépreux, Le désert de l'amour, Le Nœud de Vipères* et *Génitrix,* tous empreints du même terrible conflit entre le bien et le mal, dans une atmosphère de province; à ce jour, un seul roman qui soit très différent, le charmant *Mystère Frontenac.* Sa perspective n'est pas sans rapport avec celle de Jean Racine (voir page 393) sur lequel il a d'ailleurs écrit une étude capitale. On lui doit aussi des pièces de théâtre, dont la plus célèbre est *Asmodée.* Mauriac reçut en 1952 le prix Nobel de littérature.

*
* *

UNE CRIMINELLE

Thérèse Desqueyroux est une jeune provinciale mariée sans amour et n'ayant pas la foi. Revenant du tribunal où elle a bénéficié d'un non-lieu, sa tentative d'empoisonnement de son mari n'ayant pas été prouvée, elle ressasse dans le roman ce qui l'a menée là, car elle voudrait que Bernard comprenne combien elle est seule et étouffée par la pensée du néant de son existence.

Seul, dans ce néant, Bernard prenait une réalité affreuse : sa corpulence, sa voix du nez, et ce ton péremptoire, cette satisfaction. Sortir du monde... Mais comment? et où aller? Les premières chaleurs accablaient Thérèse. Rien ne l'avertissait de ce qu'elle était au moment de commettre. Que se passa-t-il cette année-là? Elle ne se souvient d'aucun incident, d'aucune dispute; elle se rappelle avoir exécré son mari plus que de coutume, le jour de la Fête-Dieu, alors qu'entre les volets mi-clos elle guettait la procession. Bernard était presque le seul homme derrière le dais. Le village, en quelques instants, était devenu désert, comme si c'eût été un lion, et non un agneau, qu'on avait lâché dans les rues... Les gens se terraient pour n'être pas obligés de se découvrir ou de se mettre à genoux. Une fois le péril passé, les portes se rouvraient une à une. Thérèse dévisagea le curé, qui avançait les yeux presque fermés, portant des deux mains cette chose étrange. Ses lèvres remuaient : à qui parlait-il avec cet air de douleur ? Et tout de suite, derrière lui, Bernard « qui accomplissait son devoir ».

Des semaines se succédèrent sans que tombât une goutte d'eau. Bernard vivait dans la terreur de l'incendie, et de nouveau souffrait du cœur. Cinq cents hectares avaient brûlé du côté de Louchats : « Si le vent avait soufflé du Nord, mes pins de Balisac étaient perdus. » Thérèse attendait elle ne savait quoi de ce ciel inaltérable. Il ne pleuvrait jamais plus...

... Un jour, toute la forêt crépiterait alentour, et le bourg même ne serait pas épargné. Pourquoi les villages des Landes ne brûlent-ils jamais ? Elle trouvait injuste que les flammes choisissent toujours les pins, jamais les hommes. En famille, on discutait indéfiniment sur les causes du sinistre : une cigarette jetée ? la malveillance ? Thérèse rêvait qu'une nuit elle se levait, sortait de la maison, gagnait la forêt la plus envahie de branches, jetait sa cigarette jusqu'à ce qu'une immense fumée ternît le ciel de l'aube... Mais elle chassait cette pensée, ayant l'amour des pins dans le sang; ce n'était pas aux arbres qu'allait sa haine.

La voici au moment de regarder en face l'acte qu'elle a commis. Quelle explication fournir à Bernard ? Rien à faire que de lui rappeler point par point comment la chose arriva. C'était le jour du grand incendie de Mano. Les hommes entraient dans la salle à manger où la famille déjeunait en hâte. Les uns assuraient que le feu paraissait très éloigné de Saint-Clair; d'autres insistaient pour que sonnât le tocsin. Le parfum de la résine brûlée imprégnait ce jour torride et le soleil était comme sali. Thérèse revoit Bernard, la tête tournée, écoutant le rapport de Balion, tandis que sa forte main velue s'oublie au-dessus du verre et que les gouttes de Fowler tombent dans l'eau. Il avale d'un coup le remède sans qu'abrutie de chaleur, Thérèse ait songé à l'avertir qu'il a doublé sa dose habituelle. Tout le monde a quitté la table — sauf elle qui ouvre des amandes fraîches, indifférente, étrangère à cette agitation, désintéressée de ce drame, comme de tout drame autre que le sien. Le tocsin ne sonne pas. Bernard rentre enfin : « Pour une fois, tu as eu raison de ne pas t'agiter : c'est du côté de Mano que ça brûle... » Il demande : « Est-ce que j'ai pris mes gouttes ? » et sans attendre la réponse, de nouveau il en fait tomber dans son verre. Elle s'est tue par paresse, sans doute, par fatigue. Qu'espère-t-elle à cette minute ? « Impossible que j'aie prémédité de me taire. »

Pourtant, cette nuit-là, lorsque au chevet de Bernard vomissant et pleurant, le docteur Pédenay l'interrogea sur les incidents de la journée, elle ne dit rien de ce qu'elle avait vu à table. Il eût pourtant été facile, sans se compromettre, d'attirer l'attention du docteur sur l'arsenic que prenait Bernard. Elle aurait pu trouver une phrase comme celle-ci : « Je ne m'en suis pas rendu compte au moment même... Nous étions tous affolés par cet incendie... mais je jurerais, maintenant, qu'il a pris double dose... » Elle demeura muette; éprouva-t-elle seulement la tentation de parler? L'acte qui, durant le déjeuner, était déjà en elle à son insu, commença alors d'émerger du fond de son être, — informe encore, mais à demi baigné de conscience.

François MAURIAC,
Thérèse Desqueyroux. — Bernard Grasset, éditeur.

———————— COMPRENEZ BIEN LE TEXTE ————————

LA VIE ET LE SENS DES MOTS

LES MOTS ET LES EXPRESSIONS

Péremptoire : adjectif de la famille du verbe *périmer*, qui signifie annuler, rendre sans objet. Un ton péremptoire annule, écrase toute opposition.

Exécrer : famille du verbe *sacrer*, signifiant éloigner, chasser par des imprécations, des malédictions religieuses. Le mot est donc ici très habilement choisi, à cause du moment où Thérèse s'abandonne à ce sentiment.

Un péril : une situation où l'on risque de périr, d'être tué. L'ironie de Mauriac est traduite ici par l'exagération.

Le tocsin : au sens propre, *touche-cloche*, c'est le tintement répété d'une cloche par lequel on signale un grand danger à une population.

Les volets mi-clos : à demi fermés, sans doute à cause de la chaleur, mais aussi parce que les habitants ne veulent pas se montrer.

A son insu : sans qu'elle le sache, sans qu'elle en ait conscience.

Expliquez à l'aide du dictionnaire :

La corpulence — la procession — le dais — se terrer — inaltérable — les brandes (fém.) — crépiter — torride.

LES IDÉES ET LES SENTIMENTS

Exercices de conversation :

1. Que pensez-vous de la piété des hommes de ce village?

2. Que pense Thérèse des hommes? Discutez l'idée exprimée par *injuste*.

3. Quelles sont les réactions des hommes du village devant l'incendie? Que se passerait-il si le tocsin de l'église du village sonnait ?

4. Que pensez-vous de la réaction de Bernard quand il rentre?

Faites la liste des idées et des sentiments successifs de Thérèse, puis de Bernard.

6. Relevez les phrases où le romancier nous parle directement. Que pense Mauriac de son héroïne?

———————— UTILISEZ LE TEXTE ————————

LITTÉRATURE ET CIVILISATION

1. Le réalisme de Mauriac : le romancier évoque avec précision la région des Landes, qui s'étend au bord de l'Océan Atlantique entre la Garonne et les contreforts des Pyrénées, et il cite les noms de diverses localités que l'on peut aisément retrouver sur une carte routière. Cette région, couverte de sables marins, a été désertique jusqu'au XIXᵉ siècle, moment où l'on a découvert que l'on pouvait y faire pousser des pins. Ces conifères sont pratiquement la seule source de richesse du pays ; mais ils constituent, l'été, un danger constant pour les habitants, car les incendies sont assez fréquents et très difficiles à arrêter.

Par le même souci de réalisme, Mauriac nous parle de la liqueur inventée par **Fowler** (médecin anglais né à York en 1736, mort en 1801), à solution d'arsénite de potasse, médicament contre les maladies de cœur. Ce médicament étant aussi un dangereux poison s'il est pris en trop grande quantité, sa posologie est rigoureuse.

2. Trouver cinq mots de la famille du verbe *se terrer* et les employer chacun dans une phrase.

3. Recherchez les préfixes des mots suivants : *commettre, explication, assurer, insister, indifférent, préméditer.* Indiquez le sens de chacun de ces préfixes ; trouvez trois autres mots commençant par chacun d'eux.

ANALYSE DU TEXTE

1. Dans cet extrait les deux drames, celui de l'incendie et celui de l'empoisonnement, s'entrecroisent et se complètent mutuellement. Relevez tous les détails qui le montrent et commentez la coïncidence.

2. Relevez toutes les caractéristiques physiques de Bernard et indiquez, pour chacune d'elles, les traits psychologiques qu'elle suggère.

3. En étudiant la structure des propositions du premier paragraphe, montrez comment Mauriac souligne l'atmosphère dans laquelle vit Thérèse.

4. Analysez la manière dont le romancier sait entrecroiser le présent et le passé dans ce texte. Quelle impression se dégage-t-il de ce traitement de la chronologie ?

5. Montrez comment l'ensemble du texte justifie et explique la dernière phrase (jugement sur l'héroïne).

6. Certes Thérèse est coupable, mais elle est aussi et surtout une victime. D'après le texte, pouvez-vous indiquer de quoi elle est victime ?

7. Donnez un titre à chacun des paragraphes du texte.

GRAMMAIRE ET STYLISTIQUE

Un emploi de l'adjectif démonstratif. *Bernard prenait une réalité affreuse : sa voix de nez et ce ton péremptoire, cette satisfaction...* Les deux adjectifs démonstratifs ici n'indiquent pas seulement des traits caractéristiques de Bernard, mais encore l'auteur souligne-t-il ainsi combien ces traits irritent Thérèse.

Une forme du futur immédiat. — *Rien ne l'avertissait de ce qu'elle* **était sur le point** *de commettre* signifie : *de ce qu'elle allait commettre.*

Un emploi de l'imparfait dans la proposition principale après une subordonnée de condition. — *Si le vent avait soufflé du Nord, mes pins de Balisac* **étaient perdus.** Dans la proposition conditionnelle habituelle, le verbe de la proposition principale aurait été au conditionnel passé *auraient été perdus.* Ici, l'imparfait a une valeur stylistique qui dramatise l'idée verbale, lui donne une force d'émotion en la présentant comme réalisée ; par l'imagination il peut voir ses pins détruits et il frémit rétrospectivement.

Un conditionnel de style indirect dans une proposition indépendante. — *Il ne pleuvrait jamais plus.* Ici l'auteur reproduit la pensée de Thérèse dont le sens est : *elle pensait qu'il ne pleuvrait jamais plus.* C'est ici un futur du passé.

Exercice : Dites quel est le mode et le temps des verbes suivants ; expliquez-la raison de ces formes :

... que les flammes **choisissent** — *...jusqu'à ce qu'une immense fumée* **ternît** *le ciel... — ... pour que* **sonnât** *le tocsin — ... sans qu'abrutie de chaleur, Thérèse* **ait songé** *à l'avertir — ... impossible que* **j'aie prémédité** *de me taire — il* **eût** *pourtant* **été** *facile d'attirer l'attention du docteur.*

CONSEILS POUR LA LECTURE

Il faut lire sur trois tons différents le monologue intérieur, les passages en style direct et les descriptions extérieures. Souligner aussi les interrogations qui révèlent le désarroi de la jeune femme.

474

MICHAUX

Écrivain belge né à Namur en 1899. C'est d'abord un poète surréaliste qui a su apporter à une vision nouvelle du monde une technique originale dans l'emploi de la langue. Sa vie est exceptionnelle : il a failli se faire moine bénédictin, il a vécu en Asie et en Amérique équatoriale. Son art est surtout un « exorcisme » pour échapper à la réalité prosaïque du monde bourgeois moderne; il est aussi peintre et musicien. Nous citerons : *Qui je fus* (1927), *l'Espace du dedans* (1944) et *l'Infini turbulent* (1953).

*
* *

UN CERTAIN PLUME

Dans ce roman, Michaux nous décrit les aventures d'un bourgeois timoré qui fait naître de ses complexes un monde accusateur analogue à celui de Kafka.

Plume déjeunait au restaurant, quand le maître d'hôtel s'approcha, le regarda sévèrement et lui dit d'une voix basse et mystérieuse : « Ce que vous avez dans votre assiette ne figure pas sur la carte. »

Plume s'excusa aussitôt.

« Voilà, dit-il, étant pressé, je n'ai pas pris la peine de consulter la carte. J'ai demandé à tout hasard une côtelette, pensant que peut-être il y en avait, ou que sinon on en trouverait aisément dans le voisinage, mais prêt à demander tout autre chose si les côtelettes faisaient défaut. Le garçon, sans se montrer particulièrement étonné, s'éloigna et me l'apporta peu après, et voilà...

« Naturellement je la paierai le prix qu'il faudra. C'est un beau morceau, je ne le nie pas. Je le paierai son prix sans hésiter. Si j'avais su, j'aurais volontiers choisi une autre viande ou simplement un œuf ; de toute façon maintenant je n'ai plus très faim. Je vais vous régler immédiatement. »

Cependant le maître d'hôtel ne bouge pas. Plume se trouve atrocement gêné. Après quelque temps relevant les yeux... hum ! c'est maintenant le chef de l'établissement qui se trouve devant lui.

Plume s'excusa aussitôt.

« J'ignorais, dit-il, que les côtelettes ne figuraient pas sur la carte. Je ne l'ai pas regardée, parce que j'ai la vue fort basse et que je n'avais pas mon pince-nez sur moi, et puis, lire me fait toujours un mal atroce. J'ai demandé la première chose qui m'est venue à l'esprit, et plutôt pour amorcer d'autres propositions que par goût personnel. Le garçon sans doute préoccupé n'a pas cherché plus loin, il m'a apporté ça, et moi-même d'ailleurs tout à fait distrait je me suis mis à manger, enfin... Je vais vous payer à vous-même puisque vous êtes-là. »

Cependant le chef de l'établissement ne bouge pas. Plume se sent de plus en plus gêné. Comme il lui tend un billet, il voit tout à coup la manche d'un uniforme; c'était un agent de police qui était devant lui.

Plume s'excusa aussitôt.

« Voilà, il était entré là pour se reposer un peu. Tout à coup, on lui crie à brûle-pourpoint : « Et pour Monsieur, ce sera... ? »

« Oh... un bock, » dit-il. « Et après?... » crie le garçon fâché; alors pour s'en débarrasser plus que pour autre chose : « Eh bien, une côtelette! »

Il n'y songeait déjà plus quand on la lui apporta dans une assiette; alors, ma foi, comme c'était là devant lui...

« Écoutez, si vous vouliez essayer d'arranger cette affaire, vous seriez bien gentil. Voici pour vous. »

Et il lui tend un billet de cent francs. Ayant entendu des pas s'éloigner, il se croyait déjà libre. Mais c'est maintenant le commissaire de police qui se trouve devant lui. Plume s'excusa aussitôt.

« Il avait pris un rendez-vous avec un ami. Il l'avait vainement cherché toute la matinée. Alors comme il savait que son ami en revenant du bureau passait par cette rue, il était entré ici, il avait pris une table près de la fenêtre, et comme d'autre part l'attente pouvait être longue et qu'il ne voulait pas avoir l'air de reculer devant la dépense, il avait commandé une côtelette; pour avoir quelque chose devant lui. Pas un instant il ne songeait à consommer. Mais l'ayant devant lui, machinalement, sans se rendre compte le moins du monde de ce qu'il faisait, il s'était mis à manger. »

Il faut savoir que pour rien au monde il n'irait au restaurant. Il ne déjeune que chez lui. C'est un principe. Il s'agit ici d'une pure distraction, comme il peut en arriver à tout homme énervé, une inconscience passagère; rien d'autre.

Mais le commissaire ayant appelé au téléphone le chef de la Sûreté :

« Allons, dit-il à Plume en lui tendant l'appareil. Expliquez-vous une bonne fois. C'est votre seule chance de salut. »

Et un agent le poussant brutalement lui dit :

« Il s'agira de marcher droit, hein? » Et comme les pompiers faisaient leur entrée dans le restaurant, le chef de l'établissement lui dit :

« Voyez quelle perte pour mon établissement. Une vraie catastrophe! » et il montrait la salle que tous les consommateurs avaient quittée en hâte.

Ceux de la Secrète lui disaient :

« Ça va chauffer, nous vous prévenons. Il vaudra mieux confesser toute la vérité. Ce n'est pas notre première affaire, croyez-le. Quand ça commence à prendre cette tournure, c'est que c'est grave. »

Cependant un grand rustre d'agent par-dessus son épaule lui disait :

« Écoutez, je n'y peux rien. C'est l'ordre. Si vous ne parlez pas dans l'appareil, je cogne. C'est entendu? Avouez! vous êtes prévenu. Si je ne vous entends pas, je cogne. »

Henri Michaux,
Un certain Plume. — Gallimard, éditeur.

─────────── *COMPRENEZ BIEN LE TEXTE* ───────────

LA VIE ET LE SENS DES MOTS

LES MOTS ET LES EXPRESSIONS

S'excuser : étymologiquement, se mettre hors de *cause*. Plume affirme donc qu'il n'est pas responsable, mais nul ne sait de quoi, pas même lui.

Nier : action de dire *non*. Ici, le mot est employé parce qu'il est fréquent dans les audiences de tribunaux. L'accusé qui plaide non coupable nie les faits... mais Plume n'est pas au tribunal.

Atrocement : de manière à causer une douleur ou une terreur affreuse, extrêmement pénible.

Un bock : ellipse du mot allemand (mal compris) *bockbier*, désignant une bière très forte, donc que l'on boit dans un verre plus petit. Habituellement, en France, *un demi* (qui est, ou devrait être, un demi-litre) contient deux fois plus de bière qu'un bock.

La Secrète : ellipse populaire pour *la police secrète*, elle comprend les agents et les inspecteurs qui, pour qu'on ne voie pas qu'ils sont policiers, sont habillés en civil au lieu de porter un uniforme.

Un rustre : nom de la famille de *rustique*, qui appartient à la campagne. Mot péjoratif désignant une personne ayant le manque de manières d'un paysan mal dégrossi.

Cogner : voir page 28. En argot le mot *cogne* signifie agent de police.

Consulter la carte : dans les restaurants, on peut manger *à prix fixe*, en prenant *le menu du jour*, ou bien on peut choisir les mets que l'on veut sur une liste appelée carte, et l'on paie séparément chacun d'eux. *Consulter la carte*, ici est une expression pompeuse, surtout pour nous, qui savons ce que Plume a dans son assiette (voir page 113).

Faire défaut : autre expression pompeuse qui signifie manquer.

La vue basse : expression vieillie et populaire pour *la myopie;* cela correspond au type démodé de lunettes sans branches appelé *pince-nez,* que porte Plume.

A brûle-pourpoint : autre expression vieillie, signifiant à bout-portant. Si l'on tire un coup de feu sur quelqu'un en touchant presque son habit (un pourpoint est un vêtement qui couvrait la poitrine), la flamme de la poudre brûlera cet habit. Ici, sens figuré de brusquement et en face.

Travail personnel. — Expliquez :

Distrait — une inconscience passagère — ça va changer — tournure.

LES IDÉES ET LES SENTIMENTS

1. Quels traits du caractère de Plume révèle la courte phrase qu'il répète quatre fois comme un refrain?

2. Qui accuse? Qui est vraiment coupable? coupable de quoi? — Commentez vos trois réponses.

3. Plume répète quatre fois son plaidoyer. Analysez quel élément nouveau il apporte chaque fois. Ces éléments sont-ils vraiment de nature à disculper le héros? Justifiez votre réponse.

4. Que pense Plume de l'argent?

5. Plume est le symbole d'un type d'homme que l'on rencontre fréquemment dans la société moderne. Caractérisez ce type.

6. En quoi la succession des interlocuteurs de Plume est-elle comique?

7. Comparez la cause aux conséquences et montrez le grotesque de la disproportion entre les deux.

8. Commentez le verbe : *avouez.*

9. Diriez-vous que cette scène est purement burlesque? Justifiez votre réponse.

UTILISEZ LE TEXTE

LANGUE ET CIVILISATION

1. Le sens des mots évolue avec les habitudes : ainsi les noms des repas ont changé en France. Au XVIIe siècle, on *déjeunait* le matin, on *dînait* à midi et on *soupait* le soir. Mais les gens de la haute société *déjeunèrent* de plus en plus tard; au XVIIIe on déjeunait fréquemment à 11 heures, pour dîner à 3 heures et souper à 10 heures... ceci eut pour effet de changer la terminologie des repas : aujourd'hui on *déjeune* à midi, on *dîne* le soir et, quelquefois, en sortant du théâtre à minuit, on *soupe.* Le repas du matin s'appelle *le petit déjeuner.*

2. Le sens de mots très forts, et très employés, tend à s'user; ainsi *étonner* (voir page 313).

Voici trois autres verbes courants qui ont changé de sens : *gêner, ennuyer, décevoir.* Cherchez le sens originel de ces mots et leur sens actuel.

ANALYSE DU TEXTE

1. Faites la liste des adverbes et des adjectifs du texte et montrez comment l'auteur les emploie pour créer une atmosphère que vous décrirez.

2. Présentez en quelques phrases l'attitude de Plume en face du monde.

3. Bergson (voir page 257) affirme que le rire est provoqué par le contraste. Relevez tous les contrastes du texte et dites s'ils vous paraissent comiques.

4. Les marionnettes nous font rire parce qu'elles sont mécaniques, les caricatures parce qu'elles exagèrent des traits réels. Voyez-vous dans ce texte des traits rappelant les marionnettes et des traits de caricature? Relevez-les.

COMPOSITION FRANÇAISE

Écrivez un texte fantaisiste dans lequel le comique proviendra d'une énorme disproportion entre la cause et les conséquences.

CONSEILS POUR LA LECTURE

Il faut faire sentir un affolement croissant dans les répliques de Plume et une menace d'autant plus terrifiante qu'elle est indéfinie dans les paroles de ses interlocuteurs.

Il vaut mieux exagérer les effets que de les omettre, ce texte étant burlesque.

GRAMMAIRE ET STYLISTIQUE

Un gallicisme avec le pronom Y.
Je n'y peux rien... signifie : je ne suis pas responsable de cela, je ne peux rien faire pour changer les choses.

Exercices :

1. Expliquez quelle est la valeur du présent des verbes suivants : « Plume *se sent* de plus en plus gêné »... « Comme il lui *tend* un billet, il *voit* », alors que les verbes qui précèdent ou suivent sont à un temps du passé.

2. Expliquez l'emploi des temps des verbes dans la phrase suivante : « Voilà, il *était entré* là pour se reposer un peu. Tout à coup on lui *crie* à brûle-pourpoint : et pour Monsieur, ce *sera* ?... »

3. Expliquez l'accord des participes passés suivants : « Je ne l'ai pas *regardée* »... « J'ai *demandé* la première chose qui m'est *venue* à l'esprit »... « Il m'a *apporté* ça »... « Il montrait la salle que tous les consommateurs avaient *quittée*... »

4. Dites par quels mots s'exprime la condition dans la phrase : *Pour rien au monde il n'irait au restaurant.*

5. Cherchez dans le texte deux pronoms EN compléments directs d'objet d'un verbe, un pronom EN complément d'un verbe avec la préposition DE, deux gérondifs avec la préposition EN.

MARTIN DU GARD

Roger Martin du Gard (1881-1958) est un des plus grands romanciers français d'entre les deux guerres. Ayant reçu la formation méticuleuse de bibliothécaire-archiviste à l'école des Chartes, il dépeignit la grande crise de conscience française de l'affaire Dreyfus dans *Jean Barois*, puis il se consacra tout entier à son roman cyclique, *Les Thibault*, pour lequel il reçut le prix Nobel en 1937. Il a voulu être et a été « *un romancier attaché à exprimer le tragique de la vie individuelle et les destinées qui sont en voie d'accomplissement.* »

Photo Harlingue.

Portrait de **Roger Martin du Gard.**

*
* *

Le roman cyclique des Thibault, en huit parties, retrace l'histoire de deux familles : les Thibault, catholiques, et les Fontanin, protestants, dans la période allant du début du XXᵉ siècle à la fin de la première guerre mondiale. Antoine Thibault est un grand docteur, il est en train de mourir parce qu'il a, sur le front, respiré des gaz asphyxiants.
Dans ce dernier volume, il tient un journal adressé au fils de son frère Jacques, tué au début de la guerre. Nous citons un passage de ce texte adressé au seul Thibault qui reste, Jean-Paul, trop petit encore pour comprendre.

LES DERNIERS CONSEILS D'ANTOINE

Ce que je voulais écrire, c'est ceci : il me semble que, en ces temps qui viennent, l'opinion publique, les idées-forces qui la dirigent, auront une influence accrue, déterminante. L'avenir sera probablement plus plastique qu'il n'a jamais été. L'individu aura plus d'importance. L'homme de valeur aura, plus que par le passé, des chances de faire entendre et prévaloir son avis, des possibilités de collaborer à la reconstruction.

Devenir un homme de valeur. Développer en soi une personnalité qui s'impose. Se défier des théories en cours. Il est tentant de se débarrasser du fardeau exigeant de sa personnalité! Il est tentant de se laisser englober dans un vaste mouvement d'enthousiasme collectif! Il est tentant de croire, parce que c'est commode, et parce que c'est suprêmement confortable! Sauras-tu résister à la tentation?... Ce ne sera pas facile. Plus les pistes lui paraissent brouillées, plus l'homme est enclin, pour sortir à tout prix de la confusion, à accepter une doctrine toute faite qui le rassure, qui le guide. Toute réponse à peu près plausible aux questions qu'il se pose et qu'il n'arrive pas à résoudre seul, s'offre à lui comme un refuge; surtout si elle lui paraît accréditée par l'adhésion du grand nombre. Danger majeur! Résiste, refuse les mots d'ordre! *Ne te laisse pas affilier!* Plutôt les angoisses de l'incertitude, que le paresseux bien-être moral offert à tout « adhérent » par les doctrinaires! Tâtonner seul, dans le noir, ça n'est pas drôle; mais c'est un moindre mal. Le pire, c'est de suivre docilement les vessies-lanternes que brandissent les voisins. Attention! Que, sur ce point, le souvenir de ton père te soit un modèle! Que sa vie *solitaire*, sa pensée inquiète, jamais fixée, te soit un exemple de loyauté vis-à-vis de soi-même, de scrupule, de *force* intérieure et de dignité.

Roger MARTIN DU GARD,

Les Thibault, Épilogue. — Gallimard, éditeur.

————— COMPRENEZ BIEN LE TEXTE —————

LA VIE ET LE SENS DES MOTS

LES MOTS ET LES EXPRESSIONS

Plastique : que l'on peut modeler aisément, comme du *plâtre*. Le savant prévoit que, dans l'avenir, les hommes auront plus de possibilités de modifier leurs conditions de vie qu'ils n'en ont jamais eues.

Plausible : proprement, qui est digne d'*applaudissements*, donc qui mérite l'adhésion.

Une idée-force : une idée très simplifiée, très facile à comprendre, qui porte en elle une grande puissance de réalisation et qui, à cause de cela, s'impose aux masses et les pousse à l'action.

Le fardeau exigeant de sa personnalité : l'individu qui veut affirmer son indépendance, en suivant les exigences de sa personnalité, a une tâche difficile dans la société moderne où tout tend à l'uniformisation.

Brouiller les pistes : terme de chasse. Le gibier, pour que les chiens perdent sa trace, revient sur ses pas et tourne, si bien qu'on ne sait plus quel chemin il a effectivement pris. Une foule d'idéologies sollicitent l'homme moderne; il ne sait pas quel chemin suivre et a ainsi tendance à accepter une doctrine toute faite, surtout celle de la majorité.

Les vessies-lanternes : expression qui évoque le gallicisme *prendre des vessies pour des lanternes*, c'est-à-dire se tromper grossièrement. Selon l'auteur, croire aveuglement les voisins, ceux qui cherchent à nous convertir à leurs idées ou à leurs doctrines, est une erreur et une faute, parce qu'ils veulent nous tromper.

Travail personnel. — Expliquez :

Accréditer — ne te laisse pas affilier — un adhérent — un doctrinaire.

LES IDÉES ET LES SENTIMENTS

1. Quelle valeur attachez-vous à la formule *il me semble*, au début de ce texte?

2. Donnez, en vous appuyant sur le texte, une définition de *l'homme de valeur*.

3. Quelle est la préoccupation majeure d'Antoine? que craint-il pour l'enfant?

4. Pourquoi Antoine dit-il que croire est « *suprêmement confortable* »? Cherchez dans le texte la phrase qui explique cela. Souscrivez-vous à cette affirmation? Justifiez votre réponse.

5. Pourquoi Antoine voudrait-il que son neveu résiste aux doctrines toutes faites?

6. Quelles sont ces angoisses de l'incertitude dont parle l'auteur?

7. Pourquoi le pire est-il *la docilité?*

LITTÉRATURE ET CIVILISATION

1. Quel est le thème de chacune des deux parties du texte?

2. Diriez-vous que la vision de l'avenir d'Antoine s'est révélée exacte?

3. Commentez la succession des trois expressions qu'Antoine souligne (en *italiques* dans le texte),

4. Écrivez un dialogue entre deux étudiants dont l'un condamne toutes les propagandes et l'autre défend la propagande pour les causes qu'il approuve.

5. Quelle est, à votre avis, la valeur morale de ce texte? Si vous voyez une valeur morale, a-t-elle une portée générale ou s'adresse-t-elle seulement à un certain type de personnes?

CONSEILS POUR LA LECTURE

Lire ce texte avec calme et netteté pour bien traduire l'expérience, la sagesse et la maturité d'un homme qui a souffert et qui est sûr de la valeur des conseils qu'il donne; on doit retrouver aussi le ton du médecin qui parle à un patient qu'il veut sauver.

STYLISTIQUE

L'expression d'un conseil par divers moyens grammaticaux.

1. L'infinitif : ex. *devenir un homme de valeur.*

2. Les formes impersonnelles : ex. *il est tentant de...* pour exprimer les dangers que l'on évite.

3. La question directe : *sauras-tu...?*

4. Le mode impératif : ex. *résiste, refuse...*

5. La forme impérative de la 3ᵉ personne, exprimée par que et le subjonctif; ex. : *que... le souvenir de ton père te soit un modèle...*

Quelques grands journaux parisiens.

DUHAMEL

Georges Duhamel, né à Paris en 1884, commença sa carrière littéraire sous le signe de *l'unanimisme* (la société est le corps, le poète est l'âme). Ayant fait des études de médecine, il est chirurgien dans un hôpital de campagne pendant la Grande Guerre; et il décrit précisément ce qu'il a vu — l'envers du décor de la la guerre — dans *Vie des Martyrs* (1917) et dans *Civilisation* (1918) qui obtint le prix Goncourt. Apôtre d'un humanisme moderne, sorte de J.-J. Rousseau du XXe siècle, nous mettant en garde contre les dangers d'une civilisation mécanisée, il a produit notamment deux remarquables cycles romanesques : les 5 volumes de *Salavin* et les 10 volumes des *Pasquier*, décrivant les problèmes moraux actuels dans le cadre de la société française de l'entre-deux-guerres. Cet auteur est membre de l'Académie française.

◀ **Duhamel en habit d'académicien.**

Cl. Viollet.

UN ÉTUDIANT FRANÇAIS EN 1909

Quand je commençai mes études, mes parents, qui n'étaient pas riches, me louèrent une chambre, sous les toits, rue Vauquelin. Ils me donnèrent en outre quelques meubles, un vieux piano et un dictionnaire de Littré. Il m'assurèrent enfin, pour vivre, soixante francs par mois, ce qui, au fond, n'était pas trop mal. Deux francs par jour! Quelle fortune! En général, je déjeunais dans un bistrot de la rue de la Huchette : dix sous pour chaque repas, deux sous pour le café, le reste pour le métro.

Un jour vint où je reçus un petit traitement comme externe des hôpitaux. Mais quelle stricte économie! Inscrit à la Faculté de Médecine, je pouvais m'inscrire sans payer de droits à la Faculté des Sciences. J'y préparai une licence. Heureux temps! J'écrivais et publiais mes premiers livres de poèmes. Je faisais des remplacements de médecin pour augmenter mes ressources, j'apprenais le métier d'imprimeur-compositeur, à l'Abbaye de Créteil, car nous avions fait un phalanstère pour réaliser notre rêve d'une Thélème selon Rabelais. Grâce à la plus sévère épargne, je pus louer, dans la maison même où j'avais eu ma chambrette, un vrai logement comportant deux pièces et une cuisine.

Un mot sur la cuisine, mes petits-enfants. Je ne suis pas gourmand, mais je suis curieux. Je dis donc adieu, sans peine, au bistrot sinon à mes bons camarades, et je résolus de manger chez moi. Quelques frites, quelques petits poissons également frits, un bon morceau de pain, cela me suffisait les premiers temps. Quand je pus disposer d'une petite cuisine, pourvue de l'eau et du gaz — s'il vous plaît — je résolus de faire moi-même ma cuisine. J'y pris du plaisir et j'y gagnai même quelque renommée. Ma recette pour les « moules au vin blanc et au cognac » est estimée *mussels* dans la famille. Quant au ragoût de mouton mêlé de citron, il a reçu et garde depuis longtemps, chez nous, le nom de « ragoût réhabilité ».

Bah! cela ne m'empêchait pas de travailler ferme, soit à notre Abbaye de Créteil, soit à Paris. Cela ne m'empêchait pas de regarder rêveusement, de loin, les élèves de l'École normale de la rue d'Ulm faire leur promenade rituelle, sur le toit de leur illustre maison; cela ne m'empêchait pas d'ébaucher mes premières pièces de théâtre; cela ne m'empêcha pas, un jour de l'année 1907, de rencontrer celle qui devait être la compagne de ma vie et que j'épousai en 1909, muni de mes diplômes de docteur en médecine et de licencié ès sciences, et chef d'un laboratoire de biologie que j'avais créé depuis peu dans une grande maison industrielle.

Mes chers enfants, j'ai raconté ma vie et même la vie de beaucoup d'autres personnages imaginaires. Si l'on vous dit que la *Chronique des Pasquier*, roman en dix volumes, est une autobiographie, croyez que c'est une erreur. Mais j'ai voulu, dans la *Chronique*, décrire ce phénomène à mon sens considérable : l'ascension d'une famille française, à la fin du XIXe siècle et au début du XXe. Beaucoup de Français ont reconnu quelque chose de leur propre histoire dans ce long récit.

Georges DUHAMEL,
Article dans *Marie-Claire*, no 2. Novembre 1954.

─────────────── *COMPRENEZ BIEN LE TEXTE* ───────────────

LA VIE ET LE SENS DES MOTS

LES MOTS ET LES EXPRESSIONS

Strict : mot savant, doublet du mot populaire *étroit*. L'auteur était lié étroitement par la nécessité de ne pas dépenser trop.

Bistrot : mot vulgaire pour un petit café où l'on buvait, à l'origine, de la *bistouille*, mélange de café et d'eau-de-vie.

Ferme : adjectif signifiant avec fermeté, c'est à-dire courageusement, sans se laisser abattre.

Ébaucher : de l'ancien français *balc*, signifiant poutre, d'où le sens du verbe, donner une forme grossière, comme à une poutre, et le sens actuel, donner une première forme.

Un phénomène : proprement, ce qui apparaît, ce que l'on peut voir.

S'il vous plaît : ici, l'expression a un sens particulier, assez analogue à un autre gallicisme : « *Ne vous en déplaise* », et a pour but de renforcer l'idée exprimée dans la proposition précédente.

Le ragoût réhabilité : apparemment, dans la famille de l'auteur, personne n'aimait le ragoût, mélange de mets cuits dans une sauce épicée, pour en souligner le *goût*. Duhamel avait cependant su réaliser une recette qui trouvait grâce devant les autres membres de la famille, c'était le seul ragoût qui leur plaisait.

Travail personnel. — Expliquez :
Sous les toits — un imprimeur-compositeur.

LES IDÉES ET LES SENTIMENTS
Exercices de conversation :

1. Il y a cent centimes dans un franc, un *sou* représente cinq centimes. Combien reste-t-il à Duhamel lorsqu'il a payé son déjeuner et son café?

2. Pourquoi l'auteur s'exclame-t-il : *heureux temps!* alors qu'il était pauvre?

3. Est-il exact, selon vous, que l'auteur n'est *point gourmand?* Justifiez votre réponse.

4. L'auteur est-il, à votre avis, un bon cuisinier?

5. Pourquoi Duhamel regardait-il les élèves de l'École normale *rêveusement?*

6. Duhamel avait-il terminé ses études lorsqu'il se maria?

7. Relevez quelques détails montrant que le romancier, au moment où il écrit ce texte, est âgé.

8. Faites la liste de toutes les activités dont parle Duhamel dans ce texte. Que pensez-vous de cette liste?

9. Donnez un titre à chacun des paragraphes du texte et étudiez leur enchaînement.

─────────── UTILISEZ LE TEXTE ───────────

LANGUE ET CIVILISATION

1. *Le métro* est l'abréviation du mot *métropolitain*, dont on ne se sert pratiquement jamais. Cherchez d'autres mots qui sont des abréviations. Retrouvez pour cinq d'entre eux le mot complet et expliquez le sens de la partie manquante.

2. Voici quelques-uns des mots désignant l'argent que l'on reçoit pour un travail : *un traitement* (dans le texte), *des appointements, un salaire, des gages, une paie, une solde, un cachet.*
Cherchez ces mots dans le dictionnaire et indiquez les cas dans lesquels on emploie chacun d'entre eux.

3. Abbaye de Thélème : revoyez la biographie de Rabelais, page 376. Voici le texte auquel Duhamel fait allusion :

(Dans l'abbaye de Thélème) toute leur vie était organisée non par lois, statuts ou règles, mais selon leur volonté et leur libre arbitre. Ils se levaient du lit quand bon leur semblait, buvaient, mangeaient, travaillaient, dormaient quand le désir leur en venait, nul ne les éveillait, nul ne les forçait ni à boire ni à manger, ni à faire autre chose quelconque. Ainsi l'avait établi Gargantua; en leur règle n'était que cette clause :

Fais ce que tu voudras

parce que gens libres, bien nés, bien instruits, vivant en bonne compagnie, ont par nature un instinct et un aiguillon, appelé honneur, qui toujours les pousse à être vertueux et à rejeter le vice.

(Gargantua.)

4. Les trois rues que le romancier nomme dans ce texte sont situées dans le quartier latin. Si vous disposez d'un plan de Paris, cherchez-les.

5. Un externe des hôpitaux est un étudiant en médecine qui a réussi à un concours spécial lui permettant d'avoir un poste dans un hôpital; non seulement ces externes apprennent davantage que les autres étudiants dans les services hospitaliers où ils sont attachés, mais encore ils sont rémunérés. Il y a donc beaucoup plus de candidats que de places et le concours est difficile.

6. Un phalanstère : le théoricien socialiste Fourrier, mort en 1837, proposait de diviser la société en groupes de cent familles appelés *phalanges* et qui devaient mettre tout en commun, éliminant ainsi la nécessité de l'argent. Les « communes » de la Chine ne sont pas sans ressemblance avec le contenu de cette théorie de Fourrier.

Ayant acheté une vieille maison dans la banlieue de Paris, à Créteil, en 1906, plusieurs jeunes gens, dont René Arcos, Georges Chennevières, Luc Durtain, Charles Vildrac et surtout Jules Romains et Duhamel, font un essai de vie en commun que Duhamel raconte dans *Le désert de Bièvre;* la tentative échoua sur le plan matériel, mais fut le berceau d'une école poétique, *l'unanimisme.*

7. L'École normale supérieure, située rue d'Ulm, avait été fondée en 1808 pour former les professeurs de l'enseignement secondaire. Cette école, qui se recrute toujours par un concours extrêmement difficile préparé dans des classes spéciales de certains lycées, a cessé d'être un établissement d'enseignement indépendant en 1903 pour être rattachée à l'Université de Paris.

8. Promotion sociale. — La dernière phrase du texte exprime une importante réalité : dans la seconde moitié du XIXᵉ siècle, de nombreuses familles françaises ont quitté la campagne pour aller à la ville, en particulier à Paris. Souvent, les enfants de ces familles, travailleurs et intelligents, se sont élevés dans la société. En fut-il de même dans votre pays?

COMPOSITION FRANÇAISE

Racontez familièrement une série de souvenirs personnels.

CONSEILS POUR LA LECTURE

Texte à lire sur un ton à la fois intime et familier.

GRAMMAIRE ET STYLISTIQUE

Exercices : 1. Expliquez ce qui justifie l'emploi de l'imparfait dans : *En général, je déjeunais dans un bistrot...*

2. Quelles remarques faites-vous sur les autres imparfaits du texte? Expliquez-les par rapport au passé simple, et tout particulièrement celui d'*empêcher.*

3. Analysez les pronoms *y* dans les phrases suivantes : *J'y préparai une*

Photo Roger Viollet.

Un café de Saint-Germain-des-Prés.

licence. — J'y pris du plaisir et j'y gagnai même quelque renommée.

Le pronom relatif sujet (pp. 486-487).

C'était moi qui faisais le cours (page 486) a pour sens **je** *faisais le cours.*

Le pronom personnel *moi* est souligné, renforcé par l'emploi du gallicisme *c'est... qui.* Dans ce cas, le pronom relatif a la même personne que son antécédent; ici, le verbe est à la première personne du singulier.

L'attribut du complément direct d'objet direct du verbe.

J'avais pour camarades Merleau-Ponty et Lévi-Strauss (page 486). Dans cette phrase, *camarades* est l'attribut des deux noms propres qui sont, eux, les compléments directs d'objet du verbe *avoir.* L'attribut est ici construit indirectement avec la préposition *pour.*

Je le trouvai drôle. Dans cette phrase, l'adjectif *drôle* est l'attribut du pronom personnel *le* qui est le complément direct d'objet du verbe.

Exercices. 1. Quelle est la fonction de l'adjectif *exceptionnelle* (page 487)?

2. Cherchez dans le texte, page 486, un nom et un adjectif attributs du sujet.

3. Expliquez le mode et le temps des verbes de la phrase *En fait... m'eût étonné* (p. 487).

485

Cl. Viollet.

DE BEAUVOIR

Simone de Beauvoir, née à Paris en 1918, fut comme Sartre agrégée de philosophie, et professeur de lycée, notamment à Marseille, Rouen et Paris.

Étroitement liée à Jean-Paul Sartre, elle publia son premier roman en 1943 *(L'invitée)*, remporta le prix Goncourt en 1954 avec *Les Mandarins*, véritable « odyssée existentialiste ». Son autobiographie en deux volumes (nous citons un extrait du premier) connaît un immense succès. Elle a écrit une remarquable pièce de théâtre, *Les Bouches inutiles*. C'est aussi une militante féministe : *Le deuxième sexe* et *L'expérience vécue*.

*
* *

UNE ÉTUDIANTE EN 1939

Je continuai à travailler d'arrache-pied : je passai chaque jour neuf à dix heures sur mes livres. En janvier, je fis mon stage au lycée Janson-de-Sailly, sous la surveillance de Rodriguès, un vieux monsieur très gentil : il présidait la Ligue des Droits de l'Homme et se tua en 1940 quand les Allemands entrèrent en France. J'avais pour camarades Merleau-Ponty et Levi-Strauss; je les connaissais un peu tous les deux. Le premier m'avait toujours inspiré une lointaine sympathie. Le second m'intimidait par son flegme, mais il en jouait avec adresse, et je le trouvai très drôle lorsque, d'une voix neutre, le visage mort, il exposa à notre auditoire la folie des passions. Il y eut des matins grisâtres où je jugeais dérisoire de disserter sur la vie affective devant quarante lycéens qui vraisemblablement s'en foutaient; les jours où il faisait beau, je me prenais à ce que je disais et je croyais saisir dans certains yeux des lueurs d'intelligence. Je me rappelais mon émotion, jadis, quand je frôlais le mur de Stanislas : ça me paraissait si lointain, si inaccessible, une classe de garçons! Maintenant, j'étais là, sur l'estrade, c'était moi qui faisais le cours. Et plus rien au monde ne me semblait hors d'atteinte.

Je ne regrettais certes pas d'être une femme. J'en tirais au contraire de grandes satisfactions. Mon éducation m'avait convaincue de l'infériorité intellectuelle de mon sexe qu'admettaient beaucoup de mes congénères. « Une femme ne peut pas espérer passer l'agrégation à moins de cinq ou six échecs », disait Mlle Roulin qui en comptait déjà deux.

486

Ce handicap donnait à mes réussites un éclat plus rare qu'à celles des étudiants mâles! Il me suffisait de les égaler pour me sentir exceptionnelle. En fait je n'en avais rencontré qu'un qui m'eût étonné; l'avenir m'était ouvert aussi largement qu'à eux : ils ne détenaient aucun avantage. Ils n'y prétendaient pas d'ailleurs; ils me traitaient sans condescendance et même avec une extrême gentillesse, car ils ne voyaient pas en moi une rivale; les filles étaient classées au concours selon les mêmes *barèmes* que les garçons, mais on les acceptait en surnombre, elles ne leur disputaient pas leur place. C'est ainsi qu'un exposé sur Platon me valut de la part de mes condisciples, en particulier de Jean Hyppolite, des compliments que n'atténuait aucune arrière-pensée. J'étais fière d'avoir conquis leur estime. Leur bienveillance m'évita de prendre cette attitude de « challenge » qui m'agaça plus tard chez les femmes américaines : au départ, les hommes furent pour moi des camarades et non des adversaires. Loin de les envier, ma position, du fait qu'elle était singulière, me paraissait privilégiée.

Simone de BEAUVOIR,
Mémoires d'une jeune fille rangée. — Gallimard, éditeur.

──────────── **COMPRENEZ BIEN LE TEXTE** ────────────

LA VIE ET LE SENS DES MOTS

LES MOTS ET LES EXPRESSIONS

Dérisoire : qui porte à *rire* par son insuffisance. L'auteur — professeur de philosophie — juge son exposé ridiculement hors de propos. Ce qu'elle dit n'intéresse nullement les lycéens : ceux-ci se moquent de ce qu'elle dit (*s'en foutre* est un verbe argot très vulgaire, à ne pas employer).

Congénère : proprement, du même *genre;* ici, étudiants qui étudient la même matière. Mots de formation analogue : *compagnon* (qui partage le même pain), *camarade* (la même table), *condisciple, confrère,* etc.

Un barème : *Barrême* était le nom de l'auteur du premier traité français de comptabilité commerciale, les *Comptes faits du grand commerce* (1670); ici le mot signifie système de notation chiffrée des épreuves du concours.

Travailler d'arrache-pied : travailler intensément et sans relâcher son effort, par analogie à l'effort continu nécessaire pour déraciner un arbre.

Une jeune fille rangée : une jeune fille qui tient bien son rang par une conduite bien ordonnée.

Expliquez à l'aide du dictionnaire :
La condescendance — privilégié — une estime.

LES IDÉES ET LES SENTIMENTS

Exercices de conversation :

1. L'étudiante travaillait-elle seulement dix heures par jour ou davantage?

2. Montrez comment la simplicité du style renforce le caractère héroïque et tragique de la mort de Rodrigues.

3. Pourquoi est-il adroit d'exposer avec une voix neutre et un visage mort la folie des passions?

4. Pour quelle raison Simone de Beauvoir emploie-t-elle une expression vulgaire pour parler des sentiments des élèves de sa classe?

5. Montrez comment la dernière phrase du premier paragraphe introduit le thème du second.

6. Que pense Simone de Beauvoir des étudiants qui l'entourent? Montrez avec quelle habileté elle définit son rôle propre et celui de ses camarades dans la formation du climat qui règne entre les étudiants.

─────────── *UTILISEZ LE TEXTE* ───────────

LANGUE ET CIVILISATION

1. La romancière emploie deux termes empruntés au vocabulaire du sport. Cherchez ces mots. Justifiez leur choix. Dites pourquoi ces mots sont d'origine anglaise (voir page 138).

Après la guerre, de nombreux mots anglais ont été introduits en France, et cela provoque des protestations violentes : un professeur à la Sorbonne affirme que les grands journaux français se servent, non pas de notre langue, mais d'un « sabir atlantique ».

2. La Ligue des Droits de l'Homme : association libérale française ayant pour objet de faire respecter les droits fondamentaux de l'homme tels qu'ils furent définis dans la déclaration de 1789. Cette association aida les victimes de la tyrannie à se défendre et elle a su dénoncer, jusqu'à aujourd'hui, tous les abus de pouvoirs. Elle fut dissoute sur l'ordre des Nazis, lors de l'occupation de la France, ses chefs poursuivis (l'un des plus importants, Victor Basch, fut assassiné), et reformée en 1945.

3. Merleau-Ponty (1908-1961) : grand philosophe existentialiste. Après une brillante carrière de professeur aux Universités de Lyon et de Paris, il fut nommé à la chaire du Collège de France illustrée par Bergson (page 255) et à l'Académie des Sciences morales et politiques (voir page 273). Sa plus grande œuvre philosophique est intitulée : *Phénoménologie de la perception.*

Lévi-Strauss : grand sociologue né en 1908 à Bruxelles, directeur de l'Institut français d'Ethnologie et professeur au Collège de France.

Stanislas : mis pour le collège Stanislas, un des plus grands établissements catholiques d'enseignement secondaire de Paris, fréquenté surtout par les fils de la haute bourgeoisie et très réputé.

L'agrégation : concours spécialisé très difficile par lequel sont recrutés les professeurs des classes supérieures des lycées. Pour se présenter à l'agrégation, il faut être titulaire d'une licence et d'un diplôme d'études supérieures, conférés par une Université. Le but de l'École normale supérieure (voir page 485) est la préparation à l'agrégation.

Platon (vers 427-347 avant J.-C.) : philosophe grec, disciple de Socrate qu'il a mis en scène dans ses célèbres *Dialogues.* Sa philosophie repose sur la doctrine des idées, formes intelligibles, éternelles et parfaites, archétypes des choses sensibles qui n'en sont que des reflets instables et imparfaits.

Une *licence* comporte cinq certificats d'études supérieures, et Platon est étudié pour le certificat d'*Histoire générale de la philosophie.*

Hyppolite : historien de la philosophie et logicien, né en Charente en 1907. Il est aujourd'hui directeur de l'École normale supérieure.

Que pensez-vous du fait qu'il y ait tant d'hommes éminents parmi ceux qui furent les camarades d'études de Simone de Beauvoir? Ne pourrait-on pas voir là un exemple du proverbe : *Qui se ressemble, s'assemble?* Discutez.

5. Montrez comment Simone de Beauvoir considère que les femmes sont les égales des hommes sur le plan culturel et social.

6. Composez deux paragraphes où vous évoquerez une période de votre vie passée en présentant des personnages qui s'y sont trouvés mêlés.

7. Voir page 485, **Grammaire.**

SENGHOR

Léopold Sedar Senghor, né en 1906 à
Joal, près de Dakar, fit ses études en
France et devint agrégé de grammaire et
professeur de lycée. Il est catholique.
   Prisonnier en 1940, il organisa la résistance à l'intérieur d'un camp nazi. A la
libération, il fut élu député du Sénégal
à l'Assemblée nationale de Paris, et
devint ministre. Il est maintenant Président de la république indépendante du
Sénégal. Il a publié de nombreux ouvrages politiques et deux admirables recueils
de poésie, *Chants d'ombre* et *Hosties
Noires.*

Studio d'Harcourt.

A L'APPEL DE LA RACE DE SABA
V

Mère, sois bénie.

J'entends ta voix quand je suis livré au silence sournois de cette nuit
   d'Europe,

Prisonnier de mes draps blancs et froids bien tirés, de toutes les
   angoisses qui m'embarrassent inextricablement,

Quand fond sur moi, milan soudain, l'aigre panique des feuilles
   jaunes,

Ou celle des guerriers noirs au tonnerre de la tornade des tanks,

Et tombe leur chef avec un grand cri, dans une grande giration de
   tout le corps.

Mère, oh j'entends ta voix courroucée!

Voilà tes yeux courroucés et rouges qui incendient nuit et brousse
   noire comme au jour jadis de mes fugues.

Je ne pouvais rester sourd à l'innocence des conques, des fontaines
   et des mirages sur les tanns,

Et tremblait ton menton sous tes lèvres gonflées et tordues.

VI

Mère, sois bénie.

Reconnais ton fils parmi ses camarades comme autrefois ton champion KOR SANOU, parmi les athlètes antagonistes

A son nez fort et à la délicatesse de ses attaches.

En avant! Et que ne soit pas le pacan poussé,

489

O Pindare, mais le cri de guerre hirsute et le coupe-coupe dégainé

Mais, jaillie des cuivres de nos bouches, la Marseillaise de Valmy plus pressante que la charge d'éléphants des gros tanks que précèdent les ombres sanglantes,

La Marseillaise catholique,

Car nous sommes là, tous réunis, divers de teinte, il y en a qui sont couleur de café grillé, d'autres bananes d'or et d'autres terres de rizières,

Divers de traits, de costume, de coutumes, de langue; mais au fond des yeux la même mélopée de souffrances à l'ombre des longs cils fiévreux :

Le Cafre, le Kabyle, le Somali, le Maure, le Fân, le Fôn, le Bambara, le Bobo, le Maudiago

Le nomade, le mineur, le prestataire, le paysan et l'artisan, le boursier et le tirailleur

Et tous les travailleurs blancs dans la lutte fraternelle.

Voici le mineur des Asturies, le docker de Liverpool, le juif chassé d'Allemagne, et Dupont et Dupuis et tous les gars de Saint-Denis.

VII

Mère, sois bénie.

Reconnais ton fils à l'authenticité de son regard qui est celle de son cœur et de son lignage;

Reconnais ses camarades, reconnais les combattants, et salue, dans le soir rouge de ta vieillesse

L'AUBE TRANSPARENTE D'UN JOUR NOUVEAU.

Léopold Sedar SENGHOR,
Hosties Noires. — Éditions du Seuil.

————— *COMPRENEZ BIEN LE TEXTE* —————

LA VIE ET LE SENS DES MOTS

Fondre : a pour origine un verbe latin qui signifie *couler*, d'où les deux sens du verbe : descendre brusquement sur quelque chose comme un liquide qui coule (ici le milan, oiseau de proie, descend soudain sur sa victime) et le sens de rendre liquide : fondre du plomb en le chauffant.

Une tornade : du verbe espagnol *tornar*, orage où l'air tourne; un *cyclone* est un phénomène analogue, mais surtout en mer.

Une fugue : une fuite, surtout d'un enfant ou d'une personne qui manque de raison.

Un tann : désigne en Afrique une nappe d'eau; le Tana est un grand lac d'Éthiopie, pays de la reine de Saba.

La nouvelle Afrique : le pont d'Abidjan.

Une mélopée : proprement, mélodie musicale qui accompagne la diction d'un poème; les troubadours africains s'accompagnent souvent d'un instrument.

Expliquez à l'aide du dictionnaire :
La giration — inextricablement — le champion — la conque — courroucé — un prestataire — un tirailleur.

LES IDÉES ET LES SENTIMENTS

1. Quels sont les trois sens de *Mère* ?

2. Pourquoi le silence est-il *sournois* ? Pour quelles raisons le poète est-il *prisonnier* de ses *draps blancs* ?

3. Pourquoi les lèvres de la mère sont-elles *tordues* ?

4. Quelles réflexions éveille en vous le contraste entre les *guerriers noirs* et les *tanks* ? Ce contraste est répété, mais sous une forme différente. Comparez ces deux formes et commentez.

5. Qu'est-ce qui unit les Noirs des diverses races ? Qu'est-ce qui les unit à leurs frères blancs ?

6. Que pensez-vous du choix que fait le poète africain pour représenter les hommes blancs d'Europe?

7. Quelle est la qualité essentielle du *fils* ? que pensez-vous de cette qualité ?

8. Donnez un titre à chacune de ces trois strophes et montrez leur progression.

9. Relevez trois expressions particulièrement poétiques et dites les raisons pour lesquelles elles vous plaisent.

491

LANGUE ET CIVILISATION

1. La race de Saba : La reine de Saba fut, selon la légende, une souveraine qui visita Salomon (roi d'Israël, Xe siècle avant J.-C.) et revint dans ses états douée d'une sagesse extraordinaire; cette reine est, dit-on, à l'origine de la dynastie éthiopienne.

2. Pindare (522-442 avant J.-C.), grand poète lyrique grec né en Béotie. Ses *Odes triomphales* célèbrent notamment les vainqueurs des jeux Olympiques (voir page 141).

3. La Marseillaise est l'hymne national français. Il fut composé à Strasbourg par Rouget de Lisle en 1792, mais il fut chanté pour la première fois par les soldats marseillais (voir page 328).

Lors de la bataille de Valmy, le 20 septembre 1792, les soldats de la république, mal équipés et mal entraînés, mais brûlant de l'idéal de la liberté, remportent une grande victoire sur les armées, bien supérieures en nombre, des *tyrans*, le roi de Prusse et l'empereur d'Autriche, aidés par les nobles français émigrés.

Gœthe, qui assistait à la bataille, déclara : « *Dans ce lieu et en ce jour commence une nouvelle époque dans l'histoire du monde.* »

3. Comme La Grèce antique au temps de Pindare, comme l'Europe au temps de Valmy, l'Afrique est aujourd'hui dans les premières années d'une ère nouvelle : c'est le thème exaltant de ce poème. Le début de cette ère semble avoir coïncidé avec la guerre mondiale de 1939-45, à laquelle le poète participa : dans ce poème, Senghor explique qu'il n'a pas combattu pour l'homme blanc, mais pour un idéal de fraternité et de liberté.

4. Le rôle du poète : *Victor Hugo* le définit ainsi dans « Stella » :

O Nations ! Je suis la Poésie ardente.
J'ai brillé sur Moïse et j'ai brillé sur Dante.
Debout, vous qui dormez — car celui qui
me suit,
Car celui qui m'envoie en avant la première,
C'est l'ange liberté, c'est le géant lumière.

Vous relirez, page 285, le poème Jéricho, tiré du même recueil que Stella, et vous comparerez cette conception du poète prophète avec celle de Senghor.

5. Voyez-vous des ressemblances entre le style de Senghor et celui de Schéhadé (voir plus haut page 240)? Lesquelles ?

GRAMMAIRE

Quelques emplois de la préposition DE.

La préposition DE a des sens et des emplois très divers en français; il faut la répéter devant chacun des compléments qu'elle introduit. Elle sert à introduire :

1. Des compléments de nom :

A l'appel de la race de Saba. Quand je me suis livré au silence sournois de cette nuit d'Europe... couleur de café grillé. Les dockers de Liverpool...

2. Des compléments de pronom :

Celle de son cœur et de son lignage...

3. Des compléments d'adjectif :

Prisonnier de mes draps blancs... de toutes mes angoisses...

Divers de teinte, divers de traits, de costumes, de coutumes, de langue.

4. Des compléments de verbe ou de forme verbale (ici participe passé) :

... jaillie des cuivres de vos bouches.

Ici la préposition *de* et l'article défini *les* se contractent en *des; de* ici marque l'origine.

... le Juif chassé d'Allemagne.

De, ici, marque le lieu, il signifie *hors de, loin de,* c'est un complément d'éloignement.

CONSEILS POUR LA LECTURE

Le poème se présente comme un fragment de prière, c'est une invocation lyrique : il faut donc le lire avec enthousiasme. Les idées sont exprimées en des strophes inégales scandées selon un rythme large, varié et libre qui donne l'impresssion d'un chant improvisé. Les vers, inégaux, sont coupés selon un rythme respiratoire modelé sur l'émotion.

ARAGON

Louis Aragon, né à Paris en 1898. Poète et romancier, il fut un des fondateurs du surréalisme avec Breton et Eluard (voir page 348). En 1930, il rompit avec l'école surréaliste : préoccupé du rôle social du poète, il voulait que son œuvre soit accessible aux masses. On lui doit un roman cyclique intitulé *Les Communistes*; parmi les autres, nous citerons *La Semaine sainte* (1958). On trouve ses poésies choisies dans la collection « *Poètes d'Aujourd'hui* ».

Elsa Triolet, à qui est dédié le poème, est une romancière, née à Moscou, qu'Aragon épousa en 1928. Elle obtint le prix Goncourt pour *Le premier accroc coûte deux cents francs* (recueil de nouvelles).

Photo Roger Viollet.

IL N'Y A PAS D'AMOUR HEUREUX

Rien n'est jamais acquis à l'homme Ni sa force
Ni sa faiblesse ni son cœur Et quand il croit
Ouvrir ses bras son ombre est celle d'une croix
Et quand il croit serrer son bonheur il le broie
Sa vie est un étrange et douloureux divorce
    Il n'y a pas d'amour heureux

Sa vie Elle ressemble à ces soldats sans armes
Qu'on avait habillés pour un autre destin
A quoi peut leur servir de se lever matin
Eux qu'on retrouve au soir désœuvrés incertains
Dites ces mots Ma vie Et retenez vos larmes
    Il n'y a pas d'amour heureux

Mon bel amour mon cher amour ma déchirure
Je te porte dans moi comme un oiseau blessé
Et ceux-là sans savoir nous regardent passer
Répétant après moi les mots que j'ai tressés
Et qui pour tes grands yeux tout aussitôt moururent
    Il n'y a pas d'amour heureux

Le temps d'apprendre à vivre il est déjà trop tard
Que pleurent dans la nuit nos cœurs à l'unisson
Ce qu'il faut de malheur pour la moindre chanson
Ce qu'il faut de regrets pour payer un frisson
Ce qu'il faut de sanglots pour un air de guitare
  Il n'y a pas d'amour heureux

Il n'y a pas d'amour qui ne soit à douleur
Il n'y a pas d'amour dont on ne soit meurtri
Il n'y a pas d'amour dont on ne soit flétri
Et pas plus que de toi l'amour de la patrie
Il n'y a pas d'amour qui ne vive de pleurs
  Il n'y a pas d'amour heureux

Mais c'est notre amour à tous deux.

ARAGON,
La Diane française (1944).

---------------- COMPRENEZ BIEN LE TEXTE ----------------

LA VIE ET LE SENS DES MOTS

A. LES MOTS

Broyer : mot formé sur un verbe signifiant briser ; c'est briser en écrasant et ainsi détruire.

Le divorce : mot de la famille de *divers* (tourné vers de différents côtés) et signifiant séparation de deux personnes mariées ; la vie fait toujours œuvre de séparation, entre les couples d'abord, et aussi entre ce que nous désirons et ce que nous obtenons.

Une déchirure : proprement, ce qui sépare les chairs (voir *chirurgien*), d'où le sens de grave blessure, de source de souffrance.

Expliquez à l'aide du dictionnaire :
Acquérir — désœuvré — tresser — une guitare.

B. UNE EXPRESSION

Qui ne soit à douleur : qui appartienne, qui soit lié intimement à la souffrance. Musset (voir page 452) écrivait dans *la Nuit d'août* :
Après avoir souffert, il faut souffrir encore ;
Il faut aimer sans cesse, après avoir aimé.

LES IDÉES ET LES SENTIMENTS

1. Faites la liste des idées exprimées dans ce poème ; faites ensuite la liste des sentiments. Comparez les deux listes et commentez.

2. Revoyez page 362 la définition du paradoxe et cherchez les paradoxes de ce poème. Expliquez-les.

3. Relevez toutes les expressions s'appliquant spécifiquement à l'amour de la patrie, puis toutes les expressions s'appliquant à l'amour de sa femme et enfin les expressions qui peuvent s'appliquer aux deux.

4. Pensez-vous que le premier vers de l'avant-dernière strophe soit vrai ? Discutez-le.

5. Quel rôle jouent les pleurs par rapport à l'amour ? Connaissez-vous, dans votre littérature, des poètes qui ont exprimé une idée analogue ? Discutez cette idée.

6. Donnez un titre à chacune des strophes.

7. Comparez le dernier vers du poème à l'affirmation du début et commentez.

8. Quelles impressions vous laisse ce poème ?

ANALYSE DU POÈME

1. Fond : en vous servant de vos réponses aux questions ci-dessus (*Les idées et les sentiments*) 1, 3 et 6, vous montrerez comment Aragon a su habilement « tresser » son poème avec des thèmes qui s'enchevêtrent, réapparaissent après s'être enrichis, et qui sont soulignés de savants effets de répétition étudiez-les).

2. Forme : combien y a-t-il de strophes dans ce poème? combien y a-t-il d'alexandrins (voir page 278) dans chacune des strophes? Concluez.

Quelle est la longueur du vers qui constitue le refrain de ce poème?

En vous reportant à l'exemple de la page 278, vous indiquerez les accents et les pauses des douze premiers vers.

En vous reportant à l'exemple de la page 384, étudiez les rimes, leur nature, leur nombre et leur disposition.

Reportez-vous à l'analyse du poème d'Eluard (page 350, nº 2). Ne retrouvez-vous pas dans le poème d'Aragon un effet analogue de déséquilibre? Concluez.

3. Il est commode d'étudier séparément le fond et la forme, mais en réalité les deux aspects sont inséparables. Aragon partage les idées d'Apollinaire (voir page 347) sur la ponctuation, et cela l'oblige à s'exprimer avec clarté, car il ne dispose pas de l'aide des signes de ponctuation pour remédier à une obscurité dans l'ordre des mots. Ponctuez le poème.

4. Se souvenir que ce poème est une chanson simple et familière, mais qui concerne l'évocation de choses tristes et extrêmement importantes. Bien détacher le dernier vers.

GRAMMAIRE

Exercices : 1. Quel est le sujet du verbe *pouvoir* dans le vers :
A quoi peut leur servir de se lever matin?

2. Quelle est la fonction des deux adjectifs du vers :
Eux qu'on retrouve au soir, désœuvrés, incertains.

3. Expliquez l'accord du participe passé dans *Répétant après moi les mots que j'ai* **tressés.**

4. Dites la valeur du mot *tout* dans
... **tout** *aussitôt moururent.*

5. Quel est le mode du verbe *pleurer*, et quel est le sens attaché à ce mode dans :
Que pleurent *dans la nuit nos cœurs à l'unisson.*

6. Cherchez les verbes au subjonctif de la dernière strophe et expliquez l'emploi de ce mode.

Les disques ont amené une résurrection de la poésie qui est à nouveau, comme elle l'était au temps des trouvères et des troubadours, récitée et chantée. Voici deux disques, l'un comprenant **Liberté** *(voir page 350) et l'autre* **Il n'y a pas d'amour heureux.**

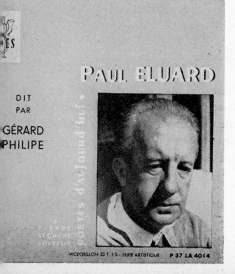

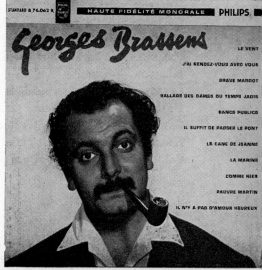

Studio d'Harcourt.

CAMUS

Albert Camus, né à Mondovi (Algérie) en 1913, tué en France dans un accident d'auto en 1960, fut un des plus grands écrivains d'après-guerre ; il reçut le prix Nobel de Littérature en 1957.

Auteur lucide, penseur profond et original, homme à la conscience droite et au sens moral aigu, Camus fut l'inspirateur de sa génération. On lui doit des essais philosophiques, notamment : *Le Mythe de Sisyphe* et *L'Homme révolté*, des romans comme *l'Etranger, la Peste* et *la Chute*, des recueils de nouvelles comme *L'Exil et le Royaume*, des articles recueillis sous le titre d'*Actuelles*, et des pièces de théâtre comme *Caligula* et *les Justes.*

* * *

CALIGULA

(La scène reste vide quelques secondes [les courtisans viennent d'expliquer que l'Empereur a disparu]. Caligula entre furtivement par la gauche. Il a l'air égaré, il est sale, il a les cheveux pleins d'eau et les jambes souillées. Il porte plusieurs fois la main à sa bouche. Il avance vers le miroir et s'arrête dès qu'il aperçoit sa propre image. Il grommelle des paroles indistinctes, puis va s'asseoir, à droite. les bras pendant entre les genoux écartés. Hélicon entre à sa gauche. Apercevant Caligula, il s'arrête à l'extrémité de la scène et l'observe en silence. Caligula se retourne et le voit. Un temps.)

HÉLICON, *d'un bout de la scène à l'autre.* — Bonjour, Caïus.

CALIGULA, *avec naturel.* — Bonjour, Hélicon. *(Silence.)*

HÉLICON. — Tu sembles fatigué?

CALIGULA. — J'ai beaucoup marché.

HÉLICON. — Oui, ton absence a duré longtemps. *(Silence.)*

CALIGULA. — C'était difficile à trouver.

HÉLICON. — Quoi donc?

CALIGULA. — Ce que je voulais.

HÉLICON. — Et que voulais-tu?

CALIGULA, *toujours naturel.* — La lune.

HÉLICON. — Quoi?

CALIGULA. — Oui, je voulais la lune.

HÉLICON. — Ah! *(Silence. Hélicon se rapproche.)* Pourquoi faire?

CALIGULA. — Eh bien!... C'est une des choses que je n'ai pas.

HÉLICON. — Bien sûr. Et maintenant tout est arrangé?

CALIGULA. — Non, je n'ai pas pu l'avoir.

496

Hélicon. — C'est ennuyeux.

Caligula. — Oui, c'est pour cela que je suis fatigué. *(Un temps.)* Hélicon!

Hélicon. — Oui, Caïus.

Caligula. — Tu penses que je suis fou.

Hélicon. — Tu sais bien que je ne pense jamais.

Caligula. — Oui. Enfin! Mais je ne suis pas fou et, même, je n'ai jamais été aussi raisonnable. Simplement, je me suis senti tout à coup un besoin d'impossible. *(Un temps.)* Les choses, telles qu'elles sont, ne me semblent pas satisfaisantes.

Hélicon. — C'est une opinion assez répandue.

Caligula. — Il est vrai. Mais je ne le savais pas auparavant. Maintenant, je sais. *(Toujours naturel.)* Ce monde, tel qu'il est fait, n'est pas supportable. J'ai donc besoin de la lune, ou du bonheur, ou de l'immortalité, de quelque chose qui soit dément peut-être, mais qui ne soit pas de ce monde.

Hélicon. — C'est un raisonnement qui se tient. Mais, en général, on ne peut pas le tenir jusqu'au bout.

Caligula, *se levant, mais avec la même simplicité.* — Tu n'en sais rien. C'est parce qu'on ne le tient jamais jusqu'au bout que rien n'est obtenu. Mais il suffit peut-être de rester logique jusqu'à la fin. *(Il regarde Hélicon.)*

Je sais aussi ce que tu penses. Que d'histoires pour la mort d'une femme! Mais ce n'est pas cela. Je crois me souvenir, il est vrai, qu'il y a quelques jours, une femme que j'aimais est morte. Mais qu'est-ce que l'amour? Peu de chose. Cette mort n'est rien, je te le jure; elle est seulement le signe d'une vérité qui me rend la lune nécessaire. C'est une vérité toute simple et toute claire, un peu bête, mais difficile à découvrir et lourde à porter.

Hélicon. — Et qu'est-ce donc que cette vérité?

Caligula, *sur un ton neutre.* — Les hommes meurent et ils ne sont pas heureux.

Hélicon, *après un temps.* — Allons Caïus, c'est une vérité dont on s'arrange très bien. Regarde autour de toi. Ce n'est pas cela qui les empêche de déjeuner.

Caligula, *avec un éclat soudain.* — Alors, c'est que tout, autour de moi, est mensonge, et moi, je veux qu'on vive dans la vérité! Et justement, j'ai les moyens de les faire vivre dans la vérité. Car je sais ce qui

497

leur manque, Hélicon. Ils sont privés de la connaissance et il leur manque un professeur qui sache ce dont il parle.

HÉLICON. — Ne t'offense pas, Caïus, de ce que je vais te dire. Mais tu devrais d'abord te reposer.

CALIGULA, *s'asseyant et avec douceur.* — Cela n'est pas possible, Hélicon, cela ne sera plus jamais possible.

HÉLICON. — Et pourquoi donc?

CALIGULA. — Si je dors, qui me donnera la lune?

HÉLICON, *après un silence.* — Cela est vrai.

(Caligula se lève avec un effort visible.)

CALIGULA. — Écoute, Hélicon. J'entends des pas et des bruits de voix. Garde le silence et oublie que tu viens de me voir.

HÉLICON. — J'ai compris.

(Caligula se dirige vers la sortie. Il se retourne.)

CALIGULA. — Et, s'il te plaît, aide-moi désormais.

HÉLICON. — Je n'ai pas de raison de ne pas le faire, Caïus. Mais je sais peu de choses et peu de choses m'intéressent. A quoi donc puis-je t'aider?

CALIGULA. — A l'impossible.

HÉLICON. — Je ferai pour le mieux.

Albert CAMUS,
Caligula. Acte I, scène 2. — Gallimard, éditeur.

────────── *COMPRENEZ ET UTILISEZ LE TEXTE* ──────────

Dans la suite de cette pièce, qui est véritablement une farce tragique, Caligula va condamner à mort certains de ses sujets, chaque jour, régulièrement et sans la moindre raison. Finalement, les hommes vont se révolter contre l'injustice de cet absurde.

Et nous comprenons alors que Caligula ne fait rien d'autre que ce que fait la vie, car dans notre monde tous les jours des gens meurent sans la moindre raison; ainsi le drame impose à nous la vision de cet absurde de la condition humaine que nous refusons de voir.

Il est indispensable, pour comprendre cette perspective, de se souvenir du fait qu'Albert Camus ne croyait pas en l'autre monde, qu'il était athée.

LA VIE ET LE SENS DES MOTS

Grommeler : onomatopée, grogner entre ses dents des paroles indistinctes.

Neutre : nom formé sur la négation et qui signifie proprement ni l'un ni l'autre, donc qui ne prend pas parti. L'Empereur se borne à constater, comme si cela ne le concernait en aucune façon.

Expliquez à l'aide du dictionnaire :

Auparavant — une immortalité — une offense.

LES IDÉES ET LES SENTIMENTS

1. Vous attendiez-vous à voir Caligula tel que Camus le décrit?

2. Pourquoi l'Empereur grommelle-t-il en voyant son image dans le miroir?

3. Que pense Camus du bonheur et de l'immortalité? Êtes-vous d'accord avec lui? Justifiez votre réponse.

4. Pourquoi ne peut-on pas tenir ce raisonnement *jusqu'au bout*?

5. Pourquoi, en apparence, l'Empereur avait-il quitté son palais?

6. Quels sont ces *moyens* dont parle Caligula?

7. Quel est le but de Caligula?

8. Faites un portrait psychologique de chacun des deux interlocuteurs en interprétant celles de leurs paroles qui vous paraissent les plus remarquables.

9. Relevez tous les traits comiques de cette scène. Que pensez-vous de ce comique, vous semble-t-il sans mélange?

THÉATRE ET PHILOSOPHIE

1. Caligula (12-41) ; empereur romain né à Antium, fils de Germanicus et d'Agrippine, demi-frère de Néron. Ce tyran acquit, par ses folies et ses crimes, une triste renommée : il se déclara dieu, se fit bâtir un temple et nomma consul son cheval. Il fut assassiné par Chéréas.

2. La pensée. — Pour Camus, le problème essentiel est le suivant : Comment accorder l'esprit de l'homme et son élan vers l'éternel avec sa nature, le caractère fini de l'existence?

« *Avant de rencontrer l'absurde l'homme quotidien vit avec des buts, un souci d'avenir ou de justification... L'absurde m'éclaire sur ce point : il n'y a pas de lendemain. Voici désormais la raison de ma liberté profonde.* »   (*Le Mythe de Sisyphe*).

La solution est la révolte, qui donne à la vie, à chaque instant de la vie, sa grandeur, en opposant à l'absurdité du monde une création qui la nie : *Créer, c'est vivre deux fois.* Cherchez dans le texte toutes les phrases qui expriment des aspects de cette philosophie.

3. Dissertation : En vous reportant p. 504, discutez cette pensée de Camus : « *On estimera peut-être qu'une époque qui, en cinquante ans, déracine, asservit ou tue soixante-dix millions d'êtres humains doit seulement, et d'abord, être jugée* » (*l'Homme révolté*).

STYLISTIQUE

1. Les synonymes : Camus emploie *fou* et *dément;* il y a aussi *insensé, aliéné* et *déséquilibré.* Camus emploie le nom *offense;* il y a aussi *une injure, une insulte, un affront* et *un outrage;* vous expliquerez chacun de ces synonymes en précisant leurs différences de sens.

2. Le style de Camus se caractérise par une extrême simplicité, qui ne comporte aucune affectation ni de vulgarité, ni de familiarité, ni d'éloquence littéraire. Le plus souvent, les phrases sont constituées de propositions indépendantes. Cependant, bien que réduites aux éléments essentiels (sujet, verbe, attribut, adverbe ou un seul complément), ces propositions indépendantes très précises ont un grand pouvoir d'évocation et les phrases sont importantes. *Tu sembles fatigué? J'ai beaucoup marché. Oui, ton absence a duré longtemps,* etc...

Quand la subordination s'exprime, c'est par les structures les plus simples; subordination relative : *c'est une des choses que je n'ai pas;* conjonctive, objet direct : *tu penses que je suis fou;* conjonctive comparative : *les choses, telles qu'elles sont, ne me paraissent pas satisfaisantes* ou conjonctive conditionnelle : *Si je dors qui me donnera la lune ?*

Quelques phrases sont un peu plus complexes : *J'ai besoin de la lune ou du bonheur ou de l'immortalité, de quelque chose qui soit dément peut-être, mais qui ne soit pas de ce monde.*

Ici l'idée exprimée pourrait prêter à une structure stylistique très pathétique ; toutefois le choix du vocabulaire et de la syntaxe souligne le parti pris de dépouillement, de simplicité, de réserve et de pudeur qui précisément donne au texte toute sa force. Seul l'emploi du subjonctif dans la proposition subordonnée souligne ce qu'il y a d'irréalisable dans la quête de l'Empereur.

Même simplicité dans les phrases les plus importantes du texte :

Les choses telles qu'elles sont ne me semblent pas satisfaisantes.

Les hommes meurent et ils ne sont pas heureux.

3. Que pensez-vous de l'indication : *toujours naturel* ?

Félicien Marceau, auteur belge de langue française, né en 1913. Il fit ses études dans un collège religieux et, après des débuts dans le journalisme et à la radio, il se consacra à la littérature. On lui doit d'importants ouvrages de critique comme *Balzac et son monde*, des romans comme *Chair et Cuir* et *Les élans du Cœur* (Prix interallié) et surtout deux pièces qui remportèrent d'étonnants succès auprès du public, *L'Œuf* (1956) et *La bonne soupe* (1958).

*
* *

L'ŒUF

Au lever du rideau, Magis est seul, à l'avant-plan. Il est occupé à réparer un poste de radio. Il chantonne, se gratte, grimace. Passe ainsi un temps assez long. Puis :

MAGIS, *vers le public.* — Je bricole... (*Il se remet à son poste de radio. Nouveau temps.*) Le dimanche, forcément... Je m'occupe...

Brusquement la radio se déchaîne. Musique aussi actuelle que possible. Magis sursaute, puis écoute. La radio s'arrête brusquement. Magis a un geste de dépit et se remet à réparer.

MAGIS. — Ici aussi pourtant, il ne s'agit que de trouver le système. Comme dans la vie... (*Il parle avec des silences entre ses phrases, comme un homme qui parle tout seul. Peu à peu, son discours s'organise.*) Mais pour la radio, le système, c'est visible... Palpable... Des lampes, des fils. (*Il donne un coup de poing sur l'appareil, musique.*) Scientifique... Tandis que le système de la vie... Savez-vous comment je l'ai découvert moi, le système? A cause de cette phrase, écoutez bien : « Il se réveilla frais et dispos. » On ne croirait pas, hein? Une petite phrase comme celle-là. Eh bien il y a tout là-dedans, toute l'imposture... A les croire, ils se réveillent tous frais et dispos. Les gens, les journaux, la radio... Tous. Ou du moins, s'ils en parlent si souvent, c'est que ça leur arrive. Eh bien, moi, jamais je ne me suis réveillé frais et dispos. Jamais. Le monde devant moi, comme un œuf, lisse, clos, fermé. Avec quoi dedans? Des hommes frais et dispos. Sauf moi. Seul. Exclu. Différent. Le cas. L'affreux. Le coupable... A la longue, je me suis inquiété. J'ai été chez un médecin, un spécialiste...

Magis prend son chapeau et va vers le médecin, en blouse blanche, qui est entré par la droite. Le médecin replie son stéthoscope.

LE MÉDECIN. — Vous n'êtes pas robuste, mais vous avez une santé de fer. Vous pouvez vivre cent ans.

MAGIS. — Alors, ces symptômes?

LE MÉDECIN. — Qu'éprouvez-vous exactement?

500

MAGIS. — Oh! rien de grave, mais le matin je me sens lourd, la bouche mauvaise, de la rouille, de l'embarras, les omoplates, les cuisses, à l'intérieur, qui me tirent...

LE MÉDECIN. — Bah! J'ai cela aussi. Ce n'est rien du tout.

MAGIS. — Mais les autres alors?

LE MÉDECIN. — Quels autres?

MAGIS, *revenant vers le public.* — Un homme capable pourtant, sérieux, un spécialiste, la Légion d'honneur. Lui non plus, il ne se réveillait pas frais et dispos. J'allais au bureau...

Le médecin est sorti par la droite. Par la gauche entrent Barbedart et Tanson, deux employés du Ministère. Ils s'installent à la grande table. Barbedart ouvre un dossier. Tanson fait des cocottes en papier. Barbedart est vieux, Tanson plus jeune.

MAGIS. — Barbedart, le matin, vous vous levez comment?

BARBEDART. — A sept heures, Magis, l'heure des braves!

MAGIS. — Oui, mais comment?

BARBEDART. — D'un bond! Une, deux. (*Imitant le clairon :*) Taratatara.

MAGIS. — Alors, vous n'avez pas de mérite.

BARBEDART. — Ah! pas de mérite, pardon. Il y a une nuance. Question de discipline. Mais j'ai la jambe qui pèse, la droite. Souvenir de la guerre. Les nuits à la dure.

TANSON, *sur un ton niais.* — Tiens, c'est votre jambe. Moi, ce serait plutôt la gorge. Tous les matins, j'ai mal à la gorge. Contracté, je dirais. Puis je prends mon café et pffouitt, parti! C'est nerveux à ce qu'il paraît.

Magis revient vers le public, alors que Barbedart et Tanson sortent en emportant leurs dossiers.

MAGIS. — Voilà! Le médecin, Barbedart, Tanson, moi, cela en faisait quatre déjà qui ne se réveillaient pas frais et dispos. Les quatre premiers à qui je le demandais. Mais la phrase alors? Mais le système? Mais l'œuf?...

Félicien MARCEAU,

L'Œuf. Acte I, scène 1. — Gallimard, éditeur.

Ensuite, nous allons assister aux épisodes importants de la vie de Magis, une sorte de Don Quichotte du XXe siècle qui part à la conquête du système, c'est-à-dire des mensonges sur lesquels s'organise la vie de l'homme moderne. Il fait des expériences « pour voir » et finit par des actions fort immorales, — s'étant assuré de la complicité du « système ».

LA VIE ET LE SENS DES MOTS

LES MOTS ET LES EXPRESSIONS

Grimacer : verbe de la même famille que le mot allemand *grimm*, qui signifie fureur. Ce mot appartenait d'abord au vocabulaire théâtral : donner à son visage un aspect de fureur; aujourd'hui, sens plus général, donner à ses traits une expression outrée.

Bricoler : verbe familier signifiant faire des petits travaux sans importance.

Le système : du nom grec *sustêma*, qui signifie proprement : ensemble philosophique. Il s'agit d'un ensemble d'hypothèses, de notions et de principes formant un tout cohérent.

Scientifique : digne de la science, qui obéit aux lois de la causalité, qui consiste à créer un ensemble déterminé de causes pour aboutir, par un mécanisme explicable, à un effet prévu.

Symptôme : du nom grec *sumptôma*, qui signifie accident. Aujourd'hui, le mot désigne toute modification accidentelle dans l'équilibre des fonctions vitales permettant de prévoir ou de diagnostiquer une maladie.

La rouille : proprement, oxyde de fer, de couleur rouge brun. Une machine rouillée fonctionne mal et difficilement; par analogie, avoir de la rouille dans une articulation.

Se lever frais et dispos : cliché à la fois sur le plan linguistique (association constante et mécanique de ces deux adjectifs) et sur le plan moral : se lever du lit prêt à affronter les tâches de la journée avec joie et avec efficacité.

La Légion d'honneur : cet ordre national de chevalerie a été institué par le premier consul Bonaparte, en 1802, pour distinguer les Français ayant rendu les plus grands services à l'État; la décoration est rouge et se porte à la boutonnière. Magis croyait qu'un homme décoré de la Légion d'honneur devait se lever frais et dispos.

Les cocottes en papier : cocotte est un mot enfantin pour *poule* (par analogie avec le gloussement); formes obtenues par pliage et ressemblant à des poules. Encore un cliché : depuis Georges Courteline (*Messieurs les ronds-de-cuir*, 1902), les humoristes considèrent les fonctionnaires français comme des désœuvrés qui tuent le temps en faisant des pliages puérils avec le papier de l'Administration. — Ce qui est loin de la réalité.

Expliquez à l'aide du dictionnaire :

Le dépit — palpable — une imposture — exclu — un stéthoscope — contracté.

LES IDÉES ET LES SENTIMENTS

1. Que pensez-vous de l'analogie entre l'organisation de la société et celle des circuits d'un poste de radio *a)* vu par un spécialiste; *b)* vu par Magis?

2. Analysez le comique de l'emploi du mot *scientifique*.

3. Pour quelle raison Magis croit-il être hors de l'œuf? Pour quelle raison est-il réellement hors de l'œuf?

4. Analysez le comique de l'emploi du mot *coupable*. Revoyez à ce sujet votre réponse à la question 8, page 478.

5. Que pensez-vous de la première phrase du médecin? Engage-t-elle sa responsabilité?

6. Comment le médecin console-t-il son client? Est-ce une vraie consolation? A votre avis, de quelle maladie le médecin est-il *spécialiste?*

7. Quelle différence voyez-vous entre l'attitude de Barbedart et celle de Tanson envers le travail?

8. Dans quel Ministère travaillent-ils? Comparez votre réponse à la réponse donnée pour la dernière partie de la question 6. Concluez.

9. Comparez les deux derniers mots du texte à la définition de *l'œuf* et montrez de quelle manière ceci est de nature à changer la perspective de Magis sur le monde et la société moderne.

TECHNIQUE THÉÂTRALE

1. Comme le Don Juan de Molière (voir page 399), la pièce de Marceau est une série de tableaux illustrant la vie du héros. Ici cependant, c'est le héros lui-même qui raconte ses souvenirs et, à certains moments de son évocation, le souvenir se matérialise sous nos yeux et est joué. Ce procédé appartient à la technique du cinéma (*Carnet de Bal*, film de Julien Duvivier, 1937) et sera repris avec une légère variante, dans l'*Alouette*, de Jean Anouilh (1950), drame dans lequel ce sont les dépositions des témoins au procès de Jeanne d'Arc qui se matérialisent jouées sous nos yeux. Ici, le monologue de Magis est illustré deux fois. Que pensez-vous du procédé?

2. Faites un portrait psychologique de Magis; puis un portrait psychologique de chacun des trois autres personnages.

3. Ces portraits reflètent certainement le déséquilibre des rôles. Ne voyez-vous pas certains inconvénients à placer sur la même scène un personnage dont le caractère est développé dans tous ses détails à côté de personnages qui sont à peine esquissés? Lesquels?

4. A votre avis, les spectateurs sont-ils dans l'*œuf* ou à l'extérieur de celui-ci? Justifiez votre réponse en imaginant les réactions du public.

5. Relevez les détails semblant mettre en accusation la société. Cela vous paraît-il habile vis-à-vis des spectateurs?

6. Comparez le comique de cette scène à celui de la scène de Caligula, page 496, à celui du texte « Un certain Plume », page 475, et à celui de la scène de Fantasio, page 452.

CONSEILS POUR LA LECTURE

Magis doit parler du ton de l'homme qui affirme des évidences pour pouvoir se féliciter lui-même d'avoir raison. C'est un personnage complexe, à la fois superficiel et désireux de poser ses questions jusqu'au bout. Les autres personnages sont des caricatures, l'une pompeuse, les deux autres grotesques.

COMPOSITION FRANÇAISE

Composez un dialogue comique sur un des sujets suivants :
— le péché par omission;
— les caprices de la mode;
— le placement d'une police d'assurance sur la vie;
— l'interview d'un peintre « abstrait ».

STYLISTIQUE

Le style de la langue parlée.

Le style de ce passage se caractérise d'abord par le grand nombre des points de suspension. Le héros s'exprime par phrases hachées, non coordonnées, sans organisation syntaxique. C'est à l'auditeur de deviner, d'imaginer ces relations inexprimées; en cela il est aidé par l'intonation, les gestes, les mouvements, les attitudes, les jeux de physionomie, etc... C'est d'ailleurs ce que l'auteur précise dans la troisième indication qu'il donne à l'acteur incarnant Magis. En vérité, Magis ne s'exprime même pas par des phrases, mais par des mots : *Palpable... des lampes, des fils*, etc... et son discours ne s'organise jamais vraiment, la structure des phrases reste très élémentaire et imprécise, avec un abus de mots indéfinis ou neutres comme *tout, çà, là-dedans, tous, ils, quoi*... Des séries d'énumérations, propres à dérouter toute logique, se succèdent : *A les croire, ils se réveillent tous frais et dispos, les gens, les journaux, la radio... tous.*

Dans la réplique : *Un homme capable pourtant, sérieux, un spécialiste, la Légion d'honneur. Lui non plus il ne se réveillait pas frais et dispos. J'allais au bureau...* aucune coordination, aucune subordination ne sont ménagées entre les diverses remarques.

Notez l'importance donnée aux objets, aux changements brusques de décors et à l'introduction de divers personnages qui sont là, non pour des raisons de réalisme ou de logique, mais qui viennent pour suggérer des images, des contrastes ou même des idées, qui ainsi n'ont plus besoin d'être exprimées par des mots (influence du cinéma).

SARTRE

Jean-Paul Sartre, né à Paris en 1905, est avec Merleau-Ponty, le principal promoteur de la philosophie *existentialiste* en France, doctrine exposée dans deux vastes ouvrages intitulés *l'Être et le Néant* (1943) et *la Critique de la raison dialectique* (1960.) Il fut élève de l'École Normale Supérieure et professeur de lycée (Le Havre, Laon et Paris). Puis il quitta l'enseignement en 1945 pour se consacrer entièrement à la littérature. Parmi ses romans nous citerons *La Nausée* et le cycle des *Chemins de la Liberté* ; parmi ses œuvres de critique, les remarquables volumes de *Situation*. Mais Sartre, nous semble-t-il, est surtout un grand dramaturge. Il s'imposa avec *Les Mouches*, pièce jouée par Charles Dullin en 1943 et depuis on n'enregistre que des succès dont les plus célèbres sont *Huis Clos* (1944), *Les Mains sales* (1948), *Le Diable et le bon Dieu* (1951) et *Les Séquestrés d'Altona* (1959).

Cl. Viollet.

*
* *

PLAIDOYER POUR LE XXe SIÈCLE

Un jeune intellectuel allemand, fils d'un industriel, a été victime « de la situation » et est devenu lieutenant dans l'armée de Hitler. Il a été amené, par la peur et par les circonstances, à commettre des atrocités. Il est rentré chez lui après la défaite et, pendant treize ans, il a vécu caché, refusant de voir qui que ce soit sauf sa sœur. A la fin de la pièce, il explique ainsi son attitude : « Les ruines me justifiaient : j'aimais nos maisons saccagées, nos enfants mutilés. J'ai prétendu que je m'enfermais pour ne pas assister à l'agonie de l'Allemagne ; c'est faux. J'ai souhaité la mort de mon pays et je me séquestrais pour n'être pas témoin de sa résurrection. » (Voir la pensée de Camus, p. 499, Dissertation).

Maintenant, il s'est suicidé avec son père, qui avait financé le parti nazi, mais il a enregistré son plaidoyer sur une bande de magnétophone et les autres protagonistes du drame sont réunis pour entendre la voix d'outre-tombe.

Siècles, voici mon siècle, solitaire et difforme, l'accusé. Mon client s'éventre de ses propres mains ; ce que vous prenez pour une lymphe blanche, c'est du sang : pas de globules rouges, l'accusé meurt de faim.

Mais je vous dirai le secret de cette perforation multiple : le siècle eût été bon si l'homme n'eût été guetté par son ennemi cruel, immémorial, par l'espèce carnassière qui avait juré sa perte, par la bête sans poil et maligne, par l'homme. Un et un font un, voilà notre mystère. La bête se cachait, nous surprenions son regard, tout à coup, dans les yeux intimes de nos prochains ; alors nous frappions : légitime défense préventive. J'ai surpris la bête, j'ai frappé, un homme est tombé, dans ses yeux mourants j'ai vu la bête, toujours vivante, moi. Un et un font un : quel malentendu ! De qui, de quoi, ce goût rance et fade dans la gorge ? De l'homme ? De la bête ? De moi-même ? C'est le goût du siècle. Siècles heureux, vous ignorez nos haines, comment comprendriez-vous l'atroce pouvoir de nos mortelles amours ? L'amour, la haine, un et un... Acquittez-nous ! Mon client fut le premier à connaître la honte : il sait qu'il est nu. Beaux enfants, vous sortez de nous, nos douleurs vous auront faits. Ce siècle est une femme, il accouche, condamnerez-vous votre mère ? Hé ? Répondez donc ! *(Un temps.)* Le trentième ne répond plus. Peut-être n'y aura-t-il plus de siècles après le nôtre. Peut-être qu'une bombe aura soufflé les lumières. Tout sera mort : les yeux, les juges, le temps. Nuit. O tribunal de la nuit, toi qui fus, qui seras, qui es, j'ai été ! J'ai été Moi, Frantz von Gerlach, ici, dans cette chambre, j'ai pris le siècle sur mes épaules et j'ai dit : J'en répondrai. En ce jour et pour toujours. Hein quoi ?

(Visages inexpressifs. Ils sortent sans se parler. A partir de « Répondez-donc » la scène est vide.)

Jean-Paul SARTRE,

Les séquestrés d'Altona, scène finale. — Gallimard, éditeur.

─────────── *COMPRENEZ BIEN LE TEXTE* ───────────

LA VIE ET LE SENS DES MOTS

Séquestrer : le premier sens du mot est mettre une chose à l'abri, en sécurité, en attendant qu'un juge décide à qui elle appartient vraiment ; par extension, emprisonner illégalement et, se séquestrer, s'emprisonner soi-même pour n'avoir plus de rapport avec le monde.

La lymphe : d'un mot latin, *lympha*, qui signifie eau claire ; c'est le liquide qui circule entre les cellules de l'organisme et qui transporte les leucocytes et les antitoxines.

Immémorial : si ancien qu'il dépasse les limites de la mémoire de l'humanité ; dont l'origine échappe.

Une perforation multiple : une blessure au ventre qui a transpercé de part en part et plusieurs fois les intestins ; ces blessures sont extrêmement douloureuses et très souvent mortelles.

Travail personnel. — Expliquez :

Maligne — nos mortelles amours — souffler les lumières — inexpressif.

LES IDÉES ET LES SENTIMENTS

1. Expliquez comment un jeune homme peut être *victime de la situation* lorsque l'orgueil d'un dictateur depuis longtemps au pouvoir engage son pays dans une guerre.

2. Pourquoi les ruines justifient-elles Frantz?

3. Diriez-vous que le père est plus ou moins responsable que le fils? Justifiez votre réponse.

4. Pourquoi l'accusé, le XXᵉ siècle, est-il *solitaire et difforme?*

5. Pour quelles raisons l'accusé meurt-il de faim?

6. Montrez comment la répétition du mot *homme* intensifie le caractère dramatique de la dualité que Sartre veut évoquer.

7. La légitime défense peut-elle vraiment être préventive?

8. Quelle est la valeur morale de la remarque selon laquelle le XXᵉ siècle est le premier à connaître la honte?

9. Pourquoi le XXᵉ siècle ne répond-il plus?

10. Expliquez l'effrayant pathétique de ce magnétophone parlant sur une scène vide.

11. Cherchez tous les détails de la plaidoirie qui indiquent que tout espoir n'est pas perdu.

UTILISEZ LE TEXTE

L'EXISTENTIALISME

1. Point de départ :

Socrate est un homme
existence   essence

L'existence précède l'essence; sans existence, l'essence est un vain mot. Il est impossible de les séparer : *un et un font un.*

2. Conséquences importantes :

— Chacun des actes de notre existence détermine notre essence.

— Notre choix est libre, mais aveugle.

— Nous sommes entièrement responsables de ce choix, d'où l'angoisse.

— L'existentialisme est un humanisme.

THÉÂTRE ET PHILOSOPHIE

1. Recherchez les caractères existentialistes de ce plaidoyer :

Frantz von Gerlach, symbole de tous les jeunes hommes du monde obligés à participer aux tueries de la guerre mondiale, a mené une existence d'officier nazi. Cela a créé son essence. C'est la signification de la première réplique, que vous analyserez.

Analysez le passage : *La bête se cachait... moi*, et montrez comment il se rapporte à la doctrine existentialiste du *choix*.

Analysez la péroraison de la plaidoirie (O tribunal... etc.) et montrez comment elle entre dans le cadre de la doctrine existentialiste de la responsabilité.

Expliquez le premier mot de la plaidoirie et montrez sa signification humaniste. Cherchez ensuite d'autres détails humanistes.

2. Si vous étiez membre du jury, cette plaidoirie vous aurait-elle convaincu ou non? condamneriez-vous le XXᵉ siècle ou l'acquitteriez-vous? Exposez les raisons de votre jugement.

3. Comparez ce texte :

— à celui de La Bruyère sur la guerre (voir page 417);

— à la dernière réplique de Spark, page 454, où il décrit le mal du XIXᵉ siècle. Ne trouve-t-on pas dans le texte de Musset l'idée de la mort d'une époque et chez Sartre l'espoir de la naissance d'une autre? Expliquez et commentez.

— au texte de Senghor, page 489 (en particulier le thème de *la mère*).

COMPOSITION FRANÇAISE

« *Le théâtre, c'est d'être réel dans l'irréel.* » Vous expliquerez et discuterez cette affirmation de Jean Giraudoux en vous appuyant sur l'étude précise de deux des extraits du livre.

STYLISTIQUE

Le style oratoire.

Ce texte est une plaidoirie prononcée par l'avocat du xxᵉ siècle. Le ton est très pathétique parce que c'est notre siècle — dont nous ne saurions nous séparer — qui est accusé. Débutant sur une apostrophe très littéraire adressée aux siècles passés et futurs, le discours se caractérise par une recherche de la violence dans l'expression, avec un goût du morbide et de l'image complaisamment sanglante, faisant l'effet d'un traumatisme sur la sensibilité de l'auditoire (*Mon client s'éventre de ses propres mains, etc...*). Ce style est heurté, violent, haut en couleurs, plein d'images multiples et délibérément choquantes (ex. *espèce carnassière, il accouche...*), avec des formes grammaticales qui donnent au style une dimension lyrique : *Si l'homme n'eût été guetté, etc...* (emploi du plus-que-parfait du subjonctif à valeur conditionnelle, forme passive soulignée par la répétition des compléments introduits par la préposition *par*).

On remarquera aussi le goût des formules elliptiques déconcertantes qui enflamment l'imagination (*un et un font un*) (en contraste avec la formule du *Don Juan* de Molière : *deux et deux font quatre*) les cris pathétiques exprimés par des verbes à l'impératif (*Acquittez-nous, répondez donc...*).

La succession des diverses formes du verbe être *(toi qui fus, qui seras...)* rappelle une philosophie liée à la notion d'existence ; l'envolée sublime : *En ce jour et pour toujours)* est brusquement interrompue par une interjection brutale et vulgaire *(hein quoi ?)* qui détonne et surprend, suggérant l'idée de l'échec possible.

Ce style est l'opposé même du style de Camus.

Rodin : La pensée.

Cl. Bulloz.

INDEX DES NOMS D'AUTEURS

———— Imprimé en France ————
TYPOGRAPHIE FIRMIN-DIDOT ET Cⁱᵉ. — MESNIL (EURE). — 2804
Dépôt légal : 3ᵉ trimestre 1964.

LA FRANCE LITTÉRAIRE

E. Verhaeren

Ste Beuve

G. Flaubert

P. Corneille

H. Rimbaud

H. de Reignier

La Fontaine   J. Racine

P. Verlaine

E. Renan
A. de Chateaubriand

C. Péguy

F. Rabelais   H. de Balzac

R. Descartes

Colette

A. Fournier

V. Hugo

A. de Vigny

J. Giraudoux

A. de Lamartine

Fénelon

B. Pascal   A. de Saint-Exupéry   J.-J. Rousseau

Montesquieu

J. Romains   Stendhal

A. Daudet

J. Giono

J. Jaurès   P. Valéry

SONT NÉS A PARIS :

XVII° siècle : *Molière, Mme de Sévigné, Boileau, La Bruyère, Saint-Simon.*

XVIII° siècle : *Voltaire, Beaumarchais, Mme de Staël.*

XIX° siècle : *Michelet, Musset, Baudelaire, Zola, Mallarmé, Bergson, Gide, Proust, Barbusse, Martin du Gard, Eluard.*